成人看護学 ❾
感染症／アレルギー・免疫／膠原病

まえがき

　医療をとりまく環境の変化は，加速度を増している。社会情勢，人口構造の変化，人々のニーズの多様化，医療の高度化・専門化，在院日数の短縮による臨床業務の過密化，流行感染症など医療現場への影響が押し寄せている。さらに患者の自宅を含む医療の場の広がりと医療機関どうしの連携のためには，すべての医療者が医療の本質を踏まえ，今の医療に求められているもの，期待されているものを的確にとらえ，応えていかなければならない。このようななかで，チーム医療の一翼を担う看護師の資質向上はきわめて重要である。

　看護師には，単に知識をもつだけでなく，それを臨床における行動に結びつける思考力と判断力をもち，どのような状況においても最善の看護を提供できることが求められている。看護基礎教育には，そのような看護師へと成長していくための基盤を与えることが期待されている。

　このような期待に応えられる教科書を目指し，2007年に本シリーズ「成人看護学」各論の再編成にあたった。その際に，看護を行ううえでの基礎知識となる「疾患の診療」を扱う第1編と「疾患をもつ患者の看護」を扱う第2編の2編編成とし，器官系統別の巻構成とした。すなわち現行カリキュラムの「人体の構造と機能」と「疾病の成り立ちと回復の促進」にあたる内容の一部，およびそれらを踏まえた「成人看護学」の内容となった。また2010年には，新たに序章を設け，患者がどのような困難をもって生活することになるのか，どのような医療が提供されるのか，というマクロな視点からみたイメージをもって本書の内容に入っていけるようにした。2018年には，さらなる強化のために第1編の構成の見直しを行い，医療現場において看護師に求められる疾患と治療についての知識を充実させた。

　今回の改訂では，疾患をもつ患者の理解と看護の全体像を示すことを目的とした従来の第2編第1章を，序章へ統合した。このマクロの視点は，医学・看護のどちらにおいても，また，両者のつながりを理解するうえでも重要であると考え，書籍全体の冒頭へと組み込んだものである。これ以外にも，新カリキュラムにおいて重視されている，地域における看護の視点の強化を行うべく，病院，そして再び日常生活の場である地域へと患者が戻っていく際の看護師の役割についても盛り込んだ。

　本書の2編編成は，基礎知識となる第1編から看護編である第2編へと内容が

つながることで生かされる。そして，本書が目指した内容のつながりとは，たとえば「人体の構造と機能」の知識と「疾病の成り立ちと回復の促進」の知識のつながりである。人体における生理的な過程が，病気の原因により，どのように変化するのかという観点から，解剖生理学の知識と症状や疾患の知識を一本につなげることはこの分野の学習の基本といえる。もう一つは，上記のような症状や疾患についての知識と，それを踏まえた看護編とのつながりである。疾患をもった患者の身体で進行している生理的・病理的過程はどのようなもので，その結果もたらされる状態はどのようなものか，患者の生命と生活にどのような影響を与えるかを把握する。それに応じて，患者一人ひとりに個別の看護上の対策をあげ，組み立てていく力が，看護には必要である。

　近年，看護師の活躍の場は多様化し，その役割は顕著に拡大し，求められる知識・技能も高度専門的になってきた。このような時代の看護基礎教育の教材に必要なことは，卒業後もさらにその上に積み上げていけるだけの，しっかりした基礎を据えることだけでなく，記述内容も臨床での傾向に合わせレベルアップすることである。そのため，卒業後のレファレンスとしての使用にもある程度耐え得るレベル感を目指すこととした。

　今回の編集では，本書の構成の大幅変更を含むいっそうの改善を図った。読者諸氏の忌憚のないご意見をいただければ幸いである。

2023年10月
編者ら

執筆者一覧

感染症

編集

内藤　俊夫	順天堂大学医学部総合診療科学講座主任教授
伊藤　道子	公立小松大学保健医療学部看護学科基礎看護学教授

執筆（執筆順）

《序章》

林　　俊治	北里大学医学部微生物学教授
笹原　鉄平	自治医科大学医学部感染・免疫学講座准教授
伊藤　道子	公立小松大学保健医療学部看護学科基礎看護学教授

《第1編》

宮上　泰樹	順天堂大学医学部総合診療科学講座助教
志水　太郎	獨協医科大学総合診療医学主任教授
髙橋　宏瑞	順天堂大学医学部総合診療科学講座准教授
細田　智弘	がん・感染症センター都立駒込病院感染制御科医長
皿谷　　健	杏林大学医学部呼吸器内科学准教授
鈴木　麻衣	順天堂大学医学部総合診療科学講座准教授
福井由希子	順天堂大学医学部総合診療科学講座准教授
大串　大輔	がん研究会有明病院感染症科医長
金澤　晶雄	順天堂大学医学部総合診療科学講座助手
乾　　啓洋	順天堂大学医学部総合診療科学講座客員准教授
松田　直人	日本医科大学付属病院総合診療科病院講師

《第2編》

伊藤　道子	公立小松大学保健医療学部看護学科基礎看護学教授
笹原　鉄平	自治医科大学医学部感染・免疫学講座准教授

アレルギー・免疫

編集

岡崎　仁昭	自治医科大学医学部 大学参与，教授，医学教育センター長
若本　恵子	虎の門病院副院長，看護部長

執筆（執筆順）

《序章》

犬童千恵子	虎の門病院看護部次長

《第1編》
岡崎　仁昭　　　自治医科大学医学部 大学参与，教授，医学教育センター長
《第2編》
犬童千恵子　　　虎の門病院看護部次長

膠原病

編集

佐藤　健夫　　　自治医科大学医学部教授
加藤恵里子　　　慶應義塾大学病院看護部長

執筆（執筆順）

《序章》
霍見美恵子　　　慶應義塾大学病院看護部師長
《第1編》
佐藤　健夫　　　自治医科大学医学部教授
《第2編》
保里　和彦　　　慶應義塾大学病院看護部
小林　万依　　　慶應義塾大学病院看護部
新藤　香織　　　慶應義塾大学病院看護部
石坂　和代　　　慶應義塾大学病院看護部
霍見美恵子　　　慶應義塾大学病院看護部師長

目次

▶ 感染症

序章 感染症をもつ成人を理解するために 003

I 感染症の重要性と発生傾向
　　　　　　　　　　　　　　　林　俊治　004

A 感染症の重要性 004
1. 人類の歴史と感染症 004
2. 感染症は他の疾患と何が違うのか？ 004

B 近年の感染症の発生傾向とその背景 005
1. 近年のわが国に影響を及ぼした感染症 005
2. 感染症の国際化 006
3. 野生動物からの感染症の侵入 006
4. 免疫力の低下と感染症 006

II 感染症をもつ患者の特徴 007
1. 身体的特徴　　　　　笹原鉄平　007
2. 心理・社会的特徴　　伊藤道子　008

III 感染症患者の経過と看護 009

A 急性期の患者の看護 009
1. 急性期に生じやすい問題 009
2. 急性期の患者への看護の視点 009

B 回復期の患者の看護 014
1. 回復期に生じやすい問題 014
2. 回復期の患者への看護の視点 015

C 慢性期の患者の看護 015
1. 身体的側面に生じやすい問題と看護の視点 015
2. 心理的・社会的側面に生じやすい問題と看護の視点 016

D 終末期の患者の看護 016

E 感染症をもつ成人と医療者のかかわり 016
1. インフルエンザではないかと考え受診したAさん 016

IV 多職種と連携した入退院支援と継続看護 019
1. 入退院支援における看護師の役割 019
2. 退院に向けた多職種連携・地域連携 019
3. 継続看護 019

第1編 感染症とその診療

第1章 感染症の基礎知識　宮上泰樹　021

I 感染の成立 022

A 感染の成立と発症 022
1. 感染の成立 022
2. 感染の発症 022
3. 感染発症後の状態, 予防策 022

B 感染を起こす微生物 023
1. 細菌 023
2. ウイルス 024
3. 真菌 025
4. 寄生虫 026

C 体内に侵入後の増殖 027
1. 細菌, 真菌, 原虫の増殖 027
2. ウイルスの増殖 027

D 病原微生物の感染経路 028
1. 外因性感染 028
2. 内因性感染 030

II 生体防御機構 030

A 自然免疫 031
1. 好中球由来の免疫 031
2. 皮膚や粘膜のバリア 031

B 獲得免疫（適応免疫） 032
1. 液性免疫 032
2. 細胞性免疫 033

　国家試験問題 033

第2章 感染症の主な症状　志水太郎　035

I 感染症の全身症状とは 036
1. 発熱 036
2. 不明熱（FUO） 036
3. 敗血症 038
4. 出血傾向 038
5. 皮疹 039

II 感染症ごとの特異的な症状 040
1. 髄膜炎 040

- 2 急性咽頭炎，急性喉頭蓋炎，副鼻腔炎 041
- 3 肺炎 042
- 4 感染性腸炎，急性腎盂腎炎 042
- 5 感染性心内膜炎 043
- 6 丹毒，蜂窩織炎（蜂巣炎），壊死性筋膜炎 043
- 7 化膿性関節炎，化膿性脊椎炎 044

国家試験問題 044

第3章 感染症にかかわる診察・検査・治療 045

I 診察の方法　高橋宏瑞 046
A 問診 046
- 1 症状の把握 046
- 2 既往歴の把握 046
- 3 生活行動の把握 047

B 身体診察 049

II 検査の方法 050
A 検体検査 050
- 1 塗抹検査（グラム染色） 050
- 2 培養検査 051
- 3 迅速抗原検査 051
- 4 真菌抗原検査 052
- 5 抗体検査 052
- 6 便の毒素検査 052
- 7 原虫・寄生虫検査 052
- 8 分子生物学的検査 052

B 特殊な疾患 053
- 1 結核 053
- 2 HIV 053
- 3 新型コロナウイルス感染症（COVID-19） 054

C 画像検査 054

III 感染症の治療　細田智弘 055
A 抗菌薬 056
- 1 βラクタム系 058
- 2 グリコペプチド系，リポペプチド系，ポリペプチド系 060
- 3 アミノグリコシド系 061
- 4 ホスホマイシン 061
- 5 マクロライド系 061
- 6 リンコマイシン系 062
- 7 テトラサイクリン系 062
- 8 オキサゾリジノン系 063
- 9 フルオロキノロン系 063
- 10 ST合剤 064
- 11 メトロニダゾール 064
- 12 抗結核薬 064

B 抗真菌薬 065
- 1 アゾール系 065
- 2 ポリエンマクロライド系 067
- 3 エキノキャンディン系 067
- 4 フルシトシン 067

C 抗ウイルス薬 067

国家試験問題 069

第4章 感染症の疾患と診療 071

I 呼吸器系感染症　皿谷健 072
- 1 急性副鼻腔炎 072
- 2 急性咽頭炎，扁桃腺炎 072
- 3 かぜ症候群 072
- 4 インフルエンザ 073
- 5 新型コロナウイルス感染症（COVID-19） 074
- 6 急性喉頭蓋炎 074
- 7 肺炎 075
- 8 胸膜炎，膿胸 077
- 9 肺結核 078

II 消化器系感染症　鈴木麻衣 079
A 消化管感染症 079
- 1 腸管出血性大腸菌感染症 079
- 2 食中毒 079
- 3 虫垂炎 080
- 4 憩室炎 081

B 肝胆道系感染症 081
- 1 肝膿瘍 081
- 2 急性胆管炎 082
- 3 急性胆嚢炎 083
- 4 ウイルス性肝炎 083

III 循環器系／血流感染症 085
- 1 感染性心内膜炎 085

2　感染性大動脈瘤　085
　　3　カテーテル関連血流感染症　085

IV　尿路感染症　086
　　1　膀胱炎　086
　　2　腎盂腎炎　087

V　性・生殖器系感染症　　福井由希子　087
　　1　尿道炎　087
　　2　骨盤内炎症性疾患（女性）　088
　　3　陰部潰瘍　089
　　4　梅毒　089
　　5　尖圭コンジローマ　091
　　6　性器ヘルペス　091
　　7　クラミジア感染症　092
　　8　淋病　092

VI　皮膚・軟部組織感染症　093
　　1　癤，癰　093
　　2　毛包炎　094
　　3　丹毒　094
　　4　蜂窩織炎（蜂巣炎）　094
　　5　壊死性筋膜炎　094
　　6　表在性血栓性静脈炎　095
　　7　リンパ管炎　095

VII　眼感染症，眼窩蜂窩織炎
　　　　　　　　　　大串大輔　095
　　1　感染性結膜炎　096
　　2　感染性角膜炎　097
　　3　感染性眼内炎　098
　　4　眼窩蜂窩織炎（眼窩蜂巣炎）　098

VIII　中枢神経系感染症　099
　　1　髄膜炎　099
　　2　脳炎　100
　　3　脳膿瘍　101

IX　免疫不全に伴う感染症　101

X　移植に伴う感染症　103
　　1　造血幹細胞移植に伴う感染症　103
　　2　造血幹細胞以外の移植に伴う感染症　105
　　3　特殊な感染症としてのクロイツフェルト・ヤコブ病（生体材料移植由来）　105

XI　菌血症，敗血症　Digest　金澤晶雄　106

XII　ヒト・動物咬傷による感染症　108
　　1　ヒト・動物（哺乳類）咬傷　108
　　2　蛇咬傷　109

XIII　ウイルス感染症　109
　　1　麻疹（はしか）　109
　　2　風疹（3日はしか）　110
　　3　水痘・帯状疱疹　110

XIV　寄生虫感染症　111
　A　蠕虫類による感染症　111
　　1　線形動物（線虫）による感染症　111
　　2　扁形動物による感染症　113
　B　原虫類による感染症　116
　C　幼虫移行症　117

XV　真菌感染症　118
　　1　カンジダ症　118
　　2　アスペルギルス症　119
　　3　クリプトコッカス症　120
　　4　そのほかの真菌感染症　120

XVI　HIV感染症　Digest　乾啓洋　121

XVII　日和見感染症　124
　A　日和見感染症の概要　124
　B　感染防御能低下によってきたしやすい疾患　125
　　1　主に好中球由来免疫低下によるもの　125
　　2　主に皮膚や粘膜のバリアの破綻によるもの　125
　　3　主に液性免疫低下によるもの　126
　　4　主に細胞性免疫低下によるもの　126

XVIII　新興感染症，再興感染症　127
　　1　新興感染症　128

2	再興感染症	128
3	新興感染症，再興感染症への対策	129
4	新興感染症，再興感染症への看護師の役割	130

XIX 薬剤耐性菌感染症　130
1. メチシリン耐性黄色ブドウ球菌（MRSA）による感染症 Digest　130
2. バンコマイシン耐性腸球菌（VRE）による感染症 Digest　131
3. 多剤耐性緑膿菌（MDRP）による感染症 Digest　131

XX 輸入感染症　132
1. コレラ　132
2. マラリア　132
3. デング熱　133
4. ジカ熱　133

国家試験問題　134

第5章 感染症の予防　松田直人　135

I 感染症の予防に関する法律　136
1. 感染症法（感染症の予防及び感染症の患者に対する医療に関する法律）　136
2. 学校保健安全法（学校保健安全法施行規則）　138
3. 検疫法　138
4. 予防接種法　138
5. 食品衛生法　140

II ワクチン接種（予防接種）　140
1. ワクチンの基礎知識　140
2. 定期接種と任意接種　144

国家試験問題　145

第2編 感染症患者の看護

第1章 主な症状に対する看護　伊藤道子　147

I 発熱　148
1. 発熱のある患者のアセスメント　148
2. 看護の視点　149

II 発疹　150
1. 発疹のある患者のアセスメント　150
2. 看護の視点　151

III 悪心・嘔吐，下痢　152
1. 悪心・嘔吐，下痢のある患者のアセスメント　152
2. 看護の視点　152

IV ショック　154
1. ショックを起こした患者のアセスメント　154
2. 看護の視点　154

V 咳嗽　155
1. 咳嗽のある患者のアセスメント　155
2. 看護の視点　156

VI 意識障害　157
1. 意識障害のある患者のアセスメント　157
2. 看護の視点　157

VII 個室入院（個室管理）による行動変容　158
1. 個室入院（個室管理）時の患者のアセスメント　158
2. 看護の視点　159

第2章 主な検査と治療に伴う看護　伊藤道子　161

I 診察時の看護　162

II 主な検査に伴う看護　163
A 便検査　163
B 尿検査　164
C 喀痰検査　165
D 血液検査　166

III 主な治療・処置に伴う看護　166
A 化学療法を受ける患者の看護　166

B 標準予防策　168

第3章　感染症をもつ患者の看護
伊藤道子　171

I 肺炎患者の看護　172
A アセスメントの視点　172
B 生じやすい看護上の問題　172
C 看護目標と看護の実際　172

II MRSA感染症患者の看護　174
A アセスメントの視点　174
B 生じやすい看護上の問題　174
C 看護目標と看護の実際　174

III 急性ウイルス性肝炎患者の看護　175
A アセスメントの視点　175
B 生じやすい看護上の問題　176
C 看護目標と看護の実際　176

IV 結核患者の看護　177
A アセスメントの視点　177
B 生じやすい看護上の問題　177
C 看護目標と看護の実際　178

V 食中毒患者の看護　178
A アセスメントの視点　179
B 生じやすい看護上の問題　179
C 看護目標と看護の実際　179

VI 造血幹細胞移植患者の看護　180
A アセスメントの視点　180
B 生じやすい看護上の問題　181
C 看護目標と看護の実際　181

VII HIV感染症／エイズ患者の看護　181
A アセスメントの視点　182
B 生じやすい看護上の問題　182
C 看護目標と看護の実際　183
　1 急性期の看護　183
　2 慢性期の看護　183
　3 在宅療養移行の看護　184

第4章　事例による看護過程の展開　187

I HIV感染症／エイズ患者の看護の事例　188
A 事例の概要　笹原鉄平　188
B アセスメントと看護のポイント　伊藤道子　189
　1 アセスメント　189
　2 看護上の問題　189
　3 看護目標　189
　4 看護の実際　189
C まとめ　189

D アレルギー・免疫

序章　アレルギー疾患をもつ成人を理解するために
犬童千恵子　193

I アレルギー疾患の近年の傾向　194
1 私たちのからだのしくみとアレルギー疾患　194
2 アレルギー疾患の近年の罹患傾向　194

II アレルギー疾患をもつ患者の特徴　194

III アレルギー疾患患者の経過と看護　196
1 経過と入院時の状況　196
2 治療およびケア　197
3 患者と医療者のかかわり　197

IV 多職種と連携した退院支援と継続看護　198

- **A** 入退院支援における看護師の役割　198
- **B** 退院に向けた多職種連携・地域連携　198
- **C** 継続看護　199
- **D** 入退院支援の実際　199

第1編　アレルギー疾患とその診療

第1章　免疫とアレルギーの基礎知識
岡崎仁昭　201

I 免疫とは，アレルギーとは　202

II 免疫反応　202

- **A** 2つの免疫系　202
  1. 自然免疫　203
  2. 獲得免疫　203
- **B** 免疫機能に重要な細胞　206
  1. 骨髄系細胞　206
  2. リンパ系細胞　206
- **C** 免疫系活性化の機序　207
  1. 樹状細胞，マクロファージの役割　207
  2. サイトカインの分泌　208
  3. ケモカインの分泌　208
  4. 化学伝達物質（ケミカルメディエーター）　209

III アレルギー反応に関係する因子　210

1. アレルギー抗体IgEの役割と意義　210
2. アレルゲンの特徴　210
3. 遺伝因子，環境因子　211

国家試験問題　212

第2章　アレルギー反応のしくみと分類
岡崎仁昭　213

I I型アレルギー　214

1. I型アレルギーの機序　214
2. I型アレルギー反応にかかわる化学伝達物質　214
3. I型アレルギーの代表的疾患　216
4. I型アレルギー反応の即時相と遅発相　216

II II型アレルギー　216

1. II型アレルギーの機序　216
2. II型アレルギー反応にかかわる化学伝達物質　216
3. II型アレルギーの代表的疾患　217
4. 組織傷害をきたさないV型アレルギー　217

III III型アレルギー　218

1. III型アレルギーの機序　218
2. III型アレルギー反応にかかわる化学伝達物質　218
3. III型アレルギーの代表的疾患　219

IV IV型アレルギー　219

1. IV型アレルギーの機序　219
2. IV型アレルギーの代表的疾患　219

国家試験問題　220

第3章　アレルギー疾患にかかわる診察・検査・治療
岡崎仁昭　221

I アレルギー疾患の診察　222

- **A** 医療面接　222
- **B** 身体診察　224

II アレルギー疾患の検査　225

- **A** 一般的検査　225
- **B** 総IgE値の検査　225
- **C** 抗原特異的IgE抗体の検査　226
  1. 試験管内での検査法　226
  2. スキンテスト（生体での検査法）　226
- **D** 誘発試験・除去試験　228

III アレルギー疾患の治療　229

- **A** 特異的療法，根本的療法　230
  1. 抗原の回避　230
  2. 免疫療法（減感作療法）　230

B 薬物療法　231
　　　1 副腎皮質ステロイド薬　231
　　　2 抗アレルギー薬　232
　　　3 IgE抗体産生抑制薬　232
　　　4 気管支拡張薬　232
　　C 心理療法，訓練療法　232

　　　国家試験問題　233

第4章　アレルギー疾患と診療
岡崎仁昭　235

I 気管支喘息　236

II アレルギー性鼻炎 Digest　242

III アトピー性皮膚炎　247

IV 蕁麻疹 Digest　251

V 接触皮膚炎 Digest　253

VI 薬物アレルギー　254

VII 食物アレルギー　257

VIII アナフィラキシー Digest　259

　　　国家試験問題　264

第2編　アレルギー疾患患者の看護

第1章　主な症状に対する看護
犬童千恵子　265

I 呼吸器症状　266
　　1 呼吸器症状のある患者のアセスメント　266
　　2 看護の視点　267

II 消化器症状　268
　　1 消化器症状のある患者のアセスメント　268

　　2 看護の視点　269

III 循環器症状　270
　　1 循環器症状のある患者のアセスメント　270
　　2 看護の視点　271

IV 皮膚症状　272
　　1 皮膚症状のある患者のアセスメント　272
　　2 看護の視点　272

V 眼症状　273
　　1 眼症状のある患者のアセスメント　273
　　2 看護の視点　274

第2章　主な検査と治療に伴う看護
犬童千恵子　275

I 診察時の看護　276

II 主な検査に伴う看護　277
　　A 皮膚反応検査　277
　　B 誘発試験　278
　　C 造影剤を使用する検査　279

III 主な治療・処置に伴う看護　281
　　A 免疫抑制療法　281
　　B ステロイド療法　282
　　C アレルゲン免疫療法（減感作療法）　283

第3章　アレルギー疾患をもつ患者の看護
犬童千恵子　285

I 蕁麻疹患者の看護　286
　　A アセスメントの視点　286
　　B 生じやすい看護上の問題　287
　　C 看護目標と看護の実際　287
　　　1 急性期の看護　287
　　　2 慢性期の看護　288

II アトピー性皮膚炎患者の看護 288
- A アセスメントの視点　289
- B 生じやすい看護上の問題　290
- C 看護目標と看護の実際　290
  - 1 急性期の看護　290
  - 2 慢性期の看護　291

III アレルギー性鼻炎・花粉症患者の看護 291
- A アセスメントの視点　292
- B 生じやすい看護上の問題　293
- C 看護目標と看護の実際　293

IV 気管支喘息患者の看護 294
- A アセスメントの視点　295
- B 生じやすい看護上の問題　296
- C 看護目標と看護の実際　296
  - 1 急性期の看護　296
  - 2 慢性期の看護　297

V アナフィラキシー患者の看護 299
- A アセスメントの視点　299
- B 生じやすい看護上の問題　300
- C 看護目標と看護の実際　300
  - 1 急性期の看護　300
  - 2 慢性期の看護　301

VI 食物アレルギー患者の看護 302
- A アセスメントの視点　302
- B 生じやすい看護上の問題　303
- C 看護目標と看護の実際　303

VII 薬物アレルギー患者の看護 304
- A アセスメントの視点　304
- B 生じやすい看護上の問題　305
- C 看護目標と看護の実際　305

第4章 事例による看護過程の展開
犬童千恵子　307

I 気管支喘息患者の看護 308
- A 事例の概要　308
- B 急性期の看護　309
  - 1 アセスメントと看護のポイント　309
- C 慢性期の看護　310
  - 1 アセスメントと看護のポイント　310

▶ 膠原病

序章 膠原病をもつ成人を理解するために
霍見美恵子　317

I 膠原病の近年の傾向 318
- 1 膠原病の特性と罹患傾向　318
- 2 主な疾患の近年の傾向　318

II 膠原病をもつ患者の特徴 319
- 1 身体的特徴　320
- 2 心理・社会的特徴　322

III 膠原病患者の経過と看護 323
- 1 全身性エリテマトーデスと診断されたAさんの経過　323

IV 多職種と連携した入退院支援と継続看護 326
- 1 入退院時支援における看護師の役割　327
- 2 退院に向けた多職種連携・地域連携　329
- 3 継続看護　331
- 4 入退院支援の実際　332

第1編 膠原病とその診療

第1章 膠原病の基礎知識
佐藤健夫　335

I 膠原病とは 336
- A 膠原病, 結合組織病, リウマチ性疾患, 自己免疫性疾患の意味　336

II 膠原病の原因・分類 337
- A 膠原病の原因 337
- B 膠原病の分類 337

III 膠原病（自己免疫性疾患）発症のしくみ 339
- A 免疫と免疫応答のしくみ 339
  1. 免疫とは 339
  2. 免疫応答が起こるしくみ 340
- B 免疫寛容（トレランス） 342
- C 自己免疫寛容の破綻 342
- D 膠原病（自己免疫性疾患）における臓器障害を生じるしくみ 344
  1. 自己抗体（液性免疫）による臓器障害の発症機序 344
  2. 細胞傷害性T細胞（細胞性免疫）による臓器障害の発症機序 344

国家試験問題 344

第2章 膠原病の症状と病態生理
佐藤健夫 345

I 全身症状 346
- A 発熱 346
- B そのほかの全身症状 347

II リウマチ症状 347
- A 関節症状 347
  1. 関節の痛み，こわばり 347
  2. 関節炎と関節痛の違い 347
  3. 関節炎の予後 348
  4. 関節炎の鑑別と診断 348
- B 筋症状 349
  1. 筋肉痛 349
  2. 筋力低下 349
- C 滑液包炎・腱鞘炎 349
- D 骨痛・四肢痛 350

III 皮膚・粘膜症状 350
- A 紅斑 351
  1. 顔面にみられる紅斑 351
  2. 体幹や四肢にみられる紅斑 351
- B 紫斑 352
- C レイノー現象と皮膚潰瘍・梗塞・壊疽 353
  1. レイノー現象 353
  2. 皮膚潰瘍・梗塞・壊疽 353
- D そのほかの皮膚・粘膜症状 354
  1. 皮膚硬化 354
  2. 皮下結節 354
  3. 口腔粘膜の病変 354
  4. 爪周囲の変化・爪の変化 355

IV 内臓病変 355
- A 腎・尿路病変 355
  1. 糸球体病変 355
  2. 尿細管病変 356
  3. そのほかの病変 356
- B 呼吸器病変 356
  1. 間質性肺炎 356
  2. 気道病変 357
  3. 胸膜炎 357
  4. 肺高血圧症 357
  5. そのほかの病変 357
- C 神経病変 357
  1. 中枢神経病変 357
  2. 末梢神経病変 358
- D 循環器病変 358
  1. 心病変 358
  2. 血管病変 358
- E 消化器病変 359
  1. 消化管病変 359
  2. 肝病変 359

V 眼・耳鼻咽喉病変 359
- A 眼病変 359
- B 耳鼻咽喉病変 360

国家試験問題 360

第3章 膠原病にかかわる診察・検査・治療　佐藤健夫　361

I 膠原病の診察　362
- A 問診　362
- B 身体所見　363
  1. 視診　363
  2. 触診　363

II 膠原病の検査・診断　365
- A 検査の意義　365
- B 検査の実際　366
  1. 一般検査　366
  2. 炎症反応検査　368
  3. 免疫学的検査　368
  4. そのほかの検査　370
- C 膠原病の診断　371

III 膠原病の治療　371
- A 薬物療法　371
  1. 炎症と自己免疫異常の抑制　371
  2. そのほかの症状に対する薬物治療　371
- B 膠原病の治療薬　371
  1. 非ステロイド性抗炎症薬（NSAIDs）　372
  2. 副腎皮質ステロイド薬　372
  3. 抗リウマチ薬（DMARDs）　374
  4. 免疫抑制薬　376
  5. 分子標的薬：生物学的製剤，JAK阻害薬　377
  6. そのほかの薬剤，治療　378
- C 外科的治療　378
- D リハビリテーション　379
- E 社会的支援の活用　379
- F 日常生活上の注意点　380

　国家試験問題　380

第4章 膠原病と診療　佐藤健夫　381

I 関節リウマチ Digest　382

II 全身性エリテマトーデス Digest　386

III 抗リン脂質抗体症候群　390

IV 血管炎症候群　392

V 強皮症　395

VI 皮膚筋炎，多発性筋炎　399

VII 混合性結合組織病　401

VIII シェーグレン症候群 Digest　402

IX ベーチェット病　404

X 成人スチル病　406

XI リウマチ性多発筋痛症　407

　国家試験問題　408

第2編 膠原病患者の看護

第1章 主な症状に対する看護　保里和彦　409

I 発熱　410
1. 発熱のある患者のアセスメント　410
2. 看護の視点　411

II リウマチ症状　412
1. リウマチ症状のある患者のアセスメント　413
2. 看護の視点　414

III 皮膚粘膜症状　415
1. 皮膚粘膜症状のある患者のアセスメント　416
2. 看護の視点　417

IV 腎・尿路系障害 418
1. 腎・尿路系障害のある患者のアセスメント 418
2. 看護の視点 419

V 呼吸器症状 420
1. 呼吸器症状のある患者のアセスメント 421
2. 看護の視点 421

VI 神経症状 422
1. 神経症状のある患者のアセスメント 423
2. 看護の視点 423

VII 循環器症状 424
1. 循環器症状のある患者のアセスメント 425
2. 看護の視点 425

VIII 消化器症状 426
1. 消化器症状のある患者のアセスメント 426
2. 看護の視点 426

第2章 主な検査と治療に伴う看護
小林万依 429

I 診察時の看護 430
1. 診断時の看護 430
2. 診察時の看護 430

II 主な検査に伴う看護 430
A 血液・尿検査 430
1. 採血 431
2. 採尿 431
B 穿刺 431
C 病理学的検査 432
D 画像検査 433

III 主な治療・処置に伴う看護 433
A 薬物療法を受ける患者の看護 433
1. 副腎皮質ステロイド薬 433
2. 非ステロイド性抗炎症薬 437
3. 免疫抑制薬 438
4. 生物学的製剤 439
B 救急時の対応 440
1. 治療前の看護 440
2. 治療中の看護 441
3. 治療後の看護 441
C リハビリテーション時の看護 442
1. 治療前の看護 442
2. 治療中の看護 442

第3章 膠原病をもつ患者の看護 445

I 関節リウマチ患者の看護
新藤香織 446
A アセスメントの視点 446
B 生じやすい看護上の問題 448
C 看護目標と看護の実際 448
1. 急性期（関節リウマチの活動期）の看護 448
2. 回復期（急性期からの回復）の看護 449
3. 寛解期（在宅・地域における療養生活）の看護 453
4. 終末期の看護 454

II 全身性エリテマトーデス患者の看護 454
A アセスメントの視点 455
B 生じやすい看護上の問題 456
C 看護目標と看護の実際 457
1. 急性期の看護 457
2. 回復期（急性期からの回復）の看護 457
3. 寛解期（在宅・地域における療養生活）の看護 459
4. 終末期の看護 459

III ベーチェット病患者の看護
石坂和代 460
A アセスメントの視点 460
B 生じやすい看護上の問題 461
C 看護目標と看護の実際 461

IV 全身性強皮症患者の看護 462
A アセスメントの視点 463
B 生じやすい看護上の問題 464

C 看護目標と看護の実際　　　464

V 多発性筋炎・皮膚筋炎患者の看護　465
　　A アセスメントの視点　　　466
　　B 生じやすい看護上の問題　　　467
　　C 看護目標と看護の実際　　　467

VI シェーグレン症候群患者の看護　468
　　A アセスメントの視点　　　469
　　B 生じやすい看護上の問題　　　470
　　C 看護目標と看護の実際　　　470

第4章　事例による看護過程の展開
霍見美恵子　473

I 全身性エリテマトーデス患者の看護の事例　474
　　A 事例の概要　　　474
　　B アセスメントと看護のポイント　　　475
　　　1 アセスメント　　　475
　　　2 看護上の問題　　　476
　　　3 看護目標　　　476
　　　4 看護の実際　　　476
　　　5 療養環境調整／退院前指導　　　479

　　国家試験問題　解答・解説　　　481
　　索引　　　485
　　電子付録　情報関連図　　　494

> 本書では，看護師国家試験出題基準に掲載されている疾患について，当該疾患の要点をまとめた Digest を掲載しました。予習時や試験前の復習などで要点を確認する際にご活用ください。

感染症

序章

感染症をもつ成人を理解するために

I 感染症の重要性と発生傾向

A 感染症の重要性

1. 人類の歴史と感染症

　中国の武漢で2019（令和元）年に発生した新型コロナウイルス感染症（COVID-19）が，わずか数か月で世界的大流行となり，われわれの社会に大きな被害をもたらしたことは記憶に新しい。しかし，人間社会に大きな影響を与えた感染症はCOVID-19が初めてではない。過去にも様々な感染症の大流行が起きており，それらは人類の歴史に大きな影響を与えてきた。

　そのなかで最も重要なものはヨーロッパにおけるペスト（黒死病）の大流行であろう。ヨーロッパではペストの大流行が6～8世紀および14～17世紀に起きている。奇しくもこれはヨーロッパの中世の始まりと終わりにほぼ一致しており，ペストによる人口減少が社会の変革を起こしたと考えられている。わが国では飛鳥時代から奈良時代にかけて天然痘の大流行が起きている。当時の人々は天然痘に対して無力であり，ただひたすら仏にすがるしかなかった。その結果として日本に仏教が定着したと考えられている。東大寺の大仏建立の目的の一つは天然痘流行の終息祈願であった。また，中南米のアステカ帝国やインカ帝国が少数のスペイン人によって短期間で滅ぼされたのは，スペイン人が同地に天然痘を持ち込んだからである。当時の中南米は天然痘の処女地であり，住民は免疫を持っていなかった。そこに天然痘が入ってきたために，大流行が起き，組織的な抵抗ができなかったのである。このように，感染症は人類の歴史に大きな影響を与えてきたのである。

　前記の時代，感染症に対する効果的な治療法や予防法は確立していなかった。しかし，当時の人々も感染症がヒトからヒトへと伝染し，社会全体へ拡散していくものであることには気づいていた。そこで，感染症の拡散を防ぐために患者の隔離が行われるようになった。また，感染者との接触を断つために，健常人が自宅に引きこもるといったこともあった。ヨーロッパのペスト大流行の際に，アドリア海沿岸にあったラグサ共和国（現在のクロアチア西部）では，ペストが国内に侵入するのを防ぐために検疫制度の原型が生まれている。このように過去の感染症の流行は現在の社会制度にも影響を与えているのである。

2. 感染症は他の疾患と何が違うのか？

　感染症はヒトからヒトへと伝染し患者数が増えていくという点が他の疾患と異なる。感染症の大きな流行が起きれば，すべての人が感染の恐怖に怯えることとなる。その結果，感染症は社会に混乱をもたらし，患者に対する差別や迫害が起きてしまう。中世ヨーロッ

パのペスト大流行では，恐怖に怯えた人々がユダヤ人をスケープゴートとして迫害する事件が起きている。ハンセン病患者に対する差別も各国で長年行われてきた。日本政府が過去のハンセン病政策に対して責任を認めて謝罪したのは2001（平成13）年のことである。しかし，以上のような差別や迫害は決して過去のものではない。現在でも，エイズに代表される性感染症の患者に対しては冷たい視線が浴びせられるし，COVID-19の流行に際しても様々な社会混乱が起きた。このような現象は他の疾患では見られないものである。

B 近年の感染症の発生傾向とその背景

1. 近年のわが国に影響を及ぼした感染症

21世紀に入ってからわが国に影響を及ぼした主な感染症を表1にまとめた。まず，21世紀初めての新興感染症として発生したのが2002（平成14）～2003（平成15）年の重症急性呼吸器症候群（SARS）である。幸い日本では流行が起きなかったが，SARSは指定感染症となり，その後2類感染症となった。2006（平成18）～2007（平成19）年の冬季および2012（平成24）～2013（平成25）年の冬季には，ノロウイルスによる食中毒の流行がみられた。2007～2008（平成20）年には麻疹が大学生と高等学校，中学校の生徒を中心に流行した。インフルエンザは季節性に毎年流行を繰り返していたが，2009（平成21）年に従来の流行型とは異なる型のインフルエンザウイルス（H1N1）による流行が起き，新型インフルエンザ等感染症が発生したと厚生労働省は宣言した。同感染症は2010（平成22）年に終息が宣言された。また，2012～2013年の風疹の流行は30～40歳代の男性が患者の8割を占めた。さらに，先天性風疹症候群の患児が40人以上誕生した。2013年には重症熱性血小板減少症候群（SFTS）の患者がわが国で初めて確認された。2014（平成26）年の夏季にはデング熱の国内発生が起き，東京の代々木公園を中心に小流行が見られた。これまで60年間以上デング熱は国内で発生していなかった。そして，2019年に中国の武漢で発生し，2020（令和2）年に日本に上陸したのがCOVID-19である。本症は世界的な大流行となり，日本の社会や経済にも大きな影響を与えた。COVID-19は2023（令和5）年になっ

表1 21世紀に入ってからわが国に影響を及ぼした主な感染症

2002～2003年	重症急性呼吸器症候群（SARS）
2006～2007年の冬季	ノロウイルスによる食中毒
2007～2008年	麻疹の流行
2009年	新型インフルエンザ（H1N1）の世界的流行
2012年～2013年	風疹の流行，先天性風疹症候群の患児が40人以上誕生
2012年～2013年の冬季	ノロウイルスによる食中毒
2013年	重症熱性血小板減少症候群（SFTS）の患者を国内で初めて確認
2014年の夏季	デング熱の国内発生
2019年～	新型コロナウイルス感染症（COVID-19）の世界的流行

て5類感染症となったが，その流行が完全に終息したわけではない．

2. 感染症の国際化

　近年の感染症の発生傾向のなかで最も重要なのは，感染症の国際化である．国際社会のグローバル化によって大量のヒトやモノが国境を越えて頻繁に行き来するようになった．しかし，これは感染症が短期間で世界中に拡散しうることも意味している．2009年の新型インフルエンザ（H1N1）や2019年に始まったCOVID-19は，わずか数か月で世界中に拡散している．2014年に東京で小流行を起こしたデング熱も海外から侵入してきたものであろう．また，日本社会の国際化に伴い日本国内に居住する外国人が増えてきているが，彼らが結核を発症する例が増加しており，問題となっている．以上のように，感染症は国境を越えて広がっていくものであり，今後この傾向はますます強くなっていくであろう．

3. 野生動物からの感染症の侵入

　近年問題となった感染症のなかには，野生動物の世界から人間社会へ侵入してきたものが少なくない．われわれが新型と呼んでいる病原体は何もないところから突然出現するわけではない．これらの病原体は野生動物の間に昔から存在していたものであり，これが人間社会へ侵入してきたのである．インフルエンザウイルスの本来の宿主は野生の水鳥であり，新型コロナウイルスの本来の宿主はコウモリであると考えられている．SFTSの原因ウイルスも日本の野生動物の世界に昔から存在していたものと思われる．このような病原体が人間社会へ侵入してくる背景には，人間がその活動範囲を無秩序に拡大していることがあげられる．その結果，人間が野生動物に接触する機会が増えているのである．

4. 免疫力の低下と感染症

　2007〜2008年における麻疹の流行および2012〜2013年の風疹の流行の背景には，日本人の免疫力の低下があったと考えられる．麻疹の場合，幼少期に接種したワクチンの効果が思春期に低下し，この年代に流行が起きたと考えられる．また風疹の場合，男性に積極的にワクチン接種を行ってこなかったために，男性を中心に流行が起きたと考えられる．しかし，その男性患者から妊娠女性に感染し，先天性風疹症候群の患児が誕生している．風疹を制御するためには，男女ともにワクチンを接種しなくてはならなかったのである．

　以上のような特定の感染症に対する免疫力の低下とは別に，免疫力が全体的に低下している人が感染症に罹患すること（日和見感染）がある．具体的には，免疫抑制薬を使用している患者，抗がん薬を使用している患者，糖尿病患者などが感染症に罹患しやすい．免疫力が低下した人は今後増加していく傾向にあり，それに伴い日和見感染の症例も増えていくであろう．

II 感染症をもつ患者の特徴

1. 身体的特徴

　微生物は外部からヒト（宿主）に到達して皮膚や粘膜などに**定着**する。あるいは，もともと常在微生物としてヒトに定着しているものもいる。これらが何らかのきっかけで増殖して宿主への寄生状態となると**感染**とよばれる。感染した微生物の一部は病原性を発揮し，宿主側の反応によって発熱や倦怠感などの諸症状を呈するようになる（**感染症**）。微生物の種類や感染部位，宿主の免疫状態などによって，起こる身体的特徴には実に様々なものがある（表2）。

　感染症には，狂犬病のように，原因微生物が感染するとほぼ全員が同様の経過をたどる疾患から，新型コロナウイルス感染症（COVID-19）のように，感染者によって症状や重症度が大きく異なるものまで様々あるため，「Aという微生物＝Bという病気」という学びかたが通用するのは，ごく一部である。

　症状がないまま微生物が定着あるいは感染している宿主を，**無症候性キャリア**とよぶ。無症状のまま周囲に微生物を伝播させる無症候性キャリアの問題は，公衆衛生的観点から，しばしば問題となる。また，本人が気づかないまま徐々に肝細胞を障害するC型肝炎や，慢性的な感染によって不妊を引き起こす性器クラミジアのように，身体的特徴が乏しい感染症であっても重大な結果につながるものもあるため注意が必要である。

　EBウイルスやヒトパピローマウイルス（HPV），ヒトT細胞白血病ウイルス1型（HTLV-1）のように，感染者全員ではないものの，宿主に腫瘍を発生させる原因となるものも知られるようになってきた。ほかにも無害と思われていた微生物の定着・感染が，感染症以外の何らかの病気発生に関連している可能性が示唆されており，様々な研究が進められている。

表2　感染症患者に起こる身体的変化の例（軽症から重症まで網羅的に記載してある）

全身的な変化	・発熱　・倦怠感　・頭痛　・悪心　・関節痛・筋痛　・リンパ節腫脹 ・呼吸数増加　・免疫力低下　・白血球数の変化　・炎症反応亢進 ・多臓器不全　・意識障害　・敗血症性ショック
局所的な変化	・呼吸器関連（咳，喀痰，くしゃみ，鼻汁，咽頭痛，胸痛） ・循環器関連（脳梗塞，心不全，動脈瘤） ・消化器関連（悪心・嘔吐，下痢，腹痛，黄疸） ・泌尿器関連（頻尿，排尿時痛，血尿，膿尿，背部痛） ・神経関連（髄膜刺激徴候，痙攣，脳神経麻痺） ・皮膚関連（腫脹，発赤，疼痛，紫斑，水疱，疣贅） ・感覚器関連（結膜充血，眼痛，視力低下，耳漏，耳痛） ・性器関連（異常帯下，尿道分泌物，性交時痛，骨盤痛，陰嚢痛，不妊） ・骨・関節関連（骨や関節部位の腫脹・疼痛，病的骨折）

2. 心理・社会的特徴

1 患者の心理

　健康な人が疾病になったことを知ったとき，多くの場合は衝撃を受ける。そして，回復への対処が患者個人の力では難しい場合には混乱し，不安や恐怖をもつことが多い。感染症のもつイメージから「自分が本当に感染症なのだろうか……」あるいは「死んでしまうのではないだろうか……」と考えてしまう場合もある。多くの成人は家庭や社会で何らかの役割をもっている。感染症により，それらの役割をやめざるを得ないとき，周囲への説明や了解を必要とし，理解が得られない場合は苦痛をより感じることもある。また，感染症は，ほかの疾患とは異なり「他者からうつされた」という被害者意識が働く場合もある。加えて，家族，職場の同僚など周囲の人々にも感染を広げるおそれのある疾患である。そこで，患者自身の過失が原因で，周囲の人々に迷惑をかけてしまうと考え，大きな負担感を抱いていることもある。

2 個室管理と感覚遮断

　個室管理（個室入院ともよばれる）を余儀なくされる感染症では，外界からの刺激が通常より少ない状態に置かれる。このように正常な刺激が減った状態を**感覚遮断**といい，睡眠パターンの変化，思考の緩慢化，自尊心の低下などが起こることが知られている。もし，患者に自覚症状がないのに個室管理をされたり，個室管理をされたのにもかかわらず，回復傾向がみられない場合は「進まない治療」に対する苛立ちなどが現れ，心理的な負担が大きくなる。感染症の治療を受けている患者は個室で過ごし，外へ出ることが制限されている状態のため，家族やペットなどと共に生活していた環境とは異なる場で療養することに起因する苦痛や心理的影響はもちろん，社会からも遮断されてしまう。このことは「隔離」されているという社会的偏見を助長することにもつながる。また，感染症により休業することで「仕事ができない不安」や「経済的な不安」も起こる可能性がある。病状が急激に変化して死を迎えるケースもあり，残した仕事や家族への影響なども考える必要がある。

III 感染症患者の経過と看護

A 急性期の患者の看護

1. 急性期に生じやすい問題

急性期に生じやすい問題として表3に示すようなものがある。身体的・心理的・社会的側面の問題は、すべての患者に生じる。それらの問題の解決が見込めない場合、療養が安楽とはならない。そのため看護師は、患者にどのような問題が生じているか、解決できる見通しがあるかなどをアセスメントし、患者と医療チームで共に問題解決を促す。

2. 急性期の患者への看護の視点

1 生命の維持

医師は、感染源の精査および診断と、早期からの適切な治療によって、生命の維持を図り、苦痛のある期間を短縮し、障害を残さないように努め、看護師はそれらに協力する。初期の対応が遅れると急激な悪化をみることがあるため、観察は重要である。強度の脱水や呼吸障害、意識障害、敗血症によるショック状態では救命処置が行われる。特に高齢者や小児では自覚症状と病状の進行に差がある場合が多いため、注意して観察する。

患者のバイタルサインの測定を確実に実施することをはじめ、そのほかの症状や患者の訴えを把握し、治療が効果的に実施されているかが判断できるように情報を共有する。また、治療や検査は速やかに実施できるように準備し、実施後は直ちに後片づけを行う。

表3 急性期の患者に生じやすい問題

	生じやすい問題
身体的側面	・生命の危機 ・食欲不振，栄養不足 ・他者への感染（感染防止が必要となる） ・運動不足，セルフケアの不足 ・睡眠不足，体力の消耗 ・疼痛，そのほかの苦痛
心理的側面	恐怖・不安，苛立ち，孤独，悲しみ
社会的側面	経済問題，家族・地域との関係，会社・友人との関係

2 栄養

❶病状と栄養

　発熱や呼吸困難などの自覚的苦痛のために食欲が低下したり，下痢や腹痛，悪心・嘔吐のために食事の摂取が困難になる場合が多い。経口摂取が可能な場合は，患者の嗜好に合わせたメニューで，食べられるときに少量ずつでも摂取できるよう配慮する。可能な場合は家族へも協力を求める。家族に差し入れを依頼するときは，患者の病状や調理上の注意点を具体的に説明する。水分の喪失が激しく経口的に摂取することが困難な場合や，消化管の安静が必要な場合には輸液が行われる。

❷食欲増進の工夫

　個室入院（個室管理）の場合には日常生活が単調になり，食欲が低下しがちである。生活にリズムをつけるように工夫したり，好みのものが食べられるのであれば，それを食べてもらうようにする。

❸患者・家族指導

　食中毒など食品を介した消化器系感染症が起こった場合には，調理方法や食品の管理に問題はなかったかなどを調査・検討し，また，これまでの食生活を振り返るよい機会となる。生鮮食品は長期間冷蔵庫に保存しない，食品に記入されている消費期限や賞味期限を守る，魚介類の生食では鮮度に十分注意する，野菜類は流水でよく洗うなど，具体的な例をあげて指導する。

　接触感染する感染症患者に対しては，ディスポーザブル（シングルユース）の食器にするほか，通常の食器を使用した後に熱湯で洗浄・消毒することもある。そのため，熱湯や薬剤での消毒に耐えることができる素材の食器を準備する。

3 排泄

❶排泄物の処理

　排泄物は感染源となるため，その取り扱いには十分な注意が必要である。膿や尿，便，喀痰，鼻汁中に病原体が混入していることや，咳嗽などによって病原体が周囲に飛散する危険性があるからである。病原体や感染経路に関する知識に基づいて，排泄物は性状や量を観察した後，安全に処理する。感染源となる便や尿が看護職者のからだに飛散する可能性のあるときは，個人防護具のエプロンなどをつけて，水洗トイレや院内の汚物槽に流す。喀痰や膿汁，衛生材料は焼却する。便器や尿器はその患者専用にすることが望ましい。患者が鼻汁や痰を自力で排出可能な場合は，手洗いがしやすいようにペーパータオル，ごみ箱などを利用できるように整え，感染源が拡散しないように留意する。

❷手指の消毒

　手指に付着した病原体が口から侵入する可能性もあることを患者に説明し，排泄後の手指の消毒と洗浄を促す。排泄に介助を必要とする場合は，他者への感染を予防するために，

介助時はディスポーザブル手袋を着用し，処理後に手指衛生をする。

❸ 患者への配慮

手袋などの個人防護具を医療者が身につけることによって，患者が自分は汚染されたもの，他者に悪影響を及ぼすものとして，自分を否定的にとらえることがないように，必要性を説明した後に着用するなどの配慮が必要である。また，排泄の援助を受けることによって患者が自尊心を失ったり，援助を屈辱的なこととしてとらえたりする場合がある。そのため，病状によって必要な部分を補っているのであり，患者個人の人間性に影響しないということを，患者が感じられるように援助する。

4 清潔

❶ 皮膚・粘膜の清潔

病原体は健康な皮膚からは侵入することができないが，傷ついたり，弱くなった皮膚からは容易に侵入する。日頃から皮膚の状態に注意を払い，感染を予防する。皮膚や粘膜は，発汗や下痢，皮疹などによって汚染されやすい状態になる。高熱が続き体力の消耗が著しいとき，急性期や症状が悪化傾向にあるときは，入浴が禁止される。患者の状態に合った方法で清拭を行い，清潔と同時に爽快感が得られるように援助する。

下痢時に生じやすい肛門周囲のびらんや発赤は，感染の危険をさらに高める。清拭や軟膏塗布により皮膚を保護したり，陰部洗浄により悪化を防ぐ。温水洗浄機能のあるトイレの使用は，排泄のたびに洗浄できるため効果的である。清拭や洗浄後は清潔な寝衣に交換する。口腔は細菌が繁殖しやすいため，歯みがきや含嗽など口腔ケアを行う。嘔吐によって口腔が汚染された場合は含嗽を行う。

5 環境の調整

感染症患者は，他者への病原体の伝播を防ぐために他者から隔てられることがある。法に規定された感染症の場合，患者は入院しなくてはならない。急な入院を余儀なくされた患者は，限られた空間のなかで生活するために，刺激が少なくなり，孤独感や孤立感，拘束感を抱きやすい。患者個人の治療と他者への感染予防という特殊な状態のなかで，身体的な苦痛をもつ患者が安心して治療を受け，より安楽な生活を継続できるよう援助する。個室入院（個室管理）時は，食事や排泄はもちろん生活のすべてを病室内で行うため，整理整頓や清浄な空気など環境の調整は重要である。

❶ 空調

個室入院での施設内における空調は，患者に快適な生活空間を提供するという意味だけでなく，結核など空気感染による疾病においては病原微生物をコントロールするためにも必要である。そこでは汚染された空気が清潔な区域に流れないように空調の設定を確認する。

❷清掃

　微生物による汚染を拡散させないように清掃は適切な方法で速やかに行う。清掃は，清潔な場所から不潔な場所へ，高い所から低い所へ，奥から手前へと，個人防護具を装着して埃をたてずに行うことが原則である。高頻度に患者が接触しているベッドサイドなどは，湿式清掃をする。血液の飛散やノロウイルスの吐物での汚染など，高度の汚染がある場合は，次亜塩素酸ナトリウムで消毒を速やかに行う。壁やカーテンは，目視で汚染があれば，そのつど清掃や交換をする。清掃終了時，手指衛生をする。

　病室に蚊やハエ，ゴキブリ，ネズミなどが侵入しないように，日頃の清掃に加え，定期的な害虫駆除が必要である。窓を開けてよいエリアでは，外からの害虫の侵入を防ぐため網戸を設置する。

❸退院時の消毒

　患者の退院時には消毒する。ディスポーザブルの製品は定められた方法で廃棄し，再生するものはその物品の性質に応じ，洗浄後，高圧蒸気滅菌やエチレンオキサイドガス滅菌，プラズマ滅菌もしくは消毒などの方法を講じる。汚染の激しいものは厳封して廃棄する。

6　運動と安静

❶運動

　感染症病床に入院すると，活動範囲が制限され，運動不足になりやすい。運動不足や安静によって筋力の低下や関節の拘縮，消化機能の低下などが生じる可能性がある。患者の状態がよければ，可能な限り座位ではなく立位で過ごすことは，退院してから歩行するための準備となる。

❷安静

　発熱や嘔吐，下痢などの感染症状が強い時期は，消耗を避けるために安静が必要であり，その程度に応じて活動内容と行動範囲が決定される。症状の強い時期や感染力のために，他者に与える影響が大きいと判断されたときは，安静の程度や行動範囲は厳重に規制される。検査や診察のために患者が個室管理区域外や感染症病棟外へ移動するときは，病原体の感染経路を考え，ほかの患者への感染を拡大させないための予防策を講じる。その一つとして，検査の順番を最後にしたり，呼吸器系感染症ではマスク着用の必要性を患者に説明するなどして協力をしてもらう。

　安静が必要な時期には安静を保つことができるように，テレビの視聴やパソコンの使用などにとどめ，過度な行動は制限する。

7　休息

❶検査・処置時の配慮

　感染症患者にとって休息は，体力の消耗を最小限に抑え，回復力を維持・増強するために重要である。一方，注射などの多くの処置や検査は，患者の休息や睡眠を妨げる場合が

多い。したがって夜間の医療行為を可能な限り避けるだけでなく，日中に行う際にも処置と同時にケアを行うなど，患者が十分休息をとれるように配慮する。

❷ 精神面への配慮

患者が感染源となるため面会が制限される場合には，身体的苦痛に加えて，親しい人々と過ごす時間も制限される。その結果，患者は親しい人々から自分という存在が忘れられているのではないかと不安になって，精神的な安定が損なわれる場合がある。面会時間については，ほとんどの医療施設で規定されているが，患者の心身の状態に合わせて調整することも必要である。また，面会が好ましくない時期や人に対しては，電話やWi-Fiによるオンライン環境を活用したテレビ面会などの工夫をする。

❸ 日常性の維持

精神的な安定を得るためには，入院前の生活により近い環境が望ましい。しかし，感染症のための個室入院では所持品も限定される場合が多い。小児では，情緒の安定を図るために玩具が必要であるように，成人においても愛読書など退院時に消毒・滅菌が可能なものや，破棄できるものは持参が可能であるため，十分な説明を行う。個室入院ということで，すべてを制限するのではなく，患者が安心して療養生活を送ることができ，他の入院患者に危険を及ぼさないことを基準に判断する。また，安静や拘束感のために精神活動も低下しやすい。そこで，テレビやラジオ，新聞やインターネットの視聴，読書などの病室内でできる活動を可能な限り整え，SNSや電話などで外部とコミュニケーションが図れるように努める。

8 苦痛の緩和

大部分の感染症は，発熱や倦怠感などが初期症状として現れ，次いで各疾患に特徴的な消化器症状や呼吸器症状，神経症状，皮膚症状などが出現する。

発熱や脱水，意識障害，全身倦怠感，筋肉痛，悪心・嘔吐，落屑，滲出液などの諸症状は，重くなると他者の援助を受けなければ生活できない状態となり，日常生活に影響を及ぼす。そのため，各症状が緩和されるように十分なケアを行う。発熱や疼痛に解熱鎮痛薬が投与される場合は，確実に投与し，その薬の効果を観察し，報告する。意識障害が起こると，ベッドからの転落，歩行障害による転倒などの事故の危険も生じる。そこで，症状に付随して起こり得る事故を予測し，ベッドやベッド柵の高さを工夫するなどして，2次障害の発生を防ぐよう努める。

9 不安の軽減

患者を精神的に苦しめるものとして，自身の生命に関する不安のみならず，自身のために周囲の人々にも感染が及ぶのではないかという不安がある。特に性感染症においてはこの不安は大きいが，性感染症に関してはいまだ社会の偏見が強いために言葉にできず，一人悩むという場合も多い。一方，誤った知識から不安を強めている場合もあるため，急性

期においても患者が疾患を正しく理解できるよう説明するとともに，可能な生活行動についても伝え，不安の軽減に努める。

患者のプライバシーの確保には最大限に留意する。たとえば，B型肝炎を示す「HB（＋）」や梅毒を示す「STS（＋）」，ワッセルマン反応などの検査結果（記載内容）は，感染予防の点から医療者間で明示が必要な場合もあるが，面会者など多数の人へ個人情報を漏らしてしまうことのないよう注意する。個人情報の保護に努めることもまた看護の役割である。

10 家族への支援

家族は，患者の生命に対する不安や，自分たちも発症するのではないかという不安，同居の場合は一緒に住んでいるのに予防できなかったという自責の念など，様々な感情をもつ。そのような家族の感情に配慮し，患者と同様に家族にも発症に至る経緯や病状についての説明，感染症に対する指導を行うなど，家族にとっても学習の機会となるようにかかわる。また，同居者が最も感染を受ける可能性が高いため，検査を行うように勧め，異常の早期発見と感染症の蔓延の予防に努める。

B 回復期の患者の看護

1. 回復期に生じやすい問題

1 身体的側面に生じやすい問題

身体的側面で生じる問題としては，脳炎や髄膜炎などの後遺症として麻痺や活動性，意識レベルの低下などがある。基本的には体内から病原微生物が排除されれば回復したと考えられるが，長く続く発熱から体力の消耗や，活動制限による運動不足がみられることもある。

なお，水痘・帯状疱疹ウイルスは，髄膜炎，脳炎などの中枢神経系合併症を起こすこともあるが，耳介帯状疱疹と内耳神経障害（めまいや難聴），顔面神経麻痺を伴い，ラムゼイ・ハント症候群といわれる症候がみられる可能性もある。また，帯状疱疹後神経痛といわれる疼痛が続く場合もある。

2 心理的・社会的側面に生じやすい問題

長期にわたる自由のない個室入院による苛立ちや，職場からの長期離脱による復帰への不安，あるいは経済的な不安などが起こってくる。また，家族から敬遠されているのではないかという不安も起こる。後遺症により長期に治療が継続される場合は，闘病意欲や経済基盤を失わせないようにする。

2. 回復期の患者への看護の視点

1 生じやすい問題の予防

　感染症の罹患によって生じる不利益には，後遺症としての機能障害，社会的役割の変更や喪失，個人の尊厳の喪失などがある。具体的には脳炎や髄膜炎，壊疽の後遺症としての麻痺や欠損，認知機能や活動性の低下，長期入院による職場内の役割変更や配置転換，家庭内での役割変更がある。入院によって生じやすいこれらの問題に対しては，早期からそれらの有無を明らかにして影響が最小限となるよう援助する。また，患者や家族が病状，機能障害について正しく理解できるように援助する。

2 疾病体験を生かした健康指導

　感染症は，病原微生物や感染経路などについての知識や健康思想の普及によって，ある程度の予防が可能である。患者が疾病体験を振り返り，自ら学習の機会として認識できるように導くことが必要である。再度，感染しないように日常生活に留意すると同時に，地域の人々の健康への意識を高めるために，感染症の罹患体験を生かすことができるよう協力する。たとえば食事前や排泄後の手洗い，**咳エチケット**は身近なことであり，習慣化されれば有効な予防策となる。また，感染症の前駆症状や闘病体験は，後から同じ感染症にかかる患者を見分け，受診を促進することにもつながる。

3 退院の決定

　退院は患者にとってうれしいことである反面，直ちに入院前の生活に戻ろうとすると環境が異なるため，支援が必要となる場合もある。患者が不足なく日常生活を送るためには，どのような援助が必要かを判断し，退院前にそれらを整える必要がある。

C 慢性期の患者の看護

1. 身体的側面に生じやすい問題と看護の視点

　呼吸器感染症や尿路感染症，肝炎などは慢性の経過をたどることが多い。病状が悪化しないように受診する環境が整っているか確認し，その態勢がない場合は受診が継続可能となるように援助する。また，疾病をもっていても日常生活行動が可能となるように援助する。

　腸チフスの罹患者では，臨床症状が消失しても保菌者となっている場合があり得る。そのとき，他者に感染させないように，手洗いをはじめとする予防措置を守ってもらうよう指導する。

2. 心理的・社会的側面に生じやすい問題と看護の視点

罹患時は，感染症法により就業制限が行われる場合もある。たとえば結核の場合，「接客業その他の多数の者に接触する業務が，病原体を保有しなくなるまでの期間またはその症状が消失するまでの期間」が対象となっている。患者の希望している職業に就けるのか，どのような状態であれば復職できるのかを，そのつど確認して情報を得，闘病意欲を失うことなく継続して治療できるよう支援する。

D 終末期の患者の看護

1 終末期に向けた援助

人間性を尊重し，患者が残された時間を有効に使えるよう，可能な限り援助する。終末期は，身体的苦痛に加え，死への不安など，患者は心身ともに厳しい状況におかれることになる。看護師としては，そのような患者の状態を的確に受けとめ，少しでもその人らしい最期を迎えられるように援助する。また，患者だけでなく家族を支えることも大きな役割である。1類感染症，2類感染症，3類感染症の患者が亡くなり，病原体に汚染されているか，あるいはその可能性がある場合，火葬や消毒後に埋葬することが感染症法で定められている。そのため，家族や友人は別れの儀式に臨む時間が限られることもある。これらの制限を踏まえて，家族や友人が最期の時間を過ごすことができるように支援する。

2 安全な環境の提供

患者の血液や体液，排泄物，汗を除く分泌物，粘膜などは感染源であることを踏まえ，それらから感染が起こらないように適切に処理し，安全な環境をつくるようにする。

E 感染症をもつ成人と医療者のかかわり

1. インフルエンザではないかと考え受診したAさん

1 Aさんの経過と受診時の状況

Aさんは30歳代の既婚女性で，会社員である。インフルエンザ流行前の秋に，インフルエンザワクチンを接種している。A型インフルエンザ流行中の2月のある日，Aさんは特に自覚症状もなく通常どおりに起床し出勤した。仕事に取り組んでいた午前10時頃，急に熱感を自覚した。しかし急ぎの仕事があったため，その後30分程仕事を継続した。再度熱感を自覚し，倦怠感や後頭部痛も感じて仕事の継続も難しくなったため，周囲に体

調不良を話し，会社の保健室へ行った。体温測定をすると38.0℃であった。インフルエンザが流行しているため，職場を早退して受診することにした。

医療機関の玄関前へAさんが到着すると「発熱で受診する方は，事前にお電話をしてください」と掲示されていたので従った。発熱者専用の入り口が別にあり，そこから入って欲しいこと，その入り口近くに専用の待機所があり，その場所での着席と待機の協力を案内された。

2 Aさんに対する治療およびケア

Aさんは，その症状や流行の状況により，インフルエンザである可能性が高い。もしインフルエンザであれば，高熱や倦怠感による苦痛が強く，発症1日前から他者への2次感染を起こす可能性がある。そのため，Aさんがなるべく早く確定診断がつき処置を済ませて帰宅できるよう，つまり医療機関での待機時間が少なくなるように援助する。また，自宅で休養できる環境が整っているか確認し，職場復帰が速やかにできるよう援助する。

❶外来でのトリアージなどによる2次感染の防止

Aさんに，ふだんとは異なる経路での医療機関への出入りや別室での待機など，感染予防に協力してもらったことをねぎらう。飛沫感染防止のため，サージカルマスクを着用してもらう。ほかの患者と接触しない専用室周囲などで，短時間で診察券や支払いなどの授受ができるようにする。医療従事者もマスクを着用してAさんと接し，ほかの患者への2次感染を防ぐ。

❷患者への速やかな診察のための看護援助

Aさんの来院時に体温測定をして，医師へ報告する（Aさんの体温は38.5℃となっていた）。医師は問診と聴診の後，インフルエンザの迅速検査の実施を指示した。この検査は，鼻腔拭い液を採取し，インフルエンザ迅速診断キットで判定する。鼻腔拭い液の採取は，鼻腔粘膜を綿棒で擦過するため痛みを伴う。そのため，痛みがあるが，すぐに終わることを事前に伝え協力を得る。検査を実施する医療従事者は，鼻腔から出血させないように注意をして擦過する。綿棒で擦過するとその刺激で，鼻汁や咳，流涙がみられる場合があるため，事前にティッシュペーパーをAさんが手に取れる場所に準備し，いつでも使用できるようにする。また，使用済みのティッシュペーパーは，すぐに廃棄できるようにゴミ箱を準備し，手洗いも勧める。検体採取時の医療従事者は，ディスポーザブル手袋を着用する。検査結果は10～20分で判明する。結果をすぐその場で知らせるため，患者に待機してもらうよう協力を得る。

❸診断の確定と回復のための看護援助

医師は検査結果から，A型インフルエンザと診断した。そして院外処方は2次感染を招くおそれがあるため，インフルエンザにはノイラミニダーゼ阻害薬の一つであるラニナミビルオクタン酸エステル水和物（以下，ラニナミビル。商品名：イナビル®）を，解熱薬にはアセトアミノフェンを院内処方した。その場で吸入薬のラニナミビルを吸入してもらい，治

療は終了した。休養時の注意として，安静にして休養をとること，高熱により脱水になる
おそれがあるため水分を摂取することを伝えた。そして，約3日後には解熱するが，解熱
しないときや一度解熱しても再度発熱する場合，解熱しても倦怠感が続く場合は，二次性
細菌性肺炎の発症も考えられるため，再受診をするように話した。

　ラニナミビルは，発症から48時間以内に服用しなければ効果がないため，発症の時期
を確認後，吸入してもらう。また本剤は口から吸い，その後2～3秒呼吸を止め，吸入口
に出さないように呼気を吐く。吸入後，呼吸を長く停止すると失神やショック症状を伴う
可能性があるため，座位でリラックスして吸入してもらう。

　自宅で安静を保ち，休養できる状況にあるか確認する。幸いAさんは子どもや高齢者
との同居はなく，夫とは家事を分担しているため日常生活は困らないとのことであり，休
養できる状況にあると判断できた。わが国では季節性のインフルエンザに出勤停止は定め
られていないが，Aさんの会社は連絡すると速やかに休業を認めてくれた。ただし，午前
中に仕事で接した上司や同僚に自分がインフルエンザの疑いで自宅療養となったこと，今
後インフルエンザ発症という迷惑をかけるかもしれないことを電話連絡する必要があっ
た。実際にAさんは，皆に「(自分のせいで)迷惑をかけるかもしれない」と話した。

❹自尊心を尊重した態度での接しかた

　飛沫感染予防策と標準予防策により，インフルエンザの感染防止を行う。マスクの着用
は必要だが，それ以外の患者を避ける行動は，患者の自尊心を損なう可能性がある。いつ
もと同じ距離で問診をするなど，行動に気をつける。

IV 多職種と連携した入退院支援と継続看護

1. 入退院支援における看護師の役割

　患者が入院生活を過不足なく送れ，治療が適切に行われるよう，入院前から不安や要望などを聴き，入院環境を整える。また治療・療養が継続的に必要となるかを早期に把握し，もし長期の治療・療養が必要な場合には，転院先の施設においても適切な治療・療養の環境が整うよう援助する。具体的には，患者と家族のニーズの明確化をし，ほかの施設の医療従事者による援助に役立て，地域包括ケアシステムの活用へ導くことができるようにする。

2. 退院に向けた多職種連携・地域連携

　療養が必要な場合や心身の障害を起こした場合には，理学療法士や作業療法士，臨床心理士，ソーシャルワーカー，地域保健担当者など，他部門や他職種と連携をとりながら援助する。ほかの職種が何を行い，どのようなことに責任をもっているのかを知ることによって，どのような職種にアプローチをすれば患者のニーズを満たすことができるのかがわかり，より充実した医療を提供できる。

　近年，専門分野を担当する専門看護師，認定看護師が増えてきている。また，チーム医療が進められており，栄養サポートチーム（NST），緩和ケアチーム，感染対策チーム（ICT），医療安全チーム，呼吸サポートチーム（RST），皮膚・排泄ケアチームなどが院内で活動している。所属する医療施設において，どのチームや，どの専門・認定看護師に依頼すれば，どのような問題が解決できるのかを知り，積極的に活用していく。

3. 継続看護

1　継続看護・在宅看護に向けた援助

　感染症のなかには，治癒後に病前の状態に完全に戻ることができるものだけではなく，ポリオ（急性灰白髄炎）や脳炎など治療過程で心身に障害が生じるケース，肝炎のように悪化の可能性があるため継続して検査や治療が必要となるケースもある。看護の対象は，心身に障害が残ったケースや，継続した検査や治療が必要なケースが大部分である。

　また，入院中にMRSA（メチシリン耐性黄色ブドウ球菌）の保菌者となり，家族を説得しても退院後の患者との同居を拒否するような場合もある。そのため，患者が日常生活に戻っていける環境かどうか，正確な状況を把握し，患者のみならず家族を含めた支援を行う。

2 継続した受診を可能にする環境

　退院後に継続した受診が必要な患者には，受診が途絶えないよう援助をすることが必要である。そこで，退院計画を立てるときには，①どのような交通手段で通院し，②時間や費用はどれくらいかかるか，③天候や季節によって受診のための時間や経済的な負担が増すのか，④1人で通院できない場合，通院を助けてくれる家族や友人がいるのか，などを把握する必要がある。たとえばHIV感染に対しては，抗ウイルス薬が開発されていて，定期的に多剤を使用して治療することで血中のウイルス量の増加を防ぐことができ，エイズの発症を遅らせることが可能となる。そのため継続した確実な服薬が求められるが，その際は患者に十分に説明して理解を得ることが不可欠となる。

参考文献
・ウィリー・ハンセン，ジャン・フレネ著，渡辺格訳：細菌と人類；終わりなき攻防の歴史，中央公論新社，2008，p.32-36.
・加藤茂孝：人類と感染症の歴史；未知なる恐怖を超えて，丸善出版，2013，p.37-52.

第1編 感染症とその診療

第1章 感染症の基礎知識

この章では
- 感染の成立と発症について理解する。
- 病原微生物の種類や特徴を理解する。
- 病原微生物の体内での増殖, 感染経路について理解する。
- 生体防御機構について理解する。

I 感染の成立

A 感染の成立と発症

　感染の成立・発症は，微生物とヒト（宿主）との闘いをイメージするとわかりやすい。微生物がヒトの体内のいずれかの組織や細胞に定着・増殖した状態を**感染**が成立した状態と定義する。また，感染が成立して臨床症状が生じた場合を**発症**と定義し，その状態を**感染症**とよぶ。

1. 感染の成立

　感染は，**病原微生物**（感染の原因となる微生物）の感染力がヒトの免疫力を上回ることでヒトの体内に侵入し，病原微生物が増えていくことで成立する。つまり，感染の成立とは「病原微生物の感染力＞ヒトの免疫力」となった状態のことである。

2. 感染の発症

　すべての病原微生物による感染が発症するわけではなく，発症しない状態での経過中に，ヒトの免疫力が微生物の感染力を上回ることがある。感染が成立して発症するものは**顕性感染**とよばれ，一方，感染が成立しても発症しないものは**不顕性感染**とよばれる。さらに，発症しない病原微生物が体内にいるヒトを**無症状病原体保有者**，その病原微生物が細菌の場合を**保菌者**とよぶ。

　感染から発症するまでの期間（潜伏期間）は，かぜウイルスのように数日で発症するもの（**急性感染**）や，B型肝炎やC型肝炎のように感染して経過が長期的なもの（**慢性感染**）がある。また，単純ヘルペス感染症やサイトメガロウイルス感染症に代表される感染していてもヒトの免疫力が低下するまでは感染状態にはならないもの（**潜伏感染**），HIV（ヒト免疫不全ウイルス）感染症やクロイツフェルト・ヤコブ病のように数年から数十年かけて発症（**遅発性感染**）するものもあり，病原微生物により様々である。

3. 感染発症後の状態，予防策

1 感染発症後の状態

　感染して発症しても，感染症がヒトに与える影響は，病原微生物の種類やヒトの免疫力によって異なる。たとえばインフルエンザを発症した場合，上気道症状，発熱，筋肉痛など，いわゆるかぜ様症状を引き起こす。健康なヒトであれば，おおむね1週間程度で改善するが，高齢者や免疫力が低下しているヒトは，インフルエンザから続発的に肺炎を引き

起こすと死に至ることもある。そのため，感染において免疫力は重要なウエイトを占めるといえるだろう。

また，近年の新型コロナウイルス感染症（COVID-19）の影響もあり，空気感染やエアロゾル感染という言葉を耳にする機会も多くなった。

▶ **空気感染**　空気中にウイルスが漂っていることを定義し，空気中に漂っているウイルスを吸入することで感染する。原因微生物としては，麻疹，水痘，結核があげられる。

▶ **エアロゾル感染**　くしゃみや咳などで出た病原体を含む飛沫物を周囲の人間が吸入すると感染する。原因微生物は，主に上気道感染をきたしうるウイルス感染症（インフルエンザや新型コロナウイルスなど）があげられる。

2 予防策

ヒトが備え持つ免疫力（**自然免疫**）だけでなく，ワクチンの接種で得られる免疫力（**獲得免疫**）や感染対策を行うことによって微生物から身を守る方法がある。

▶ **ワクチン**　外部から弱毒化した微生物（もしくは無毒化された**抗原**）を体内に接種することによって，その微生物に対する特異的な免疫を獲得するための医薬品である。

▶ **感染予防対策**　感染症を予防するために，マスクをしたり，汚物に触る際に手袋やエプロンをしたり，病室に行く前後や処置をする前後で手洗いをしたりと，様々な方法で感染から身を守る方法である。

▶ **空気感染の予防策**　患者の部屋の空気を陰圧の状況にすることで，部屋から原因微生物が外に出ないようにしたり，医療者は N-95 マスクを装着し，原因微生物を吸入しないようにする。

▶ **エアロゾル感染の予防策**　特に上気道症状があるときには互いが可能な限りサージカルマスクをすることが大切である。

B 感染を起こす微生物

感染を起こす微生物（病原微生物）は，大きく細菌，ウイルス，真菌，寄生虫の4つに分類される。

1. 細菌

▶ **特徴**　細菌は最外層に細胞壁，その内側には細胞膜があり，内部に細胞質や核様体，リボソームがあり，核膜をもたない**原核生物**（単細胞生物）である。細菌の形は，ブドウの房のような球形をしている細菌（**球菌**）や，棒状やらせん状の形をした細菌（**桿菌**）など様々である。細菌の大きさは $1\mu m$ 程度といわれている。

細菌には，増殖する過程で酸素がないと生きられない細菌（**偏性好気性菌**），酸素があると生きられない細菌（**偏性嫌気性菌**），どちらの環境下でも生きられる細菌（**通性嫌気性菌**）が

ある。偏性嫌気性菌のなかには，生存困難な生活環境では**芽胞**（がほう）という形態をとって自分の身を守るものがある。芽胞は，高温・乾燥に強く，アルコールの消毒薬にも耐性があるため，感染対策が難しい。芽胞に対して，通常の細菌の形態を**栄養型**という。

また，ジフテリア菌やボツリヌス菌，破傷風菌など一部の細菌は，毒素を産生することで感染症をきたす。さらにブドウ球菌やレンサ球菌は，感染後に産生した毒素によりショック状態（毒素性ショック症候群［トキシショック症候群］，toxic shock syndrome；TSS）をきたす。

▶ **検査・診断**　多くの細菌感染の診療では，まず原因臓器を絞り起因菌を想定し，それに対応できる抗菌薬を選択して治療をしていくため，起因菌を把握することが大切である。起因菌を把握する手段としては培養検査がある。細菌は人工培地で培養可能な単細胞生物であるが，リケッチアとクラミジアは人工培地で培養ができないという特徴がある。培養検査は基本的に抗菌薬の治療を始める前に行う必要がある。抗菌薬治療後に培養検査を施行しても，細菌が死滅してしまい，細菌感染を起こしていた場合も培養結果は陰性となり，検査の正確性が損なわれる。

培養検査は，血液培養や尿培養，痰や便培養など様々な種類があるが，細菌感染が疑われたとしても，すべての部位の培養検査をルーティンで行う必要はない（上気道症状のない人に対する痰培養など）。

▶ **分類**　細菌を分類するためには光学顕微鏡で細菌の観察を行う。**グラム染色**という染色法で細菌の形や染色液の染まり具合で評価する。グラム染色で紫色に染まる細菌を**グラム陽性菌**，ピンク〜赤色に染まる細菌を**グラム陰性菌**という。グラム陽性菌は球菌が多く，一方，グラム陰性菌は桿菌（かんきん）が多い。

▶ **代表的な細菌**　代表的な細菌と感染しやすい臓器を**表 1-1** に示す。

2. ウイルス

▶ **特徴**　ウイルスは，ほかの細菌や真菌などと比較するとサイズが小さい（20〜300nm ほど）。核酸とたんぱく質から構成されており，核酸のまわりはカプシドというたんぱく質

表 1-1　代表的な細菌と感染しやすい臓器

	球菌	桿菌
陽性	黄色ブドウ球菌（皮膚，骨，心臓） 表皮ブドウ球菌（皮膚） 肺炎球菌（肺，中枢神経） A群β溶血性レンサ球菌（皮膚，上気道） 腸球菌（尿路，心臓）	ジフテリア菌（上気道） リステリア菌（中枢神経，皮膚） クロストリジウム属菌（皮膚）
陰性	淋菌（生殖器） 髄膜炎菌（中枢神経） モラクセラ・カタラーリス（肺）	大腸菌（尿路） インフルエンザ桿菌（肺） 緑膿菌（肺，尿路） レジオネラ菌（肺） カンピロバクター・ジェジュニ（腸）

表1-2 代表的なウイルス

	DNAウイルス	RNAウイルス
エンベロープあり	ヘルペスウイルス,B型肝炎ウイルス,天然痘ウイルス	HTLV-1,麻疹ウイルス,風疹ウイルス,デングウイルス,SARSウイルス,ムンプスウイルス,インフルエンザウイルス,C型肝炎ウイルス,HIV
エンベロープなし	アデノウイルス,パルボウイルス,ヒトパピローマウイルス	A型肝炎ウイルス,ノロウイルス,ロタウイルス

で覆われている。

ウイルスには，エンベロープという脂質の膜に覆われているものと覆われていないものがある。**エンベロープ**は脂質の膜であり，脂質を溶かすアルコール消毒や石けんによる消毒に対して感度が高く，消毒薬でエンベロープは消失し，そのことでウイルスも死滅する。一方，エンベロープのないウイルスは，アルコール消毒に対して抵抗性をもつ。そのためエンベロープのないノロウイルスやアデノウイルスは，アルコール消毒ではほとんど死滅しないため，石けんと流水による洗浄が必要とされている。

▶ 分類　ウイルスの分類は，核酸の種類から，DNAウイルスとRNAウイルスの2種類のタイプに分けられ（表1-2），核酸がヒトの細胞内に組み込まれることによって増殖する。ウイルス感染症は，実は最もポピュラーな感染症である。かぜをひいた際に原因となるのはウイルスがほとんどである。

▶ 発症後の治療法　ウイルス感染の場合は，細菌感染と違い抗菌薬治療が効かない。ほとんどのウイルス感染症は，ウイルスを殺す治療をしなくても自然軽快する。しかし，HIV感染症やB型肝炎，C型肝炎，ヘルペスウイルス感染症，サイトメガロウイルス感染症など治療が必要なウイルスには，抗ウイルス薬が存在する。

3. 真菌

▶ 特徴　真菌は真核生物であり，一般的には"カビ"とよばれている。原核生物との違いは，核膜をもつ点である。直径はおおむね3〜4μmほどである。真菌の最外側には細胞壁があり，β-Dグルカンなどでできている。

真菌はその形状により，**糸状菌**（糸のように細い形状）と**酵母様真菌**（丸い形状）に分類される（表1-3）。一部の真菌は環境によって両方の形をとるものもあり，**二形性真菌**とよばれる。

真菌感染の特徴は，免疫機能が正常の人には感染しにくいところである（白癬菌は除く）。真菌感染は，感染者の免疫機能が低下しているところに感染することが多く，生命予後が悪いことが多い。

▶ 検査・診断　培養検査や血液検査により真菌の抗原や抗体を確認することで感染を認める。細胞壁であるβ-Dグルカンを測定することも，真菌感染の診断補助となる。

▶ 発症後の治療法　抗真菌薬による治療を行う。真菌はヒトの細胞に近い構造のため，抗

表1-3 代表的な真菌

	真菌名	侵襲部位	背景としての宿主の免疫低下
糸状菌	白癬	表在皮膚	なし
	アスペルギルス	肺（アレルギー反応）	あり
酵母様真菌	カンジダ	皮膚粘膜，食道，生殖器，眼	あり
	クリプトコッカス	髄液，肺	あり

真菌薬は有害作用が多いといわれている。

4. 寄生虫

1 原虫

　原虫と蠕虫は，一般的には"寄生虫"とよばれている。真菌と同じ単細胞の真核生物であるが，細胞壁がないため運動性があり自分で動ける点で真菌と異なる。今までに述べてきたほかの微生物より大きい。原虫は蠕虫と比較して急性の下痢症を起こすことが多いが，蠕虫は感染しても下痢症を起こすことはない。

　マラリアや赤痢アメーバなどは，熱帯地域で感染することが多い。マラリアは蚊を媒介にして感染し，赤痢アメーバは生ものや感染者の便や性交渉を介して感染を起こす。トキソプラズマは後述するが（本章- I -D-1-2-①「経胎盤感染」参照），母子の垂直感染が多い。

　寄生虫感染の疑いがある場合は，海外渡航歴や現地での生食歴，性交渉歴を聴取する。代表的な原虫の診断方法，感染経路などについて表1-4にまとめた。

2 蠕虫

　蠕虫は，微生物のなかで一番大きいとされている。原虫と違い蠕虫は多細胞である。種類は，主に線虫類，吸虫類，条虫類に分けられる。

▶ **線虫**　細長い円筒形の寄生虫で，虫卵や幼虫が経口または経皮的に体内に侵入する。アニサキスや蟯虫などがみられる。

▶ **吸虫**　からだに2個の吸盤があり，血管内や臓器に寄生する。中間宿主を介して経口または経皮的に体内に侵入する。日本住血吸虫や肝吸虫，肺吸虫などがみられる。

▶ **条虫**　扁平で細長い形をしており，虫卵や幼虫が経口的に体内に侵入する。有鉤条虫や

表1-4 代表的な原虫と感染

	感染経路	症状	診断方法
マラリア	蚊が媒介	発熱，脾腫，貧血	血液塗抹標本による検査
赤痢アメーバ	経口，性交渉	腹痛，血便	糞便検査もしくは病理組織検査
腟トリコモナス	性交渉	外陰部の瘙痒感，帯下	腟分泌液検査
トキソプラズマ	経口，母子感染	先天性：水頭症，精神遅滞 後天性：麻痺など多種多様	トキソプラズマ IgG 抗体検査

日本海裂頭条虫などに代表される。

C 体内に侵入後の増殖

病原微生物がヒトの体内に侵入した後，感染した粘膜や皮膚に定着し，その後感染症に至るためには，増殖する必要がある。増殖の方法は，それぞれの病原微生物で異なる。

1. 細菌，真菌，原虫の増殖

細菌，真菌，原虫の増殖のしかたには，無性生殖と有性生殖がある。
▶ **無性生殖** 単純に1つの細胞が分裂していくことをいい，細菌と真菌のほとんどと一部の寄生虫は，この方法で増殖する。
▶ **有性生殖** 別の個体どうしがくっつき，核が融合することで分裂していく方法である。真菌と原虫の一部は，この方法で増殖する。
▶ **特徴** 無性生殖のメリットは，効率よく速く増殖できる点である。一方，有性生殖のメリットは，遺伝子の情報の多様性が生まれることで様々な環境に適応しやすくなり，病原微生物への真菌や原虫の抵抗力も上がる点である。

2. ウイルスの増殖

ウイルスは，ほかの微生物と異なり，細胞分裂を起こさずにヒトの細胞内に遺伝子を組み込み，ヒトの細胞の増殖機構を利用して増殖する経過をたどる。増殖の過程は「吸着➡侵入➡脱殻➡複製➡放出」の順に起こる（図 1-1）。

エンベロープのありなしで，細胞への取り込まれかた（吸着，侵入）と放出のされかたが異なるが，取り込まれてから放出されるまでの過程（脱殻，複製）はほとんど変わらない。エンベロープがあるものはエンベロープを利用して吸着，侵入し，エンベロープを覆った

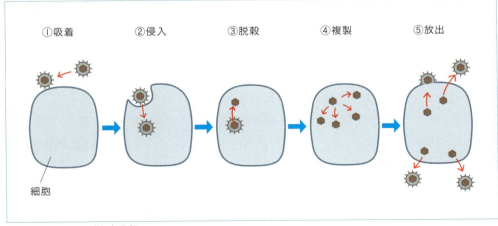

図 1-1 ウイルスの増殖過程

まま放出される（放出，出芽）。

ウイルスが侵入してから複製されるまでの間は，ウイルスの存在を確認することができない。この時期を，エクリプス期または暗黒期（あんこく）という。

D 病原微生物の感染経路

病原微生物の感染経路は様々であるが，大きく分けて**外因性感染**（ヒトの体外から病原微生物が侵入するもの）と**内因性感染**（ヒトの体内で感染が発症するもの）がある。

1. 外因性感染

外因性感染としては，水平感染と垂直感染の2種類がみられる（表1-5）。

1 水平感染

水平感染の伝播（でんぱ）形式として，接触感染，飛沫（ひまつ）感染，空気感染の3種類がある。

❶接触感染

接触感染は，感染者や感染源に触れることで感染することをいう。直接触れることで感染してしまうもの（**直接感染**）や，感染者が触れたものを介して感染してしまうもの（**媒介感染**）もある。経口感染，性行為感染，血液感染や媒介物感染もこの中に含まれる。

▶ **感染予防法** 接触感染の予防にはエプロンや手袋などの感染防護具を装着する必要がある。

❷飛沫感染

飛沫感染は，微小な病原体（直径5μm以上）を含む飛沫を経気道的に吸い込むことにより病原体がヒトのからだの中に侵入することで引き起こされる感染である。いわゆる咳（せき）や唾液（だえき）といった飛沫物が，直接体内に入り込む感染である。

▶ **感染予防法** 咳や唾液が届く距離であるおおむね1m程度が感染距離であるため，予防には2m以上離れるもしくはサージカルマスクをつける必要がある。

❸空気感染（飛沫核感染）

空気感染は，空気中に浮遊している微小な粒子（飛沫核，直径5μm以下）を経気道的に吸い込むことで引き起こされる感染である。飛沫感染との違いは，空気中を漂っている粒子を吸い込むことであるから，感染距離は数mから数十mほどになる。

▶ **感染予防法** 空気感染を起こす感染症が疑われる場合には，患者を陰圧室で診察することや，医療従事者はN95マスクという特殊なマスクをつけるなど，特別な感染対策が必要である。

2 垂直感染（母子感染）

妊娠中から出産，産後にかけて母親から児もしくは胎児に感染することを，垂直感染も

しくは母子感染といい，感染経路に応じて経胎盤感染，産道感染，母乳感染の3種類がある。

❶経胎盤感染

▶ 概要　妊娠中に母親から胎児に感染することを経胎盤感染という。酸素や栄養などは胎盤をとおして母親から胎児に届くが，同じ経路を通り母親から胎児に感染を起こす。

経胎盤感染を起こす病原微生物の代表として，それぞれの頭文字をとったTORCHが覚えやすい（表1-6）。これらの病原微生物によって引き起こされる感染症は総じて**TORCH症候群**とよばれる。

▶ 症状　TORCHのなかでワクチンにより予防可能な風疹ウイルスは，小児では重篤な症状をきたすことは少ないが，胎児が感染した場合，白内障や心奇形，難聴などをきたす。そのため，妊娠前に母親がワクチン接種をして予防することが大切である。

病原微生物によっては胎児に重篤な有害作用（奇形など）を起こす。また，病原微生物ごとに経胎盤感染を起こす時期が異なる。経胎盤感染のうち予防できる感染症は，その診断がついた段階で母親への対応を検討する必要がある。

❷産道感染

出産の際に起きる感染を産道感染という。その名のとおり，胎児が産道を通る際に起こる感染である。産道感染を防ぐためには帝王切開による分娩を行う。

❸母乳感染

産後の母乳からの感染を母乳感染という。母乳感染を起こす病原微生物に母親が感染している場合は，人工乳による栄養投与が勧められる。

＊

表1-5 外因性感染をする病原微生物

水平感染	接触感染	ノロウイルス，破傷風菌，黄色ブドウ球菌，レンサ球菌など
	飛沫感染	インフルエンザウイルス，風疹ウイルス，百日咳菌など
	空気感染	結核菌，麻疹ウイルス，水痘ウイルス
垂直感染	経胎盤感染	TORCH（表1-6参照）
	産道感染	サイトメガロウイルス，水痘・帯状疱疹ウイルス，B型・C型肝炎ウイルス，HIV，カンジダ菌，クラミジア菌
	母乳感染	サイトメガロウイルス，HTLV-1，HIV

表1-6 TORCH症候群

T	Toxoplasma gondii	トキソプラズマ
O	Other	そのほか（梅毒，水痘など）
R	Rubella virus	風疹ウイルス
C	Cytomegalovirus	サイトメガロウイルス
H	Herpes simplex virus	単純ヘルペスウイルス

出典／トーチの会：TORCH症候群とは？ http://toxo-cmv.org/about_meisyo.html（最終アクセス日：2023/4/19）を参考に作成.

I 感染の成立

垂直感染を引き起こす感染症は，妊娠が発覚してから出産までの間に医療機関で抗体価をチェックするなどして，実施できる予防策は十分に行う必要がある。風疹は妊娠前に抗体価などを測定し，抗体価が低ければワクチン接種により予防することが可能となる。

2. 内因性感染

内因性感染は，通常ではヒトのからだに害を及ぼさない微生物や感染力の弱い病原微生物が，ヒトの免疫力低下など全身状態の変化に伴い感染を引き起こすタイプの感染である。

内因性感染としては，日和見感染と菌交代現象，異所性感染の3つがある。

❶日和見感染

日和見感染は，ステロイド治療や糖尿病治療，抗がん剤治療，HIV感染症（AIDS）などにより免疫機能が低下したヒトにおいて，通常は感染を起こし得ないような弱毒性の菌が感染を起こすことをいう。表1-7に日和見感染を起こす病原微生物の例をまとめた。

❷菌交代現象

菌交代現象では，抗菌薬の長期使用や抗がん剤治療中などに，常在微生物のバランスが崩れて薬剤耐性菌が増殖し，その割合が増えることで感染状態となる。また，菌数が少なかったときには害を与えなかった菌が，菌数が増えることと，基礎疾患によりヒトの免疫が低下することでも感染状態となる。代表的なものは，クロストリジオイデス・ディフィシル感染症やカンジダ症がある。

❸異所性感染

異所性感染とは，からだの各所に存在する微生物が，ある場所では感染を起こさないが，ほかの場所に移ると感染を起こすことがあるという感染である。たとえば糞便中に多く存在する大腸菌は腸管内では感染を起こさないが，尿路に菌が侵入すると尿路感染症を起こすといったものである。

II 生体防御機構

ヒトの免疫には，自然免疫と獲得免疫の2つの免疫機能があり，どちらの免疫機能も重要である。

▶ **自然免疫** もともとヒトに備わっている免疫機能で，多くの微生物はここで殺される。しかし，病原性の強い微生物は，自然免疫の働きを免れることがある。

表1-7 日和見感染を起こす主な病原微生物

細菌	緑膿菌，メチシリン耐性黄色ブドウ球菌（MRSA），バンコマイシン耐性腸球菌（VRE）
ウイルス	ヘルペスウイルス，サイトメガロウイルス
真菌	カンジダ，クリプトコッカス，ニューモシスチス・イロベチイ
原虫	トキソプラズマ

▶ **獲得免疫** 自然免疫で微生物を殺せなかったときに，リンパ球が免疫機能を獲得することをいう。

A 自然免疫

自然免疫には，大きく分けて2種類ある。1つは好中球由来の免疫，もう1つは皮膚や粘膜のバリアである。

1. 好中球由来の免疫

▶ **特徴** 好中球は，からだのなかで炎症が起きたとき，炎症を起こした組織に浸潤し，炎症細胞を**食細胞**（マクロファージ）が貪食して殺すといわれている。好中球は炎症が起きてすぐに炎症組織に出向くため，兵隊などとたとえられる。また，好中球が炎症と戦った後の痕跡として"膿"ができる。

▶ **免疫低下の原因** 何らかの原因で体内の好中球が減少すると，からだが炎症を起こした際に対応できなくなってしまう。具体的には，好中球数が 1000/mm^3 以下で感染の頻度が上がり，500/mm^3 を下回った際に炎症に対する反応が起こらなくなるといわれている。好中球が減少することで自らの免疫で細菌を殺すことができなくなるため，広域な抗菌薬の使用が必要となる。

好中球が減少する原因としては，抗がん剤の使用や放射線治療，細菌感染や再生不良性貧血などがある。また，ステロイド治療では，好中球の数は減少しないが，好中球が組織に浸潤する力を低下させる。

▶ **好中球減少時に感染を起こしやすい病原微生物** ブドウ球菌，セラチア・緑膿菌・アシネトバクター・シトロバクター・エンテロバクター（院内感染を起こしやすいグラム陰性桿菌），カンジダ，アスペルギルス。

2. 皮膚や粘膜のバリア

▶ **特徴** 皮膚や粘膜には，物理的に病原微生物と体内とを隔てる機械的防御や分泌液，常在細菌叢による防御がある。皮膚や粘膜には多くの常在菌があり，ほかの微生物に対してバリアの役割を果たしている。皮膚の細胞は何重もの層から構成されており，定期的に皮膚が入れ替わることで，皮膚に付いた菌を除去している。粘膜には，常在菌以外にも，粘液の分泌，咳や腸蠕動により菌を排出したりする機能がある。

▶ **免疫低下の原因** アトピーややけどなどにより皮膚や粘膜のバリアが崩壊した際に，微生物が体内に侵入する。また，粘膜のバリアにおいては，化学療法や放射線治療により粘膜障害を起こすことで，微生物の体内への侵入を許す。

▶ **皮膚・粘膜のバリア崩壊時に感染を起こしやすい病原微生物** ブドウ球菌，セラチア・緑膿菌・アシネトバクター・シトロバクター・エンテロバクター（院内感染を起こしやすいグラ

ム陰性桿菌），カンジダ，単純ヘルペスウイルス。

B 獲得免疫（適応免疫）

　獲得免疫は，リンパ球が主役となる免疫機能である。リンパ球にはB細胞とT細胞の2種類があり，B細胞がメインになった場合は液性免疫，T細胞がメインになった場合は細胞性免疫に分類される。

　獲得免疫は，自然免疫で処理しきれなかった抗原を把握し，それに対応できる抗体を増やし活性化させる免疫反応である。自然免疫との大きな違いは，ターゲットを決め，それに対して対応するかどうかという点である。

1. 液性免疫

▶ **免疫グロブリン**　液性免疫の核となるのは，B細胞と抗体である。抗原に対してB細胞が反応し，増殖する。増えたB細胞が形質細胞になり，主に脾臓で抗体を産生して抗原を不活化させる。抗体は**免疫グロブリン**（immunoglobulin；Ig）とよばれ，次の5種類がある。

- IgG：免疫グロブリンの主要成分であり，その70％ほどを占める
- IgM：微生物に感染した後，最も早く産生される抗体で，抗原への結合能が高い
- IgA：初乳や唾液，消化管に存在する。粘膜の免疫で重要である
- IgD：血清中に少ないとされ，役割はまだ不明な点がある
- IgE：アレルギーで濃度が上昇し，アレルギー反応を引き起こす。寄生虫の感染にも関与する

▶ **補体**　抗体により抗原を不活化させるのを助けるために，**補体**が存在する。補体は肝臓でつくられるたんぱく質の一種であり，抗体の補助の役割をすることから補体とよばれている。補体にはC1〜C9と表記される9成分があり，このなかではC3が一番多いとされている。補体は抗原が侵入することで活性化されるが，活性化には次の3経路がある。

- ①古典的経路：抗原抗体反応により補体C1が活性化される
- ②レクチン経路：微生物に特有の糖鎖をマンノース結合レクチン（MBL）が認識して補体C4以降が活性化される
- ③副経路：微生物の膜成分に直接作用して補体C3が活性化される

▶ **免疫低下の原因**　液性免疫低下の原因としては，脾臓でほとんどの免疫グロブリンがつくられるため，脾臓の摘出は大きな影響を及ぼす。また，多発性骨髄腫，慢性リンパ性白血病などでも低下する。液性免疫が低下した際には，肺炎球菌などの細菌感染が増悪しやすくなる。肺炎球菌感染にも液性免疫が関与するとされている。そのため，脾臓摘出者は年齢にかかわらず肺炎球菌ワクチン投与の適応となる。

　また，補体の低下によっても液性免疫の低下が指摘される。主な補体の低下原因としては，全身性エリテマトーデス（SLE）や急性糸球体腎炎，悪性関節リウマチ，肝硬変，補

体欠損症があげられる。

▶ **免疫低下時に感染を起こしやすい病原微生物** 肺炎球菌，インフルエンザ桿菌，髄膜炎菌。

2. 細胞性免疫

▶ **特徴** 細胞性免疫は，T細胞がメインになる免疫である。樹状細胞が抗原に反応し，特異抗原を出してヘルパーT細胞や細胞傷害性T細胞を活性化させる。ヘルパーT細胞は，細菌を貪食するマクロファージや細胞傷害性T細胞を活性化させる。一方，細胞傷害性T細胞は，その名のとおり，感染を起こした異常細胞を直接破壊する能力をもつ。

このほか，マクロファージの元となる単球が肝臓や肺，腎臓，リンパ節にあり，微生物を貪食する機能をもつ。これを網内系防御機構とよぶ。

▶ **免疫低下の原因** 細胞性免疫が低下するのは，悪性リンパ腫や腎不全，白血病，HIV感染症などのウイルス感染症である。また，副腎皮質ステロイド薬などの免疫抑制剤の多くは細胞性免疫を低下させる。

細胞性免疫を評価する1つの指標は，T細胞の中のCD4陽性リンパ球の数である。CD4陽性リンパ球が200/μL以下になると細胞性免疫機能低下を起こし，肺炎や帯状疱疹などを引き起こす。

▶ **免疫低下時に感染を起こしやすい病原微生物** サイトメガロウイルス，ニューモシスチス・イロベチィ。

国家試験問題

1 感染の成立と発症について，適切な説明を1つ選べ。 （予想問題）

1. 微生物がヒトの体内のいずれかの組織や細胞に定着・増殖した状態を発症という。
2. 感染が成立して臨床症状が生じた状態を感染という。
3. ヒトの免疫力が微生物の感染力を上回ったとき，感染は成立する。
4. 感染が成立しても発症しないものを不顕性感染という。

▶ 答えは巻末

第1編 感染症とその診療

第2章

感染症の主な症状

この章では

- 感染症の全身症状である，発熱，不明熱，敗血症，出血傾向，皮疹について理解する。
- 感染症ごとの特異的な症状について理解する。

I 感染症の全身症状とは

1. 発熱

　発熱とは，体温調節を担う視床下部の体温基準値（セットポイント）が上昇するため，正常な日内変動を逸脱して体温が上昇することをいう。視床下部のセットポイントが上がれば，体温が上昇する。

▶ **発熱と高体温**　この発熱に対し**高体温**は，セットポイントは正常であり，熱中症やホルモン異常（甲状腺機能亢進症）などにより，熱産生が熱放散を大きく上回って体温が上昇することをいう。高体温の場合，発熱時のような寒気は感じず，むしろ暑さを自覚する。

▶ **悪寒戦慄**　"ふるえ"がみられる悪寒戦慄は，これからさらに体温が上昇するかもしれないことを示唆する。医療従事者はこの現象を観察した場合，**菌血症**や**敗血症**の可能性をまず考えなくてはならない。悪寒戦慄の程度が強いほど，血液培養検体から細菌が検出されやすくなる。

▶ **体温調節**　ヒトの平熱は 36.5〜37.5℃だが，文献により数値は幾分異なる。体温調節は，皮膚や血流からの情報を視床下部が受け取ることで行われる。寒気を感じると，視床下部による指令を受けた交感神経の働きにより末梢血管が収縮して熱放散を減らす。すると，運動神経は骨格筋に働き，筋肉に"ふるえ"を生じさせて熱産生を促す。続いて，視床下部や交感神経を介して種々のホルモンが分泌され，肝臓や筋肉での代謝を活発に行うことで，熱が獲得される。一方，暑くなると，副交感神経により末梢血管が拡張するとともに，汗腺に交感神経が作用し発汗を促し熱放散が起きる。

　このように体温調節は，自律神経系，運動神経系，内分泌系が関与し，熱産生と熱放散のバランスによって成り立っている。体温は日内変動も認め，午後のほうが高くなりやすいが，一般に体温変化の範囲は 0.5℃程度とされている。

▶ **発熱の原因**　発熱の原因は様々であるが，細菌それ自体や細菌の産生する物質が発熱物質として働いたり，感染症，感染以外による炎症や血腫，内部の腫瘍壊死により，体内で発熱サイトカインが産生されたりして，視床下部のセットポイントが変更されるなどの理由による。

2. 不明熱（FUO）

　不明熱（fever of unknown origin；FUO）は，1961 年に Petersdorf,R.G. ら[1]らによって「発熱の持続期間が 3 週間以上であり，経過中 38.3℃以上の発熱が数回，1 週間の入院精査でも原因不明」と定義された。その後，1991 年に Durack,D.T. ら[2]によって，次のようにカテゴリー別の新たな定義がなされた。

①古典的不明熱：38.3℃以上の発熱が3週間以上持続，3回の外来受診，あるいは3日間の入院精査でも原因不明
②院内における不明熱：入院中に38.3℃以上の発熱が数回出現
③好中球減少の不明熱：好中球500/μL未満．38.3℃以上の発熱が数回認められる．2日間の培養検査を含め，3日間の精査でも原因不明
④HIV感染症の不明熱：HIV感染者．38.3℃以上の発熱が数回出現．外来で4週間以上，入院で3日間以上持続する発熱がある．2日間の培養検査を含め，3日間の精査でも原因不明

しかし，どこまで検査を行ったものを不明熱とするかには定説がないのが現状である。

不明熱の定義が定められた当時と比較すると，現代では検査手段も増え，新たな疾患概念も提唱された。CT検査やMRI検査の普及，そしてFDG-PET／CT検査などの画像検査も含めた新たな検査方法の進歩により，熱源精査の実情は時代によって変わることに留意すべきである（**Column**参照）。

発熱の鑑別診断

発熱の原因検索（鑑別診断）では，臓器特有の随伴症状の観察や身体診察が重要である。下表のような鑑別疾患を考えながら精査を行う。特に皮膚・口腔・陰部粘膜所見や関節腫脹の所見，医療機器や薬剤による医原性の疾患は見逃しやすい。不明熱と考えて膨大な検査を依頼する前に，これらの関与を一度は考察するべきである。

表 発熱時に検討すべき疾患

	感染症	悪性腫瘍	そのほか，全身疾患
全身	感冒を含めたウイルス疾患，EBV・HIV・リケッチア感染などの細胞内寄生菌，中心静脈カテーテルなどの医療機器による感染	悪性リンパ腫	膠原病，血管炎，自己炎症性疾患，薬剤熱
中枢神経	髄膜炎，脳膿瘍		下垂体機能低下症
頭頸部	咽頭炎，扁桃炎，咽後膿瘍，扁桃周囲膿瘍，副鼻腔炎		亜急性甲状腺炎
呼吸器系	肺炎，肺膿瘍，結核		
消化器系	感染性腸炎，肝膿瘍，胆管炎，胆嚢炎，骨盤腹膜炎	肝がん	
女性性殖器系	子宮瘤膿腫		
泌尿器系	腎盂腎炎，前立腺炎	腎がん	副腎不全
循環器系	感染性心内膜炎		
皮膚	蜂窩織炎（蜂巣炎），褥瘡感染，壊死性筋膜炎		
筋・骨格	化膿性関節炎，骨髄炎，腸腰筋膿瘍		偽痛風

3. 敗血症

敗血症は，2016年の第45回アメリカ集中治療医学会において「感染症に対する制御不能な宿主反応に起因する生命を脅かす臓器障害」と定義された[3]。

▶ **評価ツール**　qSOFA（quick SOFA）は感染症が疑われる状態でバイタルサインを用いた評価に有用なツールであり，①意識障害GCS*15点未満，②呼吸数が22回/分以上，③収縮期血圧100mmHg以下，のうち2項目以上を満たす場合に敗血症を疑う（本編-第3章-Ⅰ-B-1「qSOFAスコア」参照）。qSOFAで敗血症を疑ったら，臓器障害の程度とその有無をSOFA*で評価する。臓器障害の程度，そして多臓器にわたるほど，敗血症は重篤になり死亡する可能性が高まる。早急な治療介入が必要である。

▶ **菌血症と敗血症**　血液培養により細菌が検出されること，すなわち菌血症の有無により敗血症が診断されるわけではない。血液まで侵入できるほど感染の勢いが強ければ敗血症の基準を満たすことが多いが，それが敗血症の診断になるわけではないことに留意すべきである（本編-第4章-Ⅺ「菌血症，敗血症」参照）。

▶ **病態生理・症状**　感染症をきたすと，感染巣から血管内に侵入した微生物や，それが産生する物質に対して免疫応答が起こる。マクロファージが活性化しサイトカインを放出し，白血球は病原体を貪食する。病原体が過剰になればサイトカインはさらに増え，"サイトカインの嵐"と形容される**サイトカインストーム**の状態となり，様々な臓器障害をもたらすことになる。

中枢神経なら意識障害やせん妄をきたし，肺ならばARDS（acute respiratory distress syndrome，急性呼吸窮迫症候群）をきたして呼吸状態の増悪を招く。血管であれば末梢血管の拡張からショックで血圧が低下し，循環動態の悪化を，また肝臓に働けば肝障害を，腎臓ならばAKI（acute kidney injury，急性腎障害）をきたして乏尿になる。血液であればDIC（disseminated intravascular coagulation，播種性血管内凝固）により血小板数や凝固異常をきたし，紫斑や出血傾向を認める。

4. 出血傾向

止血機構は，血小板の数や機能，血管壁がかかわる**1次止血**，凝固因子がかかわる**2次止血**，**線溶**から成る。出血傾向とは，その止血機構に何らかの異常があり，止血しにくい状態のことであり，紫斑をきたすこともあれば，止血に時間がかかるようにもなる。

▶ **出血傾向のみられる感染症**　敗血症によるDIC，国内地域によってはマダニから感染するSFTS（severe fever with thrombocytopenia syndrome，重症熱性血小板減少症候群），ツツガムシ病や日本紅斑熱などのリケッチア感染，汚染された水や土壌から感染するレプトスピ

---

*GCS：Glasgow coma scale，グラスゴー・コーマ・スケール。意識障害の評価指標。
*SOFA：sequential organ failure assessment。ICUなどで用いられる重症度の評価法。呼吸器，凝固能，肝臓，循環器，中枢神経，腎機能の6つから点数評価する。

ラ感染などの可能性があげられる。海外での感染も考えられ渡航歴や渡航先の感染流行の把握も大切であり，デング熱や時にはウイルス性出血熱（エボラ出血熱，クリミア・コンゴ出血熱，マールブルグ病，ラッサ熱，南米出血熱）の可能性も考えなければならない。

5. 皮疹

皮疹に発熱を伴うことがあり，何らかの感染が疑われる状況について概説する。皮疹をみたら，表 2-1 の項目を用いて，可能な限り正確に症状を表現する。皮膚所見は時間・日にち単位で変化し得るため，写真撮影を行いカルテに保存するとよい。

▶ 鑑別診断　発熱と皮疹を伴う疾患は，皮疹のタイプにより表 2-2 のように分類されるが，いくつかのタイプの所見が重複することもあれば，同タイプ内の疾患でも特徴的な所見がそれぞれ現れることもある。一方で皮膚所見のみでは鑑別が困難な場合もある。鑑別診断は皮疹だけでなく，病歴や検査データも用いて総合的に進められる必要がある。

表 2-1　皮疹の観察項目

観察項目	ポイント
どのような皮疹であるか	斑・斑状，丘疹，局面，結節，膨疹，水疱，膿疱，点状／斑状出血，触知可能な紫斑など
部位	具体的にどの部分に皮疹がみられるか。体幹部優位な中心分布性か，末梢優位な末梢性か
大きさ	cm，mm といった単位で具体的に
色	鮮紅色，淡紅色，暗紅色，紫紅色，黒色，青色，茶色など
形状	円形，楕円形，不整形，線状，枝状，網状，環状，標的状など
分布	対称性，集簇性，播種状・び漫性，散布性

表 2-2　皮疹の分類

中心分布性斑状皮疹	・麻疹 ・風疹 ・伝染性紅斑 ・突発性発疹 ・薬疹	落屑を伴う癒合性皮疹	・猩紅熱 ・川崎病 ・薬疹
		小水疱がみられる皮疹	・手足口病 ・水痘 ・薬疹
末梢性皮疹	・梅毒 ・多形紅斑 ・感染性心内膜炎 ・手足口病	結節がみられる皮疹	・結節性紅斑 ・薬疹
		紫斑がみられる皮疹	・重篤な敗血症 ・血管炎

I　感染症の全身症状とは

II 感染症ごとの特異的な症状

いずれの感染症も敗血症を合併しうる。敗血症は以下にあげる診断名でなく，病態を表す概念である。髄膜炎や肺炎，胆道感染，腸穿孔による汎発性腹膜炎，急性腎盂腎炎，感染性心内膜炎，壊死性筋膜炎，化膿性脊椎炎，関節炎のいずれにも敗血症は起こり得るものであり，全身状態を増悪させる病態である。適宜，本章-I-3「敗血症」を参照されたい。

1. 髄膜炎

髄膜炎の特異的な症状は，頭痛，悪心・嘔吐，意識障害である。

1 頭痛

脳実質には痛覚は存在しない。頭痛は，頭皮，髄膜（硬膜，クモ膜，軟膜），クモ膜下腔内の血管によって認識される（図2-1）。髄膜炎の場合，痛覚のある髄膜に炎症が波及することで頭痛が自覚される。

2 悪心・嘔吐

悪心・嘔吐は延髄の嘔吐中枢によって引き起こされる。延髄の嘔吐中枢への経路は多岐にわたり，髄膜炎の場合は第4脳室付近のCTZ（chemoreceptor trigger zone，化学受容体誘発帯）を介するしくみや，大脳皮質からの直接刺激による（図2-2）。

3 意識障害

髄膜炎により脳浮腫が進行すれば，意識障害もきたす。意識は脳幹の脳幹網様体を起点

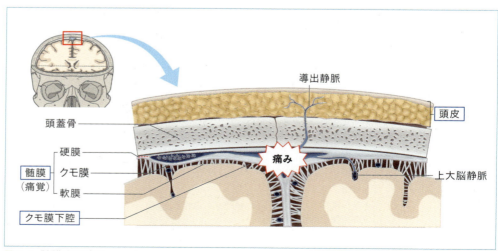

図2-1 髄膜炎の痛み

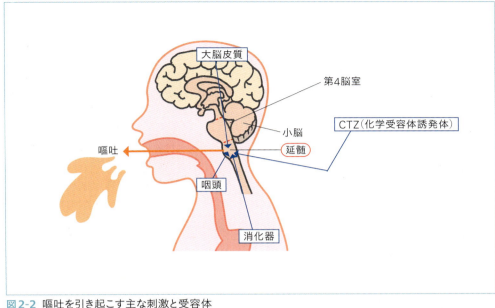

図2-2 嘔吐を引き起こす主な刺激と受容体

に視床や大脳皮質に伝えられることによって成立している。そのいずれかが障害されても意識障害はきたし得る。

2. 急性咽頭炎, 急性喉頭蓋炎, 副鼻腔炎

1 急性咽頭炎

急性咽頭炎は，主に呼吸器系ウイルスにより引き起こされる。一部の細菌感染症では溶連菌（溶血性レンサ球菌）が関与しており，まれながら咽頭周囲の領域へ進展するリスクがある。急性咽頭炎の症状は**咽頭痛**である。咽頭の感覚は脳神経が担い，上咽頭は三叉神経，中咽頭は舌咽神経，下咽頭は舌咽神経と迷走神経というように，咽頭領域ごとに異なる神経がかかわっている。

2 急性喉頭蓋炎

急性喉頭蓋炎は，喉頭蓋の腫脹による気道閉塞が主たる病態である。患者はわずかに残った気道の開通を頼りに，かろうじて呼吸をするため，仰臥位を嫌がり，座位になろうとする。さらに，首を前につきだすような姿勢をとり（三脚位［tripod position］），呼吸困難を訴える。そして強い**咽頭痛**のあまり，唾液を飲みこむことさえ困難になり，ティッシュなどでひたすら口から垂れる唾液を拭いている様子がみてとれる。喉頭蓋の炎症は頸部外側にまで影響し，頸部の腫脹と圧痛がみられ，しばしば頸部をわずかに触れることさえ拒絶するような強い**頸部痛**をもたらす。

3 | 副鼻腔炎

　上顎洞の底は鼻腔よりも低い位置にあるため，感染のないときに排出される粘液も含めて炎症産物が蓄積しやすい構造をしている．狭窄をきたした副鼻腔からわずかに排出される粘液による**膿性鼻汁**をきたしたり，副鼻腔の圧排や鼻粘膜に分布する三叉神経の刺激により**頭重感**や頬部や顔面・前頭部の**疼痛**を自覚したりする．

3. 肺炎

　肺炎の炎症が胸膜（正確には臓側胸膜）に及び，胸膜炎をきたせば**胸痛**を自覚する．肺そのものに痛覚はないため，肺炎それ自体で胸痛を引き起こすことはない．胸膜性の疼痛は吸気によって増悪するのが特徴である．吸気時に肺が膨張し，炎症の及んだ胸膜が引き延ばされるためである．

4. 感染性腸炎, 急性腎盂腎炎

　感染性腸炎，急性腎盂腎炎の各病態は，本編 - 第 4 章 - Ⅱ「消化器系感染症」，Ⅳ「尿路感染症」を参考にされたい．ここでは共通する症状である腹痛，悪心・嘔吐，下痢が起こるメカニズムについて解説する．

1 | 腹痛

　腹痛は，内臓痛と体性痛に分けて考えるとよい．各臓器に発症した炎症による疼痛は，最初，内臓痛として知覚される．**内臓痛**は鈍い痛みであり，その痛みの部位も漠然とし，短時間で疼痛の増悪と寛解を繰り返す間欠痛であることが多い．そして炎症が臓器付近の腹膜に波及すると体性痛になる．**体性痛**は，痛みや部位が漠然としていた内臓痛とは異なり，臓器のある部位の鋭い痛みを明瞭に自覚するようになる．そして痛みは持続的になる．

▶ **感染性腸炎**　腹膜炎を合併することは少ないため，漠然とした部位の腹部の痛みで終わることが多い．腹痛の部位を患者に尋ねても，上腹部や臍部のあたりを何となく指し示すのみである．虫垂炎，憩室炎，胆道感染（急性胆管炎，急性胆囊炎），骨盤内炎症性疾患は，臍部や腰のはっきりしない痛みから始まり（内臓痛），進行すると炎症が腹膜に達し，虫垂炎であれば右下腹部，胆道感染であれば右上腹部，骨盤内炎症性疾患であれば下腹部というように，臓器直上の疼痛（体性痛）を訴える．内臓痛がある際は，問診のみでは炎症臓器を特定しがたいため，丹念に腹部を触診して，圧痛点を探す必要がある．
　疝痛は，内臓痛の一種である．消化管などの管腔臓器が急激に炎症や閉塞をきたすと，激しく収縮・伸展をきたすため，間欠的（時に持続的）な激痛を臓器直上に生じる．炎症の強い腸炎は急性腸閉塞と同様に疝痛をきたす．

▶ **急性腎盂腎炎**　炎症が腎臓の線維被膜に波及して伸展されることによる．第 12 肋骨と脊椎で囲まれた肋骨脊柱角（costovertebral angle；CVA）の疼痛をきたす．

2 悪心・嘔吐

　悪心・嘔吐は髄膜炎の項目（本章-Ⅱ-1-2「悪心・嘔吐」参照）でもあげたが，延髄の嘔吐中枢が刺激されることにより起こる（本章-図2-2「嘔吐を引き起こす主な刺激と受容体」参照）。悪心・嘔吐それ自体は消化器由来のみならず，心原性，中枢性，心因性など鑑別は多岐にわたる。

▶感染性腸炎　延髄の嘔吐中枢は，腹腔内・胸腔内など末梢からの迷走神経，交感神経求心路を受けるため，感染性腸炎などの腹腔内病変によって刺激されても，悪心・嘔吐は起こり得る。消化管の疾患であれば，上部消化管の病変のほうが，下部消化管の病変よりも悪心・嘔吐をきたしやすい傾向がある。

▶急性腎盂腎炎　炎症が高度になると近接する消化管に炎症が広がり悪心・嘔吐をきたすことがある。

3 下痢

　感染性腸炎の場合，下痢と随伴症状によって，大まかに小腸由来の下痢か，大腸由来の下痢か見当をつけることがある。悪心・嘔吐も伴い，多量の水様便をきたすものは小腸由来，少量ずつの頻繁な水様便であれば大腸由来の感染性腸炎を考える。

5. 感染性心内膜炎

　感染性心内膜炎の症状は，非常に多彩である。持続性の感染があるため，発熱とそれに付随する関節痛や筋肉痛，頭痛が長く続くこともあれば，ちぎれた疣贅が血流に乗って，体内の様々な部分に塞栓をきたすこともある。代表的なものが脳梗塞であり，そのほか塞栓部位特有の発熱，全身倦怠感，体重減少，発疹などの症状が出現する（図4-4, 4-5参照）。脳梗塞による神経症状，麻痺を契機に感染性心内膜炎が診断されることもある。

　さらに持続性の菌血症によって，心臓以外の部位にも感染が成立すれば，脳膿瘍など体内に膿瘍をつくったり，化膿性脊椎炎を合併することもある。脆弱な血管壁に感染すれば，感染性動脈瘤となり，破裂の危険性が極めて高い。脳であればクモ膜下出血をきたす。心臓の弁尖に定着した細菌感染が進行すれば，弁破壊をもたらし，急性心不全による呼吸困難，浮腫をきたす。なお，心内膜には痛覚がないため，通常は感染性心内膜炎で胸痛をきたすことはない。

▶鑑別診断　以上の多彩な症状をきたし得るため，感染性心内膜炎を鑑別にあげて血液培養検体を採取することが診断の始まりとなる。抗菌薬を血液培養前に投与されていると，細菌が検出されないことが多く，診断はより困難になる。

6. 丹毒，蜂窩織炎（蜂巣炎），壊死性筋膜炎

　一般的に皮膚軟部組織感染をきたすと，皮膚に発赤がみられ，熱感や腫脹もみられる。

表層に近い感染ほど発赤の境界は明瞭である。

▶ **鑑別診断** **丹毒**は境界明瞭な発赤であるのに対して，**蜂窩織炎**（蜂巣炎）は境界が不明瞭な発赤として鑑別される。また，**壊死性筋膜炎**の初期において筋膜に感染をきたしたとき，皮膚所見に乏しいのも表層から遠いためである。皮膚所見が乏しいにもかかわらず，患部を強く痛がったり，異常なバイタルサインを示したりすることがあれば，壊死性筋膜炎の初期を鑑別として想起される。

7. 化膿性関節炎，化膿性脊椎炎

化膿性関節炎，化膿性脊椎炎，いずれも血液内に侵入した細菌が定着することによって感染が成立する。血液内への侵入経路は皮膚の微細な傷からの侵入でも，ほかの感染巣からの血行性もしくは波及的な侵入でも起こり得る。関節も脊椎（椎体）の骨髄も，本来は無菌の閉鎖された空間であり，内部への侵入は起こりにくいはずであるが，いったん感染が定着すれば増殖しやすい環境となる。

▶ **化膿性関節炎** 細菌が滑膜の毛細血管を経て滑膜関節に侵入すると，白血球も関節内に遊走し，たんぱく分解酵素がつくられ，関節内の破壊をきたす。一方で滑膜は増殖し，パンヌスという組織をつくり関節の破壊がさらに進行する。関節内は白血球で満たされた関節液で緊満し，関節破壊による病態と併せて，関節の熱感を伴う腫脹，関節の自発痛・可動時痛を自覚する。化膿性関節炎は関節の穿刺を行い，関節液中の白血球の増大，細菌の証明によって診断される。

▶ **化膿性脊椎炎** 細菌が椎体周囲にある静脈叢を介して椎体の骨膜下に侵入して感染が始まる。さらに感染は近傍の椎間板に細菌感染をきたす（椎間板炎）。感染が椎間板から上下の椎体に波及すれば椎体の骨髄に感染をきたし，骨髄炎となる（椎体炎）。化膿性脊椎炎の主な症状は，腰痛と背部痛である。

文献

1) Petersdorf,R.G., Beeson,P.B.：Fever of unexplained origin: report on 100 cases, Medicine（Baltimore），40：1-30，1961.
2) Durack,D.T., Street,A.C.：Fever of unknown origin；reexamined and redefined, Current clinical topics in infectious diseases, 11：35-51，1991.
3) Singer,M., et al.：The Third International Consensus Definitions for Sepsis and Septic Shock（Sepsis-3），JAMA，315（8）：801-810，2016.

国家試験問題

1 感染性腸炎，急性腎盂腎炎に共通する特徴的な症状でないのはどれか。

（予想問題）

1. 腹痛
2. 咽頭痛
3. 悪心・嘔吐
4. 下痢

▶ 答えは巻末

第1編 感染症とその診療

第3章

感染症にかかわる診察・検査・治療

この章では

- 医師による感染症の診察がどのような手順で行われるかについて理解する。
- 感染症の検査法を理解する。
- 化学療法薬の種類と作用機序を理解する。

I　診察の方法

　診断の全般にいえることだが，感染症の診断において最も重要なことは検査ではない。問診と身体所見を駆使して，患者を正しい診断に導くことである。疾病を特定するためには，症状や既往歴のほかにも，嗜好歴や性生活に関することなど患者が話しにくい内容を聴かなければならない。医師の診察時の患者とのやりとりを円滑に進めるためにも，問診や身体所見で確認すべきポイントを把握しておきたい。

問診

1. 症状の把握

▶ **ウイルス感染症と細菌感染症**　感染症を考えるうえで最も重要なポイントは，ウイルス感染症と細菌感染症を分けて考えることである。一般的に，その最も大きな違いは，ウイルス感染症は**全身性の症状**を，細菌感染症は**臓器限局性の症状**をきたすことである。また，多くのウイルス感染症は経過観察で改善し，細菌感染症は抗菌薬を使用しなければ重症化するという特徴がある。

▶ **感染部位と原因**　患者の訴えが全身の筋肉痛など多彩な症状を示しているのか，それとも尿路系や呼吸器系などの臓器に限局しているのかを把握することが重要である。たとえば，肺炎や心不全では息苦しさ，尿路系の疾患であれば排尿時の痛みや違和感などの症状を伴う。問診で，患者が訴える症状やその特徴から感染部位や原因（ウイルスもしくは細菌）を推定することができる。

2. 既往歴の把握

　既往歴の聴取は，診断において重要なファクターの一つである。過去にかかった病気だけでなく，以下の項目も忘れずに確認することによって，感染症の原因をより正確に推定することができる。

1　手術歴

　手術の時期と部位，体内の人工物の有無を確認する。体内に人工物があると，人工物感染の可能性が生じ，人工物の摘出が必要となることが多い。また，直近に手術をした場合には，創部感染のおそれも考えられる（術後30日以内。人工物がある場合は術後90日以内）。開腹手術による癒着性腸閉塞の可能性も考える必要があり，手術部位の確認も怠らない。

2 アレルギー歴

アレルギー歴で重要なことは，アレルギーの種類だけではなく，その症状も確認することである。たとえば軽度肝機能障害の患者の肝機能検査値が上昇しただけなのか，重症薬疹を認めたのかでは，同じ薬剤性アレルギーといっても治療の緊急度が大きく異なる。

また，薬や食事の内容を具体的に確認することで，症状がアレルギーによるものかどうかを判断することができる。果物のアレルギーは天然ゴムによるラテックスアレルギーを合併して発症するおそれがあるため，手術のときに使われるラテックス手袋（ラテックスグローブ）でアレルギーが誘発されないよう注意する。

3 薬剤内服歴

薬剤内服歴は，薬剤性の発熱（薬剤熱）の鑑別に重要である。薬剤性の発熱の場合，様々な症状も引き起こす可能性があるため鑑別診断からはずすことはできない。

4 家族歴

家族歴は，遺伝性疾患の可能性を除外するために重要である。高齢者の心筋梗塞や悪性腫瘍は多くみかけるが，若年者の心筋梗塞，悪性腫瘍などはめずらしく，遺伝性の器質的疾患を抱えていた可能性が考えられる。一般的ではない家族歴に有用な情報が潜んでいる可能性がある。

5 結核の感染歴（特に治療歴）

結核は，若年時に感染し無治療で軽快した場合，高齢になってから再燃する可能性のある疾患である。そのため，特に高齢者においては既往の有無と，治療の有無の確認が重要となる。若年時に感染した際に適切な治療が行われていれば，結核が再燃するリスクは下がる。

6 ワクチン接種歴

ワクチン接種によって，患者の感染症のリスクや治療法が異なる場合があるため，必要な情報である。たとえば肺炎球菌ワクチンを接種している場合，肺炎や中耳炎などの病気にかかりにくくなるため，診療においては肺炎球菌感染症のリスクは低いと判断することができるようになる。同様に，発熱で来院された患者にインフルエンザワクチンの接種や新型コロナウイルスワクチンの接種を確認すれば，感染の可能性や重症化リスクを考えることができる。

3. 生活行動の把握

患者の生活行動を読み解くことによって，病原となる微生物を推測し，感染症の診断に

結びつくことがある。たとえば，仕事内容から感染症の診断が導かれることがある。ペットショップで働いている人であれば動物からの感染症，農家であれば虫による感染症が，鑑別診断時の検討材料にあげられる。

1 嗜好歴

▶ **喫煙** 喫煙を客観的に評価する基準はいくつかあるが，20本/日（1箱/日）の喫煙を20年間（20 pack-years*）続けると，COPD（慢性閉塞性肺疾患）の疑いが生じる。COPD患者はもともと低酸素状態であり，肺炎で入院した際には重症化しやすい。また，酸素の過剰投与によるCO_2ナルコーシスを起こさないように注意する。

▶ **飲酒** 1日平均純エタノール60g以上の飲酒をする人を常習飲酒家という。酒の種類における常習飲酒家の目安を表3-1に示す。アルコールによって肝機能が低下している場合，免疫機能が低下し，細菌に感染しやすくなる。近年の知見として，2018年8月23日に医学誌「Lanset」で報告された論文[1]では，少量のアルコールは動脈硬化防止によいが，結局，悪性腫瘍のリスク（特に乳がん）のほうに影響が強く，たとえ少量でもからだには害であると報告されている。

2 セクシャルアクティビティ

性的な活動性（セクシャルアクティビティ，sexual activity）に関する情報は，STD（sexually transmitted disease, 性感染症）の鑑別に必要となる。質問しづらい内容であるが，プロフェッショナルとして，その必要性を伝えつつ情報を引き出す。

基本的に，性活動があるというのは患者が恥ずかしがる傾向にあり，活動性が高いときは，より感染症の可能性を疑い，低いときは参考にしないようにする。具体的に同性愛かどうか，風俗店に行くかどうかなども確認する。

3 シックコンタクト

シックコンタクト（sick contact）とは，感染が成立している人の咳やくしゃみなどを介して，感染者と接触することを指す。下痢症やインフルエンザなど，人から人へ伝播する感染症は多くある。このような感染症にかかった人と接触していないかを確かめる。

表3-1 酒の種類における常習飲酒家の目安

種別	純エタノール含有量	飲酒の頻度	例
ビール	100mL当たり約4g	毎日	中瓶（500mL）3本
ワイン	100mL当たり約10g	毎日	フルボトル（750mL）1本
日本酒	100mL当たり約12g	毎日	3合（540mL）

※飲酒に関する文献は多く，目安とする数値にばらつきがあり参考程度に使用のこと。

*pack-years：喫煙の量を示す国際的な指標（喫煙指数）。1日の喫煙本数（1箱20本を何箱）×喫煙年数で表す。

4 旅行歴

▶ **海外渡航歴** 日本では感染しないが，海外で感染する感染症は数多くある。海外渡航歴と，海外で何をしたかは重要な情報である。

▶ **国内旅行歴** たとえば国内旅行で温泉に行った場合に原因菌として考えるのは，レジオネラである。近年では，長期使用している加湿器からの感染も指摘されている。レジオネラが水まわりで感染しやすいことを覚えておくべきである。

5 動物とのコンタクト（動物接触歴）

動物から感染する病気には，鳥から感染するオウム病や，ネズミから感染するレプトスピラ症などがある。犬や猫などのペットを飼育している場合にはパスツレラ症（本編 - 第4章 - XII「ヒト・動物咬傷による感染症」参照）やトキソプラズマ症（本編 - 第4章 - XVII「日和見感染症」参照）などの可能性もあるため，問診では動物との接触歴やペットの飼育歴も確認する。

B 身体診察

身体所見のうち，最も重要なものはバイタルサインである。目の前の患者が感染症であるかどうかよりも，死に至る状態に直面しているかどうかについて，まず判断する必要がある。そのための最も簡便で機能的な方法は，qSOFAスコア（本編 - 第2章 - I -3「敗血症」参照）を用いて敗血症の可能性を判断することである。その後，そのほかのバイタルサインも確認し，身体所見へと移行する。

1 qSOFAスコア

意識レベル（GCS 15点未満），呼吸回数（22回/分以上），収縮期血圧（100mmHg未満）の3つが基準となっており，2つが該当すると敗血症疑いとなり，1つの場合と比較して死亡率が約10倍になるといわれている。

2 バイタルサイン

意識状態，体温，脈拍数，呼吸数，血圧，SpO_2（経皮的動脈血酸素飽和度）の6つをバイタルサインという。正常範囲という基準もあるが，最も重要なことは，ふだんの本人の状態と比べて，どの程度変化があるのかということである。たとえば発熱で来院した患者の収縮期血圧が130mmHgだったとする。この患者のもともとの収縮期血圧が170mmHgだったとすると，この40mmHgの変化自体が重要なのである。

3 ROS

　ROS(review of systems, 系統的レビュー)とは,顔面から足先まですべてに注意を払って,全身症状を確認することである。診察においては,このROSが重要となる。身体所見をとり慣れていないと,診察でとられた所見が有意なものなのか判断できないため,各疾患についての理解を深め,経験を積み,その特徴をつかんでおくことが必要となる。

II　検査の方法

　問診や身体診察により医師による診断が導かれたら,病原微生物を同定するための検査が行われる。検体の採取や運搬・保存などは看護師が行うことが多いため,検査に関する正確な知識とその手順を理解しておきたい。

A　検体検査

1. 塗抹検査(グラム染色)

　塗抹検査とは,細菌を染色し細菌の有無を判断する検査のことをいう。最も迅速に細菌感染症かどうかを判断できる(場合によっては起因菌の推定まで可能)重要な検査である。塗抹検査のなかでも感染症の分野で押さえておかなければならないのが**グラム染色**である。

▶ **グラム染色**　細胞壁の構造の違いを利用して細菌を染色する簡易的な塗抹検査である。細菌の有無を確認する検査であるため,**無菌操作**が重要であり,検体は速やかに検査室へと輸送する必要がある。検体をやむを得ず保存する場合には,菌が不潔な環境に曝露されたり死滅したりしないよう適切な状態で保存しなければならない。

▶ **評価法**　検体を採取したら,グラム染色を行う前に,その検体の外観を記録に残す。喀痰検査の場合にはその外観をミラー・ジョーンズ(Miller & Jones)分類という5段階の評価方法を用いて,染色前に評価する。外観の評価を終えたらグラム染色に移る。喀痰検査では,染色後の評価として顕微鏡を用いたゲックラー(Geckler)分類で6段階の評価が行われる。

▶ **グラム染色でわかること**　細菌の色と形がわかる。色は紫色を**グラム陽性**,赤色を**グラム陰性**と定義し,形は球状のものを**球菌**,棒状のものを**桿菌**という。これらの組み合わせで菌を,グラム陽性球菌,グラム陰性球菌,グラム陽性桿菌,グラム陰性桿菌の4種類に分類することができるが,多くの菌はグラム陽性球菌とグラム陰性桿菌に分類される。臓器に感染を起こす菌は決まっているため,代表的な菌を押さえておくとよい(表3-2)。

表3-2 代表的なグラム陽性球菌とグラム陰性桿菌

分類	代表的な菌
グラム陽性球菌 ●	ブドウ球菌，溶連菌，肺炎球菌，腸球菌など
グラム陰性桿菌 ●	大腸菌，肺炎桿菌，インフルエンザ桿菌，緑膿菌など

2. 培養検査

検体に含まれる細菌を同定するために培地（固定培地，液体培地など）で増殖させる検査を，培養検査という。感染症診断の基本であり，原因のわからない発熱患者をみかけたときには，まず各種培養検査を行ったのち抗菌薬を投与する（抗菌薬を投与して検査を行うと，抗菌薬も細菌と一緒に培養され，細菌を殺してしまうため培養が陰性となる）。

培養検体には，無菌検体（血液，髄液，胸水，腹水，手術のときに採取される検体）と常在菌の混入している検体（喀痰，尿，便など）の2種類がある。次に，検体採取時に注意する必要のある培養検査を説明する。

❶血液培養

血液培養は，皮膚からの常在菌の混入を避けるため，検体採取前に皮膚をアルコール綿でこすり，汚れを落とす。その後，10％ポビドンヨード，0.5％クロルヘキシジングルコン酸塩，70％アルコールのいずれかで消毒をし，採取する。嫌気ボトルと好気ボトル（無酸素のなかで成長しやすい菌［嫌気ボトル］と，酸素があるなかで成長しやすい菌［好気ボトル］を，それぞれのボトルで培養する）は，2本がペアになって1セットとなっている。

1セット当たり20mLの採取量で，必ず2セット（合わせて4ボトル）以上採ることが重要である。これは，皮膚の常在菌が培養されたときに，血流感染か皮膚の常在菌が混入しただけなのかを判断するためである。2セットともに陽性の場合は原因菌として考え，1セットだけで陽性反応が出れば汚染菌として考える傾向にあるが，菌によっては1セットでも治療対象となる。常在菌の混入かどうかは，培養結果が出るまでの時間も判断材料になる。培養結果が48時間以上経ってから出てくるときは，手技の操作で常在菌が混入した可能性が高まる。

❷膿瘍の検体培養

創部や褥瘡によって皮下に膿瘍形成をした場合，綿棒などでこすって提出された検体は，常在菌が混入するため不適切な検体となる。皮下膿瘍を認めた場合には，皮膚をポビドンヨードで2度消毒し，注射針などで内部を吸引して無菌状態のまま培養提出する必要がある。

3. 迅速抗原検査

迅速抗原検査は，診察室で行えるため，臨床で頻度の高い検査である。尿中肺炎球菌抗原検査，咽頭溶連菌検査，インフルエンザ検査，マイコプラズマ検査などがある。多くの

検査で感度（陽性の人を検出する割合）・特異度（陰性の人を検出する割合）が高く，信頼性のある検査だが，感度・特異度は検査によって異なるため，どの程度の信頼性があるのか把握しておくことが重要である。また，偽陰性・偽陽性の可能性を常に考えておく。いずれも迅速検査であり，陽性の場合に診断を確定できたとしても，陰性の場合に細菌感染の可能性を完全に否定できるわけではないことを忘れてはならない。

4. 真菌抗原検査

β-Dグルカンが代表的な真菌（しんきん）抗原検査になるが，真菌の細胞壁の主要な構成成分を検出する検査である（本編-第1章-Ⅰ-B-3「真菌」参照）。ニューモシスチス肺炎やカンジダ症などの真菌感染症で上昇し，非常に感度の高い検査である。しかし，透析治療，ペニシリン系薬剤との交差反応，ガーゼ使用などによって上昇することもあるため，確定診断には用いず診断の一助として用いられる。

5. 抗体検査

ウイルスの検査で多くみられるのが，抗体検査である。抗体検査には，IgMとIgGの2種類がある。IgMは感染初期に上がり，しばらくすると正常化するのに対し，IgGはIgMに遅れて上昇し，そのまま残存する特徴がある。

診断方法としては，①IgMの上昇を確認する方法と，②IgGのペア血清という方法がある。ペア血清はIgGの上昇率をみるため，1回目の測定から2週間以上空けて再度採血する。4倍以上に上昇している場合は，陽性と判断する。

6. 便の毒素検査

抗菌薬関連下痢症や腸炎の主要な原因菌であるクロストリジオイデス・ディフィシル（*Clostridioides difficile*）を検出するための迅速検査では，患者の便から毒素（トキシンAまたはトキシンB）が検出されるか否かを確認する。迅速かつ容易に検査結果が得られるものの，感度が低いため，検査が陰性だった場合にもクロストリジオイデス・ディフィシル感染症の罹患（りかん）を否定できず，強く罹患が疑われる場合には培養検査などを行う必要がある。

7. 原虫・寄生虫検査

原虫・寄生虫検査では，便中に虫卵や体節（寄生虫体の一部）があるかどうかをみて診断する。最も大事な要素は病歴であり，寄生虫や原虫に感染するような所に行ったかどうか，生ものなどを食べたかどうかを把握することである。

8. 分子生物学的検査

遺伝子レベルでの検査方法は進化しており，全ゲノムの特定によって薬剤などに抵抗性をみせる耐性遺伝子を特定することもできる。日本で一般的に用いられているのはPCR（ポ

リメラーゼ連鎖反応）法や WB（ウエスタンブロット）法といった検査で，信頼性の高い検査である。

B 特殊な疾患

1. 結核

　結核は抗酸菌検査で特定される。細胞性免疫不全の患者や結核の既往がある患者，結核への曝露がある患者に検討される検査である。結核の既往がある場合には，長期間の治療を行ったかどうかの確認も重要である。治療を行っていない場合，結核の再燃が起こる。

❶塗抹検査
　チール・ネルゼン染色を行い，直接抗酸菌の有無を目視する検査である。非定型抗酸菌と結核の区別はできない。

❷核酸増幅検査
　主に用いられる検査で，確定診断ができる。1〜6時間で判定可能である。

❸培養検査
　確定診断ができる検査で，抗菌薬の感受性を確認できる。しかし，培養までの期間がとても長く，一般的に6〜8週間かかる。

❹クォンティフェロン®TBゴールド（QFT）およびT-スポット®.TB（T-SPOT）
　これまでに結核に感染していたかどうかをみる検査である。とても感度のよい検査とされているが，免疫が低下している患者では陰転化するため，これらの検査が陰性であっても，結核を否定できるものではない。

2. HIV

　HIV（ヒト免疫不全ウイルス）感染症は，HIVに感染している人すべてがあてはまる。一方，AIDS（エイズ，後天性免疫不全症候群）はHIV感染により，免疫不全が進行し，カンジダ症などAIDS発症の基準となる23のAIDS指標疾患に感染した状態をさす。また，次にあげるCD4陽性Tリンパ球とHIV-RNAの量はHIV感染症診断の基本であるため，押さえておく必要がある。

　HIVのスクリーニング検査は，HIVの抗体をみることで行われる。抗体検査は非常に鋭敏であるが，確定診断には不十分で，WB法や，PCR法といった遺伝子レベルでの検査を行う。WB法またはPCR法でHIV-RNAが検出された時点で，HIV感染症の診断となる。

❶CD4陽性Tリンパ球
　HIV感染症は，Tリンパ球やマクロファージに感染するウイルスで，ウイルスの増殖によりこれらの正常細胞が減少していく。CD4陽性Tリンパ球（CD4陽性T細胞）の数が

HIV感染患者の免疫の指標になっており，この数が減少するにつれて，感染し得るAIDS指標疾患が増えていくことを覚えておく必要がある．正常の人はCD4陽性Tリンパ球を700〜1300個/μL程度もっているといわれており，これが200個/μLを下回ると，AIDS発症の危険性が出てくる．

❷ HIV-RNA

HIV-RNAは，HIVのウイルスの数を遺伝子的にとらえたものである．この数が多いということは，免疫不全がどんどん進行している（CD4陽性Tリンパ球の数が減少傾向にある）ということである．HIV感染症の治療の指標になっており，抗HIV薬による治療開始後は定期的にフォローして，治療効果を判定する．

3. 新型コロナウイルス感染症（COVID-19）

新型コロナウイルス感染症（COVID-19）を診断する検査としては抗原定性検査，抗原定量検査，PCR検査の3つがある．実際に臨床に使われているのは抗原定性検査とPCR検査である．そもそも風邪の原因ウイルスであり，症状から見分けることは難しく，新型コロナウイルス感染症の流行状況，感染者への曝露状況，ワクチン接種歴と症状を総合して検査の適応を検討する．

C 画像検査

画像検査は，肺炎や膿瘍などを特定するために行われるが，必ず問診，身体所見の確認の後に行われるべき検査である．患者の状態の安定を第一に考え，抗菌薬の投与や各種培養などが，すべてすんだところで検討する．抗菌薬や点滴静脈注射が注入されていても画像に大きな変化は起こらない．また，X線検査は患者に侵襲性がある検査のため，実施前にその必要性を一度考える必要がある．

1 超音波検査

検査を考えるときに，患者への侵襲性があるかどうかを考えることは重要である．超音波検査は患者への侵襲性がなく，すぐに画像を確認できる検査のため臨床では重宝される．

2 単純X線検査

単純X線検査は画像診断の基本である．重要なことは，撮影した単純X線画像を適切に読影できるかである．また，少なからず放射線の曝露を伴うため，むやみに撮影するのではなく，バイタルサインと身体所見などで必要性を検討することが重要である．

3 CT検査

感染症の観点からCT（computed tomography，コンピュータ断層撮影）検査が欠かせない

シチュエーションとしては，全身の膿瘍を確認するときがあげられる。膿瘍の確認のためには造影剤が必要となる。また，CT検査は放射線の曝露量がとても多いため，単純X線検査での診断が可能であればCTの撮影は控える。

4 MRI検査

CT検査は物質の境目を見るのに重宝するが，MRI（magnetic resonance imaging，磁気共鳴画像）検査は物質の中身の変化を見分けることができる。感染症の観点からは，脳膿瘍や椎体炎などがターゲットとなる。MRI検査はCT検査と違い，放射線被曝がない。また，使用目的もCT検査と異なる。

5 PET-CT検査

PET（positron emission tomography，陽電子放出断層撮影）-CT検査は，ブドウ糖代謝の指標となる薬剤を用いて，ブドウ糖代謝を色で見えるようにしたCT検査である。悪性腫瘍の病巣や炎症部位はブドウ糖の消費が亢進し，集積が認められるため，悪性腫瘍や炎症性疾患の検出に有用である。現時点では使用できる施設は限られているが，知識として覚えておく必要がある。

III 感染症の治療

感染症治療の基本は，病原微生物の減少を図ることである。そのための手段として，大きく分けて，**抗微生物薬**（抗菌薬など）を中心とした**内科的治療**と，ドレナージを中心とした**外科的治療**がある。ここでは主に抗微生物薬について述べる。

抗微生物薬には，抗菌薬，抗真菌薬，抗ウイルス薬などが含まれる。その種類は多岐にわたり，選択すべき最適な抗微生物薬は，**感染臓器**と**病原微生物**およびその**薬剤感受性**によって決まる。

まず前述（本章-Ⅰ「診察の方法」参照）のように，感染症が疑われたら，感染臓器を特定あるいは推定して検体採取を行う。次に，得られた検体で培養を中心とした（本章-Ⅱ「検査の方法」参照）のような検査を行う。しかし，特に培養検査では，結果の判明に数日から時に数週単位の時間を要するため，検査と並行して**経験的治療**（エンピリック治療，empiric therapy）を開始することが多い。経験的治療とは，感染臓器は概ね特定できているが，まだ病原微生物の同定ができていない段階で，その臓器に感染する可能性が高い微生物を幅広くカバーできるように広域のスペクトラム（スペクトル，有効な範囲）をもつ抗微生物薬を選択する治療法である。

培養検査などによって病原微生物や抗微生物薬への感受性が判明し，最適な抗微生物薬に変更することを**標的治療**（デフィニティブ治療，definitive therapy）という。その多くは広

域のスペクトラムをもつ抗微生物薬から狭域なものに変更するため，この変更を**ディ・エスカレーション**（de-escalation）という。このように，抗微生物薬の選択は 2 段階で行う。また，抗微生物薬ごとに体内動態や微生物への作用機序が決まっており，投与量や投与間隔も決まっていることにも注意が必要である（次項 A「抗菌薬」の「PK-PD 理論」参照）。

A 抗菌薬

微生物を死滅させることを**殺菌**作用，増殖を抑制することを**静菌**作用という。抗菌薬は細菌や抗酸菌に作用する抗微生物薬であるが，抗菌薬の種類によって作用する部位が異なる（表 3-3）[2]。主に細胞壁・細胞膜合成や DNA 合成を阻害する抗菌薬は殺菌性に，たんぱく合成を阻害する抗菌薬は静菌性に作用するが，一部の抗菌薬ではターゲットとなる細菌によって，殺菌性・静菌性が異なるものもある。

▶ **PK-PD 理論**　PK（pharmacokinetics，ファーマコキネティクス）とは，投与した薬剤の，①吸収，②分布，③代謝・排泄に関する薬物動態学である。たとえば経静脈的に投与（点滴静脈注射）した場合と異なり，経口投与（内服）では消化管からの吸収率が問題になる。また，経静脈的投与，経口投与ともに「全身投与」とよばれるが，厳密には抗菌薬ごとに各臓器への移行性は異なる。臨床上問題になるのは，主に中枢神経と前立腺への移行性である。たとえば，第 1，2 世代セファロスポリン系，フルオロキノロン系，アミノグリコシド系の抗菌薬は中枢への移行性が乏しいため髄膜炎の治療に用いることができず，βラクタム系抗菌薬は特に炎症が改善してきた前立腺への移行性が乏しいため前立腺炎の治療に失敗することがある。抗菌薬の多くは，肝または腎で代謝され排泄される。透析患者を含め，腎障害合併例に対しては用量調整で対応できるが，肝障害合併例では，多くの抗菌薬で用量調整に関する一定の見解がない。

PD（pharmacodynamics，ファーマコダイナミクス）とは，薬物動態と抗菌薬の効果に関する薬力学である。抗菌薬の効果の指標には「有効な濃度以上に血中濃度が維持できた時間の長さ」と「最高血中濃度」がある。前者を指標とする抗菌薬は**時間依存性の抗菌薬**とよばれ，抗菌薬を頻繁に投与する必要がある。βラクタム系抗菌薬のように細胞壁に影響を与える薬剤が多い。後者を指標とする抗菌薬は**濃度依存性の抗菌薬**とよばれ，高い最高血中濃度を得るために，1 回の投与量を増やす必要がある。アミノグリコシド系抗菌薬のようにたんぱく合成を障害する薬剤が多い。

表3-3 抗菌薬一覧

	機序・作用部位		投与方法	消化管吸収率	代謝・排泄	主な有害作用
βラクタム系 ペニシリン系	細胞壁合成阻害	殺菌性	時間依存性 1日3〜4回投与 ※セフトリアキソンは1日1〜2回	90%（アモキシシリン）	腎 ※例外あり	過敏症，下痢，肝障害，骨髄抑制，間質性腎炎，胆泥貯留（セフトリアキソン），意識障害（セフェピム），痙攣（カルバペネム系）
セフェム系 ・セファロスポリン系（第1〜第4世代） ・セファマイシン系				16%（セフジトレン）〜93%（セファクロル）		
カルバペネム系				—		
モノバクタム系				—		
グリコペプチド系			1日2回（バンコマイシン） 1日1回（テイコプラニン）	吸収されない	腎	レッドパーソン症候群，腎障害，骨髄抑制，聴神経障害
リポペプチド系	細胞膜・細胞壁合成阻害		1日1回	—	腎	クレアチンキナーゼ上昇，肝障害，好酸球性肺炎
環状ポリペプチド系	細胞膜障害	殺菌性	1日2回	—	不明	腎障害，神経障害
オキサゾリジノン系	たんぱく合成阻害（リボソーム50Sサブユニット）	静菌性	1日1回または2回	100%		血小板減少，乳酸アシドーシス，セロトニン症候群，消化器症状
マクロライド系			※抗菌薬ごとに異なる	35〜50%	肝	下痢，悪心，QT延長
リンコマイシン系			1日3〜4回	90%	肝	下痢
テトラサイクリン系	たんぱく合成阻害（リボソーム30Sサブユニット）	静菌性	※抗菌薬ごとに異なる	93〜95%	肝または腎	日光過敏症，骨・歯の色素沈着，肝障害，前庭障害（ミノサイクリン）
アミノグリコシド系			濃度依存性 原則1日1回	吸収されない（カナマイシン，パロモマイシン）	腎	腎障害，聴神経障害，神経筋接合部遮断
フルオロキノロン系	DNA合成阻害	殺菌性	濃度依存性 1日1回 ※シプロフロキサシンは1日2回	70%（シプロフロキサシン） 99%（レボフロキサシン）	腎	下痢，QT延長，血糖異常，腱鞘炎（アキレス腱断裂），大動脈瘤/解離，軟骨形成障害（小児）
メトロニダゾール	DNA障害		1日2〜4回（疾患によって異なる）	100%	肝	嫌酒作用，悪心，末梢神経障害，味覚異常
ST合剤	葉酸代謝拮抗		1日2〜3回	98%	肝・腎	過敏症，腎障害，電解質異常，骨髄抑制，悪心
ホスホマイシン	細胞壁合成阻害	殺菌性	1日2回	12%	腎	下痢，悪心

資料／日本化学療法学会抗菌化学療法認定医認定制度審議委員会編：抗菌薬適正使用生涯教育テキスト，第3版，2020．
Bennett, J.E., et al.：Mandell, Douglas, and Bennett's Principles and Practice of Infectious Disease, 9th edition, Elsevier, 2019. を基に作成．

1. βラクタム系

1　特徴，スペクトラム

　βラクタム系抗菌薬は入院中に最もよく使用する抗菌薬であり，種類も多い．本章-Ⅱ「検査の方法」で紹介したグラム染色と形態によって細菌を分類し，特に臨床上問題となるグラム陽性球菌と，グラム陰性桿菌に対する有効な範囲（スペクトラム）を中心にβラクタム系抗菌薬を使い分ける（表3-4）．

　グラム陽性球菌は，たとえばメチシリン耐性黄色ブドウ球菌（MRSA）にはすべて無効，レンサ球菌はモノバクタム系以外すべて有効，腸球菌にはセフェム系がすべて無効というように有効性がはっきりしている．一方，グラム陰性桿菌は，菌種によって抗菌薬に対する有効性にばらつきがあるだけでなく，同じ菌種でも抗菌薬曝露歴の有無や医療機関によって個々の抗菌薬の感受性率が異なる．たとえば，表3-4中の「※」に記した基質特異性拡張型βラクタマーゼ（extended-spectrum β-lactamase；ESBL）産生菌やAmpC型βラクタマーゼ過剰産生菌は菌名ではなく，前者は主に大腸菌やクレブシエラが，後者は主にエンテロバクターやシトロバクターが耐性化して酵素を産生するようになったものであり，これらの耐性菌の分離頻度（感染頻度）は，医療機関や地域によってばらつきが大きい．

❶ペニシリン系

　最も古いベンジルペニシリンは，主にグラム陽性球菌をターゲットとした抗菌薬である．開発が進むにつれ，緑膿菌を含むグラム陰性桿菌，嫌気性菌へとスペクトラムが広がっている．

❷セフェム系

　セフェム系は，セファロスポリン系とセファマイシン系に分かれる．

　第1世代から第3世代のセファロスポリン系は，開発が進むにつれてグラム陽性球菌からグラム陰性桿菌にスペクトラムが広がっているが，第3世代セファロスポリン系であるセフタジジムは，グラム陽性球菌への効果が減弱する．第4世代のセフェピムは，第1世代セファロスポリン系と第3世代セファロスポリン系（セフタジジム）を合わせた広域なスペクトラムを有する．

　セファマイシン系のセフメタゾールは，基本的には第2世代セファロスポリン系と同様のスペクトラムを有するが，バクテロイデス属などの嫌気性菌やESBL産生のグラム陰性桿菌（腸内細菌）に対するスペクトラムを有する点と，グラム陽性球菌である黄色ブドウ球菌や肺炎球菌への効果が弱い点が異なる．

❸カルバペネム系

　非常に広域なスペクトラムを有するが，近年は本剤に対する緑膿菌の耐性化だけでなく，国内・国外におけるカルバペネム系抗菌薬耐性の大腸菌やクレブシエラなども問題になっている．本剤の不適切な使用による耐性菌の出現に注意が必要である．

表3-4 βラクタム系抗菌薬の主な細菌に対するスペクトラム

	グラム陽性球菌					グラム陰性桿菌											その他		
	黄色ブドウ球菌	MRSA	肺炎球菌	レンサ球菌	腸球菌	インフルエンザ菌	大腸菌	クレブシエラ	プロテウス	ESBL産生菌※	エンテロバクター	シトロバクター	セラチア	AmpC型βラクタマーゼ過剰産生菌※	緑膿菌	アシネトバクター	リステリア（グラム陽性桿菌）	髄膜炎菌（グラム陰性球菌）	バクテロイデス（嫌気性菌）
ペニシリン系																			
ベンジルペニシリン	×	×	○	○	○	×	×	×	×	×	×	×	×	×	×	×	○	○	×
アンピシリン	×	×	○	○	○	△	△	×	△	×	×	×	×	×	×	×	○	○	×
ピペラシリン	×	×	○	○	○	△	○	△	○	×	△	△	△	×	△	×	×	○	×
アンピシリン・スルバクタム	○	×	○	○	○	○	○	○	○	×	×	×	×	×	×	×	○	○	○
タゾバクタム・ピペラシリン	○	×	△	○	○	○	○	○	○	△	○	○	○	△	○	△	×	○	○
セフェム系																			
セファロスポリン系																			
セファゾリン（第1世代）	○	×	○	○	×	×	○	○	△	×	×	×	×	×	×	×	×	×	×
セフォチアム（第2世代）	○	×	○	○	×	○	○	○	○	×	×	×	×	×	×	×	×	×	×
セフトリアキソン（第3世代）	○	×	○	○	×	○	○	○	○	×	△	△	△	×	×	△	×	○	×
セフタジジム（第3世代）	△	×	△	△	×	○	○	○	○	×	△	△	△	×	○	△	×	○	×
セフェピム（第4世代）	○	×	○	○	×	○	○	○	○	×	○	○	○	△	○	△	×	○	×
セフトロザン・タゾバクタム	△	×	△	○	×	○	○	○	○	○	○	○	○	○	○	△	×	○	×
セファマイシン系																			
セフメタゾール	△	×	○	○	×	○	○	○	○	○	×	×	×	×	×	×	×	△	○
カルバペネム系																			
メロペネム	○	×	○	○	△	○	○	○	○	○	○	○	○	○	○	○	○	○	○
モノバクタム系																			
アズトレオナム	×	×	×	×	×	○	○	○	○	×	○	○	○	×	○	△	×	○	×

○有効　△時に無効，または効果不十分なことがある　×無効

資料／日本化学療法学会 抗菌化学療法認定医認定制度審議委員会編：抗菌薬適正使用 生涯教育テキスト（改訂版），2013，を基に作成．

❹モノバクタム系

主に緑膿菌を含めたグラム陰性桿菌に活性を有する。ただしESBL産生菌やAmpC型βラクタマーゼ過剰産生菌などの耐性菌には無効である。

❺新たなβラクタム系抗菌薬

主にESBL産生菌やカルバペネム耐性腸内細菌目細菌による感染症の治療を目的としたβラクタマーゼ阻害薬を配合したセファロスポリン系抗菌薬（セフトロザン・タゾバクタム）やカルバペネム系抗菌薬（レレバクタム・イミペネム・シラスタチン）が使用できるようになった。

2 注意点

　経口投与の第3世代セファロスポリン系抗菌薬（セフカペン，セフジトレンなど）の消化管吸収率は50％未満であり，これらの薬剤は内服後に十分な血中濃度が得られない可能性がある。

　アレルギー反応は，同じβラクタム系抗菌薬間で交差反応を生じ得るが，多くはない。アナフィラキシーショックなどⅠ型アレルギーの既往がなければ，別のβラクタム系抗菌薬の投与は可能であることが多い。

2. グリコペプチド系（バンコマイシン，テイコプラニン），リポペプチド系（ダプトマイシン），ポリペプチド系（コリスチン）

1 特徴・スペクトラム

❶グリコペプチド系，リポペプチド系抗菌薬

　メチシリン耐性黄色ブドウ球菌（MRSA）を含めたグラム陽性球菌に有効で，バンコマイシンはグラム陽性桿菌（リステリア，コリネバクテリウムなど）にも有効である。グラム陰性球菌，グラム陰性桿菌（嫌気性菌含む）には無効である。

❷ポリペプチド系抗菌薬

　コリスチンは，耐性グラム陰性桿菌の多剤耐性緑膿菌や多剤耐性アシネトバクターに対するスペクトラムを有する数少ない抗菌薬である。

2 注意点

　グリコペプチド系抗菌薬（点滴静脈注射）の有害作用は，主にトラフ値（投与直前の薬物血中濃度）と関連するため，トラフ値の測定が必要である。

❶バンコマイシン

　投与速度が速いと，顔面や上半身に紅潮をきたすことがある（レッドマン症候群またはレッドパーソン症候群[3]）。これはアレルギー反応ではないが鑑別は難しい。バンコマイシンには内服薬があるが，経口投与時の消化管吸収率はほぼ0％であり，腸管感染症のみで使われる。この場合，トラフ値の測定や腎機能による薬剤の調整は必要ない。

❷ダプトマイシン

　肺胞表面に分泌される界面活性剤である肺胞サーファクタントによる不活化を受けるため，肺炎の治療に用いることはできない。

❸コリスチン

　有害作用である腎障害は，特にほかの腎障害リスクのある薬剤と併用すると発生リスクが高まる。

3. アミノグリコシド系 (ゲンタマイシン, アミカシン, トブラマイシンなど)

1 特徴・スペクトラム

　緑膿菌を含むグラム陰性桿菌に有効である。黄色ブドウ球菌, レンサ球菌, 腸球菌といったグラム陽性球菌による感染性心内膜炎の際に, βラクタム系抗菌薬などと併用することはあるが, 単剤ではグラム陽性球菌の治療は行わない。中枢神経系への移行は不良である。スペクチノマイシン (点滴静脈注射) は淋菌感染症の, パロモマイシン (経口) は腸管アメーバ赤痢の治療で用いる。

2 注意点

　十分な最大血中濃度が得られた場合には, 薬物血中濃度が有効な濃度を下回った後にもグラム陰性桿菌に対して効果が持続する (post antibiotic effect : PAE という)[4]。

　有害作用の聴神経障害 (難聴, 前庭障害) は不可逆的であり[5], 投与中は定期的に聴力検査を行うことが望ましい。

　腎障害の有害作用はトラフ値, 薬剤の効果はピーク値 (投与終了後 30 分程度の血中濃度) と, それぞれ関連するため, これらの測定を行う必要がある[6]。

4. ホスホマイシン

1 特徴・スペクトラム

　黄色ブドウ球菌や腸球菌といったグラム陽性球菌や, ESBL 産生菌を含めたグラム陰性桿菌に対して有効である。

2 注意点

　経口薬として国内で承認されているホスホマイシンは, 消化管吸収率などの点で海外の製剤とは異なる点に注意する[7]。

5. マクロライド系 (エリスロマイシン, クラリスロマイシン, アジスロマイシンなど)

1 特徴・スペクトラム

　インフルエンザ菌, モラキセラ, 百日咳菌, ピロリ菌, 非定型病原体 (マイコプラズマ, クラミジア, レジオネラなど) などに活性を有する。これらに加え, クラリスロマイシンは, カンピロバクターや非結核性抗酸菌 (MAC など), アジスロマイシンは, さらにサルモネラ感染症や腸チフス・パラチフスにも有効である。レンサ球菌や黄色ブドウ球菌は耐性化が進んでいる。緑膿菌, 嫌気性菌に対するスペクトラムはない。フィダキソマイシンはク

ロストリジオイデス・ディフィシル腸炎の治療で用いる。

2 注意点

　経口薬の消化管吸収率は，いずれも 50％未満であるが，細胞内への良好な移行性により炎症組織内の濃度を高めることができるとされている。

　特にエリスロマイシンやクラリスロマイシンは相互作用を有する薬剤が多いため，併用薬の確認が必要である。また，エリスロマイシンの急速静注は致死的な不整脈を生じる可能性があるため禁忌である。

6. リンコマイシン系 （クリンダマイシン）

1 特徴・スペクトラム

　グラム陽性球菌（黄色ブドウ球菌，レンサ球菌）に有効である。黄色ブドウ球菌や溶血性レンサ球菌によるトキシックショック（様）症候群の毒素産生を抑制する効果もある[8]。嫌気性菌に対して広いスペクトラムを有するが，近年，バクテロイデス属の耐性化が進んでいる[9]。

　細菌以外にも，ニューモシスチス・イロベチイ（真菌）やトキソプラズマ（寄生虫）などに有効である。

　好気性グラム陰性桿菌には，基本的に無効である。

2 注意点

　急速静注による心停止の報告がある。

7. テトラサイクリン系 （テトラサイクリン，ドキシサイクリン，ミノサイクリン，チゲサイクリン）

1 特徴・スペクトラム

　非定型病原体であるマイコプラズマ，クラミジア，レジオネラのほか，リケッチア，コクシエラ（Q熱），スピロヘータ（梅毒，ライム病），ノカルジア，マラリア原虫などに有効である。

　最も新しいチゲサイクリンを除き，ブドウ球菌や肺炎球菌の耐性化が進んでいる。緑膿菌やバクテロイデス属には無効である。

2 注意点

　制酸薬や金属含有製剤（マグネシウム製剤，鉄剤，アルミニウム製剤など）との併用で消化管からの吸収が阻害されるため，これらの薬剤とは3時間以上の間隔をあけて内服する[10]。ミノサイクリンでは，皮膚の色素沈着の報告がある。主にテトラサイクリンでは光線過敏

症の報告がある。ミノサイクリンの前庭障害は，男性に比べて女性に多い。

8. オキサゾリジノン系 (リネゾリド, テジゾリド)

1 特徴・スペクトラム

メチシリン耐性黄色ブドウ球菌（MRSA）や腸球菌を含め，グラム陽性球菌に対して有効である。バンコマイシン塩酸塩耐性のMRSAや腸球菌に対しても有効である。グラム陽性球菌以外には，結核菌や一部の非結核性抗酸菌に対して有効である。中枢神経や骨髄など，様々な臓器への移行性に優れている[11]。テジゾリドはリネゾリドよりも後述する副作用が少なく，点滴でも経口でも1日1回投与が可能な薬剤である。

2 注意点

副作用としては，血小板減少や貧血といった骨髄抑制は高頻度でみられる。乳酸アシドーシスや末梢神経障害の報告もある。選択的セロトニン再取り込み阻害薬（SSRI）との併用によるセロトニン症候群の報告がある。腎機能による投与量の調整は不要だが，有害作用の血小板減少は腎機能障害との関連が示唆されている[12]。

9. フルオロキノロン系 (シプロフロキサシン, レボフロキサシン, モキシフロキサシンなど)

1 特徴・スペクトラム

基本は，緑膿菌を含むグラム陰性桿菌と，非定型病原体（マイコプラズマ，クラミジア，レジオネラなど）に対して有効である。レボフロキサシンやモキシフロキサシンは黄色ブドウ球菌や肺炎球菌などのグラム陽性球菌に，さらにモキシフロキサシン，シタフロキサシン，ラスクフロキサシンは嫌気性菌にも有効である。

グラム陰性桿菌である腸チフス・パラチフスに対して第1選択であるが，海外を中心に耐性化が進んでいる。国内では，本剤の使用の増加に伴い，大腸菌（特にESBL産生）や淋菌の本剤への耐性化が問題になっている。また，結核菌を含む抗酸菌に対しても活性を有するが，結核菌に対する本剤の単剤治療による耐性化や診断の遅れが問題になることがある。

2 注意点

制酸薬や金属含有製剤（マグネシウム製剤，鉄剤，アルミニウム製剤など）との併用[13]で消化管からの吸収が阻害されるため，これらの薬剤とは内服時間をずらす必要がある。非ステロイド性抗炎症薬（NSAIDs）や気管支拡張薬のテオフィリンとの併用で痙攣のリスクが上がる[14]。また，妊婦や授乳婦には禁忌である。

10. ST（スルファメトキサゾール・トリメトプリム）合剤

1 特徴・スペクトラム

　ST（sulfamethoxazole-trimethoprim，スルファメトキサゾール・トリメトプリム）合剤では，グラム陽性球菌の黄色ブドウ球菌，グラム陽性桿菌のリステリアやノカルジア，大腸菌などの腸内細菌などに幅広いスペクトラムを有するが，大腸菌や赤痢菌などグラム陰性桿菌では耐性化が進んでいる。緑膿菌や嫌気性菌への活性はない。また，真菌のニューモシスチス・イロベチイや，寄生虫のトキソプラズマ，サイクロスポーラ，イソスポーラなど，細菌以外の微生物に対するスペクトラムも有する。副腎皮質ステロイド薬の長期投与やHIV感染症により免疫機能が低下している患者では，ニューモシスチス肺炎の予防で用いられる。

2 注意点

　特にHIV感染者では，投与2週目ごろに発熱や発疹といったアレルギー症状がしばしばみられる[15]。妊婦や授乳婦への使用は避ける。

11. メトロニダゾール

1 特徴・スペクトラム

　嫌気性菌に対して有効である。ヘリコバクター・ピロリ菌の除菌にも用いる。アメーバ赤痢，ジアルジア，トリコモナスといった寄生虫にも有効である。

2 注意点

　嫌酒作用（飲酒による不快反応を起こす）のため，投与中はアルコール摂取を禁止する必要がある[16]。妊婦や授乳婦には投与を避ける。

12. 抗結核薬（イソニアジド，リファンピシン，ピラジナミド，エタンブトール，ストレプトマイシン）

1 特徴

　結核菌は一定の割合で薬物耐性を獲得するため，必ず多剤併用療法を行う。特に菌量の多い初期の2か月程度は，3剤（イソニアジド，リファンピシン，ピラジナミド）にエタンブトールまたはストレプトマイシンを加えた4剤で治療を行い，感受性判明後に2剤（イソニアジド，リファンピシン）に減量し，最低でも6か月間の治療を継続する必要がある。これらの薬剤の消化管吸収率は良好であり，基本的に経口投与を行う。

2 注意点

❶ イソニアジド

1日1回内服する。肝障害やビタミン B_6 の排泄増加による末梢神経障害を合併することがある[17]。投与中はビタミン B_6 製剤を併用して末梢神経障害を予防する。まれに薬剤誘発性ループス（全身性エリテマトーデス様の症状）がみられることがある。

❷ リファンピシン

1日1回，空腹時に内服する。結核菌に対して最も強力に作用する。一般細菌である黄色ブドウ球菌やレジオネラなどにも活性を有するが，耐性を獲得されやすいため，単剤では使用しない。主に肝障害，悪心，骨髄抑制の有害作用がある。内服後に尿，汗，涙などの体液が橙色に変色することを，事前に説明しておく必要がある。非常に多くの薬剤と相互作用を有するため，必ず併用薬を確認する。

❸ ピラジナミド

1日1回内服する。主に肝障害，高尿酸血症，関節痛の有害作用がある。痛風発作の既往がある患者では，発作が誘発される可能性がある。通常は，本剤の内服によって生じた高尿酸血症に対する治療は不要である。

❹ エタンブトール

主に視神経炎や末梢神経障害の有害作用があり，これらは不可逆的[18]，あるいは回復に長期間を要する。投与中は定期的に眼科に通院して，視神経炎の評価を行う必要がある。

❺ ストレプトマイシン

前述したアミノグリコシド系抗菌薬の一つで，筋肉注射が可能である。主な有害作用は腎障害，聴神経障害（難聴，前庭障害）で，聴神経障害は不可逆的[19]である。投与中は定期的に聴力検査を行う必要がある。

B 抗真菌薬（表3-5）

1. アゾール系（フルコナゾール，イトラコナゾール，ボリコナゾール，ポサコナゾールなど）

1 特徴・スペクトラム

フルコナゾールは主に酵母様真菌，イトラコナゾールやボリコナゾールは主に糸状菌や二相性（二形性ともいう）真菌に対して用いることが多い。ただし，近年はフルコナゾールに耐性の非アルビカンス・カンジダが増えている。ポサコナゾールはムーコル症を含めた幅広いスペクトラムをもつ。

表3-5 抗真菌薬一覧

抗真菌薬		投与経路	作用部位	投与方法	消化管吸収率	主な有害作用	酵母様真菌			糸状菌			二相性真菌		
							カンジダ・アルビカンス	非アルビカンス・カンジダ	クリプトコッカス	アスペルギルス	フザリウム	ムーコル	ヒストプラズマ	コクシジオイデス	ブラストミセス
アゾール系	フルコナゾール	経口・経静脈	細胞膜合成障害	1日1回	90%以上	悪心, 肝障害, 脱毛	○	○〜×	○	×	×	×	△	△	△
	イトラコナゾール	経口・経静脈		1日1回	不安定	悪心, 頭痛, 肝障害, 血圧上昇, QT延長	○	○〜×	○	○	×	×	○	○	○
	ボリコナゾール	経口・経静脈		1日2回	96%（空腹時）	肝障害, 黄視症, QT延長	○	○〜×	○	○	○	×	○	○	○
	ポサコナゾール	経口・経静脈		1日1回	良好	悪心, 下痢, QT延長	○	○	○	○	○	△	○	○	○
	イサブコナゾール	経口・経静脈		1日1回	98%	悪心, ほてり, 肝障害	△	△	○	○	×	○	○	○	○
ポリエンマクロライド系	アムホテリシンB	経静脈	細胞膜障害	1日1回	―	発熱, 悪寒, 静脈炎, 腎障害, 電解質異常	○	○	○	○	△	○	○	○	○
	リポソーマルアムホテリシンB														
エキノキャンディン系	ミカファンギンナトリウム	経静脈	細胞壁障害	1日1回	―	肝障害	○	○	×	○	×	×	×	×	×
	カスポファンギン酢酸塩														
フルシトシン (5-FC)		経口	DNA障害	1日4回	90%	骨髄抑制, 下痢	○	○〜×	○	×	×	×	×	×	×

○有効　△時に無効，または効果不十分なことがある　×無効

2 注意点

イトラコナゾールの消化管吸収率は，胃内のpHなどによって変動し不安定である。ボリコナゾールは血中濃度に応じた用量の調整が必要である。国内で使用できるポサコナゾール（錠剤）は消化管からの吸収が良好である。これらの薬剤は，ほかの薬剤との相互作用が多いため，併用薬を確認する必要がある。

2. ポリエンマクロライド系（アムホテリシンB，リポソーマル アムホテリシンB）

最も広いスペクトラムをもつ抗真菌薬である。一部のカンジダやアスペルギルス，フサリウムでは耐性がある。投与中は主に腎機能障害や電解質異常の出現に注意する。

3. エキノキャンディン系（ミカファンギン，カスポファンギン）

多くのカンジダ，アスペルギルスに有効であるが，クリプトコッカスをはじめ，そのほかの真菌には無効である。腎機能による用量の調整が不要で，有害作用やほかの薬剤との相互作用も少ない。

4. フルシトシン（5-FC）

酵母様真菌のみに有効であるが，耐性化しやすいため単剤では用いず，他剤と併用する。中枢神経を含めて，全身の組織移行性は良好である。

C 抗ウイルス薬（抗ヘルペスウイルス薬，抗インフルエンザウイルス薬）

一般に「かぜ」とよばれる急性上気道炎の原因微生物は，細菌ではなくウイルスである。ウイルス感染症は非常に頻度の高い疾患であるが，その治療薬は限られている。表3-6には抗ヘルペスウイルス薬と抗インフルエンザ薬を示す。

また，新型コロナウイルス感染症の原因であるウイルスSARS-CoV-2に対する抗ウイルス薬を表3-7に示す（2023［令和5］年3月時点）。SARS-CoV-2に対する抗ウイルス薬は，患者背景（重症化因子）や重症度（主に呼吸不全の程度）によって使い分ける。なお，ここではSARS-CoV-2に対する中和抗体薬については割愛する。このほかに，HIV（ヒト免疫不全ウイルス）やB型・C型肝炎ウイルスに対する抗ウイルス薬がある。

表3-6 抗ヘルペスウイルス薬と抗インフルエンザ薬

抗ウイルス薬		投与経路	適応となるウイルス	主な有害作用・注意点
抗ヘルペスウイルス薬	アシクロビル	経口・経静脈	単純ヘルペスウイルス 水痘・帯状疱疹ウイルス	・腎障害（尿管内の結晶形成による） ・静脈炎（経静脈投与時） ・悪心，頭痛
	バラシクロビル	経口		
	ファムシクロビル	経口		
	ビダラビン	経静脈		・意識障害 ・骨髄障害
	アメナメビル	経口	水痘・帯状疱疹ウイルス	・消化器症状 ・皮疹
	ガンシクロビル	経静脈	サイトメガロウイルス	・白血球減少，血小板減少 ・錯乱，痙攣
	バルガンシクロビル	経口		
	レテルモビル	経口・経静脈		※治療ではなく予防を目的として使用する
抗インフルエンザウイルス薬	オセルタミビル	経口	インフルエンザA型・B型（鳥インフルエンザに対しても有効なことが多い）	・まれに悪心，下痢などの消化器症状 ・オセルタミビルリン酸塩で中枢神経症状の報告がある
	ザナミビル	吸入		
	ラニナミビル	吸入（単回）		
	ペラミビル	経静脈（単回）		
	バロキサビル	経口（単回）		

表3-7 新型コロナウイルス感染症治療薬

治療薬	投与経路	投与対象と目的	注意点
レムデシビル	経静脈	軽症から重症の患者における重症化予防，治療	・添加物（スルホブチルエーテルβ-シクロデキストリンナトリウム）による腎障害
モルヌピラビル	経口	重症化リスク因子*を有する軽症から中等症Iの患者における重症化予防	・妊婦禁忌。精液にも移行するため，男女とも避妊の指導が必要
ニルマトレルビル・リトナビル	経口		・薬物相互作用が多いため常用薬の確認が必要 ・腎機能に応じた用量調整が必要
エンシトレルビル	経口	重症化リスク因子*のない軽症から中等症Iの患者における有症状期間の短縮	・薬物相互作用が多いため常用薬の確認が必要 ・妊婦禁忌

＊高齢，肥満，各種基礎疾患など

引用文献
1) GBD 2016 Alcohol Collaborators：Alcohol use and burden for 195 countries and territories, 1990-2016: a systematic analysis for the Global Burden of Disease Study 2016, Lancet, 392（10152）：1015-1035, 2018.
2) John E. Bennett, Raphael Dolin, et al.：Mandell, Douglas, and Bennett's Principles and Practice of Infectious Disease, 9 th edition, Elsevier, 2019, p.302.
3) 前掲書1），p.246.
4) 前掲書1），p.314.
5) John G. Bartlett, et al.：Johns Hopkins ABX Guide: Diagnosis and Treatment of Infectious Diseases, 3rd edition, 2011, p.474.
6) 青木眞：レジデントのための感染症診療マニュアル，第3版，医学書院，2015, p. 226.
7) 前掲書1），p.374.
8) 前掲書1），p.371.
9) 前掲書1），p.320.
10) 前掲書1），p.412.
11) Yuki Hanai, Kazuhiro Matsuo, et al.：A retrospective study of the risk factors for linezolid-induced thrombocytopenia and anemia, Journal of Infection and Chemotherapy, 22（8）：536, 2016.
12) 前掲書1），p.437.
13) 前掲書1），p.446.
14) Fred M. Gordin, Gwynn L. Simon, et al.: Adverse Reactions to Trimethoprim-Sulfamethoxazole in Patients with the Acquired Immunodeficiency Syndrome, Annals of Internal Medicine, 100（4）：495-499, 1984.
15) 前掲書1），p.357.
16) 前掲書1），p.480.
17) 前掲書1），p.484.
18) 前掲書1），p.485.
19) 前掲書1），p.638.

参考文献
・日本化学療法学会 抗菌化学療法認定医認定制度審議委員会編：抗菌薬適正使用 生涯教育テキスト（第3版），2020.
・Michael E. Pichichero, Casey JR.: Safe use of selected cephalosporins in penicillin-allergic patients: a meta-analysis, Otolaryngology Head and Neck Surgery,136（3）：340, 2007.
・John G. Bartlett, et al.：Johns Hopkins ABX Guide: Diagnosis and Treatment of Infectious Diseases, 3 rd edition, 2011.
・CDC Yellow Book 2018: Health Information for International Travel, Oxford University Press, 2017, p.342.
・新型コロナウイルス感染症（COVID-19）診療の手引き・第9.0版，p.51
・Gibbison B, López-López JA, et al.：Corticosteroids in septic shock: a systematic review and network meta-analysis, Critical Care, 21（1）：78, 2017.
・日本救急医学会合同作成：日本版敗血症診療ガイドライン 2016，日本集中治療医学会，2016.

国家試験問題

1 ヒト免疫不全ウイルス（HIV）が感染する細胞はどれか。 （102回 PM77）

1. 好中球
2. 形質細胞
3. Bリンパ球
4. ヘルパー（CD4陽性）Tリンパ球
5. 細胞傷害性（CD8陽性）Tリンパ球

▶答えは巻末

第1編 感染症とその診療

第4章

感染症の疾患と診療

この章では
- 感染症の原因・症状・治療について理解する。

国家試験出題基準掲載疾患

菌血症｜敗血症｜HIV感染症｜メチシリン耐性黄色ブドウ球菌（MRSA）｜バンコマイシン耐性腸球菌（VRE）｜多剤耐性緑膿菌（MDRP）

I 呼吸器系感染症

1. 急性副鼻腔炎

- ▶概念　急性に発症し，発症から4週間以内の鼻副鼻腔の感染症である。
- ▶症状　鼻閉，鼻汁（後鼻漏），咳嗽などの呼吸器症状がみられ，頭痛，頬部痛，顔面圧迫感，嗅覚障害（嗅覚の低下・消失），発熱などを伴う。
- ▶診断　病歴や副鼻腔領域の叩打痛を含めた上記の臨床症状で診断が可能である。
- ▶治療　かぜ症候群（ウイルス性）に続発するウイルス性副鼻腔炎は軽症であり，通常1週間以内に自然軽快するため，原則的に抗菌薬は使用しない。起炎菌は，肺炎球菌，インフルエンザ菌，モラクセラ・カタラーリスが知られている。明確な薬剤の推奨はないが，中等症以上では，アモキシシリンなどのペニシリン系抗菌薬またはペニシリン耐性菌（βラクタマーゼ産生菌）に対するβラクタマーゼ阻害薬配合ペニシリンが推奨される。

2. 急性咽頭炎，扁桃腺炎

- ▶概念　咽頭や扁桃腺に生じた炎症である。
- ▶原因　急性咽頭炎（acute pharyngitis），扁桃腺炎（tonsillitis）は，その多くが呼吸器ウイルス（アデノウイルス，ライノウイルス，コロナウイルス）の咽頭への感染により生じ，細菌感染ではA群溶血性レンサ球菌（group A Streptococcus：GAS）が多い。
- ▶症状　主な症状は，咽頭痛，発熱，嚥下時痛である。
- ▶診断　抗菌薬はウイルス感染には効果がないため，いかに細菌感染であるGASであるかどうかを見分けることが重要である。GASの診断に用いられるセンター（Centor）スコア（modified Centor［McIsaac］スコア）では，38℃以上の発熱（+1），圧痛を伴う前頸部リンパ節腫脹（+1），白苔を伴う扁桃の発赤（+1），咳嗽なし（+1），年齢15歳未満（+1），年齢45歳以上（−1）の6項目について，各項目1ポイントとし，4ポイント以上であればすべてに抗菌薬を開始，2ポイントまたは3ポイントはGASの迅速検査（ストレップA検査）をして陽性なら抗菌薬を考慮し，1ポイント以下ならストレップA検査および治療をなしとする。全身性の丘疹性皮疹がある場合は，HIV（ヒト免疫不全ウイルス）の急性感染も考慮する。
- ▶治療　治療薬は，経口ペニシリン薬（アモキシシリン）10日間が選択されることが多い。

3. かぜ症候群

- ▶概念　鼻腔から喉頭までの気道を上気道とよび，かぜ症候群（感冒，上気道感染症ともいう）は，この部位の急性の炎症による症状がみられる疾患である。原因微生物のほとんどをウイルスが占めるため，自然軽快する。主なウイルスはライノウイルス，コロナウイルスが

多く，次いでRSウイルス，パラインフルエンザウイルス，アデノウイルスなどがある。
▶症状　咽頭痛，鼻汁，発熱が主症状である。通常は10日以内に自然治癒する。鼻汁はしだいに黄色や緑色になることがあるが，それ自体は細菌感染を意味しない。かぜ症候群で合併症を疑う注意すべき所見は，38.5℃以上の発熱，5日以上続く発熱，呼吸困難感，喘鳴，著明な咽頭痛，頭痛，副鼻腔の痛みの出現である。
▶検査・診断　特殊な検査は存在しない。
▶治療　他者への拡散予防に，咳エチケット（咳の際は手を当てる）や手洗いの励行を行う。ウイルス感染には抗菌薬の投与は効果がない。

4. インフルエンザ

▶概念　インフルエンザウイルス（Influenza virus）の飛沫感染により生じる熱性疾患である。わが国のインフルエンザの発生は，毎年11月下旬から12月上旬頃に始まり，翌年の1〜3月頃に増加し，4〜5月にかけて減少するが，夏季にも出現する。インフルエンザウイルスには，A，B，Cの3型があり，流行的な広がりを見せるのはA型とB型である。
▶症状　A型またはB型インフルエンザウイルスの感染を受けてから1〜3日間ほどの潜伏期間の後に，急な38℃以上の発熱，頭痛，全身倦怠感，筋肉痛，関節痛を生じる。咳や鼻汁などの上気道炎症状がこれに続き，約1週間の経過で軽快する。インフルエンザ感染1週前後に，黄色ブドウ球菌，肺炎球菌，インフルエンザ桿菌などの細菌感染やアスペルギルスなどの真菌感染による肺炎を合併することがある。
▶診断　鼻腔ぬぐい液を使用したインフルエンザ迅速診断キットがあるが，症状や流行時期からの診断も可能である。
▶治療　毎年11月頃に予防接種を行うことが重要となる。治療薬は必ずしも必要ないが，治療する場合，原則として発症後48時間以内に治療を開始する（表4-1）。

表4-1　主なA型，B型インフルエンザ治療薬（ノイラミニダーゼ阻害薬）

経口薬	オセルタミビル（タミフル®）	75mg（2回/日，5日間）
吸入薬[注1]	ザナミビル（リレンザ®）	10mg/回[注2]（2回/日，5日間）
	ラニナミビル（イナビル®）	160mg（単回吸入）
点滴静脈注射	ペラミビル（ラピアクタ®）	・通常：300mg（15分以上かけて単回投与） ・重症化の恐れがある患者：600mg（15分以上かけて単回投与。症状に応じて連日反復投与）

注1）専用吸入器を用いて吸入する。
注2）5mgブリスター（包装）を2ブリスター。

5. 新型コロナウイルス感染症（COVID-19）

▶**概念** 2019年12月に中国の武漢市から世界中に拡大（パンデミック）したSARS-CoV-2（severe acute respiratory syndrome coronavirus 2）による新型コロナウイルス感染症（COVID-19）である。

▶**症状** 多くは曝露から5日以内で発症するが、潜伏期は14日以内である。発熱、呼吸器症状（咳嗽、咽頭痛）、頭痛、倦怠感などの急性のインフルエンザ様症状を認めるが、鼻汁や鼻閉の頻度は低い。下痢、悪心・嘔吐、腹痛などの消化器症状を10％前後に認める。嗅覚障害、味覚障害が特徴とされ40〜50％程度に認める。年齢が若いほど無症候性感染者となる割合が高い。

重症化のリスク因子には、慢性腎不全、肝疾患、肥満（BMI 30kg/m^{2}以上）、糖尿病、高脂血症、高血圧、担がん患者、妊婦、慢性閉塞性肺疾患（COPD）などがある。わが国の入院症例では軽症が62％、酸素投与を要する中等症が30％、重症が9％とする報告があり、多くは発症から7〜10日目に重症化する。

亜急性期から慢性期に遷延する症状（12週間以上の病態）はLong COVIDとよばれ、COVID-19感染の重症度とは関連がなく、入院、喫煙、生活困窮、女性、肥満、高齢がリスク因子と報告されている。

味覚障害、嗅覚障害、動悸、脱毛、消化器症状（下痢、腹痛）、睡眠障害に加え、認知機能（注意力、集中力、記憶力、情報処理能力）の低下が、頭の中で霧がかかったようになる状態（ブレインフォグとよばれる）で繰り返されたり、倦怠感、疲労感は高頻度である。

▶**検査・診断** 鼻腔ぬぐい液や唾液のPCR検査、鼻腔ぬぐい液の抗原検査を行う。

▶**治療** 軽症〜中等症Ⅰ（呼吸不全なし）で重症化リスク因子がある症例、65歳以上のワクチン未接種者は、重症化予防に効果が確認されている抗ウイルス薬（レムデシビル、モルヌピラビル、ニルマトレルビル・リトナビル）を検討する。酸素投与が必要な中等症Ⅱ（呼吸不全あり）以上ではレムデシビル、デキサメタゾンを併用し、さらに重症化すれば必要に応じてトシリズマブ、バリシチニブの追加治療も考慮する。

6. 急性喉頭蓋炎

▶**概念** 急性喉頭蓋炎は、主に細菌、ウイルス感染に伴う喉頭蓋の炎症であるが、非感染性のものもある。急激な気道閉塞を生じる場合がある。非感染性の原因は、熱傷、異物や腐食性物質の誤飲などがある。

▶**症状** 37.5℃以上の発熱、くぐもった声、流涎症、喘鳴、嗄声、呼吸困難感などである。

▶**診断** 軟性ファイバースコープによる喉頭鏡や喉頭側面X線像により行う。

▶**治療** 本疾患を疑った場合は、緊急気道確保（気管挿管や気管切開）を用意しながら、抗菌薬の投与を行うことがある。

7. 肺炎

▶**概念** 肺炎は，肺実質の急性の感染性炎症と定義される。

▶**分類** 肺炎は市中肺炎（community acquired pneumonia：CAP），院内肺炎（hospital acquired pneumonia：HAP），医療・介護関連肺炎（nursing and healthcare associated pneumonia：NHCAP）の大きく3つに分類される（図4-1）。

CAPとは，病院外で日常生活をしている人に発症する肺炎であり，HAPおよびNHCAPを含まない。NHCAPは表4-2の定義項目を1つ以上満たす肺炎である。

2005年のアメリカ呼吸器学会（ATS）およびアメリカ感染症学会（IDSA）の院内肺炎診療ガイドラインでは，医療ケアや介護を受けている人に発症する肺炎として医療ケア関連肺炎（healthcare associated pneumonia：HCAP）が表4-3の項目のうち1つ以上を満たすものとして定義されている。

▶**症状** 呼吸器症状として咳嗽，喀痰，呼吸困難，胸痛，呼吸数の増加，全身症状として悪寒，高体温・低体温，倦怠感，食思不振，意識障害などを認める。聴診所見として山羊音，水泡音，喘鳴，胸膜摩擦音を認めることがある。

▶**診断** 病歴，身体所見，血液所見，胸部X線所見などから総合的に判断する。また，喀痰の塗抹検査（グラム染色），培養検査（血液培養）による起炎菌の推定は重要である。迅速検査では肺炎球菌や肺炎マイコプラズマの尿中抗原検査，咽頭ぬぐい液抗原検査（肺炎マイコプラズマ）も有用である。

肺炎症例では，重症度により入院の有無を決定する。たとえばCAPでは重症度分類のA-DROPシステム（表4-4）で，1項目1点として，0点は軽症，1点または2点は中等症，3点は重症，4点または5点は超重症とし，ショックがあれば1項目のみでも超重症とする。3点以上は入院加療が推奨されている。

▶**治療** 起炎菌や重症度により治療薬の選択は異なるが，最も頻度の高い肺炎球菌を考慮した抗菌薬を選択する。肺炎マイコプラズマなどの非定型肺炎の項目を満たした場合（表4-5），外来治療ではマクロライド系薬を，入院症例ではミノサイクリンやマクロライド系

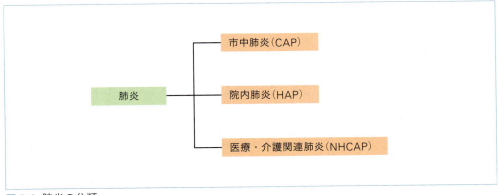

図4-1 肺炎の分類

表4-2 NHCAPの定義

1. 療養病床に入院している，もしくは介護施設に入所している
2. 90日以内に病院を退院した
3. 介護*を必要とする高齢者，身体障害者
4. 通院にて継続的に血管内治療（透析，抗菌薬，化学療法，免疫抑制薬等）を受けている

＊介護の基準
　PS3：限られた自分の身の回りのことしかできない，日中の50％以上をベッドか椅子で過ごす。以上を目安とする。
1には精神病床も含む
出典／日本呼吸器学会成人肺炎診療ガイドライン2017作成委員会編：成人肺炎診療ガイドライン2017，日本呼吸器学会，2017，p.viii.

表4-3 HCAPの定義

- 90日以内に2日以上の入院
- ナーシングホームまたは長期療養施設に居住
- 在宅輸液療養（抗菌薬を含む）
- 30日以内の維持透析
- 在宅における創傷治癒
- 家族内の多剤耐性菌感染

出典／日本呼吸器学会成人肺炎診療ガイドライン2017作成委員会編：成人肺炎診療ガイドライン2017，日本呼吸器学会，2017，p.viii.

表4-4 A-DROPシステム

A　Age：男性70歳以上，女性75歳以上
D　Dehydration：BUN 21mg/dL以上または脱水あり
R　Respiration：SpO$_2$ 90％以下（PaO$_2$ 60torr以下）
O　Orientation：意識変容あり
P　Blood Pressure：血圧（収縮期）90mmHg以下

軽　症：上記5つの項目のいずれも満たさないもの。
中等度：上記項目の1つまたは2つを有するもの。
重　症：上記項目の3つを有するもの。
超重症：上記項目の4つまたは5つを有するもの。ただし，ショックがあれば1項目のみでも超重症とする。
出典／日本呼吸器学会成人肺炎診療ガイドライン2017作成委員会編：成人肺炎診療ガイドライン2017，日本呼吸器学会，2017，p.12.

表4-5 市中肺炎における細菌性肺炎と非定型肺炎*の鑑別項目

1. 年齢60歳未満
2. 基礎疾患がない，あるいは軽微
3. 頑固な咳がある
4. 胸部聴診上所見が乏しい
5. 痰がない，あるいは迅速診断法で原因菌が証明されない
6. 末梢血白血球数が10,000/μL未満である

1〜5項目中3項目（感度84％，特異度87％），6項目中4項目（感度78％，特異度93％）満たせば非定型肺炎が疑われる。
出典／日本呼吸器学会成人肺炎診療ガイドライン2017作成委員会編：成人肺炎診療ガイドライン2017，日本呼吸器学会，p.13.

＊非定型肺炎：マイコプラズマ肺炎，クラミドフィラ肺炎を指す。

薬を投与する。

8. 胸膜炎，膿胸

▶概念　胸膜炎は胸膜に炎症とそれに伴う胸膜痛を生じる病態であり，自己免疫性疾患や薬剤など様々な原因があるが，臨床的には細菌性胸膜炎，がん性胸膜炎が多い。

　胸膜炎のうち，炎症を伴うものを滲出性胸水，伴わないものを漏出性胸水とよぶ。滲出性胸水の代表疾患として，肺がんや悪性腫瘍の胸膜転移に伴うがん性胸膜炎，結核性胸膜炎，肺炎随伴性胸水，膿胸などがある（図4-2）。

　細菌性肺炎，肺膿瘍，または気管支拡張症に伴ったあらゆる胸水は肺炎随伴性胸水であり，膿胸とは胸腔内に膿が貯留した状態である。

▶症状　滲出性胸水を伴う胸膜炎では，胸痛や発熱が主症状であり，吸気時の痛みの増強が診断に役立つ。

▶検査　胸水穿刺を行い，胸水の微生物学的検査（グラム染色，細菌培養）や生化学的検査（pH, LDH, 総たんぱく［TP］, 糖, 総細胞数など）で原因検索をする。

▶診断　炎症性か否かを判断するための滲出性，漏出性の鑑別は，ライト（Light）の基準があり，3つの項目のうち1つでも該当なら滲出性と診断できる（表4-6）。

▶治療　原因菌に対する抗菌薬治療が原則であるが，膿胸では予後にかかわるため，抗菌薬治療とともに胸腔ドレナージによる膿の排液が必須となる。肺炎随伴性胸水は，通常は

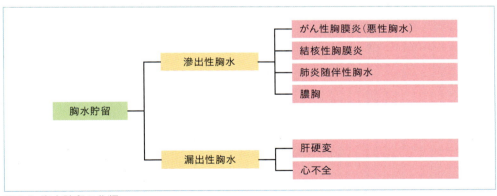

図4-2　胸水貯留の分類

表4-6　ライトの基準（1つ以上該当なら滲出性）

胸水総たんぱく（TP）／血清総たんぱく（TP）＞0.5
胸水LDH／血清LDH＞0.6
胸水LDH＞血清の正常値上限の2/3

出典／Light, R.W. et al.: Pleural effusions; the diagnostic separation of transudates and exudates, Annals of internal medicine, 77 (4): 507-513, 1972, より一部改変.

2週程度の抗菌薬治療で改善するが，膿胸は4～8週を要する。

9. 肺結核

▶**概念** 結核菌の曝露により初めて感染することを，肺結核における**初感染**とよぶ。飛沫核感染（空気感染）は曝露された症例の30％程度で成立し，そのまま発病することを**1次結核症**とよぶが，感染成立症例の10％程度である。残りの90％は，感染が成立しても発病していない状態と定義され**潜在性結核感染症**とよぶ（図4-3）。

多くの結核患者は潜在性結核感染者の再燃から発症し，リスクファクターは，AIDS（後天性免疫不全症候群），HIV（ヒト免疫不全ウイルス）感染症，がん，糖尿病，腎不全，免疫抑制薬の内服，血液透析などが知られている。

▶**症状** 咳，痰，発熱，血痰，喀血，胸痛，呼吸困難などがみられる。呼吸器症状が乏しい場合があり，集団結核の発生がたびたび問題となる。

▶**診断** 膿（肺外結核など），尿，体液，分泌物など病巣由来の検体で，結核菌検査や遺伝子増幅検査（PCR法），インターフェロンγ遊離試験（IGRA）＊を行う。喀痰塗抹検査は，入院勧告または入院での患者隔離を考慮するうえで最も重要である。

▶**治療** イソニアジド（INH），リファンピシン（RFP），ピラジナミド（PZA），エタンブトール（EB）またはストレプトマイシン（SM）の4剤で2か月，以後INHとRFPの2剤で4か月治療を行う。高齢者でPZAが使用できない場合は，INH，RFP，EBまたはSMの3剤で2か月，以後INHとRFPで7か月の治療を行う。不規則治療，早期中断予防を目的に，1995年にWHO（世界保健機関）により提唱されたDirectly Observed Treatment, Short-course（直接監視下短期化学療法）戦略をDOTSとよぶ。患者が目の前で服薬することを確認すること（DOTS）を主軸とし，治療完遂まで包括的な患者支援を行う。

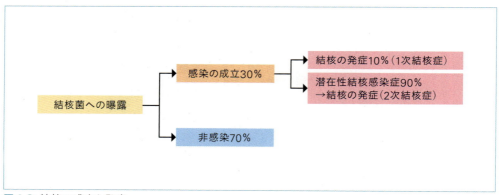

図4-3 結核の成立と発症

＊**インターフェロンγ遊離試験（IGRA）**：患者の血液から採り出したTリンパ球を結核菌特異抗原で刺激し，インターフェロンγが遊離されることを利用した有用な感染診断法である。

II 消化器系感染症

消化管感染症

1. 腸管出血性大腸菌感染症

▶ **概念** 大腸菌（*Escherichia coli*）は，腸管内に常在するグラム陰性桿菌で，時に腸管，尿路，胆道の感染症，敗血症などの原因菌となることがある。

下痢を引き起こす大腸菌は下痢原性大腸菌とよばれており，腸管出血性大腸菌（EHEC）のほか，腸管病原性大腸菌（EPEC），腸管侵入性大腸菌（EIEC），毒素原性大腸菌（ETEC），腸管凝集付着性大腸菌（EAEC）の5種類に分類される。

▶ **原因** 腸管出血性大腸菌はベロ毒素を産生し，この毒素が種々の臨床症状を起こす。一部は O157：H7，O104：H4 として有名である。腸管出血性大腸菌感染症は感染症法で3類感染症に分類され，診断した医師はただちに最寄りの保健所への届出が必要である。

▶ **症状** 潜伏期間は平均3～5日で，水様便（下痢）や激しい腹痛に始まり，主症状である血便へと移行する。重症化すると頻繁に鮮血を排泄する状態となり，溶血性尿毒素症症候群（HUS）や脳症など重篤な合併症を発症するおそれがある。

▶ **治療** 経口または点滴静脈注射による電解質，水分の補給を行う。腸管出血性大腸菌感染症に対する抗菌薬治療は溶血性尿毒素症症候群を誘発する恐れがあり使用しない。しかし意見は割れている。腸管出血性大腸菌の感染性は非常に高いため，下痢が完全におさまるまで学校や職場は休むことが望ましい。

2. 食中毒

▶ **概念** 病原微生物が混在している飲食物を摂取することにより生じる胃腸炎を総称して食中毒（食品媒介感染症，食物由来感染症）という。

▶ **原因** 厚生労働省の「食中毒統計調査」（2023［令和5］年）によると，最も患者数の多かった病原微生物はノロウイルス，次いでカンピロバクター・ジェジュニ / コリ，ウエルシュ菌であった。主な病原微生物とそれによる感染については表 4-7 のとおりである。

▶ **症状** 下痢や嘔吐を主症状とするこれらの感染症を診断した医師は，24時間以内に最寄りの保健所長へ届け出ることが食品衛生法により義務付けられている。

▶ **種類** 食中毒には細菌性，ウイルス性，そのほか自然毒や寄生虫によるものがあり，年間を通して発生している。

カンピロバクター，サルモネラ菌，腸管侵入性大腸菌（EIEC）など組織障害型の細菌性食中毒は症状が現れるまでに時間を要する傾向があるのに対し，黄色ブドウ球菌や腸管出

表 4-7 食中毒の病原微生物

分類			原因菌	潜伏期間	特徴	原因となる飲食物	症状
細菌性食中毒	感染型		サルモネラ菌	5〜72 時間	乾燥に強く，熱に弱い	十分に加熱していない卵，肉，魚	悪心，腹痛，下痢，発熱，脱力感，倦怠感
			腸炎ビブリオ菌	10〜24 時間	塩分のあるところで増殖する。真水や熱に弱い	生の魚介類	激しい下痢，腹痛，悪心・嘔吐
			カンピロバクター	2〜7 日	乾燥に弱く，加熱すれば死滅する	十分に加熱していない肉（特に鶏肉），飲料水，生野菜	下痢，発熱，悪心，腹痛，筋肉痛
	毒素型		黄色ブドウ球菌	1〜5 時間	・ヒトの皮膚，鼻や口の中にいる菌で，傷や痤瘡を触った手で食べ物を触ると菌が付きやすい ・熱に強く，一度毒素ができてしまうと加熱しても防げない	おにぎり，お弁当，調理パンなど加熱した後に手作業を要する食べ物	悪心，腹痛，下痢，発熱
ウイルス性食中毒			ノロウイルス	1〜2 日	・熱に弱い（85℃以上で1分間以上加熱することが予防につながる） ・罹患者の便や吐物から感染することがある ・アルコール消毒は効果を期待できず，次亜塩素酸ナトリウムを用いる。	生や十分に加熱がされていないカキなどの2枚貝，汚染された水道水や井戸水，感染者の菌が付着した飲食物	激しい悪心・嘔吐，下痢，腹痛，発熱

血性大腸菌（EHEC）などの毒素型の細菌性食中毒は早期に症状が出現するという特徴がある。

▶ **治療** 経口または点滴による電解質，水分の補充を行う。経口補水を行う場合，単純な水や茶は吸収されにくく，塩分，糖分を含む液を摂取させる。下痢は細菌を体外へと排出する役割があるため，治療にあたっては止痢薬の使用は避ける。新生児や高齢者の患者，脱水症状が強いなどの重症患者を除き，基本的に抗菌薬は使用しない。

▶ **予防** 家畜の糞により汚染された生肉や野菜，水から経口感染するほか，ヒトからヒトへの2次感染を起こしやすいという特徴をもつ。感染予防のためには，各食品に適した方法で保存する，肉・魚類や加熱調理が必要な食品は十分に加熱する，特に国外では水道水の衛生管理が不十分なことがありペットボトルの水などを利用する，調理の際には調理器具をよく洗う，傷口があれば感染源とならないように被覆材で覆い，石けんや流水による手洗いを十分に行うことなどが肝心である。

3. 虫垂炎

▶ **概念** リンパ節の膨張や虫垂結石，糞石など，何らかの原因で閉塞した虫垂に細菌感染が生じて炎症が起こることを虫垂炎（appendicitis）という。炎症が進行すると虫垂の壊

死・穿孔によって穿孔性腹膜炎を引き起こし重症化するため、早期の診断と治療が重要である。

▶原因　大腸菌、バクテロイデス（*Bacteroides*）属など複数の菌による混合感染で、臨床の場では多くみられる。

▶症状　初期症状として、発熱、心窩部の疼痛や不快感、悪心・嘔吐などがみられる。症状が進行すると、右下腹部に痛みが限局し、腹膜炎をきたすと咳や歩行で痛みがひびくようになる。身体所見は、典型的には右下腹部の圧痛点（マックバーニー点*）を指圧すると圧痛を感じる）や反跳痛（ブルンベルグ徴候*）を認め、検査所見では白血球の増加や炎症反応の上昇などがみられる。妊娠女性や高齢者では症状が非典型的となることから画像検査を適切に用いて診断につなげる。

▶治療　最近の報告によると抗菌薬の投与で合併症のない非複雑性急性虫垂炎の9割は初期改善を認めるが、そのうち3〜4割は5年以内に再発することがある[1]。

4. 憩室炎

▶概念　腸管に生じた憩室（臓器の拡張によってできた袋状の空間）に菌による炎症が生じた状態を憩室炎（diverticulitis）という。憩室は、加齢による腸管壁の脆弱化や食生活の変化（肉食の増加とそれに伴う食物繊維摂取量の減少）に起因する腸管内圧の上昇により生じるといわれている。憩室炎の好発部位は民族により差があるといわれるが、日本人は左右どちらも多くみられる。

▶原因　起因菌は腸内細菌や嫌気性菌、レンサ球菌など複数の菌による混合感染である。

▶症状　虫垂炎と同様に、腹部の鈍痛や悪心・嘔吐などが初期症状としてみられる。症状が進行すると、発熱、下血などの症状が生じる。

▶治療　基本的には保存療法（抗菌薬の投与、安静、絶飲食、補液など）で対処する。再発を繰り返す場合、腸閉塞や憩室穿孔による腹膜炎などの合併症が伴う場合には、外科的治療も検討する。

B 肝胆道系感染症

1. 肝膿瘍

▶概念　肝臓に膿瘍が生じる疾患を肝膿瘍（liver abscess）という。病原微生物の種類によって、アメーバ性と細菌性に大別できる。

---

*マックバーニー点：右上前腸骨棘と臍部を結ぶ線を3等分し、右から3分の1に位置する圧痛点。
*ブルンベルグ徴候：腹部を手で静かに圧迫し、急に手を離すと強く疼痛を感じること。

1 │ アメーバ性肝膿瘍

▶ **原因** 赤痢アメーバ症を引き起こす赤痢アメーバ（*Entamoeba histolytica*）が，門脈を介して肝臓に至り肝膿瘍を生じる．ほかに腸管感染症，肺膿瘍，脳膿瘍などを起こすことがある．

近年，男性同性間性的接触者（men who have sex with men）の間では赤痢アメーバによる感染症の流行がみられ，性感染症として認識されている．アメーバ性肝膿瘍の患者ではHIV感染症をはじめとした性行為感染症のスクリーニングが必要である．

▶ **症状** 典型的には発熱や右上腹部，心窩部，右肩などの痛みを生じる．時に胸水や黄疸，血の混ざった粘血便を生じることもある．

▶ **治療** 抗菌薬（メトロニダゾール）で加療する．膿瘍の経皮的ドレナージは通常不要であるが，ほかの肝疾患が疑われる場合やサイズが大きい場合は考慮することがある．

2 │ 細菌性肝膿瘍

▶ **原因** ①菌血症や肺炎など化膿性疾患の病原菌が肝動脈を介して肝臓に侵入する，②総胆管結石などによる胆管系感染症の病原菌が胆道経由で感染する，③虫垂炎や憩室炎などの病原菌が門脈を介して肝臓に膿瘍を形成する，④外傷による肝損傷部が感染を起こす，など様々な病因（感染経路）が存在する．グラム陰性桿菌（特に大腸菌とクレブシエラ属）や嫌気性菌など，複数の菌による混合感染によって生じることが多い．

▶ **症状** 発熱，悪寒，右上腹部・心窩部などに痛みを生じる．

▶ **検査** 血液検査では，白血球の増加や肝機能異常，時に胆道系酵素上昇もみられる．血液培養は多いときには検査対象の半数近くで陽性となるため，必ず行う．

▶ **治療** 抗菌薬（ペニシリン系やセフェム系）を用いるほか，経皮的肝膿瘍ドレナージを行い，膿を排出する．経皮的膿瘍ドレナージが困難な場合や複数の膿瘍がある場合などは，外科的にドレナージを行う．得られた検体は培養検査に提出し起因菌を同定する．

2. 急性胆管炎

▶ **概念** 結石や胆管狭窄，がんなどにより胆管が閉塞することで胆管内の内圧が上昇し，細菌感染した胆汁が逆流することによって生じる胆管の炎症を急性胆管炎（acute cholangitis）という．急速に進行することがあり早期の治療介入が先決である．

▶ **症状** 発熱，黄疸，右上腹部痛がみられる．この3症候は**シャルコー（Charcot）の3徴**とよばれる．血液検査では肝膿瘍と同様に肝機能異常，胆道系酵素の上昇を認める．

▶ **治療** ペニシリン系，セフェム系，カルバペネム系などの抗菌薬の投与や，胆管ドレナージによる治療を行う．

3. 急性胆囊炎

▶ **概念** 胆囊に生じる急性の炎症を急性胆囊炎(acute cholecystitis)という。大半は胆石に起因するものであるが,胆囊内に石を有さない無石胆囊炎やガス産出菌による気腫性胆囊炎なども存在する。

▶ **症状** 発熱や右上腹部の疼痛・圧痛,心窩部痛,黄疸,悪心・嘔吐などの症状のほか,**マーフィー徴候**(右季肋部を圧迫すると痛みで呼吸ができなくなる現象)などの身体的所見がみられる。血液検査では白血球の増加,肝機能異常や胆道系酵素の上昇を認める。

▶ **治療** 絶食とし十分な補液や抗菌薬,非ステロイド系抗炎症薬(NSAIDs)などの鎮痛薬を投与し,可能であれば早期の胆囊摘出術が望ましい。手術が困難な場合は保存治療およびドレナージを考慮する。

4. ウイルス性肝炎

▶ **概念** 肝炎ウイルス(Hepatitis virus)の感染によって肝臓の細胞に炎症が起こる疾患をウイルス性肝炎という。肝炎ウイルスには,主にA型,B型,C型,D型,E型の5種類があり,A型,E型は主に水や食べ物を介して経口感染し,B型,C型,D型は主に血液や体液を介して感染する。日本では,B型肝炎,C型肝炎がその多くを占めている。

それぞれのウイルスの特徴は次のとおりである(表4-8)。

1　A型肝炎ウイルス(Hepatitis A virus;HAV)

▶ **原因** 主に汚染された水や食べ物(特に生ガキなどの海産物)を摂取した人の糞便を介して感染する。感染者は減少しているが,衛生状態の悪い国や衛生状態の保持が困難な場所において感染する事例もある。また,男性間での性交渉により感染する場合もある。

▶ **予後** 感染後は急性肝炎となり慢性化することはないが,劇症化した場合,致死率は高い。

▶ **予防** A型肝炎ウイルスに有効なワクチン接種により,感染を予防することができる。

2　B型肝炎ウイルス(Hepatitis B virus;HBV)

▶ **原因** 肝硬変,肝細胞がんの原因となるウイルスである。主に血液(輸血,注射針の使いまわし)や体液(性交渉)によって感染する。従来,感染経路は主に母子感染(垂直感染)であったが,ワクチン接種が開始されてから激減した。一方で性交渉に伴う水平感染は減少していないことから,B型肝炎が性行為感染症の1つであることを認識し,ほかの性行為感染症を診断した際には積極的にスクリーニング検査を行うことが重要である。血液感染では,医療従事者の針刺し事故などによる職業曝露に注意が必要である。

▶ **予後** ほとんどの場合,健康な成人が感染すると急性肝炎の発症後に治癒するが,慢性化しやすい欧米型のB型肝炎が日本で増加している。

表 4-8 主な肝炎ウイルスの特徴

	感染源	主な感染経路	慢性化	劇症化	進展	予防ワクチン
A型肝炎ウイルス	水や食べ物（特に生ガキなどの海産物）を摂取した人の糞便	経口感染	なし	ほとんどなし	劇症化すると致死率が高い	あり
B型肝炎ウイルス	血液（輸血，注射針の使いまわし）・体液（性交渉）	血液感染 性行為感染 母子感染	ほとんどなし	ほとんどなし	肝硬変，肝細胞がんに進展	あり
C型肝炎ウイルス	血液（注射針の使いまわし），体液（性交渉）	血液感染	あり	ほとんどなし	肝硬変，肝臓がんに進展	なし
D型肝炎ウイルス	血液（B型肝炎ウイルスに感染している人のみ感染）	B型と同様と考えられている	ほとんどなし	起こりやすくなる	B型とD型の重複感染は肝硬変への進行を加速させる	なし
E型肝炎ウイルス	水や食べ物（特にブタ・イノシシ・シカの生肉や加熱不十分な肉）を摂取した人の糞便	経口感染	なし	妊婦にはあり	なし	あり

▶ **予防** 近年は輸血などからの感染は減少傾向であるが，有効なワクチン接種により，感染を予防することができる。

3　C型肝炎ウイルス（Hepatitis C virus；HCV）

▶ **原因** 肝硬変，肝臓がんの原因となるウイルスである。B型同様，主に血液（輸血，注射針の使いまわしなど）によって感染する。B型肝炎に比べると母子感染はまれであり，性的接触による感染は少ない。覚醒剤などの注射器のまわし打ち，不衛生な器具でのピアスの穴あけなどによっても感染する。輸血による感染が大きな社会問題となったが，現在では輸血による感染はほとんどなくなった。

▶ **治療** 急性肝炎の発症後に，慢性肝炎となる割合が非常に高いが，抗ウイルス薬により治療が可能となった。

4　D型肝炎ウイルス（Hepatitis D virus；HDV）

　B型肝炎ウイルスに感染している人にのみに発症し，B型肝炎と同様に血液や性的接触などによって感染する。急性肝炎を起こす。

5　E型肝炎ウイルス（Hepatitis E virus；HEV）

▶ **原因** 主に，ブタ，イノシシ，シカの生肉や加熱不十分な肉などを摂取したヒトの糞便から感染する。感染後は急性肝炎となり慢性化することはないが，妊婦が感染した場合は劇症化のリスクが高いとされる。

▶ **予防** ワクチンは中国で承認されている組み換えワクチンがあるが，中国以外では認可

されていない。

III 循環器系/血流感染症

1. 感染性心内膜炎

▶ 概念　血管内に侵入した起因菌が，心臓の弁や心内膜の表面に生じた損傷に付着・感染し，疣贅（血液と細菌によってつくられるいぼ状の病巣）を形成して様々な症状を引き起こす疾患を感染性心内膜炎（infective endocarditis；IE）という。疣腫は，塞栓症（脳梗塞，腎梗塞，心筋梗塞など）や動脈瘤といった合併症を引き起こす。

▶ 症状　発熱や全身倦怠感，寝汗，体重減少，関節痛，腰痛，血尿などがみられる。心機能が低下している場合は心不全様の症状（息切れ，呼吸困難，浮腫など）を認めることがある。身体所見は，典型的には新規の心雑音，塞栓病変として眼瞼結膜や眼底の点状出血，手掌や足底の斑点（ジェーンウェイ［Janeway］病変［図4-4］，オスラー［Osler］結節［図4-5］など）を認めることがある。

▶ 治療　血液培養検査により病原微生物を同定し，適した抗菌薬を使用する。感染性心内膜炎を疑った際には心臓超音波検査を施行し，疣贅の有無を確認する。経食道心臓超音波検査は経胸壁心臓超音波検査に比して検査の感度がよい。眼内炎を併発すると失明のおそれがあるため眼科診察も依頼する。治療は高用量の抗菌薬を十分な期間投与する。抗菌薬治療の効果がみられない場合や疣贅が10mm以上で増大傾向，心不全が進行する例では外科的治療を検討する。

2. 感染性大動脈瘤

▶ 概念　大動脈の血管壁に起因菌が感染し，動脈瘤を形成する疾患を感染性大動脈瘤（infected aortic aneurysm）という。感染性心内膜炎や外傷などに由来する細菌に感染して動脈瘤が発症するというケースだけでなく，既存の動脈瘤に細菌感染が生じることにより発症するケースもある。

▶ 症状　発熱や悪寒，悪心などの症状を生じる。動脈瘤を放置すると，血管が破裂してショック状態や最悪死亡に陥るおそれもある。

▶ 治療　血液培養検査によって病原微生物を同定し，適した抗菌薬を投与する。抗菌薬を投与しても動脈瘤が大きくなる場合には外科的治療を行う。人工血管の感染性動脈瘤は原則手術適応である。

3. カテーテル関連血流感染症

▶ 概念　中心静脈カテーテル，末梢静脈カテーテルいずれにも発症する。前者の頻度が高

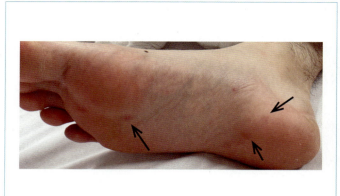

図4-4 ジェーンウェイ［Janeway］病変

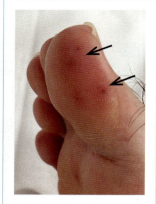

図4-5 オスラー［Osler］結節

く，特に重症患者の多いICUでは，中心静脈カテーテル関連血流感染症により重篤な合併症の発症や院内死亡を高めることがある。
▶ **原因** 起因菌は皮膚常在菌であるコアグラーゼ陰性ブドウ球菌の頻度が高い。
▶ **症状** 発熱，皮膚刺入部の発赤，腫脹，排膿などがみられるが，これらの局所所見がない場合でも感染を否定し得ない。ICUを含む入院患者や人工物が挿入されている患者で，原因不明の発熱や菌血症をみた際には本疾患の可能性を考える。
▶ **治療** 人工物であるカテーテルは微生物の温床となるため，感染が疑われた場合は可能な限り抜去し，カテーテル先端部位から培養検査のための検体を採取する。血液培養検査も必ず同時に行う。治療は一般的にバンコマイシンやβラクタム系抗菌薬を使用する。

IV 尿路感染症

1. 膀胱炎

▶ **概念** 膀胱に炎症が生じた状態を膀胱炎（cystitis）という。基礎疾患や閉塞起点の有無により，単純性膀胱炎と複雑性膀胱炎に分類することができ，急性の単純性膀胱炎は女性（特に性的活動期の若い女性）に多くみられる疾患である。
▶ **症状** 発熱はほぼなく，頻尿や排尿時の痛み，残尿感などの症状を伴う。
▶ **診断** 尿検査により容易に診断することができる（膿尿や細菌尿，白血球尿がみられる）。
▶ **治療** 起因菌の大半は大腸菌である。抗菌薬は一般にST合剤やβラクタム系抗菌薬を使用する。

2. 腎盂腎炎

▶ **概念** 尿道から侵入した細菌が上行性に腎盂や腎臓に到達し，炎症が生じた状態を腎盂腎炎（pyelonephritis）という。女性に多い疾患であるが，男性（前立腺肥大などで尿路閉塞がある場合や男性同性愛者など）にも発症する。

▶ **症状** 急性腎盂腎炎の場合，排尿時痛や頻尿，残尿感などに加え，悪心・嘔吐，片側背部・側腹部の痛み，全身症状（悪寒・発熱や倦怠感など）がみられることもある。

一方，慢性腎盂腎炎は自覚症状が少ないのが特徴である。尿検査を行うと白血球尿や細菌尿が認められる。

▶ **治療** 軽症例では抗菌薬の経口投与を行うこともあるが，一般的にはβラクタム系抗菌薬などの経静脈的投与を行う。解熱や症状の寛解，尿所見の改善がみられ，膿瘍や菌血症，閉塞起点など合併症がなければ，治療期間は1～2週間が目安となる。

V 性・生殖器系感染症

性感染症（sexually transmitted infections：STIもしくはsexually transmitted diseases：STD）は，性行為に伴う接触で病原微生物に感染し生じる。本項では，主な疾患である尿道炎，骨盤内炎症性疾患，陰部潰瘍について解説し，続いて代表的な原因微生物別に，梅毒，尖圭コンジローマ，性器ヘルペス，クラミジア感染症，淋病を取り上げる。

特に梅毒は，近年男女ともに急増しており，男性では20～50歳代，女性では20歳代に多くみられる。無症状のことも多いため，病歴から疑われる場合は積極的に検査を勧める必要がある。また，1つの性感染症が診断された際には，ヒト免疫不全ウイルス（human immunodeficiency virus：HIV）やB型肝炎なども含めた，そのほかの性感染症の検査も同時に行うことが重要となる。性感染症は相手のある疾患である。パートナーの治療も同時に行い，パートナー間での感染の繰り返しを防ぐことが重要である。

1. 尿道炎

1 男性の場合

▶ **概念** 尿道炎（urethritis）には，淋菌による**淋菌性尿道炎**（gonococcal urethritis）と，淋菌以外の微生物による**非淋菌性尿道炎**（non-gonococcal urethritis）がある。淋菌以外の微生物の代表はクラミジアであり，男女ともに性感染症の中で最も多い。ほかにマイコプラズマやトリコモナス，単純ヘルペスウイルスも原因となる。淋菌性尿道炎の2～3割で，クラミジアが同時に検出されるため，同時検査・治療を行う。

▶ **症状** 淋菌性尿道炎では，2～9日の潜伏期を経て，尿道口からの黄色膿，排尿時痛が

出現する。一方，クラミジアの場合は2〜3週間の潜伏期を経て，尿道分泌物，陰部瘙痒感などを認めるが，淋菌と比較して症状に乏しく無症状のこともある。

▶ **診断** 典型的な淋菌性尿道炎では，尿道から膿様の分泌物が滴り落ちているため，尿道分泌物をグラム染色し，グラム陰性双球菌を検出する。培養検査では特殊培地が必要である。淋菌は死滅しやすいため，尿道分泌物あるいは尿の淋菌およびクラミジア・トラコマティス同時核酸検出法（PCR法）が有用である。

▶ **治療** 淋菌性尿道炎に対しては，第3世代セファロスポリンの1つであるセフトリアキソンの静脈注射単回投与を行う。また，テトラサイクリン系あるいはマクロライド系抗菌薬を併用し，必ずクラミジアの同時治療を行う。

2 女性の場合

▶ **概念** 男性と異なり，解剖学的な関係で，尿道炎，膀胱炎，腟炎，子宮頸管炎の区別は困難であり，オーバーラップすることも多い。原因微生物は男性と同様に，淋菌，クラミジア，トリコモナス，単純ヘルペスウイルスなどである。

▶ **症状** 頻尿，排尿時痛などがみられるが，無症状のことも多い。淋菌，クラミジアによる尿道炎の潜伏期間は前述したとおりだが，膀胱炎の場合は2〜3日で比較的急性に発症する。尿道炎，膀胱炎では排尿時痛や不快感を自覚する一方，腟炎，外陰部炎では上記に加え，性交痛を認める。

▶ **診断** 尿のグラム染色，淋菌・クラミジアのPCR検査を行う。子宮頸管炎の合併も考慮し，婦人科診察のうえ子宮頸管分泌物の検査も同様に行う。基礎疾患がなく機能的・形態的に尿路に異常がみられない単純性膀胱炎の場合は，大腸菌が起因菌となることが多い。

▶ **治療** 淋菌性・非淋菌性尿道炎の治療は，男性の尿道炎と同様である。一方，膀胱炎と診断されれば，基本的には大腸菌などが治療対象となる。

2. 骨盤内炎症性疾患（女性）

▶ **概念** 本来無菌的状態である子宮内膜，卵管，子宮付属器，腹腔内が，外陰部から感染した微生物により汚染され，逆行性に炎症が波及した状態である。子宮付属器炎，骨盤腹膜炎，卵管留膿症，ダグラス窩膿瘍を合わせて骨盤内炎症性疾患（pelvic inflammatory disease；PID）と総称することが多い。主に淋菌やクラミジアによる性感染症が契機となり，二次的に腸内細菌，嫌気性菌が起因菌となり発症する。

▶ **症状** 典型的な症状としては，下腹部痛，帯下の増量，発熱，性交痛，不正性器出血などである。無症状の患者も多く，急性卵管炎に気づかずに自然に治癒し，二次的に不妊，異所性妊娠，再発性骨盤内炎症性疾患，卵管膿瘍などを生じることもある。

▶ **診断** 性感染症のリスクとなる病歴がないか聴取し，下腹部痛や付属器痛，子宮頸部の圧痛を確認する。腟分泌物のグラム染色で白血球の増加や，淋菌を疑うグラム陰性双球菌の有無を確認するほか，淋菌・クラミジアのPCR検査も併せて行う。軽症の場合は，血

液検査での炎症所見が軽微なこともある。PID は画像検査で診断することは難しいが，骨盤腔の膿瘍や卵管膿瘍の評価，そのほかの鑑別診断となる虫垂炎や憩室炎，腎盂腎炎，子宮外妊娠などの除外のために，腹部超音波検査や CT 検査，妊娠反応検査を行う。

▶治療　基本的には入院で治療を行う。特に妊婦やブルンベルグ徴候などの腹膜刺激徴候を示す場合は，入院は必須である。治療対象となる微生物は，淋菌，クラミジア，腸内細菌，嫌気性菌で，これらをカバーする抗菌薬を投与する。淋菌，腸内細菌に対してはセフトリアキソン，クラミジアにはテトラサイクリン系かマクロライド系抗菌薬，嫌気性菌にはこれにメトロニダゾールを併用する。膿瘍がある場合は，穿刺ドレナージが重要である。

3. 陰部潰瘍

▶概念　陰部潰瘍の原因微生物では，単純ヘルペスウイルスと梅毒が重要である。そのため両者の鑑別が重要であるが，発症の数では単純ヘルペスウイルスによる陰部潰瘍が多い。

▶症状　梅毒では無痛性潰瘍，単純ヘルペスでは有痛性潰瘍となるのが典型的だが，両者の重複感染も少なくない。このため，痛みがあっても梅毒の可能性を考える。また HIV 感染者では，疼痛のまったくない性器ヘルペスによる潰瘍もある。随伴症状として，鼠径部のリンパ節腫脹を生じることもある。

▶診断　梅毒検査，単純ヘルペスウイルスの検出，HIV 検査を行う。

▶検査・治療　梅毒，性器ヘルペスの治療に反応しない場合，培養が難しい微生物による感染症や腫瘍，ベーチェット病など膠原病類縁疾患の可能性もあり，生検も考慮する。

4. 梅毒

▶概念　梅毒とは，スピロヘータの一種である**梅毒トレポネーマ**（*Treponema pallidum*）によって起こる性感染症である。感染者との性行為により，病変部の梅毒トレポネーマが粘膜に直接感染する**後天梅毒**と，梅毒に感染している母親から胎児に感染する**先天梅毒**の 2 つの病型がある。近年，後天梅毒は男女ともに急増しており，疑われる際は積極的に検査を行う。また，梅毒に感染すると粘膜に炎症を起こし，HIV などのほかの病原微生物にも感染しやすくなるため，梅毒を診断したら必ず HIV を含めたほかの性感染症の検査を行う。

1　後天梅毒

後天梅毒は感染後の病期に分けて解説する。

❶第 1 期梅毒

感染後，約 3 週間程度で，感染局所に軟骨様の硬さの硬結（初期硬結）が生じる。初期硬結が進展すると潰瘍になる。無痛性の潰瘍で下疳（硬性下疳）という。放置しても 5〜6 週で自然消失することが多い。鼠径部などの所属リンパ節が腫れるが，痛みはない。

❷第 2 期梅毒

第 1 期梅毒後，約 4〜10 週間で第 2 期梅毒になる。梅毒トレポネーマが血行性に全身

に散布され，全身の免疫応答を生じる．全身症状が強く，発熱，頭痛，咽頭痛，関節痛，皮疹，局所あるいは全身性リンパ節腫脹などが出現する．特に発疹（バラ疹）は代表的な早期疹で，手掌や足底にみられるのが特徴的である（図4-6）．そのほか，髄膜炎やぶどう膜炎，糸球体腎炎，肝炎などを生じることがある．眼病変は，ぶどう膜炎以外にも虹彩炎や強膜炎など眼球すべての部位に生じうる．

第1期，2期ともに自然軽快し，潜伏する．

❸ 早期潜伏性梅毒

感染後1年以内の期間を指し，基本的に無症状だが25％程度で第2期梅毒の再発がみられる．早期潜伏性梅毒では感染性がある．

❹ 後期潜伏性梅毒

感染から1年以上経過したものを指し，第3期梅毒が出現するまでの無症候期間である．血清検査で偶然判明した感染時期が不明な症例は，後期潜伏性梅毒と考えて治療する．臨床的には血清検査以外の異常はほとんどなく，感染性はない．

❺ 第3期梅毒（晩期梅毒）

無治療で経過すると30％程度が第3期梅毒へ移行する．感染後，数年から数十年の経過で，皮膚，筋肉，骨，神経，内臓，血管などの各臓器に緩徐な炎症を起こし，脊髄癆や進行性麻痺などの神経梅毒，大動脈瘤や大動脈弁逆流症などの心血管梅毒，ゴム腫などを生じる（ただし，神経梅毒は第1期〜第3期のいずれにおいても合併しうる）．

❻ 第1期〜第3期梅毒に共通する内容

▶診断　基本的に感染初期（第1期，第2期）以外は潜伏する疾患であるため，血清学的な検査が重要である．血清診断法は非トレポネーマ抗原検査（RPR，VDRL）とトレポネーマ特異的抗体価検査（TPHA，FTA-ABS）がある．感度，特異度ともに低い非トレポネーマ抗原検査は，病勢の評価および治療効果判定に用いられる．感度，特異度ともに高いトレポネーマ特異的抗体価検査は，スクリーニング検査に有用だが，終生陽性となるため病勢評価や治療効果判定には用いられない．つまり，TPHAでスクリーニングをし，RPRで病勢の評価や治療効果判定を行う．第1期梅毒では，時期的にTPHA，RPRとも偽陰性と

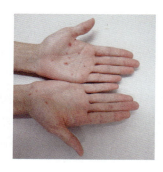

図4-6　バラ疹

なるが，第2期梅毒では両者とも陽性となる。
▶治療　原則としてペニシリン系抗菌薬を用いる。ペニシリン系抗菌薬は梅毒のすべての病期で選択すべき抗菌薬である。具体的には，第1期，第2期，早期潜伏性梅毒ではアモキシシリンの内服を14日間，後期潜伏性梅毒では28日間，第3期梅毒，神経梅毒ではペニシリンGの静脈注射を14日間行う。治療効果の判定は，非トレポネーマ抗原検査の値が，6～12か月の経過で4倍以上の低下が目安となる。ただし，20％程度は4倍未満の低下にとどまる。

2 | 先天梅毒

　出生時から幼児期にかけての早期先天梅毒と，学童期以降の晩期先天梅毒に分けられる。
▶症状　**早期先天梅毒**は，口囲に放射状に浸潤した瘢痕が現れ，梅毒性鼻炎による呼吸障害，鼻骨の破壊による鞍鼻などがみられる。また，梅毒性骨軟骨炎による疼痛のため，運動が障害されることがある。
　晩期先天梅毒では，ハッチンソンの3徴候とよばれる永久門歯のM型欠損，角膜実質炎，内耳性難聴や発育不良，知能低下などが現れる。

5. 尖圭コンジローマ

▶概念　尖圭コンジローマ（condyloma acuminate）は，ヒトパピローマウイルス（human papillomavirus；HPV）による性感染症で，性行為により接触感染をする。数週間～数か月の潜伏期の後，外陰部に乳頭状，鶏冠状の淡いピンク～褐色の良性腫瘍を生じる。自覚症状はほとんどない。一般には良性であるが，ウイルスの種類によっては，子宮頸がん，肛門がんの原因になる。
▶診断　問診と視診によって診断する。
▶治療　液体窒素による冷凍療法などで取り除く方法が一般的である。

6. 性器ヘルペス

▶概念　性器ヘルペス（genital herpes）は，単純ヘルペスウイルスによる性感染症で，性・生殖器系感染症のなかでは淋病，クラミジア感染症に次いで多い。単純ヘルペスウイルスは1型（HSV-1）と2型（HSV-2）の2種類があり，どちらも感染の原因となる。
　HSV-1は，主に口から口への接触によって伝播し，口唇に疼痛を伴う水疱が出現する。また，口と性器との接触を通して性器にも伝播し，痛みを伴う性器潰瘍を引き起こす。
　HSV-2は，性行為で伝播し，性器潰瘍を引き起こす。感染経路は性行為によるものがほとんどであるが，母子感染もある。
▶症状　2～10日の潜伏期の後，外陰部にかゆみを伴う直径1～2mmの小水疱が出現する。やがて水疱は破れて融合し，有痛性の浅い潰瘍となる。発熱，倦怠感とともに鼠径リンパ節が腫脹する。発症後，ウイルスが末梢神経から腰仙髄神経節へ上行性に潜伏感染し，再

発を繰り返すことがある。初感染では一般に症状が強く，発熱，倦怠感といった全身症状もみられる。HSV-2 の場合，無菌性髄膜炎を生じることもある。HSV-1 は，まれだが脳炎や角膜炎のような重症合併症を引き起こす。
▶ **治療**　抗ウイルス薬のアシクロビルやバラシクロビルが有効である。

7. クラミジア感染症

▶ **概念**　クラミジア・トラコマティス（*Chlamydia trachomatis*）による性感染症で，国内外で，現在最も多い性感染症の一つである。わが国では若年感染者が増加しており，女性が男性の約 2 倍，全患者の約 70％ を 10〜20 歳代が占めている。無症状病原体保有者を含む感染者との性交渉およびオーラルセックス（口腔性交）などにより感染する。

▶ **病態**　潜伏期は 1〜3 週間で，男性の場合は尿道のかゆみ，排尿時痛で発症し，尿道分泌物を認める。しかし症状が軽微なことも多く，無症状の場合もある。感染者の約 5％ で精巣上体炎を併発し，発熱，陰嚢の腫脹・疼痛を認める。

　女性の場合は初感染部位が子宮頸管で子宮頸管炎を発症するが，ほとんどが無症状であり，感染を自覚することが少ない。合併症に骨盤内炎症性疾患があり，無症状であっても，クラミジアは上行性に感染を拡大させ，卵管内腔に障害を起こし，卵管周囲の癒着などにより不妊の原因となることがある。さらには骨盤腔にも感染が広がり，肝臓周囲に炎症（フィッツ・ヒュー・カーティス症候群）を起こすこともある。

▶ **治療**　クラミジアは細胞壁を有さないため，βラクタム系抗菌薬は無効である。このため，アジスロマイシンなどのマクロライド系，ドキシサイクリン，ミノサイクリンのテトラサイクリン系，レボフロキサシンなどのニューキノロン系抗菌薬を用いる。妊婦には，胎児に影響のないマクロライド系抗菌薬を投与する。パートナーも同時に治療することが重要である。

8. 淋病

▶ **概念**　淋病（gonococcal infection）とは，淋菌（*Neisseria gonorrhoeae*）による感染症である。主に性器に感染するが，近年感染者の咽頭炎が男女共に増加しており，これは淋菌感染症患者とのオーラルセックス（口腔性交）が原因と考えられる。まれに産道感染が原因となり，新生児の結膜炎がみられる。

▶ **病状**　男性では生殖道と尿道が同一であるのに対し，女性では生殖道が尿道と異なるため，男性と女性では症状が異なる。

❶男性の場合

　3〜10 日の潜伏期の後，排尿痛などの症状で，尿道炎として発症する。膿性の尿道分泌物がみられる。上行性に前立腺炎，精巣上体炎に進むことがある。

❷女性の場合

　潜伏期が不明瞭なばかりでなく，多くが無症状である。子宮頸管炎の主症状として，帯

下が増える程度である。上行性に卵管に感染が拡大し、子宮付属器炎が起こると、約半数の患者が発熱、下腹部痛などを訴えるようになる。無症状の女性も感染源となる。淋菌感染症が放置されれば、子宮頸管炎の合併、さらには子宮内膜炎、卵管炎から不妊症へ進展する可能性がある。

❸ **男性・女性に共通する内容**

▶ 治療　近年、淋菌のニューキノロン系抗菌薬への耐性化が進んでいる。第3世代セファロスポリンの注射薬であるセフトリアキソンが第一選択薬だが、今後の耐性菌の動向への注意を要する。パートナーの治療も同時に行うことが必須である。

VI 皮膚・軟部組織感染症

皮膚・軟部組織にみられる感染症の皮下深度による分類を図4-7に示す。

1. 癤, 癰

▶ 概念　癤、癰の原因菌は、主に黄色ブドウ球菌とレンサ球菌である。癤は毛包炎が進行したもので、1つの毛包を中心に膿瘍を形成する。癰は癤が進行して複数の毛包に広がり、しばしば発熱、悪寒などの全身症状を伴う。基礎疾患に糖尿病などの免疫低下があることが多い。

▶ 治療　切開排膿が治療の中心である。外用抗菌薬はあまり有効でないため、第1世代セフェム系抗菌薬の内服を考慮する。βラクタム系抗菌薬アレルギーでは、リンコマイシン系抗菌薬のクリンダマイシンを使用する。癤でとどまらず癰にまで進行するような重症例では、切開排膿および、第1世代セフェム系抗菌薬（セファゾリン）の点滴静脈注射を行う。

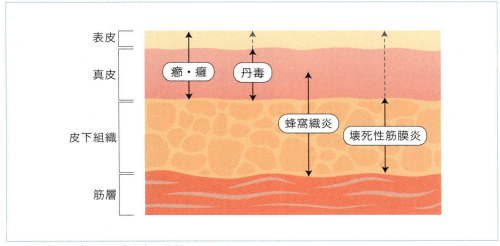

図4-7　皮下深度による感染症の分類

2. 毛包炎

▶ **概念** 毛包炎（folliculitis）とは，単一の毛包に限局した紅斑を伴う膿疱のことで，思春期の顔に多発するものは尋常性痤瘡という。黄色ブドウ球菌が主な起因菌である。
▶ **治療** 入浴・シャワーなどで清潔を保ち，多発する場合は抗菌薬によって治療する（癤，癰の治療に準じる）。

3. 丹毒

▶ **概念** 丹毒（erysipelas）は比較的浅い真皮の炎症で，病変部は発赤し，浮腫状に硬化して境界が鮮明であることが特徴的である。発熱，悪寒，頭痛などの全身症状を伴う。
　丹毒の原因菌は，通常，レンサ球菌であるA群β溶連菌（*Streptococcus pyogenes*）が多いが，B群，C群，G群や黄色ブドウ球菌が原因となることも少なくない。
▶ **治療** 治療は黄色ブドウ球菌も考慮して，第1世代セフェム系抗菌薬を使用する。

4. 蜂窩織炎（蜂巣炎）

▶ **概念** 蜂窩織炎（蜂巣炎 [cellulitis]）は，A群β溶連菌や黄色ブドウ球菌が主な原因菌となる，真皮深層〜皮下脂肪組織の急性化膿性炎症である。境界不明瞭で急速に拡大する。通常，疼痛を伴い，壊死性筋膜炎や敗血症に移行することもある。
▶ **治療** 治療は，まず原因微生物の同定の努力（塗抹検査，培養検査）を怠らない。基本的に黄色ブドウ球菌が主な起因菌であり，抗菌薬の使用も毛包炎などと同様である。免疫不全症例では，原因微生物同定の努力はさらに重要である。

5. 壊死性筋膜炎

▶ **概念** 壊死性筋膜炎（necrotizing fasciitis）は，深部で急速に進行する致死率の高い壊死性軟部組織感染症である。早期の壊死組織の徹底的なデブリードマンなしに救命は難しい。炎症が筋膜からその深層に及んだものは患肢の切断が必要となる。
▶ **病態** 病態は1型壊死性筋膜炎と2型壊死性筋膜炎の大きく2群に分けられる。
　1型壊死性筋膜炎：糖尿病など基礎疾患のある患者に，グラム陽性球菌，腸内細菌などのグラム陰性桿菌，バクテロイデス（*Bacteroides*）などの嫌気性菌による混合感染を起こす群である。
　2型壊死性筋膜炎：基礎疾患のない健常者であっても外傷などの機会があれば生じる，病原性の高いA群β溶連菌をはじめとする溶連菌，まれに黄色ブドウ球菌，クロストリジウム属（*Clostridium perfringens*, *C. septicum*など）による単独菌感染を起こす群である。
▶ **症状** 壊死性筋膜炎の特徴は，①局所の変化に対して痛みが非常に強い，②進行が早い，③皮膚が非常に湿潤している，の3つがある。進行すれば皮膚の変色，出血，皮膚感覚の脱失，握雪感も認める。

▶ **治療** 壊死を生じた筋膜組織の外科的な除去が必須であり，抗菌薬のみでは治療は通常不可能である．デブリードマンは抗菌薬の使用後では遅く，必ず同時進行させる．培養結果が判明するまでは，グラム陽性球菌，グラム陰性桿菌，嫌気性菌に対して有効な広域抗菌薬の選択が必要である．市中感染型 MRSA（メチシリン耐性黄色ブドウ球菌）による壊死性筋膜炎も報告されており，その場合はバンコマイシンの点滴静脈注射が必要となる．

6. 表在性血栓性静脈炎

▶ **概念** 血栓性静脈炎（thrombophlebitis）とは，静脈に感染して静脈壁に損傷や炎症が起こり，その部位に血栓ができて静脈の内腔を塞ぐものをいう．原因として打撲などの外傷性，カテーテル留置や静脈穿刺，薬剤性，静脈瘤に伴う炎症などがあげられる．この疾患は，血栓ができるときに炎症が関係しているかどうかで静脈血栓症と区別されるが，血栓ができると炎症を伴うため，実際にこの2つの病気を区別するのは難しい．このため，一般的には表在静脈に起こった静脈炎を**血栓性静脈炎**，深部静脈に起こった静脈炎は**静脈血栓症**とよぶ．

▶ **症状** 静脈に沿ってしこりができ，発赤と軽い痛みを伴う．時には発熱や悪寒などの全身症状もみられる．

▶ **治療** 局所の安静を図り，湿布などで対応する．菌血症を併発している場合は，起因菌に応じた抗菌薬の点滴静脈注射により治療する．

7. リンパ管炎

▶ **概念** 有痛性のある熱感を伴い，リンパ管の走行に沿って線状に発赤を認める．進行速度は，時として極めて速い．A群β溶連菌が主たる原因菌であり，創傷などを契機に，蜂窩織炎などを介して，局所のリンパ管炎，リンパ節炎へ進む．

▶ **治療** 原疾患に対する抗菌薬による治療開始後，炎症が改善し始めるまで多少の遅れがあるため，抗菌薬変更をあわてる必要はない．

VII 眼感染症，眼窩蜂窩織炎

代表的な**眼感染症**は，感染性結膜炎，感染性角膜炎，感染性眼内炎に大きく分けられる．特に感染性角膜炎と感染性眼内炎は失明の危険性があるため，もし眼科を受診していない場合には速やかに受診する必要がある．

眼窩蜂窩織炎は，眼周囲の皮膚軟部組織感染症である．眼周囲に生じる感染症の解剖学的部位を図4-8に示す．

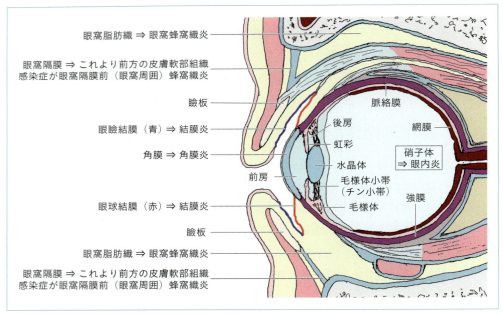

図 4-8　眼周囲の感染症

1. 感染性結膜炎

▶ **概念**　結膜は，眼瞼の内側表面から眼球の角膜輪部（角膜と強膜の境界）までを覆う粘膜であり，その部分の炎症を結膜炎という。

▶ **症状**　感染性結膜炎の主な症状は結膜充血や眼脂であり，病変の部位が結膜のみであれば一般に痛みはなく，（眼脂を除去すれば）視力に影響をきたさない。

次に代表的な感染性結膜炎について病原微生物別に述べる。

1　細菌性結膜炎

　肺炎球菌，インフルエンザ桿菌，モラキセラ・カタラーリスによるものは小児で多くみられ，黄色ブドウ球菌によるものは成人で多い。眼脂などの分泌物のグラム染色や培養検査で診断する。感染患者由来の分泌物や汚染された環境表面の直接接触によって拡大する。また，淋菌性結膜炎は重症となる場合があり，早期の眼科医の診察が望ましい。通常は，会陰部から手指，そして眼へと伝播し，典型例では尿道炎が同時に存在する。

2　クラミジア結膜炎

　クラミジア・トラコマティスが原因となり，出産時に新生児が経産道的に感染するものと，性感染症として成人が罹患するものがある。成人が罹患するものでは，尿道炎（しばしば症状に乏しい）が合併していることが典型的である。分泌物の PCR（ポリメラーゼ連鎖反応）法などで診断する。

3 ウイルス性結膜炎

　代表的なウイルス性結膜炎の種類には，流行性角結膜炎，咽頭結膜熱，急性出血性結膜炎などがある。

❶ 流行性角結膜炎

　流行性角結膜炎（epidemic keratoconjunctivitis：EKC）は，その感染性の強さから，感染対策上も重要な疾患である。アデノウイルスが原因となり，感染患者由来の分泌物の直接接触以外にも，ウイルスで汚染された器具や環境に接触することによっても間接的に感染する。5〜12日程度の潜伏期間を経て，約2週間症状が持続する。角膜炎も起こすことから，一般的な結膜炎の症状に加えて疼痛や視機能への影響も生じることがあり，眼科医による診断と，副腎皮質ステロイド薬の局所投与の要否の判断が重要になる。

❷ 咽頭結膜熱

　咽頭結膜熱（pharyngo-conjunctival fever）もアデノウイルスが原因であり，主に6〜8月にかけて学童以下の年齢（12歳以下）において地域で流行する。飛沫感染や手指を介した接触感染が主であり，ウイルスに汚染されたプールの水の直接侵入によっても感染することから，**プール熱**ともよばれる。結膜炎以外の症状として，咽頭炎による咽頭痛と発熱がある。5〜7日間の潜伏期間を経て，3〜5日程度症状が持続する。

4 新生児結膜炎

　生後4週間以内に発症する結膜炎を，新生児結膜炎とよぶ。胎児が産道を通過する際の母親からの伝播によって生じる結膜炎であり，クラミジア，淋菌によるもの，肺炎球菌やインフルエンザ桿菌といったそのほかの細菌性のほかに，単純ヘルペスウイルスによるものもある。未治療の性感染症を罹患していると考えられる母親から生まれた新生児は，母親と新生児の双方に対して，淋菌感染症，クラミジア感染症，HIV感染症，および梅毒のスクリーニングを検討すべきである。

2. 感染性角膜炎

▶ **概念**　感染性角膜炎は，何らかの病原微生物によって角膜に炎症が生じた状態であり，ウイルス性，細菌性，真菌性，原虫性に大別される。感染性角膜炎は，感染性結膜炎とは異なり疼痛をきたし，角膜潰瘍からの穿孔や眼内炎の合併を経た場合は，視力障害や失明のおそれがあるため，感染性角膜炎が疑われた際には速やかに眼科医の診察を必要とする。

▶ **原因・治療**　**単純ヘルペスウイルス性角膜炎**は，多くの先進国において眼感染症による失明原因として最多であり，蛍光染色で樹枝状変化を認めることが特徴である。また，三叉神経第1枝領域の帯状疱疹の際には，**水痘・帯状疱疹ウイルス性角膜炎**に注意する必要がある。これらにはアシクロビルの眼軟膏を治療に用いる。

　細菌性角膜炎の原因菌のうち，緑膿菌やセラチアなどによる場合はコンタクトレンズの

非衛生的使用と関連があり，コンタクトレンズに関連しない外傷などによる場合は，ブドウ球菌性が多い。感受性を有する抗菌薬の局所点眼を中心として治療を行うが，反応が乏しい場合は，アカントアメーバによる**原虫性の角膜炎**も考慮する。この疾患も，消毒が不十分なコンタクトレンズの装用が原因であることが多い。

　フサリウムやアスペルギルスといった真菌が代表的な起因微生物となる**真菌性角膜炎**は，樹木の枝葉などによる外傷との関連がある。

3. 感染性眼内炎

▶ 概念　感染性眼内炎は，硝子体や眼房水を含めた眼内に病原微生物が侵入して生じる。眼科手術，外傷，角膜炎からの進展といった**外因性**と，菌（真菌）血症から生じる**内因性**に分けられる。

▶ 原因　外因性のうち最多であるのが**術後眼内炎**であり，黄色ブドウ球菌，表皮ブドウ球菌，プロピオニバクテリウムといった皮膚常在菌が起因菌となることが多い。眼球穿孔を生じる外傷では，セレウス菌によるものは進行が速く，注意を要する。

　内因性のうち，細菌性は黄色ブドウ球菌やレンサ球菌などの感染性心内膜炎が背景にあるもの，また肝膿瘍と関連して肺炎桿菌によるものなどが多い。真菌性では特にカンジダが重要であり，カンジダ血症の約10％で眼内炎がみられることから，カンジダ血症が判明した場合は，全例，眼科医による診察が推奨される。

▶ 治療　感染性眼内炎の治療には全身的な抗菌（真菌）薬の投与に加え，硝子体内注入や場合によって硝子体切除術が必要となることもある。

4. 眼窩蜂窩織炎（眼窩蜂巣炎）

▶ 概念　解剖学的に，眼窩隔膜よりも前方の病変を眼窩隔膜前（眼窩周囲）蜂窩織炎，後方の病変を眼窩蜂窩織炎とよぶ。

▶ 原因　**眼窩隔膜前（眼窩周囲）蜂窩織炎**は，眼瞼および眼瞼を取り囲む眼窩隔膜より前方にある皮膚の感染症であり，顔面局所または眼瞼の外傷，虫または動物による咬傷などが原因で生じ，眼窩蜂窩織炎と比べてより一般的にみられる。

　眼窩蜂窩織炎は眼窩内の筋や脂肪組織の感染症であり，眼球には及ばない。副鼻腔炎などの隣接する感染症に由来することが多い。黄色ブドウ球菌，レンサ球菌，肺炎球菌，インフルエンザ桿菌などが主な起因菌としてあげられる。菌が海綿静脈洞へ直接流入すると海面静脈洞血栓症へ進行する場合もあり，注意を要する。

▶ 治療　治療は，判明した（または想定される）起因菌に対して有効な抗菌薬の全身投与を行う。

VIII 中枢神経系感染症

　中枢神経は脳と脊髄からなり，いずれも髄膜で覆われている。中枢神経系感染症は何らかの病原微生物により，脳，脊髄およびその周辺組織に感染が生じた状態であり，ここでは代表的なものとして，髄膜炎，脳炎，脳膿瘍について述べる。

1. 髄膜炎

▶ **概念**　髄膜は，硬膜，クモ膜，軟膜で構成されている。髄膜炎は脳や脊髄の表面を覆う組織である軟膜の炎症であり，クモ膜下腔に満たされた脳脊髄液中の白血球数上昇として定義される。

▶ **症状**　発熱，頭痛，悪心・嘔吐，羞明，意識障害，痙攣などがある。項部硬直などの髄膜刺激症状の存在は，髄膜炎を疑う契機となり得る（ただし，感度は低い）。

▶ **診断**　腰椎穿刺などによる髄液検査が必要となるが，①頭蓋内圧が亢進しているとき（眼底鏡［眼底検査］で乳頭浮腫が観察されるときなど），②腰椎穿刺針の刺入部に感染症が存在するとき（刺入する椎間と同じレベルの部位に硬膜外膿瘍があるときなど），③血液凝固障害があるときには，腰椎穿刺は禁忌となるため注意を要する。

▶ **分類**　髄膜炎は**感染性髄膜炎**と，がん性髄膜炎，薬剤性髄膜炎，自己免疫性疾患による髄膜炎などの**非感染性髄膜炎**に大別される。感染症領域で扱われる代表的な感染性髄膜炎について次に述べる。

1　細菌性髄膜炎

▶ **原因**　患者背景によって，主要な起因菌が変化する。新生児では産道感染を反映してB群レンサ球菌，大腸菌，リステリアが重要であり，生後3か月以上から成人になると肺炎球菌，インフルエンザ桿菌，（流行地域によっては）髄膜炎菌が主体となる。リステリアは高齢者や妊婦，細胞性免疫不全患者でも問題となり，セファロスポリン系抗菌薬が無効であることに注意する（ペニシリン系抗菌薬のアンピシリンが第1選択となる）。また，外傷後（髄液漏を伴う場合など）や脳外科手術後，人工物が関連する細菌性髄膜炎の場合は，黄色ブドウ球菌や表皮ブドウ球菌，腸内細菌科細菌や緑膿菌などが関与し得る。

▶ **診断**　一般に髄液培養から菌が発育した際は診断的に有意義と考えるが，細菌性髄膜炎は死亡率も高く，治療に成功した場合も後遺症が残ることがあるため，髄液検査の結果を待たずに内科的緊急疾患として速やかに治療を開始する必要がある。

▶ **治療**　細菌性髄膜炎が疑われた場合には，できるだけ早急に（具体的には血液培養2セット提出後で腰椎穿刺を開始するよりも早く），患者背景から想定される起因微生物のカバーが可能な抗菌薬を，髄膜炎として適切な投与量で使用する。特に肺炎球菌性髄膜炎における予後の改善を目的として，抗菌薬の投与開始前または同時に副腎皮質ステロイド薬（デキサメ

タゾン）の投与が推奨されている。

2 結核性髄膜炎

▶ **診断**　結核菌の検査では一般培養では発育せず，菌体を証明するには髄液の抗酸菌培養や結核菌 PCR 検査が必要になるが，陽性率は高くなく，診断に難渋することが多い。結核曝露歴等のリスクとなるエピソードを問診で聴取することや通常の髄膜炎としての治療に反応しない経過から疑われたり，髄液中のアデノシンデアミナーゼ（ADA）検査やツベルクリン反応検査，インターフェロンγ遊離試験などが補助的に使用されることもある。ただし，これらの検査での陽性が即，結核性髄膜炎を示すわけではなく，また陰性によって疾患が除外されるわけでもないことに注意が必要である。

▶ **治療**　治療には抗結核薬の長期間の使用が必要となり，治療開始初期には副腎皮質ステロイド薬の併用が推奨される。

3 真菌性髄膜炎

▶ **診断**　クリプトコッカス髄膜炎が代表的であり，後天性免疫不全症候群（AIDS）をはじめとする細胞性免疫抑制状態がリスクとなる。墨汁法（髄液の墨汁染色による鏡検査）や髄液培養による髄液中の菌体の証明，髄液中のクリプトコッカス抗原によって診断される。腰椎穿刺時の髄液圧が高いことが特徴的である。

▶ **治療**　アムホテリシン B やフルコナゾールといった抗真菌薬が用いられる。

4 ウイルス性髄膜炎

▶ **原因**　様々なウイルスが原因となるが，頻度として多いのは，エコーウイルスやコクサッキーウイルスを含むエンテロウイルス属やムンプスウイルスがあげられる。またヒト免疫不全ウイルス（HIV）の初期感染でみられる一連の病態である急性 HIV 感染症では，発熱，咽頭痛，頭痛，リンパ節腫脹といった非特異的な症状がみられるが，時に HIV による無菌性髄膜炎も併発することがある。

▶ **治療**　ほとんどのウイルスにおいて，特異的な治療法はない。陰部感染に伴って発症する単純ヘルペス性髄膜炎は自然治癒するとされているが，抗ウイルス薬のアシクロビルで治療されることも多い。HIV による髄膜炎では抗レトロウイルス療法が必要になる（本章 - XVI -「HIV 感染症」参照）。

2. 脳炎

▶ **概念**　髄膜炎が軟膜の炎症であるのに対し，脳炎は脳実質の炎症であり，意識障害や異常行動といった症状をより呈しやすい（ただし髄膜炎と脳炎が併存することもある）。ウイルス性脳炎が最も多く，髄膜炎と同様に，ほとんどのウイルスに対して特異的な治療法はないが，中でも治療法が存在し，治療の有無により患者の予後が大きく左右されるという観点

から重要なものとして単純ヘルペス脳炎があげられる。

▶ **診断・治療** 脳 MRI 検査での特徴的な所見や髄液中の単純ヘルペスの PCR 検査などにより診断され，アシクロビルによる治療を行う。

3. 脳膿瘍

▶ **概念** 脳実質内の膿瘍であり，脳周囲の感染症（副鼻腔炎，中耳炎，乳突蜂巣炎，歯科領域の感染）から直接波及する場合と，血行性に感染性梗塞をきたして生じる場合とに大別される。発熱，頭痛，神経学的症状（膿瘍が存在する場所に関連する）が主な症状だが，これらが乏しい場合もある。

▶ **原因** 副鼻腔炎や歯科領域の化膿から進展した場合は，口腔内のレンサ球菌や嫌気性菌が原因となることが多く，感染性心内膜炎などから血行性に播種した場合は，黄色ブドウ球菌やレンサ球菌の頻度が高い。後天性免疫不全症候群（AIDS）の患者や高度に細胞性免疫が障害されている患者では，ノカルジアやリステリア，抗酸菌といった特殊な細菌，クリプトコッカスなどの真菌，トキソプラズマを代表とする原虫も原因となる。

▶ **診断・治療** 造影 CT 検査や MRI 検査による画像検査で診断される。脳膿瘍の存在により，頭蓋内圧の亢進が疑われた場合（眼底鏡［眼底検査］で乳頭浮腫の所見がみられるときなど）には，腰椎穿刺は避けるべきである。血液培養検査が陽性となれば，起因菌に関する重要な手がかりとなる。サイズや部位から可能であれば，画像ガイド下によるドレナージを検討する。原因微生物に応じた抗微生物薬を使用するが，直接的な病原微生物の特定が困難な状況では，脳膿瘍の原因となった元の感染巣からの原因微生物の推定が必要となる。

IX 免疫不全に伴う感染症

免疫不全のタイプは，①好中球減少，②細胞性免疫障害，③液性免疫障害，④バリア破綻に大きく分類される。それぞれについて次に解説する。

免疫不全を伴っている場合には，一般的にそれがない状態では罹患しにくいような感染症を生じるリスクが高まる。なお，各疾患の治療法については，それぞれの項の解説を参照してほしい。

1 好中球減少

白血球，赤血球，血小板（造血3系統とよぶ）は骨髄で産生されており，何らかの原因により骨髄の機能が障害されることによって，これらの系統のいずれか，またはすべてが減少することを**骨髄抑制**とよぶ。白血球は顆粒球（好中球，好酸球，好塩基球），単球，リンパ球に分類され，特に好中球がもつ貪食能は細菌感染症において重要な役割を果たす。したがって，好中球減少を伴う骨髄抑制は細菌感染症（細菌感染症全般ではあるが，特に緑膿菌，大

腸菌，クレブシエラなどの感染症）の重大なリスクとなる。

　骨髄抑制は細胞毒性を有する抗腫瘍薬の主要な有害作用であるが，全身の放射線照射によっても生じ得る。好中球数が $500/\mu L$ 未満，または 48 時間以内に $500/\mu L$ 未満まで低下することが予測される患者の発熱を**発熱性好中球減少症**（febrile neutropenia；FN）とよぶ。

　FN は内科的緊急疾患であり，迅速に適切な対応が行わなければ致死的な転帰をとり得る。血液培養検体（およびその時点で疑われる感染臓器由来の培養検体）を採取したうえで，できる限り早く緑膿菌を含むグラム陰性菌のカバーが可能な抗菌薬を開始する必要がある（疑われる感染臓器があれば，さらに想定される起因微生物のカバーを加える）。FN が遷延した場合は，カンジダやアスペルギルスといった真菌も問題となる。

2 ｜ 細胞性免疫障害

　ヘルパー T 細胞が関与する細胞性免疫は，急性リンパ性白血病や悪性リンパ腫などでは疾患そのものでも障害されるうえ，副腎皮質ステロイド薬，アザチオプリン，シクロスポリン，タクロリムス，フルダラビン酸エステル，アレムツズマブといった化学療法に用いられる薬剤の使用により抑制を受ける。

　細胞性免疫障害では多種多様な病原微生物が関与し，細菌ではリステリア，ノカルジア，結核菌，非結核性抗酸菌，真菌ではクリプトコッカス，アスペルギルス，ニューモシスチス，原虫ではトキソプラズマ，ウイルスではヘルペスウイルス，サイトメガロウイルスなどが問題となる。

3 ｜ 液性免疫障害

　B 細胞から産生される抗原に特異的な免疫グロブリンの産生が障害されることによる。疾患そのものによる液性免疫障害は，多発性骨髄腫や慢性リンパ性白血病などでみられる。治療に関連するものとして，強力な放射線照射や化学療法では低ガンマグロブリン血症も引き起こす。また，モノクローナル抗体製剤のリツキシマブの使用は，B 細胞を減少させる。脾臓が摘出された場合も，液性免疫障害を引き起こす。液性免疫障害では，肺炎球菌やインフルエンザ桿菌などの莢膜を有する微生物が問題となる。

4 ｜ バリア破綻

　皮膚，呼吸器（鼻腔や口腔を含む），耳，結膜，消化管，泌尿生殖器は直接外部の環境と接しており，これらのバリア機構の破綻は，病原微生物の人体への侵入を容易にする。手術後の**手術部位感染症**や血管内カテーテルの留置による**カテーテル関連血流感染症**は，皮膚のバリア破綻によって生じる代表的な感染症である。

　皮膚に常在するブドウ球菌のほか，手術部位感染症は術野に由来する微生物，カテーテル関連血流感染症ではグラム陰性桿菌やカンジダも起因菌となる。化学療法や放射線照射によって口腔粘膜や消化管粘膜の障害が生じると，口腔や消化管内のレンサ球菌やグラム

陰性桿菌，嫌気性菌，カンジダが問題となり得る。また，気管挿管チューブや気管切開カニューレ，経鼻胃管，膀胱留置カテーテルなどの人工物の留置は，それぞれの部位のバリア破綻に関連する感染症のリスクとなる。

　固形腫瘍患者においては，腫瘍そのものによる，あるいは手術による解剖学的構造の変化が生じ，本来あるべき正常な"流れ"が障害されることによって感染症が生じ得る。これも，広い意味でバリア破綻と考えられる。例としては，腫瘍による尿路閉塞に起因する複雑性尿路感染症，胆管空腸吻合術後の胆管炎，乳がんや骨盤内手術に含まれるリンパ節郭清後のリンパ浮腫を背景とした蜂窩織炎（蜂巣炎）などがあげられる。

X 移植に伴う感染症

1. 造血幹細胞移植に伴う感染症

▶**造血幹細胞移植**　造血幹細胞移植は，自分の造血幹細胞を利用する**自家造血幹細胞移植**と，他人の造血幹細胞を移植する**同種造血幹細胞移植**の2つに分けられる。造血幹細胞移植では，移植を行う前に，大量の化学療法薬の投与と放射線照射を用いることによって，体内に存在する血液腫瘍細胞を根絶する。同種造血幹細胞移植のうち，ヒト白血球抗原（human leukocyte antigen；HLA）が完全に適合していない場合には，より多い量の化学療法薬や放射線照射量が必要となり，先に述べた好中球減少，細胞性免疫障害，液性免疫障害，バリア破綻の程度がより強くなる（本章-IX「免疫不全に伴う感染症」参照）。結果として自家造血幹細胞移植と比べて感染症のリスクがより高まることとなる。ここでは同種造血幹細胞移植を主として述べる。

▶**同種造血幹細胞移植**　前述のように，同種造血幹細胞移植では腫瘍細胞の壊滅を目的とする大量の化学療法薬の投与と，全身への放射線照射による移植前処置の後に，ドナー由来の造血幹細胞の輸注（移植）を行う。移植後に末梢血中の好中球数が500/μL以上となり，それが3日以上続くことを**生着**＊とよぶ。生着までに要する期間は，ドナーとの関連の程度や幹細胞移植の方法（末梢血幹細胞移植，骨髄移植，臍帯血移植）によるが，10日から1か月程度である。好中球数の回復後も，細胞性免疫や液性免疫に重要なリンパ球の機能が回復するまでには免疫抑制薬の中止後1〜2年かかるとされ，**移植片対宿主病**（graft versus host disease；GVHD）を合併した場合には，さらに時間を要する。移植を行ってからリンパ球の機能が回復するまでの期間を，生着前，生着後前期（生着してから移植後100日程度まで），生着後後期（移植後100日程度以後）の3つの時期に分けて述べる。

＊**生着**：移植した幹細胞が血流に乗って骨髄へと到達し，そこで増殖を開始したことを意味する。

1 | 生着前

　生着前の時期は，強力な化学療法および放射線照射が実施されてから間もない期間であり，好中球減少とバリア破綻が主たる免疫障害のリスクとなる．具体的には，好中球減少に関連する細菌感染症と口腔・消化管粘膜の障害，カテーテル関連血流感染症が問題となる（これらの問題によって引き起こされる感染症は，本章-Ⅸ-1「好中球減少」および4「バリア破綻」参照）．ウイルスでは単純ヘルペスウイルスの再活性化が問題となるが，アシクロビルの予防投与により，リスクが低減する．

2 | 生着後前期

　好中球数は回復傾向にあるが，免疫抑制剤による高度の細胞性免疫障害のため，真菌やウイルス感染症のリスクが高い．

▶ **真菌感染症**　侵襲性アスペルギルス症が多く，カンジダ血症，ムコール感染症，フサリウム感染症などがみられる（本章-ⅩⅤ-2「アスペルギルス症」参照）．通常はST合剤による予防が行われるが，ニューモシスチス肺炎のリスクもある．

▶ **ウイルス感染症**　サイトメガロウイルスがこの時期のウイルス感染症で最も重要であり，水痘・帯状疱疹ウイルス，エプスタイン・バー（EB）ウイルス，インフルエンザウイルスやアデノウイルスを含む呼吸器ウイルスも問題となり得る．B型肝炎ウイルスも重要であり，過去にB型肝炎が治癒した患者でも，同種造血幹細胞移植後の再活性化のリスクを考慮して，抗ウイルス薬の予防内服，定期的な肝機能やB型肝炎ウイルスDNAのモニタリングが推奨される．

▶ **GVHDを発症した患者**　皮膚症状，下痢，肝機能障害などがみられ，これによる粘膜バリア破綻の問題に加え，GVHDの治療に用いられる副腎皮質ステロイド薬や免疫抑制剤の使用によるさらなる易感染状態が生じる．GVHDの症状は，ほかの感染症との症状の鑑別が困難なことも多く（例として下痢とサイトメガロウイルス腸炎），診断のために組織の生検を要する場合がある．

3 | 生着後後期

▶ **GVHDを合併しない患者**　免疫抑制剤の減量または中止が検討され，生着後前期にみられたような感染症のリスクは下がるが，細胞性免疫や液性免疫の抑制状態は続いている．肺炎球菌や水痘・帯状疱疹ウイルス，ニューモシスチスによる感染症への注意や予防が必要となる．

▶ **GVHDを合併した患者**　免疫抑制剤を中止できず，生着後前期の感染症のリスクが続くうえに，慢性GVHDを原因とする液性免疫障害が残る．肺炎球菌に対するペニシリン系抗菌薬，水痘・帯状疱疹ウイルスに対するアシクロビル，ニューモシスチスに対するST合剤の長期内服に加え，侵襲性アスペルギルス症に対するアゾール系抗真菌薬の投与と，

サイトメガロウイルスのモニタリングが推奨される。

2. 造血幹細胞以外の移植に伴う感染症

　造血幹細胞移植との主な違いは，基本的に造血能が保たれていることと，必ず手術を実施するため，次のように各臓器の手術に関連する合併症が問題となる点である。

▶ **移植後1か月程度まで**　手術部位感染症および移植臓器に関連する感染症（肝移植の場合は胆管炎，腎移植の場合は尿路感染症など）が主となる。

▶ **移植後1か月以後**　免疫抑制剤による細胞性免疫障害（本章-IX-2「細胞性免疫障害」参照）とGVHDが重要になってくる。ここでもGVHDの症状と，ほかの感染症の鑑別（例としてはGVHDによる肝機能障害と胆管炎）が問題となる。

▶ **移植後半年を経過**　免疫抑制剤の使用を要する場合には，ニューモシスチス肺炎予防のためのST合剤の内服を継続することが多い。

3. 特殊な感染症としてのクロイツフェルト・ヤコブ病（生体材料移植由来）

▶ **概念**　クロイツフェルト・ヤコブ病は，**プリオン病**とよばれる神経変性疾患群のなかで代表的なものである。「プリオン」はたんぱく質性感染性粒子を指し，プリオン病では異常プリオンたんぱくが中枢神経系に蓄積し，不可逆的な致死性神経障害を引き起こす。根治的な治療法はなく，罹患した場合の予後は不良である。

▶ **原因**　医療関連プリオン病では，脳外科術後などで生じる硬膜欠損に対するヒト硬膜移植術の際の硬膜材料，およびヒト下垂体由来のホルモン製剤などを使用する場合において，プリオン病患者由来の材料を使用することが原因となる。

▶ **予防**　プリオンの感染性の完全な消失のためにはプリオン病患者に用いた器材や物品を焼却するしかなく，基本的に手術器具はできる限り単回使用（ディスポーザブル）とする。ディスポーザブルにできない器材の不活化方法については成書を参照されたい。

XI 菌血症，敗血症

概要	• 定義 　• 血中に細菌が存在している状態を**菌血症**という。 　• 感染症に対する制御不能な宿主反応に起因した生命を脅かす臓器障害を**敗血症**という。 　• 敗血症による循環器不全で血圧が維持できない状態を**敗血症性ショック**という。 • 原因 　• あらゆる細菌感染が原因となり得る。 • 病態生理 　• 感染症に伴う臓器障害やサイトカイン過剰などの免疫反応による。
症状・臨床所見	• **菌血症**では，発熱，悪寒，戦慄（全身のふるえ）が出現する。 • **敗血症**では多臓器不全に至り，意識障害・ショックなどの循環不全，呼吸不全，腎障害など多岐にわたる病態を示す。
検査・診断	• 菌血症，敗血症が疑われる場合は血液培養検査を行う。
主な治療	• 原疾患である感染症の治療を行う。 • 抗菌薬の投与を行う。 • 2次的な臓器障害を呈している場合はその治療も並行して行う。 • 敗血症性ショックに至った場合には，抗菌薬に加えて副腎皮質ステロイド薬の投与も検討する。

1 概念

　菌血症（bacteremia）は血中に細菌が存在している状態のことであり，一般には血液培養検査で細菌が検出される状態を指すケースが多い。一方で，**敗血症**（sepsis）は感染症に対する制御不能な宿主反応に起因した生命を脅かす臓器障害と定義され，両者は病態として共存することも多いが，異なった概念であることに注意する。特に敗血症による循環不全により血圧が維持できない状態を**敗血症性ショック**（septic shock）とよぶ（表4-9）。

　現在は，qSOFA（表4-10，本編-第3章-Ⅰ-B-1「qSOFAスコア」参照）を参考にしながら（2点以上で敗血症を疑う），重症度の評価法であるSOFA（sequential [sepsis-related] organ failure assessment）スコア（表4-11）の採点に進む。SOFAスコア2点以上を敗血症と診断する（本編-第2章-Ⅰ-3「敗血症」参照）。

表4-9 敗血症性ショックの定義と診断基準

定義	敗血症の中でも急性循環不全により死亡率が高い重症な状態
診断基準	平均動脈血圧 ≧ 65mmHg以上を保つために輸液療法に加えて血管収縮薬を必要とし，かつ血中乳酸値 2mmol/L（18mg/dL）を超える

出典／日本集中治療医学会，日本救急医学会：日本版敗血症診療ガイドライン2020，日本集中治療医学会雑誌，28：S1-S411，2021．より作成

表4-10 quick SOFAスコア

意識変容
呼吸数 ≧ 22回/分
収縮期血圧 ≦ 100mmHg

感染症あるいは感染症を疑う病態で，quick SOFA（qSOFA）スコアの3項目中2項目以上が存在する場合に敗血症を疑う。
出典／日本集中治療医学会，日本救急医学会：日本版敗血症診療ガイドライン2020．日本集中治療医学会雑誌，28：S24，表1-2-2，2021．

表4-11 SOFAスコア

スコア	0	1	2	3	4
意識 Glasgow coma scale	15	13〜14	10〜12	6〜9	< 6
呼吸 PaO_2/F_IO_2（mmHg）	≧ 400	< 400	< 300	< 200 および呼吸補助	< 100 および呼吸補助
循環	平均血圧≧70mmHg	平均血圧<70mmHg	ドパミン＜5μg/kg/分あるいはドブタミンの併用	ドパミン5〜15μg/kg/分あるいはノルアドレナリン≦0.1μg/kg/分あるいはアドレナリン≦0.1μg/kg/分	ドパミン＞15μg/kg/分あるいはノルアドレナリン＞0.1μg/kg/分あるいはアドレナリン＞0.1μg/kg/分
肝 血漿ビリルビン値（mg/dL）	< 1.2	1.2〜1.9	2.0〜5.9	6.0〜11.9	≧ 12.0
腎 血漿クレアチニン値 尿量（mL/日）	< 1.2	1.2〜1.9	2.0〜3.4	3.5〜4.9 < 500	≧ 5.0 < 200
凝固 血小板数（×$10^3/\mu L$）	≧ 150	< 150	< 100	< 50	< 20

出典／日本集中治療医学会，日本救急医学会：日本版敗血症診療ガイドライン2020．日本集中治療医学会雑誌，28：S23，表1-2-1，2021．

2 原因

あらゆる細菌感染，真菌感染が原因となり得る。

3 症状

▶ **菌血症** 発熱，悪寒，戦慄などの症状が出現することが多い。
▶ **敗血症** 多臓器不全に至り，意識障害，ショックなどの循環不全，呼吸不全，腎障害，播種性血管内凝固症候群など，多岐にわたる病態を示す。

4 診断

菌血症や敗血症を疑った時点で，血液培養検体を採取する。

5 治療

原疾患である感染症の治療が最優先となる。敗血症においては時間の経過とともに予後が悪化するため、速やかな抗菌薬投与が望まれる。また、敗血症により2次的な臓器障害を呈している場合は、その治療も並行して行う。

敗血症性ショックに至った場合には、抗菌薬に加え昇圧薬や相対的な副腎不全の治療として副腎皮質ステロイド薬の投与も検討される。

XII ヒト・動物咬傷による感染症

1. ヒト・動物(哺乳類)咬傷

▶**概念** ヒトやそのほかの哺乳類による咬傷とそれにより引き起こされる感染症を、ここでは「ヒト・動物咬傷」として取り上げる。日常の臨床現場ではネコやイヌなどの動物咬傷やヒト咬傷の患者が多くみられる。初期診療では、歯や牙による組織の損傷(傷、出血など)が問題となることが多いが、動物の口腔内に存在する細菌やウイルスによって生じる感染症は、時に重篤な症状を引き起こすおそれがあるため、適切な処置を施す必要がある。

▶**病態** ヒト・動物咬傷では、関節炎や蜂窩織炎(蜂巣炎)などの創部の感染症を合併する。**イヌ・ネコ咬傷**では、イヌ・ネコの口腔内常在菌であるパスツレラ(*Pasteurella*)、バルトネラ(*Bartonella*、ネコひっかき病の病原菌)、黄色ブドウ球菌(*Staphylococcus aureus*、スタフィロコッカスアウレウス)が原因となることが多いが、嫌気性菌の混合感染も少なくない。**ヒト咬傷**でもレンサ球菌(*Streptococcus*、ストレプトコッカス)やフソバクテリウム(*Fusobacterium*)など、好気性菌、嫌気性菌ともに感染の原因となる。

ウイルス性疾患である**狂犬病**の感染国・地域で、イヌ、ネコ、コウモリなどによる咬傷歴のある帰国者や、感染動物による咬傷が疑われた場合は、潜伏期間が3～4週間から数か月以上のため、曝露後予防、狂犬病ワクチン接種などが必要となる。

▶**症状** 一般に動物咬傷では傷が大きく、初期診療では出血が問題となることが多い。一方、細く鋭いネコの牙などによる咬傷では外表観察で傷が目立たない場合でも、深くまで達している場合があり、注意が必要である。発赤、腫脹、熱感などの、局所の感染徴候を認めることもある。

▶**治療** 初期診療では、感染の予防が重要となる。受傷した場合、ヒト・動物咬傷による創部は感染率が高いため、まず創部の洗浄処置を十分に行うことが必要であり、創部の汚染度に応じてドレナージを行う。嫌気性菌の感染が問題となることが多いため、創部の一時縫合は行わないことも多い。**パスツレラ感染**の場合、嫌気性菌の混合感染を考慮し、β

ラクタマーゼ阻害薬配合のペニシリン系抗菌薬などが用いられる。一方，**バルトネラ感染**の場合は自然軽快もあるが，マクロライド系，テトラサイクリン系などの抗菌薬が用いられる。

2. 蛇咬傷

▶ **概念・症状** ヘビにかまれることで傷を負うことを蛇咬傷という。毒蛇がもつ蛇毒には神経毒作用や壊死作用，出血作用，凝固作用などがあり，咬傷時に牙から注入されることによって出血や血液の凝固障害，細胞の壊死，呼吸麻痺，腎不全といった症状を引き起こす。日本に生息する主な毒蛇は，マムシ，ハブ，ヤマカガシの3種類である。

▶ **治療** 創部の洗浄を行いながら，経時的に局所所見の増悪がないか注意深く観察する。全身状態不良（多臓器不全の合併）や組織壊死などの重篤な組織障害が出現または予見される場合は，抗血清を投与する。抗血清はウマ由来の異種たんぱくであり，投与時にはアナフィラキシーや血清病などのアレルギー反応の出現に注意する。また，横紋筋融解症や腎障害などにも注意しながら輸液を行う。

XIII ウイルス感染症

ウイルスが宿主細胞に寄生し増殖することで，宿主に多彩な症状がみられる。ここでは主要なウイルス感染症として，麻疹，風疹，水痘，帯状疱疹を扱う。

1. 麻疹（はしか）

▶ **概念** 乳幼児期に好発する，皮疹を伴う感染症である。

▶ **原因** パラミクソウイルス科の麻疹ウイルスによって引き起こされる。飛沫感染，空気感染で感染が成立する。

▶ **症状** 10～14日間（平均約12日間）の潜伏期を経て，二峰性の発熱を有することが特徴である。カタル症状とよばれる，鼻汁，咳嗽，眼脂などの粘膜症状，発熱が出現する**カタル期**が数日先行し，その後一度解熱すると，**コプリック斑**とよばれる口腔内の頬粘膜の紅斑に囲まれた白い小さな斑点が出現する。その後，再度発熱とともに全身に皮疹が広がる**発疹期**となり，色素沈着を残し発疹が消退する回復期を3日程度経て自然治癒に至る。

皮疹は融合傾向があり，落屑や色素沈着を残すことが特徴である。

合併症として，肺炎や喉頭炎，中耳炎，麻疹脳炎がある。また，治癒後10年程度の経過を経て，知能低下やてんかんなどを引き起こす亜急性硬化性全脳炎（subacute sclerosing panencephalitis；SSPE）が合併することもある。

▶ **診断** 細胞性免疫能低下をきたし，ツベルクリン反応の陰転化を認める。

▶ **治療** 自然経過で改善する。

▶ **予防** 空気感染対策を行う。また，風疹との混合ワクチンを1歳時と5～7歳時の2回接種する。

2. 風疹（3日はしか）

▶ **概念** 学童期に好発する皮疹を特徴としたウイルス感染症である。"3日はしか"とよばれることもある。

▶ **原因** トガウイルス科の風疹ウイルスによって引き起こされ，経気道的な飛沫感染により感染する。

▶ **症状** 潜伏期14～23日間（平均16～18日間）を経て，**発疹と発熱が同時に発症**することが特徴である。また，**耳後部などのリンパ節腫脹**が出現することが多い。発疹は融合傾向をとらず，色素沈着を残さず3日程度で治癒することが特徴である。また，合併症として特発性血小板減少性紫斑病や関節炎が生じることがある。

▶ **治療** 自然経過で軽快する。

▶ **予防** 麻疹との混合ワクチンを1歳時と5～7歳時の2回接種する。

▶ **先天性風疹症候群** 妊婦が風疹ウイルスに初感染した場合に，胎児に先天的な障害が生じる疾患である。おおむね妊娠20週までの臓器形成期に感染すると，白内障などの眼疾患，難聴，動脈管開存症などの先天性心疾患，精神発達遅滞など，小頭症などの先天障害が発生する。本症を引き起こす可能性があるため，妊婦への風疹ワクチンの接種は禁忌となる。

3. 水痘・帯状疱疹

水痘・帯状疱疹ウイルス（VZV）は，初感染時に水痘を引き起こすが，治癒後も脊髄後根神経節など全身の知覚神経節に潜伏感染しており，免疫力低下時に再活性化（**再帰感染**）することで，帯状疱疹を引き起こす。

1 水痘

▶ **概念** 小児期に好発する，水疱，発熱を伴う感染症で"みずぼうそう"ともよばれる。

▶ **原因** ヘルペスウイルス科の水痘・帯状疱疹ウイルスへの接触，飛沫感染，空気感染による。

▶ **症状** 10～21日間程度の潜伏期を経て，紅斑→水疱→痂皮形成の順に皮疹を生じる。これらの皮膚病変が混在することが特徴である。皮疹は体幹や顔面に生じることが多く，発疹は7日間程度の自然経過で痂皮化する。

▶ **治療** 自然経過で治癒するが，免疫低下が予想される患者では，重症化を防ぐためアシクロビルやバラシクロビルが用いられる。

▶ **予防** 空気感染対策を行う。1～3歳児に弱毒生ワクチンの定期接種を行う。

2 帯状疱疹

▶ **概念** 水痘・帯状疱疹ウイルスの再帰感染により生じる。中高年以上の発症が多いが，若年者での発症もある。

▶ **症状** 肋間神経や顔面神経などの**片側**の領域に，末梢神経に沿って紅斑を伴う水疱を形成する。発疹は痂皮化して治癒するが，その後にも**帯状疱疹後神経痛**とよばれる発疹部位に一致した神経痛が残存することがある。また，膝神経節の障害により，末梢性顔面神経麻痺を伴うものを**ラムゼイ・ハント**（Ramsay-Hunt）**症候群**とよぶ。

　免疫不全患者では，神経領域を超えた全身性の皮膚症状や臓器障害をきたす場合，播種性帯状疱疹とよび，入院加療の適応となる。

▶ **治療** アシクロビル，バラシクロビル，ファムシクロビルなどを投与する。

▶ **予防** 標準予防策（スタンダードプリコーション）を行う。播種性帯状疱疹患者では，空気感染対策が必要になることがある。50 歳以上向けの帯状疱疹の不活化ワクチンも国内で認可されている。

XIV　寄生虫感染症

　ヒトへの感染症を引き起こす寄生虫は，顕微鏡で確認する単細胞の**原虫類**と，肉眼的に虫体を確認できる多細胞の**蠕虫類**に分類され，蠕虫はさらに線形動物と扁形動物に分けられる。

　寄生虫感染症の学習には，その生物の生活環（ライフサイクル）を理解することが重要である。寄生される生物を宿主と呼び，寄生虫が有性生殖を行える宿主を終宿主，途中の成長の過程で通過するが，有性生殖を行えない宿主を中間宿主（複数ある場合は第一中間宿主，第二中間宿主……）とよぶ。

A 蠕虫類による感染症

1. 線形動物（線虫）による感染症

▶ **概念** 線形動物は，一般的特徴としては外形が細長く断面は円形をしている。回虫，蟯虫，糞線虫，アニサキス，顎口虫，鉤虫，糸状虫などが属する。

　回虫症

▶ **病態** 世界で最も多い寄生虫感染症の一つであるが，下水道の整備や化学肥料・農薬の使用により，戦後経済の発展とともに日本国内では著明に減少した。幼虫形成卵の付着し

た野菜などを摂取することで感染し，終宿主により，ヒト回虫，ネコ回虫，イヌ回虫，ブタ回虫などが存在する。ヒトを終宿主にしないため，ネコ回虫症，イヌ回虫症はトキソカラ症ともよばれる幼虫のままヒトの体内を移行する幼虫移行症を引き起こす。

▶ 症状　幼虫の感染では一般的に無症候であることが多いが，一時に多数の虫卵を飲み込んだ場合，時に喘息症状や好酸球性肺炎（レフラー［Löffler］症候群）を引き起こすことがある。成虫は腸管（小腸）に寄生し，腹痛や食思不振，便秘などの消化器症状や，まれに急性腹症の原因となる。

▶ 診断　検便で虫卵または成虫を確認することで診断できる。胃透視検査や小腸内視鏡検査で発見されることもある。

▶ 治療　ピランテルパモ酸塩やメベンダゾールを内服する。

2 蟯虫症

▶ 病態　蟯虫は日本で最も多い寄生虫で，寄生率は低下しているものの，依然，幼児や小児らに多くみられる。虫卵の経口感染によって感染が成立する。

　就寝時に成虫が肛門周囲の皮膚に虫卵を産み，その際，肛門周囲に瘙痒感が生じ，これをかいた手指や下着などに付着し，経口的に消化管内に入ることで，さらなる感染を引き起こす。家族内や施設，保育所などの集団感染を起こす。

▶ 症状　無症状であることも多いが，肛門周囲の瘙痒感や湿疹，さらに多数寄生すると腹痛，下痢を起こすこともある。

▶ 診断　早朝の排便前の肛門周囲の皮膚に検査用のセロハンテープを用いた虫卵検査を行う。

▶ 治療　ピランテルパモ酸塩やメベンダゾールの内服で治療する。駆虫は，家族，保育所などで感染者全員を同時に行うのが望ましい。

3 糞線虫症

▶ 病態　熱帯や亜熱帯の地域に分布することが特徴であり，日本では沖縄地方，奄美群島での感染がほとんどである。成人T細胞白血病抗体陽性者の本虫保有率が高い。土壌中のフィラリア型の幼虫が経皮的に侵入し，血流により肺へ移行，発育して，気管，食道，胃を経て小腸に達し成熟する。また，腸管内で虫卵からふ化した幼虫が排泄されると肛門周囲の皮膚から再度侵入し，感染（自家感染）を引き起こす。症状がみられない不顕性感染が多いが，下痢や咳などの症状が出現することもある。また，AIDS（後天性免疫不全症候群）などの免疫力の低下している患者では自家感染で急激に増殖するため，虫体が全身に播種し，致命的になることがある。

▶ 診断　便中の虫体を確認することで診断する。

▶ 治療　イベルメクチンやアルベンダゾールの内服で治療する。

2. 扁形動物による感染症

▶ **概念** 扁形動物は虫体が扁形（平たい形）であることを特徴とする蠕虫であるが，住血吸虫のように円筒形のものや肺吸虫のように球状のものもある。形態によって，**吸虫**と**条虫**に大きく分けられる。条虫はサナダムシ（成虫が真田紐に似ている）といわれるように長いひも状を呈する。

1 肝吸虫症

▶ **病態** 肝吸虫の第二中間宿主であるコイなどの**淡水魚**を，終宿主であるヒトやイヌが生食することで成立する。肝内胆管に寄生，産卵するため，胆道閉塞を生じる。胆石や長年の感染の間には肝硬変や胆管がんの原因にもなる。
▶ **診断** 糞便検査で虫卵を検出する。
▶ **治療** プラジカンテル内服が有効である。

2 肺吸虫症

国内でヒトに寄生する肺吸虫症は次の2種類である。

❶ウェステルマン肺吸虫症

▶ **病態・症状** ウェステルマン肺吸虫の第二中間宿主であるサワガニ，モクズガニや，待機宿主であるイノシシの肉の生食により感染し，幼虫が腸管を介して肺に侵入，寄生することで血痰など結核様の症状がみられる。健康診断で，肺の腫瘤影や結節影が見つかり，肺がんや結核などが疑われ受診することもある。
▶ **診断** 喀痰や糞便の虫卵を確認する方法や皮内反応などの免疫学的な方法で行う。
▶ **治療** プラジカンテル内服が有効である。

❷宮崎肺吸虫症

▶ **病態・症状** 宮崎肺吸虫の第二中間宿主であるサワガニの生食で感染し，幼虫が肺に侵入することで呼吸器症状がみられる。気胸や胸水貯留，胸痛が出現し，著明な好酸球増多がみられるのが特徴である。
▶ **診断** 免疫学的な方法で診断する。
▶ **治療** プラジカンテルの内服で治療する。

3 住血吸虫症

❶日本住血吸虫症

▶ **病態** 日本住血吸虫は，中国や東南アジアに生息しており，国内では限られた地域に分布し，新規発症報告はない。日本で最初に見つかったため，日本住血吸虫症の名前がついた。中間宿主の淡水産巻貝である**ミヤイリガイ**で増殖してセルカリア*となり，水中で終宿主であるヒト，ウシ，イヌ，ネコ，ネズミなどの皮膚を貫いて侵入（経皮感染）する。

XIV　寄生虫感染症

急性期の症状は皮膚炎や腹痛などがあるが自然治癒する。血流によって腸間膜静脈から門脈に移動して成虫に発育するため，慢性期には門脈圧亢進から肝硬変に至る。流行地の水域に入るときは，ゴム長靴など用いてセルカリアの侵入を防ぐ。
- ▶ **診断**　糞便での虫卵の検出や血清診断などの免疫学的方法で診断する。
- ▶ **治療**　プラジカンテルの内服で治療する。

❷ビルハルツ住血吸虫症
- ▶ **病態**　ビルハルツ住血吸虫は，中近東やアフリカに分布しており，水中でセルカリアが皮膚から侵入（経皮感染）し，ヒトの膀胱および肛門付近の静脈叢の血管内に寄生する。膀胱壁の静脈叢に産卵し，血尿，排尿時痛がみられる。エジプトなどの本症流行地では膀胱がんの発生率が高く，関連が考えられている。
- ▶ **診断**　尿沈査で虫卵検査し，診断する。血清診断などの免疫学的検査や膀胱鏡検査も行う。
- ▶ **治療**　プラジカンテルの内服で治療する。

4　有鉤条虫症，有鉤囊虫症

　有鉤条虫は，幼虫と発育した成虫とに分けられ，成虫が寄生する疾患を**有鉤条虫症**，幼虫が寄生する疾患を**有鉤囊虫症**という。特に臨床的には有鉤囊虫症が重篤な経過をたどることがあり，重要である。

❶有鉤条虫症
- ▶ **病態**　ヒトの小腸腔内で発育した成虫が寄生する有鉤条虫症では，無症状であることが多い。
- ▶ **治療**　プラジカンテル内服かアミドトリゾ酸ナトリウムメグルミン（ガストログラフィン®）の経口もしくは注腸投与により駆虫する。

❷有鉤囊虫症
- ▶ **病態**　幼虫が寄生する有鉤囊虫症では，虫体の頭節に小鉤が22〜32本並んでいるのが特徴である。有鉤囊虫を保有している**ブタ肉の生食**，あるいは加熱不十分な状態で食べることで感染する。皮下組織や筋肉内に腫瘤を形成し，脳や眼に寄生すると神経囊虫症とよばれる痙攣，視力障害などが出現し，重篤な経過をたどる。
- ▶ **治療**　石灰化しているような陳旧性の病巣の場合は，すでに虫体は死んでいると考えられるため，投薬の適応はない。一方，非陳旧性病巣や有症状例の場合，アルベンダゾールやプラジカンテルの使用が考えられる。脳の有鉤囊虫症の場合，変性した虫体の周囲に炎症反応が起き，頭痛，眩暈，頭蓋内圧亢進などの症状を伴うことがあり，副腎皮質ステロイド薬の併用を考慮する。囊虫の外科的摘出が必要となることもある。

＊**セルカリア**：蛭状吸虫科に属する吸虫の成長過程における第1ステージ。

5 無鉤条虫症

▶ **病態**　無鉤条虫の頭節には，有鉤条虫のような鉤はない。中間宿主であるウシの筋肉に寄生した無鉤嚢虫をヒトが食べることで，頭節にある吸盤で小腸内の粘膜に吸着し寄生する。虫体の全長は 3～10m に達する。なお，無鉤嚢虫症はヒトでは起きないことが有鉤条虫との比較で重要である。

▶ **症状**　通常，症状は軽微で，腹部不快感程度である。しかし，受胎体節が切れて肛門から排出されるため，不快感を訴え受診するきっかけとなる。

▶ **診断**　糞便中に排出された分離した一つひとつの体節が動くのが特徴である。虫卵での鑑別は困難であり，確定診断は患者が持参した体節の同定となる。受胎体節が肛門から排出される際，肛門周囲に虫卵が付着するため，蟯虫と同じように透明粘着テープでの肛囲検査法（セロハンテープ法）で虫卵を証明できることもある。

▶ **治療**　プラジカンテル内服による駆虫を行う。

6 裂頭条虫症

▶ **病態**　裂頭条虫のうち，広節裂頭条虫はヨーロッパ，ロシア，カナダ，アラスカなどのカワカマスやスズキを中間宿主とする一方，日本海裂頭条虫は日本近海で捕獲されるサクラマス，カラフトマス，シロザケなどを中間宿主とする。冷蔵輸送の進歩で，より新鮮な魚が国内外から日本の食卓に届くため，感染は続いている。サクラマスなどの中間宿主を生食することで感染し，成虫はヒトの小腸内に寄生し，極めて多数の虫卵を産し，体長は 5～10m に達する。広節裂頭条虫と日本海裂頭条虫を形態的に区分するのは難しく，鑑別のうえでは遺伝子による同定が必要となる。虫体が長大であるわりに自覚症状は強くない。便からひものようなものが出て，初めて受診となるケースが多い。

▶ **診察**　虫体が肛門からぶら下がるのが特徴となる。排泄された体節を同定し診断する。また，検便による虫卵検査も確実であり重要となる。

▶ **治療**　プラジカンテルの内服後，下剤で虫体を駆出させる。ほかにアミドトリゾ酸ナトリウムメグルミン（ガストログラフィン®）の使用もある。

7 エキノコッカス症（包虫症）

▶ **病態**　包虫*症を引き起こす単包条虫，多包条虫は，キツネ，オオカミなどのイヌ科の動物を終宿主とするが，その糞便がヒトに経口摂取されることで感染する。日本では北海道を中心に，**キタキツネ**の糞便から感染する多包条虫が確認されている。発症までに 10～15 年と経過が長いのも特徴である。肝臓や肺などを中心とした全身に嚢胞を形成する。

▶ **症状**　多くは無症状である。健康診断などで偶然に発見されて，肝細胞がんなど悪性腫

---

*包虫：条虫の幼虫期のことを指す。

瘍が疑われ，受診となるケースも多い。進行すると肝不全，消化管出血などの症状がみられる。脳転移では急速に頭蓋内圧亢進をきたし，緊急摘出を要する。
▶ **検査・治療**　ELISA（酵素免疫測定法）による血清検査や腹部超音波検査，CT検査，MRI検査などの画像検査で診断する。早期診断による病巣切除が唯一の根本治療法である。切除不能例にはアルベンダゾールを投与する。

B 原虫類による感染症

1　マラリア

▶ **概念**　世界の三大感染症の一つであり，かつては日本国内でも流行があった。ヒトに感染する主なマラリアは，熱帯熱マラリア，三日熱マラリア，四日熱マラリア，卵形マラリアの4種類と，後に発見されたサルマラリアがある。輸入感染症として重要である。
▶ **病態**　ハマダラカ属の蚊の体内で増殖したマラリア原虫は，蚊がヒトを吸血した際に血液中に侵入し，肝細胞に到達すると増殖する。その後，再び血液中に放出され，赤血球内へと侵入し増殖する。発熱，頭痛，倦怠感，筋肉痛などが主症状となる。特に熱帯熱マラリアは重篤な経過をたどることが多く，意識障害，ショック，肺水腫，腎障害，凝固障害，重度の貧血などがみられることがあり，集中治療が必要となることも多い。
▶ **診断**　末梢血液のギムザ染色塗抹検査で，赤血球内の虫体を確認して診断する。また熱帯熱マラリアを中心に検出可能な迅速キットも用いられている。
▶ **治療**　非重症例ではアトバコンやメフロキンの内服加療，重症例ではアーテミシニン（アルテミシニンともいう）やキニーネなどの点滴投与を行う。また三日熱マラリアや卵形マラリアは休眠体とよばれる薬剤抵抗性がある虫体が残存するため，プリマキンを急性期の治療後に追加で投与を行う。

2　赤痢アメーバ症

▶ **病態**　赤痢アメーバの休眠体である囊子（シスト）を経口摂取することで感染する。赤痢アメーバを原因微生物とするものに，大腸炎を起こすアメーバ赤痢とアメーバ性肝膿瘍がある。第二次世界大戦後，国内では衛生環境の改善で減少し，熱帯・亜熱帯地域からの輸入感染症が中心とされていたが，近年，国内でも男性同性愛者間や身体障害者療護施設，児童養護施設内での集団発生がみられる。
▶ **症状**　イチゴゼリー状の粘血便やしぶり腹（テネスムス）がみられる。また，大腸で増殖した虫体が門脈を介して肝臓に到達するとアメーバ肝膿瘍を形成し，右季肋部痛などが出現する。
▶ **診断**　糞便を鏡検し虫体（休眠体から脱囊した動く栄養型）を確認する。また，大腸内視鏡検査で腸管の多発潰瘍病変を確認する。アメーバ肝膿瘍では，膿瘍穿刺液から虫体を確認

することで診断に至る。
▶ **治療** メトロニダゾールなどの内服で治療する。また，病変の治療後，便中への嚢子排出を止めるパロモマイシンが用いられる。

3 ジアルジア症（ランブル鞭毛虫症）

▶ **病態** ランブル鞭毛虫（ジアルジア，*Giardia intestinalis*）が起因菌となる。糞口感染（経口感染）により感染するため，汚染された水の摂取や同性愛者間での肛門性交などが原因となる。また旅行者下痢症の原因の一つである。嘔吐や腹痛，水様便を引き起こす。
▶ **診断** 糞便からの虫体（栄養型）や嚢子を鏡検で確認し，診断する。
▶ **治療** メトロニダゾールを内服する。

4 クリプトスポリジウム症

▶ **病態** クリプトスポリジウム属のオーシスト*の経口摂取で感染する（糞口感染）。糞便などで汚染された水や野菜などの摂取で感染し，旅行者下痢症の原因となる。また，井戸水などから集団発生が起きることもあり，国内でも報告されている。
▶ **症状** 水様下痢や腹痛が主症状になり，AIDS（後天性免疫不全症候群）などの免疫不全患者では下痢を繰り返し，著しい体重減少をまねき，致死的になることもある。
▶ **診断** 便検査でオーシストを検出する。免疫正常者であれば6〜12日間で自然治癒する。
▶ **治療** 治療は確立したものは存在しないが，パロモマイシンやニタゾキサニドが使用される。
▶ **予防** 煮沸消毒，可能であればオートクレーブ（高圧蒸気滅菌）が望ましい。塩素系などの通常の消毒は，ほぼ無効である。

C 幼虫移行症

　一般に，ヒトが中間宿主である寄生虫の場合，虫体は成長できずに幼虫のままで体内に生存し，皮膚や内臓に迷入することで有害症状がみられる。これを幼虫移行症という。線虫，吸虫，条虫で引き起こされる。原因とされる幼虫により，トキソカラ症（本章-XIV-A-1-1「回虫症」参照），顎口虫症，アニサキス症，旋毛虫症などがある。

1 顎口虫症

▶ **病態** 線虫の一種である，有棘顎口虫，日本顎口虫，ドロレス顎口虫などが知られている。有棘顎口虫，日本顎口虫は第二中間宿主のドジョウの生食，ドロレス顎口虫はアユなどの淡水魚やマムシの生食が原因となる。いずれも幼虫が皮下を爬行する（はっていく）こ

＊**オーシスト**：原虫の成長課程におけるステージの一つ。

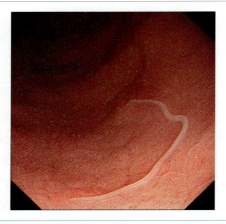

図4-9 胃の内視鏡で確認されたアニサキス

とで，移動性の皮下腫脹を起こす皮膚爬行症の原因となる。
- ▶ **診断**　虫体を直接確認するか，皮内法などの免疫学的検査や抗体などの血清反応で診断する。
- ▶ **治療**　有棘顎口虫症は外科的に摘出する。そのほかの顎口虫症も，虫体摘出が最も確実とされる。薬物治療としては，アルベンダゾール内服がある。

2 ｜ アニサキス症

- ▶ **病態**　線虫であるアニサキスの待機宿主である**サバ，アジ，スルメイカ**などの生食で，幼虫が消化管に侵入する。虫体は胃壁（時に回盲部や小腸などの腸管壁）に穿入することで即時型過敏反応による強い腹痛を招き，急性腹症の原因となる。またアニサキスアレルギーとよばれる蕁麻疹やアナフィラキシーなどの原因となる。
- ▶ **診断**　接触歴から疑い，上部消化管内視鏡で幼虫を確認する（図4-9）。
- ▶ **治療**　確認した虫体を内視鏡的に鉗子で胃壁から除去する。

XV 真菌感染症

　真菌感染症は，深部臓器への感染が成立する**深在性真菌症**，真菌が外表から侵入することにより皮下組織や筋膜，骨に病変をつくる**深部皮膚真菌症**（**皮下真菌症**），病変が皮膚や粘膜に限局される**表在性真菌症**に大別される。多くは日和見感染症として免疫不全患者を中心に感染を引き起こす。

1. カンジダ症

- ▶ **概念**　カンジダは，口腔，消化管，上気道，腟，皮膚に定着しているヒト常在菌であり，

健常者に感染を起こすことは，まれである。しかし，AIDS（後天性免疫不全症候群）患者，がん患者，吸入ステロイド薬や免疫抑制薬を使用中の患者では，口腔咽頭カンジダ症や食道カンジダ症を引き起こす。また血管内カテーテルが挿入されている患者では，血流感染（本編-第4章-Ⅲ-3「カテーテル関連血流感染症」参照）が問題となる。

▶病態　カンジダ属真菌による感染である。カンジダ症は，皮膚や粘膜などを病巣とする表在性カンジダ症と，カンジダ血症や深部臓器を病巣とする深在性カンジダ症に大別される。

表在性カンジダ症は，湿潤環境になりやすい臓器が侵されやすく，食道カンジダ症，口腔咽頭カンジダ症，腟カンジダ症，皮膚カンジダ症などがあげられる。皮膚カンジダ症は，鼠径部や腋窩など湿潤で温かい部位に好発する。

深在性カンジダ症は，カンジダ血症や眼内炎などの全身感染症であり，血管内に留置されているカテーテルや，化学療法などで消化管粘膜のバリア障害を有する患者において発症のリスクが高い。カンジダ眼内炎では視力低下や失明のリスクがあり早期の診断が重要である。また，肺に播種病変を形成することもある。

▶治療　口腔・咽頭などの表在性カンジダ症に対しては，臨床診断でフルコナゾールなどを用いる。深在性であるカンジダ血症に対しては，経験的にミカファンギン，アムホテリシンBなどが用いられるが，菌種の違いにより抗真菌薬の感受性が異なるため，菌種同定と薬剤感受性検査の結果に留意する。

2. アスペルギルス症

▶概念　アスペルギルスは，広く自然環境内に存在する糸状菌であり，化学療法や免疫抑制薬の使用中，移植患者など好中球減少や細胞性免疫能低下を認める易感染性患者の肺や副鼻腔などに感染を引き起こす。

▶病態　造血幹細胞移植，化学療法などによる長期間の好中球減少，臓器移植，免疫抑制薬の使用，AIDS患者などで進行性肺炎がみられる全身血行散布性の**侵襲性肺アスペルギルス症**，肺結核などの既存の空洞病変や拡張した気管支，肺囊胞内に経気道的にアスペルギルスが侵入・増殖し形成した菌球を単一の空洞内に認める**単純性肺アスペルギローマ**，複数の空洞内に菌球を認め，組織侵襲を伴う**慢性進行性肺アスペルギルス症**，アスペルギルス抗原に対して，喘息様のアレルギー症状がみられる**アレルギー性気管支肺アスペルギルス症**などに分類される。

▶診断　CT検査での画像診断，喀痰や気管支肺胞洗浄液の培養検査を行う。また，アスペルギルス抗原やβ-Dグルカンが参考になる。

▶治療　侵襲性肺アスペルギルス症では，ボリコナゾールが治療の第1選択となる。単純性肺アスペルギローマは有症状で，それが可能なら病変を切除する。慢性進行性肺アスペルギルス症でも，ボリコナゾールを選択する。アレルギー性気管支肺アスペルギルス症では，副腎皮質ステロイド薬を主体に抗真菌薬も併用する。

XV　真菌感染症

3. クリプトコッカス症

▶ **概念** クリプトコッカスは，鳥類，植物，土壌から検出される真菌である。健常人にも発症するが，AIDSなど細胞性免疫不全患者などの日和見感染症としても重要である。

▶ **病態** クリプトコッカスを経気道的に曝露したのちに肺で増殖し，肺クリプトコッカス症がみられることがある。また，肺で増殖した真菌が髄膜中に移行すると，髄膜炎や脳炎の原因となる。健常者の肺クリプトコッカス症は症状が目立たず，肺がんなどとの鑑別になることも多い。一方でHIV（ヒト免疫不全ウイルス）感染者などの免疫不全患者などではクリプトコッカス脳髄膜炎や血行性の全身病変がみられる播種性クリプトコッカス症がみられる。

▶ **診断** 肺クリプトコッカス症では，胸部X線検査，胸部CT検査での空洞形成や孤立性の腫瘤影が特徴となる。クリプトコッカス髄膜炎では，髄液検体の**墨汁染色**で莢膜に包まれた菌体を観察できる。また，肺病変を有する場合は，気道由来の検体の培養検査や経気管支肺生検の病理検査を行う。

▶ **治療** クリプトコッカス髄膜炎ではアムホテリシンBとフルシトシンの併用が第1選択となる。肺クリプトコッカス症ではフルコナゾールを用いる。

4. そのほかの真菌感染症

1 ニューモシスチス肺炎

▶ **原因** 病原微生物のニューモシスチス・イロベチイ（*Pneumocystis jirovecii*）が，副腎皮質ステロイド薬や免疫抑制薬の使用者，HIV感染患者らに肺炎を引き起こす。

▶ **診断** 血液検査で，間質性肺炎のマーカーとなるKL-6，LDHや真菌の細胞壁の構成成分であるβ-Dグルカンの上昇がみられる。胸部単純X線検査や胸部CT検査では，すりガラス状陰影がみられることが多いが，時に正常所見のこともある。気管支肺胞洗浄液の細胞診や経気管支肺生検でグロコット（Grocott）染色を行い，菌体を確認する。

▶ **治療** 細胞膜にエルゴステロールを含まないなど，ほかの真菌と異なる性状を示すため，通常の抗真菌薬は無効であり，**ST合剤**や**ペンタミジン**により治療する。

2 ムコール症

▶ **病態** ムコールは土壌中などに普遍的に存在する糸状菌であり，糖尿病患者や白血病，悪性リンパ腫患者，骨髄移植患者などの日和見感染症の原因となる。主に肺炎や副鼻腔炎の原因となるが，感染部位に応じて，肺型や鼻脳型，皮膚型，消化管型などに分類される。

▶ **診断** CT検査，MRI検査などで肺病変や副鼻腔病変を確認する。また，病変部の病理組織から確定診断に至る。

▶ **治療** アムホテリシンBやポサコナゾールで治療を行う。可能であれば，病巣の外科的切除が望ましい。

XVI　HIV感染症

概要	●定義 　●HIV（ヒト免疫不全ウイルス）に感染した状態。 　●AIDS（後天性免疫不全症候群）は，HIV感染症患者がAIDS指標疾患とされている日和見感染症をきたした状態をいう。 ●原因 　①感染者との性的接触。 　②HIV汚染血液との接触。 　③母子感染。 ●病態生理 　①HIVがCD4陽性T細胞（CD4陽性Tリンパ球）に感染する。 　②感染後，免疫不全が起こる。 　③日和見感染症を発症する。
症状・臨床所見	●急性HIV感染症では，発熱，リンパ節腫脹，発疹，咽頭炎，筋肉痛などの症状がみられる。 ●急性HIV感染症の場合は40〜90％の患者に症状を認める。 ●急性期を過ぎると，症状は自然軽快し，自他覚的に無症状となる。
検査	●スクリーニング検査，確認検査の2段階で行われる。
主な治療	●多剤併用療法（抗ウイルス療法，抗レトロウイルス療法［ART］）が原則である。 ●複数の抗HIV薬をまとめて配合した錠剤を1日1回1錠服用する治療法をSTRという。

1　概念

　HIV（human immunodeficiency virus，ヒト免疫不全ウイルス）に感染した状態を，HIV感染症という。AIDS（acquired immunodeficiency syndrome，エイズ，後天性免疫不全症候群）は，HIV感染症患者がニューモシスチス肺炎やクリプトコッカス髄膜炎などのAIDS指標疾患とされている日和見感染症をきたした状態をいう。HIV感染後に未治療で経過した場合，数年でAIDSを発症する。

2　原因

　血液や精液などの体液を介して，HIVに感染することによって起こる。
　感染経路は主に，①感染者との性的接触，②HIV汚染血液との接触，③母子感染，である。体液における感染性の有無を表4-12に示す。

表4-12　HIV感染者の体液における感染性の有無

感染性のある体液	血液，精液，腟分泌液，羊水，脳脊髄液，胸水，腹水，母乳
感染性のない体液	尿，唾液，糞便，鼻汁，汗，涙，嘔吐物

3 病態

　HIVは，免疫に重要な役割を果たしているCD4陽性T細胞（CD4陽性Tリンパ球）に感染する。感染後，CD4陽性T細胞数はしだいに減少し，免疫機能が低下する。このように免疫不全が起こることで，健常人では感染しないような**日和見感染症**を発症しやすくなる。

4 症状

❶急性HIV感染症

　HIVの新規感染時には，40〜90％の感染者に発熱や咽頭痛，筋肉痛などの症状を認める。一般的にはHIVに曝露後2〜6週間で出現し，1〜2週間以内に改善する。この急性HIV感染症（acute retroviral syndrome, primary HIV infection）の症状（表4-13）は非特異的であり，症状からHIV感染症と診断するのは困難である。

❷日和見感染症（AIDSの状態）

　急性期を過ぎたHIV感染症患者は，発熱，発疹，咽頭痛などの症状が自然軽快し，自他覚的に無症状となる。この期間を**無症候期**という。その後も未治療で経過するとCD4陽性T細胞数が低下し，ニューモシスチス肺炎やクリプトコッカス髄膜炎などのAIDS指標疾患を発症する。

5 診断

▶ **HIV感染症の診断**　スクリーニング検査と確認検査の2段階で行われる。スクリーニン

表4-13　急性HIV感染症における症状・所見とその頻度

症状・所見	頻度	症状・所見	頻度
発熱	＞80％〜90％	発熱	96％
発疹	＞40％〜80％	リンパ節腫脹	74％
咽頭炎	50〜70％	咽頭炎	70％
筋肉痛・関節痛	50〜70％	発疹	70％
白血球減少	45％	筋肉痛・関節痛	54％
無菌性髄膜炎	24％	下痢	32％
肝酵素上昇	21％	頭痛	32％
		悪心・嘔吐	27％
		肝脾腫	14％
		体重減少	13％
		口腔カンジダ症	12％
		神経学的症候	12％

出典／Kahn, J.O., Walker, B.D.：Acute human immunodeficiency virus type 1 infection, New England journal of medicine, 339（1）：33-39, 1998.

出典／Hanson, D.L., et al.：Distribution of CD4⁺T lymphocytes at diagnosis of acquired immunodeficiency syndrome-defining and other human immunodeficiency virus-related illnesses, Archives of internal medicine, 155（14）：1537-1542, 1995.

グ検査は，抗原・抗体を同時検出する方法が一般的に用いられている。感染してから検査で陽性反応が出るまでの期間を**ウインドウ期**（ウインドウ・ピリオド）とよぶが，抗原・抗体同時検出法で約 28 日程度とされている。スクリーニング検査が陽性となった場合，確認検査として PCR 法や WB（ウエスタンブロット）法が行われ，これらが陽性になれば HIV 感染症の確定診断となる。血中の CD4 陽性 T 細胞数を定期的に調べることにより，HIV 感染症の進行度の指標にすることができる。

▶ AIDS の診断　HIV 感染者で，ニューモシスチス肺炎，カポジ肉腫など，AIDS 診断のための指標疾患のうち 1 つ以上を認めれば AIDS 発症と診断される。

6 治療

作用機序の異なる 3 剤以上の薬剤を組み合わせて行う**多剤併用療法**が原則である。このような治療を，以前は高活性抗レトロウイルス療法（highly active antiretroviral therapy；HAART）とよんでいたが，現在では単に抗レトロウイルス療法（antiretroviral therapy；ART）とよぶことが多い。

▶ ART の目標　血中 HIV-RNA 量を検出限界以下に抑えることである。これにより免疫能の改善（CD4 陽性 T 細胞数の増加）が期待できる。治療は終生続ける必要がある。近年は薬剤の開発が進み，複数の抗 HIV 薬を 1 つにまとめて配合剤とした錠剤も使用可能になっている。このような配合剤を用いた 1 日 1 回 1 錠の治療法は STR（single tablet regimen）とよばれている。

7 予防

性行為による感染を予防するためには，コンドームなどを正しく用いた安全な性行為を行う（safer sex）ことが重要である。

性行為以外でも，感染性の体液が粘膜や傷口に触れることを避ける必要がある。

▶ 医療現場での予防　医療従事者は標準予防策を徹底することで 2 次感染を予防できる。HIV 患者からの針刺し事故を起こしてしまった場合は，石けんを用いて流水で洗い，ただちに抗 HIV 薬を内服することで感染を予防することができる。

▶ 母子感染の予防　適切なタイミングで適切な抗ウイルス療法を行い帝王切開によることで，ほとんどが予防できる。出産後も児に一定期間抗ウイルス薬を投与し，母乳を与えないことが大切である。

XVI　HIV 感染症

XVII 日和見感染症

A 日和見感染症の概要

1 概念

　日和見感染症とは，感染に対する防御能が何らかの原因によって低下した易感染宿主に，通常ではほとんど病気を起こさないような病原体によって引き起こされる感染症のことをいう。

　感染に対する防御能の低下の原因は，本編-第1章-II-「生体防御機構」で述べられているように，好中球由来の免疫低下，皮膚や粘膜バリアの破綻，液性免疫の低下，細胞性免疫の低下に分類して考えることができる。原因は重複することも多い。

2 予防

❶ HIV患者において予防薬が必要な日和見感染症

　HIV感染症ではCD4陽性T細胞数が低下するため，細胞性免疫の低下による免疫不全をきたす。CD4陽性T細胞数によって発症しやすい日和見感染症を表4-14に示す。HIV感染症患者では，抗HIV薬による治療中は抑制されたCD4陽性T細胞数が再度上昇するまでの間，抗菌薬を内服して日和見感染症を予防することが必要である。特に予防薬の投与が重要なのは，ニューモシスチス肺炎（*Pneumocystis pneumonia*，PCP），トキソプラズマ脳炎，播種性MAC（*Mycobacterium avium complex*）感染症である。MACは非結核性抗酸菌（*Nontuberculous mycobacterium*；NTM）に含まれる病原体である。

❷ ステロイド治療患者においてのニューモシスチス肺炎予防

　副腎皮質ステロイド薬は細胞性免疫の低下を起こすほかに，好中球が組織に浸潤する力を低下させることで，好中球由来の免疫低下にも関係すると考えられている。1日20mg以上のプレドニゾロンを1か月以上使用する場合は，ニューモシスチス肺炎予防を考慮すべきとされている。ST合剤内服による予防が第1選択で，代替薬としてダプソン（ジアフェ

表4-14 CD4陽性T細胞数と発症し得る日和見感染症

CD4陽性T細胞数	200～500	< 200	< 100	< 50
日和見感染症	結核 悪性リンパ腫 子宮頸がん	ニューモシスチス肺炎 進行性多巣性白質脳症	トキソプラズマ脳症 クリプトコッカス髄膜炎 カンジダ食道炎	サイトメガロウイルス感染症 非結核性抗酸菌感染症

出典／Hanson,D.L., et al.：Distribution of CD4⁺T lymphocytes at diagnosis of acquired immunodeficiency syndrome-defining and other human immunodeficiency virus-related illnesses, Archives of internal medicine, 155（14）：1537-1542, 1995. を一部改変.

ニルスルホン）やアトバコンも使用可能である。

B 感染防御能低下によってきたしやすい疾患

1. 主に好中球由来免疫低下によるもの

1 緑膿菌感染症

▶概念　好中球由来の免疫低下をきたすと，細菌感染症や真菌感染症などのリスクが上がる。緑膿菌は水回りなどの生活環境に存在しており，免疫正常者には通常病原性を示さない弱毒菌だが，好中球の数が減少したり機能が低下したりすると，様々な臓器で病原性を示すようになる。

▶診断　感染巣と考えられる部位から検体を採取し，塗抹・培養検査を行う。

▶治療　治療に用いる抗菌薬は，ピペラシリンや抗緑膿菌作用のある第3世代セファロスポリン系抗菌薬のほか，アミノグリコシド系抗菌薬，カルバペネム系抗菌薬，ニューキノロン系抗菌薬，第4世代セファロスポリン系抗菌薬などから選択される。近年抗菌薬に対する耐性化が問題となっており，多剤耐性緑膿菌の動向が警戒されている。

2 アスペルギルス症

本章-XV-2「アスペルギルス症」参照。

2. 主に皮膚や粘膜のバリアの破綻によるもの

1 蜂窩織炎

▶概念　蜂窩織炎（本章-VI-4「蜂窩織炎（蜂巣炎）」参照）は真皮深層から皮下組織に病変をつくる皮膚・軟部組織感染症である。免疫正常者にも起こるが，免疫不全者ではさらにリスクが高くなる。白癬やアトピー性皮膚炎などにより皮膚のバリアが壊れると病原体が侵入しやすくなる。

▶原因　黄色ブドウ球菌が最多で，次いでレンサ球菌によって引き起こされることが多いが，皮膚以外の免疫低下の要素ももつ患者では腸内細菌や緑膿菌，クリプトコッカスなどが原因微生物となることもある。

▶診断　皮膚から侵入した病原体が血中まで到達して増殖し，菌血症を起こすこともあるため，患者の状態をみて血液培養を検討する。

▶治療　各病原体に対する抗菌薬，抗真菌薬治療を行う。

2 | カテーテル関連血流感染症

▶ **概念** 中心静脈カテーテルなどの血管内留置カテーテルに関連した感染症である（本章-Ⅲ-3「カテーテル関連血流感染症」参照）。医学的な処置により皮膚が損傷した，皮膚のバリアが機能しない部位が感染ルートとなる。このようなカテーテルが留置されている患者は基礎疾患があるため，免疫不全の背景をもつことも多い。

▶ **原因** 皮膚に付着している病原体が原因となることが多く，黄色ブドウ球菌やコアグラーゼ陰性ブドウ球菌，カンジダなどが原因微生物になりやすい。

▶ **診断** 発熱，悪寒のほか，カテーテル刺入部の発赤や腫脹，化膿性分泌物などの症状はカテーテル関連血流感染症を疑う手がかりになるが，皮膚刺入部の症状を認めない場合も少なくないため注意が必要である。診断のためには血液培養検査が重要で，末梢血管から採取した血液だけでなく，カテーテルから採取した血液も用いられる。またカテーテルの先端も培養検体として用いられる。

▶ **治療** 各病原体に対する抗菌薬，抗真菌薬による治療を行い，原則としてカテーテルは抜去する。

3. 主に液性免疫低下によるもの

1 | 侵襲性肺炎球菌感染症

▶ **概念** 侵襲性肺炎球菌感染症は，肺炎球菌が髄液または血液から検出される侵襲性感染症である。肺炎球菌は細胞壁の外側に莢膜という層をもっている。液性免疫は莢膜をもっている微生物に対する防御機構として重要な役割を担っている。液性免疫が低下すると，肺炎球菌による感染症も起こしやすくなり重症化しやすい。侵襲性肺炎球菌感染症はしばしば重篤な後遺症を残して，致命的となることがある。多発性骨髄腫などの血液疾患をもつ患者や，脾臓摘出者では注意が必要である。

▶ **診断** 菌血症を疑う場合は血液培養検査を行う。髄膜炎を疑う場合は腰椎穿刺を行い髄液の塗抹・培養検査を行う。

▶ **治療** ペニシリン系抗菌薬を中心としたβラクタム系抗菌薬で治療することが一般的であるが，耐性菌が考えられる場合はバンコマイシンを用いることもある。肺炎球菌ワクチンによる予防が重要である。

4. 主に細胞性免疫低下によるもの

1 | ニューモシスチス肺炎

本章-ⅩⅤ-4-1「ニューモシスチス肺炎」参照。

2 カンジダ症

好中球由来免疫低下や，皮膚・粘膜のバリアの破綻によっても起こしやすくなる（本章 -XV-1「カンジダ症」参照）。

3 トキソプラズマ脳症

▶概念　原虫による感染症で，原因となる病原体はトキソプラズマ（*Toxoplasma gondii*）である。HIV感染症では，CD4陽性T細胞数100/μL以下の患者に発症しやすい。麻痺や知覚障害のほか，意識障害や痙攣などの中枢神経症状がみられる。

▶検査・診断　血清のトキソプラズマIgG抗体検査の陽性や，造影MRI検査でリング状に造影効果を認める腫瘤影などから診断される。

▶治療　ピリメタミンとスルファジアジンの併用などが用いられる。

4 クリプトコッカス髄膜炎

本章-XV-3「クリプトコッカス症」参照。

5 サイトメガロウイルス網膜炎

▶概念　サイトメガロウイルスが網膜に感染して起きる。CD4陽性T細胞数が50/μL以下の症例で多く発症するとされている。

▶診断　眼底の所見では，網膜出血とその周囲の浮腫性変化を認め"砕けたチーズ＆トマトケチャップ様"と表現されるような特徴的な所見を認める。このような眼底所見に加えて，前房水など局所の検体からPCR法でサイトメガロウイルス遺伝子を検出することで診断する。

▶治療　ガンシクロビルやホスカルネット，バルガンシクロビルなどの抗ウイルス薬を用いる。

XVIII 新興感染症，再興感染症

それまで未知であった新しい病原体による新しい感染症，あるいは新たに感染症であることが解明された疾患を**新興感染症**という。一方，既知の病原体による疾患が再度流行する場合は**再興感染症**という。

近年問題となった新興感染症，再興感染症には，以下のようなものがあげられる。

1. 新興感染症

1 重症急性呼吸器症候群（SARS）

　重症急性呼吸器症候群（severe acute respiratory syndrome：SARS）は，2003年にベトナム，香港，中国広東省で起こった重症肺炎をきたす感染症である。わが国では流行地への旅行者が帰国後に発症した例が報告されたほか，院内感染として拡大し病院外にも広がったことが報じられた。病原体は新たなコロナウイルスの変異種であることがわかり，SARSコロナウイルスと命名された。

2 新型インフルエンザ（パンデミックインフルエンザA［H1N1］2009）

　2009年4月にメキシコでインフルエンザ様疾患が増加し，死亡者が報告された。後にアメリカの南カリフォルニアのインフルエンザ患者から分離されたウイルスが，新たなインフルエンザウイルスであることが明らかになった。わが国では同年5月に成田空港で，カナダからの帰国者からこの新型インフルエンザが検知された後，神戸，大阪で集団感染が報告され，その後も日本各地での発生が報告された。

3 鳥インフルエンザA（H7N9）ウイルスのヒトでの流行

　2013の年3月に中国の上海で鳥インフルエンザA（H7N9）ウイルスによるヒトの重症感染が明らかになり，中国東部で拡大がみられた。このウイルスは野鳥から見つかることはあるが，ヒトに感染し，重症例が多発したのは初めてのことであった。

4 中東呼吸器症候群（MERS）

　中東呼吸器症候群（middle east respiratory syndrome：MERS）は，2012年9月以降，サウジアラビアやアラブ首長国連邦などの中東地域で発生している重症呼吸器感染症である。病原体は新種のコロナウイルスで，MERSコロナウイルス（MERS-CoV）と命名された。

5 新型コロナウイルス感染症（COVID-19）

　2019年末に中国武漢から全世界に広がった新種のコロナウイルス感染症である。原因ウイルスはSARS-CoV-2と命名された。

2. 再興感染症

1 エボラ出血熱

　2016年に西アフリカを中心として2万人以上の患者が発生した。エボラ出血熱は，1970年代から中央アフリカを中心に数年に一度程度のアウトブレイクが発生していたが，

このような大規模な発生は初めてであった。

2 │ ジカウイルス感染症

　1947年に発見されているウイルスであるが，2015年から2016年にかけてのブラジルを中心としたアウトブレイクが大きな話題となった。

3 │ サル痘

　1970年にヒトでの感染が報告された人畜共通感染症である。それ以後，中央アフリカから西アフリカにかけて局地的な流行がみられていたが，2022年5月以降にヨーロッパやアメリカなどの，これまで流行がみられなかった複数の国で患者が多く報告された。WHO（世界保健機関）はこのアウトブレイクを，国際的に懸念される公衆衛生上の緊急事態と宣言した。

3. 新興感染症，再興感染症への対策

1 │ サーベイランスの重要性

　新興感染症，再興感染症の流行を防ぐためには，感染症がいつ，どこで，どの程度の規模で発生しているかを，早い段階で正確に把握し，迅速に対応する必要がある。そのための発生動向調査実施や情報の解析（病原微生物の同定，有効な薬剤の把握など），調査報告の公表に至るまでを，定期的かつ迅速に行う一連のシステムを**サーベイランス**とよぶ。サーベイランスは感染症への迅速な対応を行い，その蔓延を防ぐ非常に重要なしくみである。

2 │ 適切な予防策と院内感染対策の重要性

　サーベイランスの解析・研究をもとに，アウトブレイクしている感染症がどのような感染経路で拡大しているかを把握する必要がある。正しい知識を普及させることで，不要な混乱を防止することができる。また，2003年に起きた重症急性呼吸器症候群（SARS）のアウトブレイクのときも**院内感染**から院外へと感染が広まる事態が起きた。当然のことながら，感染拡大時は医療機関に患者が集まってくるため，院内感染を起こさないように適切な予防策をとる必要がある。

3 │ 国際間における情報の共有

　国際的なサーベイランスの結果を，各国で共有して対策をとる必要がある。WHO（世界保健機関）などの国際機関やアメリカのCDC（Centers for Disease Control and Prevention, 疾病予防管理センター）のような他国の公衆衛生研究機関などとの連携を行い，国際間において情報共有を行うことが重要となってくる。

4. 新興感染症, 再興感染症への看護師の役割

　看護師は, 喀痰の吸引や採血, 採尿, 吐物や便の処理など, 日常業務で患者に直接接触する機会が多い。このため, 何よりも自分が感染しないこと, そしてほかの患者や医療従事者, 院外の人々に感染を広めないことが大切である。感染症の流行直後は診断が困難であり, 新興感染症・再興感染症患者に接する機会は, いつ訪れてもおかしくはない。日頃から標準予防策を徹底するとともに, 世界の新興感染症, 再興感染症の発生状況について, 常にアンテナを張って, 最新の正しい情報をもっていることが大切である。

XIX 薬剤耐性菌感染症

　薬剤耐性菌感染症とは, 一定の抗菌薬に耐性を獲得した病原体による感染症である。このような感染症では, 使用できる抗菌薬が限られるため, 治療が困難になる場合も少なくない。

1. メチシリン耐性黄色ブドウ球菌 (MRSA) による感染症

Digest

メチシリン耐性黄色ブドウ球菌 (MRSA)	
概要	● メチシリンに対する薬剤耐性を獲得した黄色ブドウ球菌である。
菌が引き起こす疾患	● 感染性心内膜炎, 肺炎, 化膿性関節炎など。
主な治療	● バンコマイシンやテイコプラニン, アルベカシン, リネゾリド, ダプトマイシンなどの抗菌薬を投与する。

▶ **概念**　抗菌薬のメチシリンに耐性のある黄色ブドウ球菌 (*Staphylococcus aureus*) を**メチシリン耐性黄色ブドウ球菌** (Methicillin-resistant *S. aureus* : MRSA) という。黄色ブドウ球菌は皮膚や鼻腔などに常在する菌だが, ひとたび感染を起こすと非常にしつこい菌で, 治療に難渋することも少なくない。院内感染の原因菌となりやすい。

▶ **症状**　黄色ブドウ球菌が皮膚などに常在していることから想像できるように, 付着性の強い菌であるため, 血中に撒かれて菌血症になると, 心臓の弁に付着して感染性心内膜炎の原因となることもある。また, 人工呼吸器を装着している患者に肺炎を起こしたり, 穿刺などの治療に伴い皮膚に常在する菌が押し込まれて化膿性関節炎を起こすこともある。

▶ **治療**　抗MRSA薬としては, バンコマイシンのほかに, テイコプラニン, アルベカシン, リネゾリド, ダプトマイシンがあげられる。そのほか, ST合剤やリファンピシン, クリンダマイシン, ミノサイクリンが用いられることもある。

2. バンコマイシン耐性腸球菌（VRE）による感染症

Digest

バンコマイシン耐性腸球菌（VRE）

概要	・バンコマイシンに対する薬剤耐性を獲得した腸球菌である。
菌が引き起こす疾患	・敗血症や感染性心内膜炎，尿路感染，胆道感染など。
主な治療	・十分な症例での臨床試験が少ないうえ，難治なものが多く現行の抗菌薬では十分な効果が期待できないことから，対処は非常に難しい。

▶ **概念** バンコマイシンに対する薬剤耐性を獲得した腸球菌を，**バンコマイシン耐性腸球菌**（Vancomycin-resistant enterococci；VRE）という。ヒトに病原性のある腸球菌には，エンテロコッカス・フェカリス（*Enterococcus faecalis*）やエンテロコッカス・フェシウム（*E. faecium*）などがあるが，いずれも VRE が存在する。

　腸球菌はヒトの常在菌の一つであり，本来は感染症をきたすことは少ないが，免疫不全患者や術後の患者など，リスクが高い状態では，敗血症や感染性心内膜炎，尿路感染や胆道感染を引き起こすことがある。

▶ **治療** VRE の治療に関しては，十分な症例数での臨床試験が少ない。また，難治なものが多く現行の抗菌薬では十分な効果が期待できないことから，対処は非常に難しい。

3. 多剤耐性緑膿菌（MDRP）による感染症

Digest

多剤耐性緑膿菌（MDRP）

概要	・カルバペネム系抗菌薬，アミノグリコシド系抗菌薬，ニューキノロン系抗菌薬の3つすべてに耐性を認める緑膿菌である。
菌が引き起こす疾患	・菌血症，肺炎，腎盂腎炎，褥瘡感染など。
主な治療	・抗菌薬を複数併用する治療やコリスチンを用いた治療を行うほか，デブリードマンやドレナージが重要な役割を果たす。

▶ **概念** 緑膿菌は水まわりなどの生活環境に存在するため "water bug*" とよばれたりもする。院内感染の原因菌の一つであり，ナースステーションの水まわりやトイレなどに多く存在するため，注意が必要である。一般的には健常者には病原性を示さない菌で，免疫の低下した患者での感染が問題となることが多い。緑膿菌は容易に抗菌薬に対する耐性がつきやすい病原微生物であるため，感染対策のうえでも重要である。カルバペネム系抗菌薬，アミノグリコシド系抗菌薬，ニューキノロン系抗菌薬の3つにすべて耐性を認める緑膿菌を**多剤耐性緑膿菌**（multiple-drug resistant *Pseudomonas aeruginosa*；MDRP）とよぶ。

＊**bug**：虫，微生物，ウイルスなどの意。

▶ **治療** 多剤耐性緑膿菌（MDRP）に対する治療は非常に限られている。MDRP が検出された場合に大切なことは，単に保菌しているだけなのか，活動性のある感染症をきたしているのかを見極めることである。治療が必要な場合，抗菌薬治療は多剤併用による治療やコリスチンを用いた治療があるが，抗菌薬治療だけでなく，デブリードマンやドレナージが重要な役割を果たす。

XX 輸入感染症

輸入感染症とは，海外で感染して国内にもち込まれる感染症である。海外旅行の普及や国際化によって，近年増加傾向にある。

1. コレラ

▶ **概念** コレラ菌（*Vibrio cholerae*）の**経口感染**によって引き起こされる腸管感染症である。コレラ菌は O 抗原*の違いにより 200 種類以上の血清群に分類されているが，O1 血清群および O139 血清群がコレラの原因菌と定義されている。

潜伏期間は数時間から 5 日ほどで，急性の激しい下痢や脱水を起こす。下痢の性状は灰白色の水様便で**米のとぎ汁様**と形容される。重症例では 1 日数 L から数十 L もの激しい下痢をきたすことがあり，脱水や電解質異常に注意する必要がある。

▶ **治療** 補液が重要である。重症例では，ニューキノロン系抗菌薬やテトラサイクリン，ドキシサイクリンなどの抗菌薬が用いられる。

2. マラリア

▶ **概念** マラリア（本章 - XIV -B-1「マラリア」参照）は蚊のハマダラカによってマラリア原虫が媒介される感染症である。熱帯熱マラリア，三日熱マラリア，卵形マラリア，四日熱マラリアの 4 つの種類がある。

▶ **症状** 潜伏期間は約 2 週間で，発熱，貧血，脾腫が 3 徴となっている。発熱は，三日熱マラリアと卵形マラリアでは 48 時間ごと，四日熱マラリアでは 72 時間ごとにみられ，熱帯熱マラリアでは発熱の間隔は不定である。

▶ **診断** 末梢血塗抹ギムザ（Giemsa）染色標本で赤血球中にマラリア原虫を確認することによって行われる。

▶ **治療** 以前はクロロキンが第 1 選択薬であったが，近年は耐性株が多く，単独ではあまり用いられない。日本で承認されているマラリア治療薬として，メフロキンやキニーネ，

---

* O 抗原：菌の表面にある抗原性のあるリポ多糖体であり，化学構造が多様であるため，その違いにより番号を付けて菌が分類されている。

アトバコンなどがある。三日熱マラリアは，虫体の繁殖過程において休眠体を形成するため，再発防止にプリマキンも投与する。

3. デング熱

▶ **概念**　デング熱はデングウイルスによる感染症で，蚊のネッタイシマカやヒトスジシマカによって媒介される。流行地域からの帰国者が発症する輸入感染症としてよく知られているが，国内発生も報告されており，2014（平成26）年の夏には東京都の代々木公園に端を発して国内で流行した。

▶ **症状**　潜伏期間は2～14日である。発熱，発疹のほか，頭痛（眼窩痛），筋肉痛，関節痛を伴うことが多い。

▶ **診断**　駆血帯で3分間圧迫することにより，点状出血が増加することを確認するターニケット（tourniquet，駆血帯）テストは診断の一助になる。血液検査では白血球減少，血小板減少を認める。

▶ **治療**　デングウイルスに対する特異的な治療薬はなく，対症療法が治療の中心となる。蚊媒介感染症に共通していえることだが，予防は蚊に刺されないことが重要で，肌を露出させないことや，適切な虫よけ剤の使用が推奨される。

4. ジカ熱

▶ **概念**　ジカ熱の原因となるジカウイルスは，デングウイルスと同じフラビウイルス科フラビウイルス属であり，ヤブカ，ネッタイシマカ，ヒトスジシマカが媒介蚊として知られている。

▶ **症状**　潜伏期間は2～12日で，発熱，関節痛，筋肉痛，結膜炎・結膜充血，頭痛，悪心・嘔吐などの症状をきたす。

▶ **治療**　病原性は比較的低く，多くは軽症で治癒することが多いが，妊娠中に感染して胎児が感染すると，小頭症や関節拘縮症，視力障害や聴力障害などの先天性障害をきたすことがあるため注意が必要である。

文献
1) Paulina Salminen et al：Five-Year Follow-up of Antibiotic Therapy for Uncomplicated Acute Appendicitis in the APPAC Randomized Clinical Trial，JAMA，320（12）：1259-1265，2018．

参考文献
・岡秀昭：感染症プラチナマニュアル ver.7 2021-2022，メディカル・サイエンス・インターナショナル，2021，p.153．
・青木眞：レジデントのための感染症診療マニュアル，第4版，医学書院，2020，p.755-761，826-833，730-734，790．
・急性胆管炎・胆嚢炎診療ガイドライン改訂出版委員会：急性胆管炎・急性胆嚢炎診療ガイドライン2018，第3版，医学図書出版，2018，p.179-196．
・国立感染症研究所：急性ウイルス性肝炎とは，2002，https://www.niid.go.jp/niid/ja/kansennohanashi/2403-hv.html（最終アクセス日：2023/4/27）

国家試験問題

1 疾患とその原因の組合せで正しいのはどれか。 (99回 AM30)

1. 糸球体腎炎 ──────── 伝染性紅斑
2. 突発性難聴 ──────── 中耳炎
3. メラノーマ ──────── 赤外線
4. 末梢性顔面神経麻痺 ──── 帯状疱疹ウイルス

2 ヒト免疫不全ウイルス（HIV）の感染経路で正しいのはどれか。2つ選べ。 (105回 AM82)

1. 感染者の嘔吐物との接触
2. 感染者の咳による曝露
3. 感染者の糞便との接触
4. 感染者からの輸血
5. 感染者との性行為

▶答えは巻末

第1編 感染症とその診療

第 5 章

感染症の予防

この章では

- 感染症の予防にかかわる法律について理解する。
- 予防接種の基本知識について理解する。

感染症の蔓延を防ぐための法律は感染症法から学校保健安全法など多岐にわたっている。これらを理解することは，患者への説明を行う際に間違った内容を説明しないためにも重要である。また，ワクチンや予防接種を理解することは，実際の接種を行う看護師の責務である。

I 感染症の予防に関する法律

1. 感染症法（感染症の予防及び感染症の患者に対する医療に関する法律）

▶ **目的** 感染症法の目的として，条文内では以下のように記載されている。

> この法律は，感染症の予防及び感染症の患者に対する医療に関し必要な措置を定めることにより，感染症の発生を予防し，及びそのまん延の防止を図り，もって公衆衛生の向上及び増進を図ることを目的とする。（第一条）

▶ **変遷** 感染症法は，1897（明治30）年に制定された伝染病予防法がもととなっているが，新たに出現した新興・再興感染症の台頭に対処するため1999（平成11）年に制定された。この法律はおよそ5年ごとに見なおしが規定されているが，感染症は大きく変化してきており，感染症法もその変化に合わせて対応してきている（表5-1）。

▶ **分類および届け出** 感染症法では，危険性や感染力の強さなどから，一類感染症，二類感染症，三類感染症，四類感染症，五類感染症，指定感染症，新感染症，新型インフルエンザ等感染症に分類されている（厚生労働省：感染症法に基づく医師の届出のお願い）。また，それぞれの分類において届け出の期間が決まっている（感染症法第12条）。

1 新型インフルエンザ等対策特別措置法

▶ **目的** 新型インフルエンザ等対策特別措置法（新型インフル特措法）とは，新型インフルエンザ等に対する対策の強化を図ることで，国民の生命および健康を保護し，生活や経済への影響を最小にすることを目的として制定された。なお，本法は新型インフルエンザだけでなく，急激に流行して国民に重大な影響を及ぼすおそれのある新たな感染症が発生した場合にも適用され，2021（令和3）年には新型コロナウイルス感染症（COVID-19）にも適用された（現在は五類感染症）。

▶ **概念** 2003（平成15）年以降，鳥インフルエンザ（A／H5N1）や豚由来の新型インフルエンザ（A／H1N1）の世界的な流行が起こり，感染者が確認された地域の学校の休業要請なども行われた。そのため，集会，企業活動などの社会活動の制限などについて，あらかじめ法制度を整備する必要性が生じた。新型インフルエンザの発生・流行に備えた医療，社会機能維持などの対策の強化などを図り，さらに行動計画の実効性を高めるために，国・

表5-1 わが国における感染症関連法の変遷

年	内容
1897（明治30）年	伝染病予防法公布
1948（昭和23）年	性病予防法公布
1951（昭和26）年	結核予防法公布
1989（平成元）年	後天性免疫不全症候群の予防に関する法律公布
1999（平成11）年	感染症法の制定（これにより伝染病予防法，性病予防法，後天性免疫不全症候群の予防に関する法律は廃止）
2003（平成15）年	改正感染症法の施行 ・対象疾病の見なおし，一類感染症から五類感染症へ変更 ・緊急時における感染症対策の強化，特に国の役割の強化 ・感染症法による動物由来の感染症に対する対策の強化
2007（平成19）年	感染症法の一部改正の施行。結核が二類感染症に編入されたため，結核予防法は廃止。病原体等の管理に関する規定の創設
2008（平成20）年	感染症法及び検疫法の一部を改正する法律を施行。対象疾患の見なおし，新型インフルエンザ等感染症の分類の創設。麻疹・風疹が全数報告へ
2013（平成25）年	新型インフルエンザ等対策特別措置法施行
2016（平成28）年	2008（平成20）年以降，疾病・病原体の分類がなされてきたが，2016（平成28）年4月から感染症に関する情報の収集体制を強化 ・侵襲性髄膜炎菌感染症および麻疹の医師による届け出方法の変更 ・結核における直接服薬確認療法（DOTS）の実施
2020（令和2）年	新型コロナウイルス感染症を感染症法上の「指定感染症」に指定
2021（令和3）年	新型コロナウイルス感染症を指定感染症から新型インフル等感染症に変更
2023（令和5）年	新型コロナウイルス感染症を新型インフル等感染症から五類感染症に変更

地方公共団体の体制，民間の協力，感染拡大防止の措置などについて定めた本法が2012（平成24）年4月27日に成立した。これにより行動計画の作成，発生時の対応，新型インフルエンザ等緊急事態宣言の発令，まん延防止等重点措置の発令，財政上の措置，施設使用停止等の要請，物資の売り渡しの要請，指定期間の指定などが可能となった。

2　新型コロナウイルス感染症（COVID-19）対応

　新型コロナウイルス感染症（COVID-19）は2019（令和元）年12月に中国で発生し，2020（令和2）年1月には日本国内での発生が確認された。2020（令和2）年2月には国内での「人-人感染」が確認されている。その後，感染症法および特別措置法（特措法）を含む関連法案が感染の波ごとに出された。2020（令和2）年1月に感染症法による指定感染症として定められ，積極的疫学調査や患者に対する入院勧告や措置が可能となった。

　2020（令和2）年3月には新型インフルエンザ措置法が改正され，新型コロナウイルス感染症が措置法の対象となった。これが感染予防の法的根拠となり，緊急事態宣言を発出できるようになった。

　2021（令和3）年2月には新型コロナウイルス感染症が新型インフルエンザ等感染症の一類型として追加され，感染症法が適用されるようになり，同時に指定感染症とする政令は廃止された。

今後も感染状況に合わせて改正されることが見込まれており，2023（令和5）年5月には感染症法の五類感染症に変更された。

2. 学校保健安全法（学校保健安全法施行規則）

学校保健安全法では，その施行規則において，学校において予防すべき感染症の種類および出席停止期間の基準が定められている（表5-2）。新型コロナウイルス感染症（COVID-19）は第一種感染症とみなされていたが，2023（令和5）年5月に感染症法の五類感染症に変更されたのに合わせ，第二種感染症への追加がされた。

3. 検疫法

▶ **目的** 検疫法の目的として，条文内では以下のように記載されている。

> この法律は，国内に常在しない感染症の病原体が船舶又は航空機を介して国内に侵入することを防止するとともに，船舶又は航空機に関してその他の感染症の予防に必要な措置を講ずることを目的とする。（第一条）

▶ **検疫感染症** 検疫感染症は，①感染症法に規定する一類感染症，②感染症法に規定する新型インフルエンザ等感染症，③国内に常在しない感染症のうち病原体が国内に侵入することを防止するため，その病原体の有無に関する検査が必要なものとして政令で定めるもの，と規定されている。検疫感染症の種類については表5-3にまとめた。

新型コロナウイルス感染症（COVID-19）は2020（令和2）年2月に第三十四条に基づき政令で指定され検疫法の適応となった。2021（令和3）年2月13日の法改正で，新型コロナウイルス感染症は，指定感染症から新型インフルエンザ等感染症に変更され，継続して検疫法の適応となっている。

4. 予防接種法

▶ **目的** 予防接種法の目的として，条文内では以下のように記載されている。

> この法律は，伝染のおそれがある疾病の発生及びまん延を予防するために公衆衛生の見地から予防接種の実施その他必要な措置を講ずることにより，国民の健康の保持に寄与するとともに，予防接種による健康被害の迅速な救済を図ることを目的とする。（第一条）

▶ **分類** 予防接種は定期接種（A類疾病，B類疾病），任意接種に分かれている。

A類疾病で定期の予防接種を行う疾病として，ジフテリア，百日咳，急性灰白髄炎（ポリオ），麻疹，風疹，日本脳炎，破傷風，結核，ヒブ（Hib）感染症，肺炎球菌感染症（小児のみ），ヒトパピローマウイルス（HPV）感染症，水痘，B型肝炎，ロタウイルス感染症がある。**B類疾病**では季節性インフルエンザ，肺炎球菌感染症（高齢者）があり，2024（令和6）年度に新型コロナウイルス感染症が加わった（後出表5-4参照）。予防接種のスケジュール

表5-2 学校において予防すべき感染症の種類と出席停止の期間の基準

	学校において予防すべき感染症の種類	出席停止の期間の基準
第一種*	エボラ出血熱,クリミア・コンゴ出血熱,痘そう,南米出血熱,ペスト,マールブルグ病,ラッサ熱,急性灰白髄炎,ジフテリア,重症急性呼吸器症候群(病原体がベータコロナウイルス属SARSコロナウイルスであるものに限る),中東呼吸器症候群(病原体がベータコロナウイルス属MERSコロナウイルスであるものに限る)および特定鳥インフルエンザ(感染症の予防及び感染症の患者に対する医療に関する法律[平成十年法律第百十四号]第六条第三項第六号に規定する特定鳥インフルエンザをいう)	治癒するまで。
第二種	新型コロナウイルス感染症(病原体がベータコロナウイルス属のコロナウイルス[令和二年一月に,中華人民共和国から世界保健機関に対して,人に伝染する能力を有することが新たに報告されたものに限る]であるものに限る)	発症後5日を経過し,かつ症状が軽快した後1日を経過するまで。
	インフルエンザ(特定鳥インフルエンザおよび新型インフルエンザを除く)	発症後5日を経過し,かつ解熱した後2日(幼児にあっては3日)を経過するまで。
	百日咳	特有の咳が消失するまで,または5日間の適正な抗菌薬療法による治療が終了するまで。
	麻しん	解熱した後3日を経過するまで。
	流行性耳下腺炎	耳下腺,顎下腺または舌下腺の腫脹が発現した後5日を経過し,かつ全身状態が良好になるまで。
	風しん	発疹が消失するまで。
	水痘	すべての発疹が痂皮化するまで。
	咽頭結膜熱	主要症状が消退した後2日を経過するまで。※病状により学校医そのほかの医師において感染のおそれがないと認めたときは,この限りでない。
	結核および髄膜炎菌性髄膜炎	病状により学校医そのほかの医師において感染のおそれがないと認めるまで。
第三種	コレラ,細菌性赤痢,腸管出血性大腸菌感染症,腸チフス,パラチフス,流行性角結膜炎,急性出血性結膜炎,そのほかの感染症	病状により学校医そのほかの医師において感染のおそれがないと認めるまで。

*感染症の予防及び感染症の患者に対する医療に関する法律第六条第七項から第九項までに規定する新型インフルエンザ等感染症,指定感染症及び新感染症は,前項の規定にかかわらず,第一種の感染症とみなす。
資料／学校保健安全法施行規則第十八条及び第十九条を参考に作成.

表5-3 検疫感染症の種類

一類感染症		エボラ出血熱,クリミア・コンゴ出血熱,痘そう,南米出血熱,ペスト,マールブルグ病,ラッサ熱
新型インフルエンザ等感染症		新型インフルエンザ,再興型インフルエンザ,新型コロナウイルス感染症(COVID-19),再興型コロナウイルス感染症
政令で定める感染症	二類感染症	鳥インフルエンザ(H5N1),鳥インフルエンザ(H7N9),中東呼吸器症候群(MERSコロナウイルスによるものに限る)
	四類感染症	デング熱,チクングニア熱,マラリア,ジカウイルス感染症

に関しての詳細は，厚生労働省のホームページを参照してほしい。

　2022（令和4）年12月公布の改正でA類疾病に新型インフルエンザ等感染症が追加され，新型コロナウイルスワクチンの接種がA類疾病に基づいて施行された。

5. 食品衛生法

▶ **目的**　食品衛生法の目的として，条文内では以下のように記載されている。

> この法律は，食品の安全性の確保のために公衆衛生の見地から必要な規制その他の措置を講ずることにより，飲食に起因する衛生上の危害の発生を防止し，もつて国民の健康の保護を図ることを目的とする。（第一条）

▶ **届け出**　食品衛生法において，食品，添加物，器具もしくは容器包装に起因して中毒となった患者もしくはその疑いのある者を診断し，またはその死体を検案した医師は，直ちに最寄りの保健所所長にその旨の届け出をしなければならないと規定されている。

II　ワクチン接種（予防接種）

1. ワクチンの基礎知識

1　ワクチンとは

▶ **概念**　病気を引き起こすある種のウイルスなどの病原体は，一度その病気にかかると同じ病気にかからない，またはかかりにくいことが知られている。これは，いわゆる免疫作用によるものである。この免疫作用を人工的に利用して病気にかかりにくくするものを**ワクチン**という。

▶ **免疫獲得の機序**　図5-1に示したように，通常の病原体の場合は，病原体が人に感染し，感染後に病気を発症する。その後，回復する人，身体障害の残る人，死亡する人などに分かれており，そのなかで回復した人は免疫を獲得する。免疫を獲得すると，同じ病原体からの感染を防ぐことが可能となる。これを人工的に行ったものがワクチンである。

　具体的には，病原体の代わりに病原体の一部や死んだ病原体をワクチンとして接種し，人工的に免疫反応を引き起こすことにより免疫を獲得する。ワクチンは病原性が低い，もしくはなくしているため，基本的には病気を引き起こすことなく免疫を獲得し，ワクチンを接種した人を病気にかかりにくくすることが可能となる。

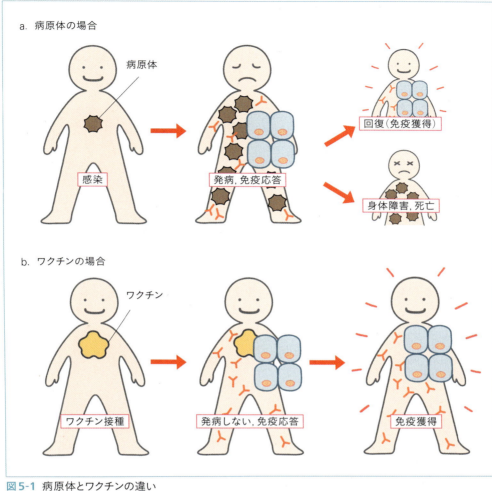

図5-1 病原体とワクチンの違い

2 ワクチンの種類とその製造方法

❶生ワクチン

▶ **概念** 生ワクチンとは,弱毒化した病原体そのものを接種するワクチンのことである（図5-2）。代表的なワクチンには,麻疹,風疹,水痘,黄熱病ワクチンなどがある。ウイルスや細菌が病原性をもたない,もしくは病原性が低い状態になるよう,培養条件などをコントロールして精製を行うことを**弱毒化**という。この弱毒化により,通常では病気を引き起こす病原体が,病気を引き起こさずに免疫反応のみを活化させ,免疫のみ獲得することを可能にしている。

▶ **特徴** 生ワクチンの特徴として,接種により病原体を体内に入れることで,通常の病原体の感染と同様に体内で増殖させることが可能であり,この増殖により強力な免疫能を得ることができる。強力な免疫能があるため,不活化ワクチンなどに比較して長期にわたる

Ⅱ ワクチン接種（予防接種）

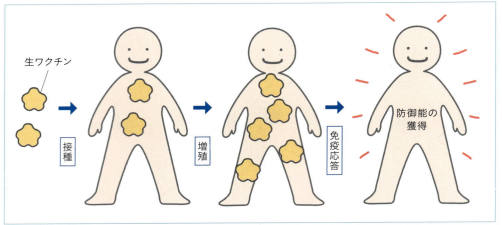

図 5-2 生ワクチンの接種と免疫反応

病気の予防やワクチンの接種回数が少なくてすむメリットがある。また，通常の病原体と同様の感染を引き起こすため，感染部位に免疫能が備わり感染自体を防ぐことが可能となっている。

▶ 種類　生ワクチンとして定期接種に含まれるものとして，結核（BCG），麻疹・風疹混合（MR），麻疹，風疹，水痘ワクチンがあり，任意接種に含まれるものとしては流行性耳下腺炎，黄熱ワクチンがある。

❷ 不活化ワクチン

▶ 概念　不活化ワクチンは，細菌やウイルスを不活化，もしくは病原体の一部や遺伝子組み換えで作成したたんぱく質を使用するなど，病原性を取り除いたものを使用したワクチンである。

▶ 特徴　ワクチンに活動性はないため，生ワクチンと異なり，ワクチン物質は増殖することはない（図 5-3）。そのため，生ワクチンより免疫獲得能は劣る。不活化ワクチンの代表

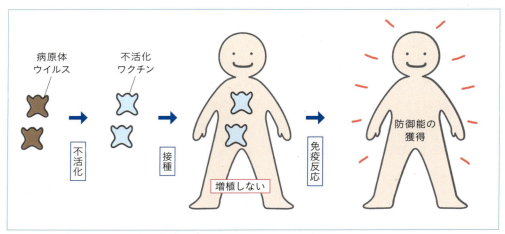

図 5-3 不活化ワクチンの接種と免疫反応

であるインフルエンザワクチンは，感染を防ぐことはできないが重症化を予防するために推奨されている。また，細胞性免疫を得る可能性が低いため，複数回の接種が必要である。一方，体内で増殖する可能性がないため，妊娠中にも使用することが可能である。妊娠中に生ワクチンを接種した場合はウイルスが胎盤(たいばん)を通過し，胎児の成長に影響を与え胎児の奇形を誘発することが知られている。先天性風疹症候群は一例であり，妊娠中に風疹ウイルスに感染することにより胎児奇形が発生するが，生ワクチンである風疹ワクチンも体内で胎児に感染し奇形を起こし得るため，妊婦に生ワクチンは禁忌(きんき)となっている。

▶ **種類**　不活化ワクチンの種類は生ワクチンと比べて多様であり，遺伝子組み換えサブユニットワクチン，トキソイドワクチン，多糖体-たんぱく質結合型ワクチン，メッセンジャーRNA（mRNA）ワクチンも含まれている。

❸ **メッセンジャーRNA（mRNA）ワクチン**

▶ **概念**　新型コロナウイルス感染症（COVID-19）対策として新規に導入されたワクチンである。メッセンジャーRNA（mRNA）は，いわば体内でたんぱく質をつくるときの設計図である。mRNAを直接体内に注入し，注入したmRNAをもとに体内でウイルスのたんぱく質の一部を作成し，免疫反応を起こすことにより免疫を獲得するワクチンである（図5-4）。

▶ **特徴**　従来の手法とは異なり体内で人の細胞がウイルスのたんぱく質を作成し抗原提示を行う。2024年現在，新型コロナウイルスに対するワクチンが使用されているが，定期接種に用いる新型コロナワクチンの種類は，当面は科学的知見をもとに毎年見直すことになっている。mRNAワクチンの長所として感染性がない，細胞成分の混入がない，RNAの配列が自由に決定できるため，様々な病原体に迅速に対応することが可能である。短所としては温度管理が大変であり，発熱や局所の腫脹(しゅちょう)などの副反応が多いことである。

　国内外の研究ではワクチン接種を受けた妊婦やその新生児に対しての有害事象の増加はなく，ワクチン接種を受けていない妊婦と比べて，流産，早産，新生児死亡の発生率に差

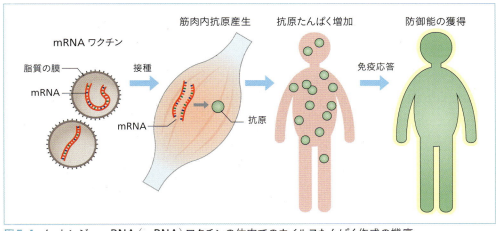

図5-4　メッセンジャーRNA（mRNA）ワクチンの体内でのウイルスたんぱく作成の機序

はなかったといわれている。

2. 定期接種と任意接種

1 定期接種

定期接種は予防接種法（本章-Ⅰ-4「予防接種法」参照）に定められており，**A類疾病**と**B類疾病**に区分されている（表5-4）。

▶ **A類疾病**　社会的な防衛を目的としており，「集団的な防衛」と「重大な社会的損失の防止」の観点から2つに区分される。

1つ目は集団的な防衛を目的とし，集団感染を防ぐために定められている。対象疾患として，ジフテリア，百日咳，急性灰白髄炎（ポリオ），麻疹，風疹，結核，痘瘡，水痘，ロタウイルスがある。

2つ目は，高い致死率による重大な社会的損失の防止を図る目的で定められている。対象疾患として，日本脳炎，破傷風，ヒブ（Hib）感染症，肺炎球菌感染症（小児のみ），ヒトパピローマウイルス（HPV）感染症，B型肝炎が含まれる。

▶ **B類疾病**　個人の予防目的に重点を置き，個人の発症や重症化を予防し，個人の伝播を阻止し，それにより集団的な免疫の取得を目的としている。対象疾患として季節性インフルエンザ，肺炎球菌感染症（高齢者）がある。また，新型コロナウイルス感染症（COVID-19）は，2022（令和4）年にA類疾病として新型インフルエンザ等感染症の一部に含まれ，2024（令和6）年度にB類疾病となり，同年10月から，65歳以上の高齢者などを対象にした新型コロナウイルスワクチンの定期接種が開始された。

2 任意接種

任意接種は予防接種法に指定されていないワクチンを対象としており，流行性耳下腺炎，A型肝炎，破傷風トキソイド，髄膜炎菌，黄熱，狂犬病，成人用沈降ジフテリアトキソイドがある。

3 定期接種と任意接種の違い

予防接種による健康被害に対する救済制度において違いが認められる。A類疾病およびB類疾病の定期の予防接種もしくは臨時の予防接種を受けた際に有害作用が認められた場合には，予防接種健康被害救済制度により補償がなされる。任意接種の場合は，医薬品有害作用被害救済制度により補償が行われる。

表 5-4 主な定期予防接種（2024［令和6］年5月現在）

対象疾病またはワクチン				接種回数と標準的な接種年齢	
A類疾病	ジフテリア 百日咳 ポリオ 破傷風	DPT-IPV混合ワクチン（初回） DT混合ワクチン（追加）	不活化ワクチン	初回3回	生後2か月に達した時から生後12か月に達するまでの期間
				追加1回	初回終了（3回）後12か月から18か月までの間隔をおく
	麻疹 風疹	MRワクチン（麻疹・風疹混合ワクチン）	生ワクチン	1期1回	生後1歳～2歳
				2期1回	小学校入学の前1年間で5歳～7歳未満
	日本脳炎		不活化ワクチン	1期初回2回	3歳
				1期追加1回	4歳
				2期1回	9歳
	結核（BCGワクチン）		生ワクチン	1回	生後5か月～8か月
	ヒブ（インフルエンザ菌b型ワクチン）		不活化ワクチン	初回3回	生後2か月～7か月
				追加1回	
	小児用肺炎球菌ワクチン		不活化ワクチン	初回3回	生後2か月～7か月
				追加1回	生後12か月～15か月
	水痘		生ワクチン	1回目	生後12か月～15か月
				2回目	1回目から6か月～12か月経過した時期
	B型肝炎		不活化ワクチン	3回	生後2か月～9か月
	ヒトパピローマウイルスワクチン		不活化ワクチン	3回	小6～高1相当の女子
	ロタウイルス		生ワクチン	1価2回	出生6週0日後～24週0日後
				5価3回	出生6週0日後～32週0日後
B類疾病	インフルエンザ		不活化ワクチン	毎年度1回	①65歳以上 ②60歳以上65歳未満で一定の心臓，腎臓もしくは呼吸器の機能またはヒト免疫不全ウイルスによる免疫機能の障害を有する者
	新型コロナウイルス感染症		未定	毎年度1回	
	肺炎球菌感染症（高齢者）（23価肺炎球菌莢膜ポリサッカライドワクチン）		不活化ワクチン	1回	

国家試験問題

1 生ワクチンの定期接種に含まれていないものはどれか。 （予想問題）

1. 流行性耳下腺炎
2. 結核
3. 麻疹
4. 風疹

▶答えは巻末

Ⅱ　ワクチン接種（予防接種）

第2編 感染症患者の看護

第1章 主な症状に対する看護

この章では
- 感染症の主な症状について,観察のポイントを学ぶ。
- 感染症の主な症状に対する看護の方法を根拠とともに学ぶ。
- 個室管理および行動制限が患者に及ぼす影響を理解する。

感染症は，早期に患者が受診し，診断の後に早期の治療がなされることで，治癒する可能性が高まる場合が多い。また，流行している疾病の場合，早期に対応できることで，その拡大を最小限にできる。そのため，初期の変化に気づき，経時的に推移する病状を的確に判断できる知識をもつことが必要となる。また，個室入院（個室管理）された環境の場合，患者の全身状態や排泄物などを注意深く観察し，訴えをよく聴くことが基本である。

I 発熱

1. 発熱のある患者のアセスメント

　発熱は，平熱より体温が上がっている状態である。感染症の患者は，発熱を主訴として受診することが多いため，発熱の有無を知ることは診断と治療に役立つ。発熱に伴い，そのほかのバイタルサインも変動する場合が多い。そのため，体温をはじめとして，脈拍，呼吸，血圧を正確に測定することが必要である。

1　身体的側面

❶発熱症状観察のポイント

　発熱は，細菌やウイルスなどに由来する発熱物質によって視床下部の発熱中枢が刺激されることで起こる。**熱型**は病態の把握に有用な情報であるため，可能な限り同じ身体部位（同じ側の腋窩など）で，必要な回数測定する。腸チフスでは，稽留熱（体温の日内差が1℃以内の高熱）が続き，マラリアでは発熱と併せ悪寒が出現する。また，結核や風疹は微熱の持続に特徴がある。発熱は不眠，頭痛，悪心，発汗，口渇などの苦痛を引き起こし，精神的にも不安定な状態にさせる。また，高熱が長期にわたって持続した場合には，脳に不可逆的な変化をもたらすこともある。

❷バイタルサインの測定

　体温や脈拍，呼吸，血圧を測定するとともに，呼吸パターンやチアノーゼ，喘鳴の有無などの呼吸器症状や，嘔吐や下痢，腹痛などの消化器症状，麻痺やしびれ，意識レベルなども併せて観察する。得られた結果から病状の変化を予測する。

　看護師が体温測定を介助する場合は，患者の腋窩へ体温計を挿入する際に，頸部周囲の衣服を除きながら患者のからだに接することができるため，発熱しているか否か，おおよその予測ができる。発熱の有無，経過，熱型を観察する。37.5℃以上を発熱といい，38.0℃以上を高熱としている。脈拍は頻脈となることが多いが，腸チフスでは高熱であっても脈が増加せず，比較的徐脈となる傾向がみられる。呼吸数も発熱時には増加する。

❸そのほかの観察ポイント

　発熱時は呼吸や発汗，不感蒸泄によって失われる水分量が増大し，尿量の減少がみられ

る。尿量，飲水量，輸液量のバランスにも注意する。バイタルサインの変動による苦痛を軽減するために，対症的に多くの薬剤が使用される。指示された薬剤を正確に使用するとともに，薬剤の効果と副作用の出現についても観察する。

2 心理的側面

　発熱は，多くの患者へ不安を与える。看護師は，患者が発熱をどのように感じているかを聞き，必要であれば医師から説明を補足してもらう。また治療に対して，患者が希望をもてるように援助していく。

2. 看護の視点

1 看護問題

- 体温が上昇し，不眠，頭痛，悪心，発汗，口渇などの苦痛が生じる
- 水分の喪失や電解質異常，栄養障害が生じる
- 病状に対する不安が生じ，日常生活動作が損なわれる

2 看護目標

- 体温の上昇に対応し，苦痛を緩和できる
- 水分や電解質，栄養を補給できる
- 不安を解消し，日常生活動作を取り戻せる

3 看護の実際

❶体温の上昇に対応し，苦痛を緩和できる

▶感染徴候を把握するための体温測定　体温は，腋窩で電子体温計を使用して測定することが多く，測定が容易である。高齢者では寒気を感じる人が多く，入院中も下着を数枚着用している場合がある。このような高齢者が体温を自己測定すると，誤って体温計を着衣の間にはさみこみ，測定部位に入っていないということが起こり得る。また，測定時間中，上腕を体幹に密着させていることができず，腋窩を開けてしまい，正確な体温測定ができない場合もある。さらに患者が発汗している場合は，正確な体温測定はできない。そのため汗を清拭後，あるいは発汗がおさまった後，体温を測定する。なお，体温測定時には患者への説明を十分に行う。

▶体力回復のための安静・睡眠　体温が上昇し，呼吸や脈拍が変化するような状態を健康な状態へ回復させるには，安静と睡眠が必要である。安心して眠れるように周囲の環境を整える。夕刻から夜間にかけて熱が上昇している場合，体温測定により睡眠が阻害されないよう努める。安静を保つことができるよう，日常生活を確認し，十分な援助を行う。

▶保温の方法　急激に体温が上昇するときには悪寒や戦慄を伴う場合があり，またショッ

ク状態では体温が逆に低下する場合もあるため，保温に注意する。悪寒がある場合，電気毛布や湯たんぽを利用する。足底と足背のみに冷感がある場合もあるため，意識のある患者の場合，自覚症状を聞くか，了解を得て実際に下肢に触り，保温ができているか確認する。

▶ **発汗時の清潔**　発汗時の皮膚の汚染や口渇による不快感に対しては，患者の状態に合った方法で清拭や口腔ケアなどを行う。

❷ 水分や電解質，栄養を補給できる

▶ **発熱時の水分補給・栄養摂取**　発熱時は，水分の喪失や電解質異常，そのほかの栄養障害への対応が重要になる。嘔吐が続いたり，食欲が低下している期間は経静脈的に栄養を補給する。経口摂取が可能なときは，十分な水分やたんぱく質，エネルギーが摂取できているかを確認し，必要な量を摂取することができるよう援助する。ビタミンの欠乏は食欲不振を招きやすいため，必要量を摂取できるように注意する。

▶ **症状悪化時の援助**　症状悪化の傾向があるときは，その症状が増強しないか観察し，より安楽になるよう援助するとともに，救急薬剤や心電図モニター，人工呼吸器などの必要物品を準備する。

❸ 不安を解消し，日常生活動作を取り戻せる

▶ **病状に起因する不安への説明**　患者はバイタルサインの変化を自覚症状として感じることができ，家族も客観的に観察することができるために，共に一喜一憂しやすい。医師からの病状の説明を，急性期には1日に1回を原則に，病状の安定が得られてからも患者や家族の要望に応じて受けられるように配慮する。身体的な苦痛に加えて，不安を長時間もち続けることがないようにする。

▶ **患者の状態に合わせた ADL 拡大と援助レベルの調整**　急性期を脱し，回復傾向にある患者は，日常生活動作（activities of daily living：ADL）が拡大していく。排泄においても，おむつやベッドサイドのポータブルトイレを使用していた段階から，排便時のみトイレまでの歩行が可能となったり，トイレだけは歩いて行ってもよいとなる段階まで様々である。看護師は患者の状態に応じて，ADL が適当であるかを判断し調整していく。

II 発疹

1. 発疹のある患者のアセスメント

発疹（ほっしん）などの皮膚症状の状態により，感染症の診断・治療の経過を判定できる場合が多い。

1 身体的側面

皮疹（ひしん）の有無や増減，色調，形状は，病状の経過を表すのみならず，診断の確定にも重要な要素となる。

腸チフスでは，発熱後1週間頃から体幹にばら色の小さな斑（ばら疹）が出現する。毒素性ショック症候群では，広範囲に紅い斑がみられ，風疹では，発疹が口腔，顔や耳，頭そして全身へと拡大し，頸部や喉頭部のリンパ節に腫脹がみられる。

皮疹の出現している部位とその種類（膿疹，痂皮，水疱など），滲出液，落屑，瘙痒感，疼痛，腫脹の有無とその程度を観察し，それらが日常生活に与える影響を知る。また，清拭の機会や更衣時を活用して細かく観察する。

2 心理的・社会的側面

容姿の変化による行動の変化，落屑による周辺の汚染，疼痛や瘙痒感による睡眠障害などに注意して情報収集を行う。

2. 看護の視点

1 看護問題

- 傷ついた皮膚・粘膜から感染を生じる
- 容姿の変化や落屑による汚染から心理的な苦痛を生じる
- 滲出液や落屑が感染源となり感染の拡大が起きる

2 看護目標

- 皮膚・粘膜からの感染を予防できる
- 皮膚症状によって生じる苦痛を緩和できる
- 感染の拡大を防げる

3 看護の実際

❶皮膚・粘膜からの感染を予防できる

▶ **感染予防のための清潔保持** 　健康な皮膚や粘膜から病原体が侵入することはほとんどないが，傷ついた皮膚ではその危険性が大きくなる。包帯や各種の被覆材で覆い，掻いて新たな創傷とならないようにする。また，日頃から皮膚の状態に気を配るよう指導する。

❷皮膚症状によって生じる苦痛を緩和できる

▶ **身体的な苦痛** 　疼痛や瘙痒感，腫脹，熱感などの皮膚症状から生じる苦痛に対しては，薬剤を用いたり，罨法を行うなどして軽減に努める。外用療法を行うときは患者の不快感を増強しないように，清潔の保持や被覆を工夫する。

▶ **心理的な苦痛** 　入院している場合には，容貌の変化による面会者の制限が必要か，患者や医師と相談する。落屑に対しては，包帯や各種の被覆材の装着方法を工夫し最小限となるようにする。それでも落屑がベッドやその周囲に落ちる場合は，周囲を頻繁に清掃する。また，入浴やシャワー浴が可能な場合は実施する。

❸ 感染の拡大を防げる

滲出液や落屑は患者にとって不快であるばかりでなく，感染源ともなり得るため，標準予防策（スタンダードプリコーション）と疾病ごとの予防策（空気・飛沫・接触感染に対する予防策）を実施し，取り扱いに注意する。滲出液や落屑の有無に応じて，使用した物品の消毒や汚物の処理を厳重に行う。医療者は手袋を使用したり，時にはマスクやガウンを着用したりすることもある。処置の前後に手洗いや含嗽を行う。手袋やマスク，ガウンの着用が必要な場合は，患者に使用する理由を説明し，理解を求める。

III 悪心・嘔吐，下痢

1. 悪心・嘔吐，下痢のある患者のアセスメント

1 身体的側面

食中毒の病原体には腸炎ビブリオやサルモネラ，黄色ブドウ球菌，カンピロバクター，ノロウイルスなどがあり，悪心・嘔吐や腹痛，下痢などの消化器症状を伴う。赤痢では，膿性や血性，粘液の混入した水溶性下痢，腹痛，しぶり腹などの症状が特有であり，コレラも水様性（米のとぎ汁様）の下痢が主症状である。

腹痛，悪心・嘔吐，下痢などの消化器症状は食欲を低下させ，電解質バランスをくずし，栄養障害を引き起こしやすい。特に下痢の場合には脱水につながりやすく，全身倦怠感や頻脈，尿量の減少，皮膚粘膜の乾燥，発熱などの苦痛症状が増強し，不眠や精神的な不穏状態を招きやすい。そのため，腹痛，悪心・嘔吐，下痢など消化器症状の有無・頻度・程度や，それに伴う精神状態などについて情報を収集し，アセスメントする。

2 心理的・社会的側面

様々な消化器症状に伴う精神的不安感の起こる頻度や程度について情報収集する。嘔吐物や下痢便などの排泄物は，意識レベルが高い患者の場合，自ら確認することができる。排泄物を見ることや量が増すことで，不安が強まる場合もある。また，特有の臭気もあり，苦痛を感じる場合もある。そこで患者が病状に対して，どのように感じているのかを確認し，闘病意欲を失わないよう援助する。

2. 看護の視点

1 看護問題

- 消化器症状の異常は苦痛を伴い，体液が過剰に喪失する可能性がある

2　看護目標

- 通常とは異なる排泄の状態となっても，苦痛を緩和させ，体液のバランスを保持できる

3　看護の実際

❶通常とは異なる排泄の状態となっても，苦痛を緩和させ，体液のバランスを保持できる

▶**排泄のための環境調整**　嘔吐や下痢は健康なときとは異なる排泄の状態であるため，吐物や便を速やかに排泄できるように，環境を整える。一例として，トイレに近い病室を準備したり，ポータブルトイレを用意する。また背部をマッサージすると安楽に嘔吐しやすい。吐物や便は臭気があり不快であるため，速やかに取り除く。

▶**排泄物を把握するための観察**　排泄物の性状や頻度を把握するために十分な観察が必要である。また，吐血や下血がみられたときは量や性状，バイタルサインを観察し的確に対応する。消化管出血が疑われるときは，色を目視で確認し，試験紙で潜血反応を調べて医師に報告する。そして疼痛や腸蠕動音，腹部膨満，排ガス，悪心の有無など，自覚症状を十分に聴く。

▶**患者の安全・安楽に向けた嘔吐時の援助**　嘔吐時は顔を横に向け，誤嚥を防ぐ。嘔吐を繰り返すときや多量に嘔吐したときは誤嚥性肺炎に注意し，ベッドサイドに吸引の準備をしておく。吐物は不快感をもよおし，さらなる嘔吐を誘発するため，ベッドサイドに放置せずに速やかに取り除く。嘔吐時は背部マッサージをしてもらうと安楽となる。また，嘔吐後は患者に速やかに含嗽してもらい，口腔内の胃内容物を可能な限り除去して苦痛を緩和させる。胃酸が顔面に付着すると，ティッシュペーパーで拭き取っても臭気が残る場合がある。これを緩和するのは，温かいおしぼりによる清拭である。

▶**感染予防に備えた下痢時の援助**　便は感染源であるため，定められた方法で厳重に処理する。便器は患者専用とし，排泄介助の看護師はディスポーザブル手袋を着用し，便器の洗浄は直接便に接しないようにして行う。患者が独力で排泄の後始末を行う場合も手洗いを実施するよう説明し，協力を得る。

▶**清潔を保持するための援助**　口渇や嘔吐後の不快感を取り除くため，含嗽や口腔清拭を行う。度重なる下痢によって肛門や陰部の皮膚や粘膜は発赤やびらんを生じやすい。排泄後は温水や柔らかい紙などで便を除き，必要時は軟膏で保護する。

▶**急性期から軽快期にかけた水分・栄養補給のための援助**　消化器症状が続く場合は飲食を禁じ，輸液によって水分や栄養が補給される。この時期には，患者が食事摂取を禁じられている理由を理解し治療を受け入れられ，治療が支障なく実施されているかを見守る。また，空腹はつらいため，患者をねぎらう。嘔吐や下痢の状況が軽快する傾向がみられた場合は，経口摂取が再開される可能性が高いため，医師の許可を得て水分や消化のよいもの

を少量ずつ摂取できるように準備する。経口摂取を開始したら，栄養不足や偏りはないか，摂取状態とその量を観察する。

▶ **不安の緩和**　症状の変化に伴う不安な気持ちを表出することができるように，医療従事者や家族，あるいは患者が希望する人と話し合う機会を設ける。

IV　ショック

1. ショックを起こした患者のアセスメント

　感染症患者では，敗血症ショックや，与薬した抗菌薬などの薬物によるアナフィラキシーショックを起こす場合がある。ショック時は，血圧低下，意識レベル低下などがみられる。患者がショックを起こしていないか，看護師は常に観察する必要がある。もし，ショックを疑うならば，治療が必要であるため，医師に報告するなど，速やかに対応する。ショック時は生命が危険な状況であり，患者や家族の不安や苦痛がさらに増すことが予想される。そのため患者とその家族がショックをどのように感じているか観察・評価し，厳しい状況に対処ができるよう援助する。

2. 看護の視点

1　看護問題

- 血圧や意識レベルの低下といった異常がみられ，生命が危険な状況に陥る可能性がある
- 病状の急変により患者・家族が強い不安を感じる

2　看護目標

- バイタルサインを的確に測定することにより悪化の徴候を予測し対処できる
- 速やかで的確な情報提供により不安を緩和できる

3　看護の実際

❶バイタルサインを的確に測定することにより悪化の徴候を予測し対処できる

▶ **ショックの徴候**　感染症患者の救急時には，様々なショックが起こり得ることを考慮する。敗血症では敗血症性ショック，下痢や高熱による極度の脱水，消化管出血時には出血性（循環血液量減少性）ショックが起こる。さらに，血清療法や薬物療法時にはアナフィラキシーショックが起こることがある。異常の徴候は，呼吸や血圧，脈拍，体温などバイタルサインの変化として現れることが多いため，患者の病状から悪化の徴候を予測して全身を観察する。また，意識レベルの低下にも留意する。

▶**感染臓器に起こる機能不全の観察** そのほか，呼吸器感染症では呼吸不全，肝炎では肝不全など，感染を受けた臓器の機能不全が起こり，生命に重大な影響を及ぼす。救命のために的確に情報収集を行い，適切な対処につなげる。

▶**救命処置の準備** ショックが起こった場合は，救命のために多くの処置が行われる。気道の確保，酸素療法や人工呼吸器の装着，輸液路の確保，心電図の監視，尿量を測定するためのカテーテルの挿入，強心薬，利尿薬，昇圧薬，副腎皮質ステロイド薬，化学療法薬などの薬物療法など，いずれも迅速に行う必要があるため，常に準備しておく。

❷**速やかで的確な情報提供により不安を緩和できる**

▶**心理的側面を理解した患者・家族への援助** 救急時には，患者自身の不安に加えて，家族の不安が強くなることが多い。患者自身の身体面だけでなく，患者・家族の言動から精神面についての情報も集め，看護に役立てる。意識レベルが低下するなど病状が急変し，患者自身に説明ができない場合には，家族に速やかに状態を説明し，家族の不安を軽減するように努める。また，個室やICUへ転室が必要な場合が多いため，患者に説明が可能であれば転室の了承を得たうえで速やかに移動し，家族へも連絡し了承を得る。

多くの器械に囲まれ，多くの人が出入りするなかで，患者は大きな不安を感じる。処置や測定，ケアを行うときは患者に視線を合わせて説明してから行う。患者や家族は，自分の不注意から感染したのではないか，不注意のため悪化に気づかなかったのではないかと後悔し，自分を責めている場合がある。必要な処置を行いながら，表情や口調などから精神状態を把握し，援助する。

Ⅴ 咳嗽

1. 咳嗽のある患者のアセスメント

咳嗽（がいそう）が長く続くと体力の低下を招くため，咳嗽の有無や強度，持続期間を観察する。咳嗽がある場合には原因疾患の治療がなされるが，その際には，①痰（たん）の喀出（かくしゅつ）を伴う湿性咳嗽か，伴わない乾性咳嗽か，②3週間以上継続している咳嗽か，③咳の強度がピークを過ぎているか，などが重要な情報となる。また，医師は原因が結核であるか否かを優先して鑑別診断していくため，患者が診断のために実施される検査や治療について理解できるように説明し，QOL（生活の質）が阻害されていないかを観察し，援助していく。

2. 看護の視点

1 看護問題

- 咳嗽や痰の喀出などにより，睡眠が妨げられるなど QOL が阻害される
- 病原体により，周囲への感染のおそれや患者の予後の重篤化が懸念される

2 看護目標

- 咳嗽や痰の喀出状況が改善でき，QOL が保たれる
- 病原体を考慮した抗菌薬が処方され，症状が緩和できる

3 看護の実際

❶ 咳嗽や痰の喀出状況が改善でき，QOLが保たれる

　夜間に咳嗽があると当該患者だけではなく，ほかの患者にも影響し，安眠できない可能性もある。そのため咳嗽の音が聞こえたら，いつ，どれくらいの頻度で症状が生じているか状況を把握し，医療チームへ報告する。湿性咳嗽の場合は，去痰薬で痰を喀出させて咳を緩和させるが，痰を喀出しやすい状況や環境をつくることが重要である。痰を動きやすくするのは，加湿と加水といわれている。口呼吸であったり，十分な加湿がないまま空気が気道内に入ると痰が喀出できないため，含嗽などにより加湿し口腔内の乾燥を防ぐ。また，ティッシュペーパーやゴミ箱を患者の傍に置き，痰が喀出しやすい環境をつくる。

　回復の傾向が喀痰の性状で推測できるため，色や粘度なども観察する。胸部に痛みがある場合には，咳嗽による肋骨骨折が疑われるため，痛みについても確認していく。

❷ 病原体を考慮した抗菌薬が処方され，症状が緩和できる

　合併症のない成人の急性気管支炎については，百日咳にのみマクロライド系抗菌薬が推奨されている。そこで，同疾病で処方された薬剤は確実に患者に投与し，症状が緩和できているか観察する。

　2016（平成 28）年以降，わが国では薬剤耐性（antimicrobial resistance：AMR）対策アクションプランにより，「適切な薬剤」を「必要な場合に限り」，「適切な量と期間」使用することの徹底が推進されている。医療施設で抗菌薬適正使用支援チーム（antimicrobial stewardship team：AST）が設置されている場合は，同チームの方針に従えているかも確認する。

VI 意識障害

1. 意識障害のある患者のアセスメント

　病原体が脳に直接侵入し，炎症を起こして脳実質が破壊されたり，脳に浮腫が生じ頭蓋内圧が亢進し中枢神経が圧迫されることによって意識障害が起こる。また，呼吸器系の感染症の増悪によって，換気障害から低酸素，高二酸化炭素血症が生じて起こることもある。消化器系感染症では，多量の出血や高度の脱水状態によって意識障害が生じやすい。

❶意識障害時の患者の状態と症状観察のポイント

　意識障害時には，①咀嚼や嚥下運動が障害され食事摂取が困難になる，②尿意や便意が不明になり失禁状態になりやすい，③体動が困難であったり制限されたりするため，関節拘縮や筋力低下を起こしやすい，④自分の意思を正確に伝えることが困難となり，不穏状態になる，などがみられる。さらに，意識障害の進行によって舌根が沈下し，気道が閉塞されて窒息が起こったり，呼吸機能の低下から呼吸が停止したりする危険性もある。また，ベッドからの転落，歩行時の転倒により骨折や出血をする場合もあるため，注意深い観察が必要である。

　これらの点を踏まえて，患者のおかれている状況を予測しながら以下の点を確認する。

①瞳孔不同＊や対光反射，項部硬直，頭痛，嘔吐，痙攣などの有無と程度を確認する
②呼名や口頭指示に対する反応，生年月日や年齢，名前，住所，職業，簡単な計算などを日常会話のなかで確認する
③上下肢の麻痺や知覚異常に対しては，神経学的な検査を行う
④呼吸や出血，脱水，電解質の異常によって生じる意識障害については，チアノーゼ，顔色，皮膚の湿潤，腹痛や腹部膨満などを観察する

2. 看護の視点

1 看護問題

- 認知・判断する能力が損なわれ，危険を防止するための行動をとることが困難になる
- 状況の変化により患者・家族が強い不安を感じる

2 看護目標

- 防止策を講じることで意識障害に伴う危険を回避できる
- 患者・家族が病状と今後の予測を理解し，不安を緩和できる

＊瞳孔不同：アニソコリー。生理的または病的状態下において，左右の瞳孔の径に差がみられる場合をいう。

3 看護の実際

❶ 防止策を講じることで意識障害に伴う危険を回避できる

　意識障害のある患者は，認知し判断する能力が損なわれ，自分の現在の状況を的確にとらえて危険を防止するための行動をとることが困難になる。転倒やベッドからの転落を防止するなどの対策をとる。しかし，患者の安全を重視するあまり，過度な抑制とならないように注意する。呼吸が障害されている場合には，気道確保，酸素療法，人工呼吸器の装着が行われ，循環動態を維持するために輸液路を確保する必要があるため，患者が挿管器具やカテーテル・チューブを抜去しないよう防止策を準備しておく。

❷ 患者・家族が病状と今後の予測を理解し，不安を緩和できる

　自身で何かおかしいと感じている患者や，以前と違ってしまったように見える患者と接する家族の不安は大きい。少しでも安心感が得られるように，病状と今後の予測を理解できる方法で説明する。医療者が患者を尊重した態度で接している様子を見て，家族が安心する場合もある。機能障害を残す可能性がある場合には，そのことを伝える時期や内容，伝える相手を医療者間で話し合い，なるべく早期に伝え，ショックを少なくするように配慮する。

VII 個室入院（個室管理）による行動変容

1. 個室入院（個室管理）時の患者のアセスメント

1 行動制限に伴う心理的な影響

　個室入院と行動制限によって外界からの刺激は減少し，患者は強い拘束感を覚える。感染症のため，他者に悪影響を与える存在として社会から疎外されたと患者は感じ，孤独感のために自己を否定的にとらえてしまうこともある。疾病に対する不安や焦り，苛立ちと相まって攻撃的になったり，過度に従順になったり，独語が現れたり，依頼心が強くなったりする。無気力になる場合もある。刺激の減少によって，思考，判断のパターンが変化したり，性格傾向が変化したりする患者もいる。特に高齢者は入院生活や行動範囲の縮小によって，心身の活動性が低下し，認知症の症状が現れる場合もある。

2 入院後の観察

　入院時には，患者や家族が疾病をどのように理解しているのかを知る。入院後は，患者の表情や口調，ふだんと変わったそぶりがないかを観察する。多弁や寡黙，攻撃的傾向や無気力，依存的傾向が出現することがある。高齢者では，徘徊，独語，無表情，幻覚など

が現れることが多い。行動の変化は、感染による中枢神経症状である場合もあるが、薬剤の副作用、電解質のアンバランスなどによっても生じるため、安易に判断せず、患者の人物像や病態と照らし合わせて、総合的に判断する必要性がある。

2. 看護の視点

1 看護問題

- 拘束感・疎外感により患者の行動に変化が生じる

2 看護目標

- 拘束感・疎外感を感じず、行動に変化が生じることを抑えることができる

3 看護の実際

❶ **拘束感・疎外感を感じず、行動に変化が生じることを抑えることができる**

▶ **患者の安心感を得るための病室の雰囲気づくり**　個室管理によって患者の行動に変化が生じることがあるが、感染力を有する期間は個室管理を解除することはできない。許された範囲内で家族に面会を依頼したり、慣れ親しんでいる所持品を持参してもらい、病室を家庭の雰囲気に近づける。感染の危険があるため家族が面会できない期間は、電話や手紙、電子メールなどを通じて患者を支えてもらう。

▶ **外部との情報伝達や通信手段を阻害しないような環境の工夫**　医療者は落ち着いた静かな口調で患者に接し、ただ"禁止"と伝えるのではなく、患者の安楽のためにはどのようにしたらよいのかを患者とともに考え、患者や周囲の人々に悪影響を及ぼさない範囲で工夫する。隔絶された環境にあっても刺激が減らないように、情報伝達や通信の手段をあらかじめ整えておく。また、患者の行動に変化が起こっていないか注意深く観察し、徴候が現れた場合は速やかに、ほかの専門職と連携をとり、対応できるようにする。

　近年、病院では周囲に迷惑にならない範囲で、携帯電話やスマートフォン、パソコンなどが使用できる環境が整いつつある。感染症で個室管理されている患者には、積極的にこれらの機器を使用できるよう、医療従事者は設備を整えていくことが必要である。

参考文献
- 厚生労働省健康局結核感染症課：抗微生物薬適正使用の手引き，第2版，2019，p.17.
- 厚生労働省：薬剤耐性（AMR）対策について．https://www.mhlw.go.jp/stf/seisakunitsuite/bunya/0000120172.html（最終アクセス日：2023年8月9日）

演習課題

1 感染症の代表的な症状と，それらが日常生活に及ぼす影響についてまとめてみよう。
2 感染症の症状について，観察のポイントを整理しておこう。
3 個室管理下の患者の観察のポイントと環境の工夫について話し合ってみよう。

第2編 感染症患者の看護

第2章 主な検査と治療に伴う看護

この章では
- 感染が疑われる患者の診察時の看護について学ぶ。
- 便検査,尿検査,喀痰検査,血液検査時の看護のポイントを学ぶ。
- 化学療法を受ける感染症患者の看護について理解する。
- 標準予防策の概念と実践のポイントを理解する。
- 救急時の看護において必要な情報と看護の方法について学ぶ。

医師による初回診察時には，病状を適切に把握して診断が行われ，その後は速やかに治療など必要な処置がとられる。診察時には病原体を含む検体の採取や運搬，保存などに関して看護師がかかわる部分が多いため，十分な知識をもち，感染予防に留意する。

I 診察時の看護

　外来には様々な疾病をもつ患者が訪れる。あらかじめどのような症状が気になって受診したのかを確認し，「ヒト－ヒト感染」する感染症の可能性がある場合には，感染症患者用の診察室へ案内する。

1 感染拡大防止のための対応

　インフルエンザの流行期は，発熱のある患者が受診したら，あらかじめ本人から情報を得て，その患者の診察を優先させ，ほかの患者に感染させないように工夫している医療機関もある。また，受診前に電話連絡をもらい，ほかの患者と接する時間が最小限となるよう時間調整をしている医療機関もある。いずれもサージカルマスクの着用を患者に協力してもらうことが重要になる。

2 プライバシーへの配慮

　感染症の原因として，ペットの飼育や性生活などプライバシーにかかわる内容の問診が行われる場合がある。患者が話しにくい内容もあるため，医師の説明を補足したり，患者が話し出すきっかけをつくったりする。また状況によっては，患者の訴えを代弁する。

3 患者の援助をとおした心理状態把握のための観察

　診察時は，患者が安楽に診察を受けられるように，診察器具や物品を準備する。患者の全身状態を把握し，体位の保持や更衣を介助する。医療者が手袋やマスク，ガウンを着用して診察することに，患者は違和感や緊張感を覚えたり，屈辱と感じる場合もある。診察中の患者の表情や口調，態度，会話の内容，全身の症状の変化を細かく観察し，診察後は患者に疑問や不安がないか確認する。

4 感染予防のための診察後の物品のメンテナンス・環境の整備

　診察後は，定められた方法で器具や物品を消毒もしくは滅菌，あるいは廃棄する。体温測定は，多数の患者に行う必要があるため，清潔な体温計が提供できるように整える。清潔区域へ入る前には，必ず石けんと流水を用いて手洗いを行う。

II 主な検査に伴う看護

❶ 主な検査

　感染症を診断するための検査として，病原体を検出する微生物検査，血液の化学検査，感染した病原体に特有な抗原や抗体を確認する検査などがある。微生物検査のうち，一般細菌の検査には塗抹検査，培養検査，薬剤感受性検査がある。血液の化学検査では，末梢血液検査で白血球数を調べ，C反応性たんぱく（C reactive protein：CRP），赤沈（赤血球沈降速度）の検査データも利用されている。抗原や抗体を確認する検査には蛍光抗体法，酵素結合免疫吸着測定法（enzyme-linked immunosorbent assay：ELISA）などがある。DNAを検出する方法は核酸同定検査法のPCR（polymerase chain reaction）が代表的で，結核菌の検出や新型コロナウイルス（SARS-CoV-2）などに多用されている。

❷ 検査材料

　検査材料には，病原体の定着する臓器によって血液，髄液，尿，喀痰，便，胃液や胆汁，皮膚や粘膜，咽頭や直腸ぬぐい液，膿，分泌物など様々なものがある。検査時は，その病原体の感染力や採取方法，採取後の処理方法を理解し，患者の苦痛を最小限に，かつ安全に行う。

❸ 検査材料の採取方法とその保存

　病原体によって発育に適した培地や温度などの条件があるため，検査材料を採取するときは，定められた容器へ，検体のみを，どこにも触れずに採取し入れる。そして採取された検体を，容器から漏れないように密閉して運搬する。検体採取後は，直ちに検査室へ提出する。夜間や休日は，定められた場所に確実に保存する。冷蔵庫で保存する場合と，室温で保存する場合がある。事故防止のため，患者から採取した検体が，ラベルと間違っていないことを確認する。ラベルは脱落しないように，検体の外側へ貼付されているか確認する。

A 便検査

　消化器系感染症では，便から病原菌や毒素（クロストリディオイデス・ディフィシルの産生するトキシンなど），抗原（ノロウイルス抗原，ロタウイルス抗原など）が検出されることが多く，便検査は診断や治療を決定するうえで重要である。また，消化管の出血を調べるためには，潜血反応も実施される。

1 検査前の看護

- 採取された便を，やむを得ず保管しなくてはならないときもあるため，医療施設で定められている保管方法や保管の制限時間を把握しておく。

2 検査中の看護

- 採便管で採取する場合は，定められた量の便を適切な部分から採取し，内容物がもれないように栓をした後，速やかに検査室へ提出する。
- 洋式トイレでは便が便器の底に沈んでしまうため，トイレットペーパーなどを利用するか，ポータブルトイレに排便してもらう。また，採便シートを洋式トイレにセットすることもある（図2-1）。
- 浣腸や坐薬を用いた後の排便では，薬液の付着していない部分を採取する。便を取り扱うときはディスポーザブル手袋を使用し，終了後は手洗いを確実に行う。
- 潜血検査では，トイレの洗浄剤が混入すると誤った判定につながる可能性があるため，採便シートを用いる。

3 検査後の看護

▶ **便の観察**　発熱や腹痛，悪心・嘔吐，発疹などの症状を確認し，併せて便の色調や臭気，性状，量を観察する。下痢が続くと肛門周囲や陰部に発赤やびらんが生じやすくなるため，よく観察し排便後は清潔に保つ。便の性状はブリストルスケールが多用されている。

▶ **便の取り扱い**　便検体から赤痢アメーバを検出しようとするときは，冷蔵すると判定できなくなるため保温（37℃）が必要となる。そのため検査室へ連絡し確認する。

B 尿検査

　尿検査は，尿路感染症や性感染症の病原体の有無を調べ，薬剤に対する感受性を知り適切な薬物療法を開始するために行う。

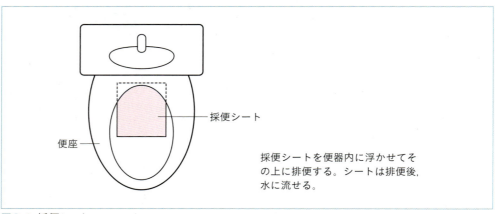

図2-1　採便シート

1 検査前の看護

- 前立腺が肥大している患者，尿量が少ない患者では，中間尿の採取が困難であり，カテーテルを用いて尿を採取するため，その準備をする。
- 蓄尿時や性状を観察するために尿器を使用する場合は，専用の尿器を準備する。

2 検査中の看護

尿道口周囲の常在菌の混入を避けるために，中間尿を採取する場合が多い。尿道口周囲は清浄綿を用いて清拭し，開始時の尿は流出させ，その後の尿を滅菌容器に採取する。採取後は新たな菌が侵入しないように密閉し，検査室へ提出する。

3 検査後の看護

▶尿の観察　発熱や腹痛，悪心・嘔吐，発疹などの症状を確認し，併せて尿の量・色調・透明度・臭気・浮遊物の有無を観察する。レジオネラ菌と肺炎球菌を起因菌とした肺炎に関しては，尿中抗原検査により迅速な診断が可能となっている。

▶尿の保存法　尿中で混入した常在菌は時間が経つと増殖し，起因菌が何かわからなくなる場合がある。検体はすばやく提出するか，冷所（4℃）で保存することが望ましい。

C 喀痰検査

喀痰検査は，細菌学的検査や形態学的検査を行い，起因菌と薬剤の感受性を知り，治療方針を決定するために行う。

1 検査前の看護

納豆などを摂取した後で喀痰を採取すると起因菌を同定できないこともあるため，納豆は喀痰採取前には摂らないよう説明する。

2 検査中の看護

喀痰の採取は，口腔の常在菌の混入を避けるために早朝起床時に行う。喀出が困難な場合には，深呼吸をしたり，水道水で含嗽した後や，生理食塩液を吸入後に採取を試みる。喀痰の採取ができないときには，無意識に嚥下していることもあるため，胃液を採取する場合もある。また，気管支に内視鏡を挿入して喀痰を得ることもある。

3 検査後の看護

検査のため食事を待ってもらった場合は，直ちに配膳する。痰や唾液は感染源と考えられているため，汚染があったその場で，ティッシュペーパーなどで拭き取る。患者が独力

で顔面を清拭できない場合は，援助する。

D 血液検査

血液検査は，細菌学的検査で起因菌を同定するため，また，血清学的検査によって感染症を診断するために行われ，主に静脈血が検体として用いられる。

1 検査前の看護

抗菌薬の投与前に血液培養を行うことが望ましい。抗菌薬は，検査結果に影響することがあるため，検体採取時に投与されているかどうかを確認する。

2 検査中の看護

▶ **採血時の注意**　血液培養のための採血時には，空中や皮膚の細菌が混入しないように，また，患者が新たな感染を受けないように穿刺部位を厳重に消毒する。悪寒・戦慄時に採血をすると，血中の病原体を採取しやすい。

▶ **医療者自身の感染予防策**　採血時や容器への注入時に誤って血液を飛散させてしまい，病原体を医療者の微細な傷に付着させてしまうことや，針を処理するときに誤って自身に刺してしまうといったことのないようにする。血液は常に感染の可能性があるものとしてとらえ，医療者の手指につかないように，その取り扱いには細心の注意を払う。ディスポーザブル手袋を着用し，患者に不必要な苦痛を与えないように的確な技術で実施するとともに，自ら感染を受けないように十分に注意する。針刺し事故が発生したときは，直ちに汚染された部位を流水で洗い，定められた報告・連絡経路を通じて処理する。

3 検査後の看護

採血後の止血をする。患者の皮膚に血液が触れた場合は，清拭する。検査のため着衣を脱いだ場合は，患者の衣服を整える。その際，患者が衣服を自力で着用できるかアセスメントし，できない場合は援助する。

III 主な治療・処置に伴う看護

A 化学療法を受ける患者の看護

化学療法は病原体に対して抗菌薬などを用いる薬物療法であり，同定あるいは推定された病原体を殺滅するため，または増殖を防ぐために行われる。

1 治療前の看護

　一般的に入院中は点滴静脈注射が行われることが多い。その投与量を決定するため，体重は必須の情報である。そこで，患者のADL（日常生活動作）が低下している場合は仰臥位のままでも体重測定ができるように物品を整え，実施する。薬物の血中濃度を維持するために，指示により滴下速度を調整する必要がある。ショックと考えられる症状が起こったときは救命処置がとられるため，常に緊急時への対応ができるよう準備をしておく。

2 治療中の看護

❶ 化学療法時に起こる副作用

- 副作用としては，化学療法薬そのもののもつ毒性による聴力障害，平衡機能障害，視力障害，造血器障害，肝障害，腎障害などがある。各種検査データや全身の症状を観察し，異常の早期発見に努める。
- 内服治療が行われる場合には，消化器症状の出現に注意する。出血傾向のある患者は止血が困難であるため，特に注意して観察する。
- 化学療法中に耐性菌が出現することや，患者の免疫能の低下から菌交代現象が起こることがあるため注意する。
- 化学療法開始直後から出現するショック，アナフィラキシー様症状の徴候を観察する。咳嗽，口腔・咽頭部異常感，全身のしびれ感，熱感，頭痛，発汗，発疹，眩暈，頻脈，血圧低下，喘鳴などの症状は即時型アレルギー反応の疑いがある。これらの点に留意しながら情報収集を行い，アセスメントする。

❷ 治療薬物モニタリング（TDM）

　2022（令和4）年現在，治療薬物モニタリング（therapeutic drug monitoring；TDM）に保険適用のある抗菌薬は，バンコマイシン塩酸塩，テイコプラニン，アミノグリコシド系抗菌薬（ゲンタマイシン硫酸塩／トブラマイシン，アミカシン硫酸塩，アルベカシン硫酸塩），ボリコナゾールである。TDMは「薬物の血中濃度を測定し，投与設計を見なおすことにより，安全で有効な治療を行うこと」と定義される[1]。

　これにより採血後に得られた血中濃度と臨床所見から，患者一人一人に適切な投与時間・量・方法が決定できることとなった。TDMが実施されるタイミングと処方が変更される可能性を把握し，もし変更されたときには，速やかに対処する。さらに患者に協力を得られる場合は，それを求める。

3 治療後の看護

　治療開始数日後に発熱や発疹，肝障害が現れる場合が多い。多くの症状は，出現後速やかに薬剤の投与を中止することによって軽減する。患者にはアレルギー反応がみられた薬剤名を正確に伝え，再び用いることがないようにする。

B 標準予防策

　近年の医療の進歩は，侵襲の大きい手術や処置を可能にし，カテーテルやドレーン類，人工呼吸器をはじめとする多様な器機類の挿入・装着が行われている。また，高齢者や乳幼児，抗がん薬の投与で骨髄の機能が低下した人など，免疫力が低下した患者も多い。一方，新興・再興感染症は地球上の各地で流行しており，航空機をはじめとする交通機関の発達により，感染症の潜伏期にある確定診断前の人が，感染していることに気づかないまま周囲にいる可能性もある。以上の理由から，疾病が明らかになってからの対策ではなく，すべての人がどのような対応をとればよいかという対策が重要となる。

　2005（平成17）年，厚生労働省はアメリカの疾病予防管理センター（CDC）が提唱した**スタンダードプリコーション**を「医療施設における院内感染の防止について」の通知のなかで**標準予防策**とし，実施を勧告している。安全を守るという視点から，標準予防策は看護を行うときに常に必要である。そこで，ここでは標準予防策の概念を説明し，具体的な看護ケアについて概説する。

1 標準予防策とは

　すべての患者に，いつでも共通して行われる感染予防策が標準予防策（スタンダードプリコーション）である。標準予防策とは，すべての患者の血液，体液（髄液や関節液など），排泄物，汗を除く分泌物，損傷のある皮膚，粘膜はすべて感染源であるとし，その場で封じ込めをするということである。そのため，上記のものに接するときは，ディスポーザブルの手袋が必要で，その場所を触ったら手袋を自らが汚染しないように除去し，その後，手洗いをすることが必要である。

2 看護と標準予防策

　病院内で看護を行うとき，看護師は患者の血液や粘膜，排泄物などに直に接することがある。また，病院内のほかの職種と比較しても，看護師は採血やおむつ交換などで患者の血液や排泄物を扱う機会が多い。そのため，標準予防策について理解し，感染源に対して適切に対処することが，患者と自分自身の安全を守ることとなる。

3 標準予防策を実践するためのポイント

　排泄物など感染源となる廃棄物を取り扱うときは，周囲に汚染を広げないよう，事前にビニール袋など水の通らない容器を準備し，廃棄物をそこに直接入れて封じ込める。汚染した手袋をはずすときは，外側の汚染部分に触らないようにしてはずす。手袋を裏返すときに外側の飛沫が手指を汚染しないように，無理に手袋を伸ばさないようにして抜き取る。

①汚染したおむつを除去したときに最短距離で入れられるよう,おむつを入れる容器(水を入れたとき漏れないもの)を看護師の手の届く位置に設定する。

②患者を仰臥位にしておむつの外側(尿や便に汚染されていない側)を持ち,陰部から前面のおむつを除去する。

③おむつを除きやすい体位(この場合は側臥位)とし,ディスポーザブルの手袋をした利き手で陰部清拭用布を持ち,陰部を清拭して便を除去する(陰部洗浄をする場合,洗浄液がおむつ以外へこぼれないよう適宜おむつを敷く)。

④陰部清拭用布をおむつ入れに入れる。ディスポーザブルの手袋着用の手でおむつの内側のみを持ち小さく丸める。おむつの外側を触ってまとめることができるようになったら,手袋をしていないほうの手でおむつの外側のみを持って丸める。

⑤容器のどこにも触らず使用済みのおむつを入れる。

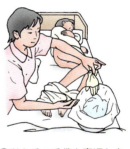

⑥利き手の手袋を裏返しをするようにして外し,容器に入れる。擦式手指消毒薬で手指衛生をする。

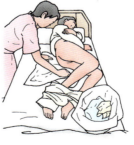

⑦新しいおむつを殿部に当てる。

⑧患者の寝衣を整え,おむつ入れの外側を持ち,封をして所定の場所へ廃棄する。

図2-2 標準予防策を踏まえたおむつ交換の例

4 標準予防策の活用

❶採血
血液に素手で触れないように操作する。初めからディスポーザブルの手袋を着用する。針刺し損傷を起こさないように鋭利なものの扱いに注意をする。床に血液を落としたまま放置することのないよう注意する。

❷腰椎穿刺
脳脊髄液（のうせきずいえき）に直接触れない。穿刺針（せんし）はディスポーザブルが望ましい。使用後の腰椎穿刺セットは素手で触らずに，消毒・滅菌・廃棄を行う。

❸おむつ交換
図 2-2 参照。

文献
1) 公益社団法人日本化学療法学会，一般社団法人日本TDM学会編：抗菌薬TDM臨床実践ガイドライン2022.

演習課題

1. 感染が疑われる患者の外来初診時の看護のポイントをあげてみよう。
2. 検査のために患者の便，尿，喀痰，血液を採取する際の留意点をまとめてみよう。
3. 化学療法を受ける患者について，治療開始直後および治療の数日後に起こるおそれのある問題をあげて説明できるようにしよう。
4. 標準予防策の考えかたと，それが提唱されるに至った背景を説明できるようにしよう。
5. 救急時に必要とされる感染症患者・家族への精神面の支援についてまとめてみよう。

第2編 感染症患者の看護

第3章

感染症をもつ患者の看護

この章では
- 主な感染症について,看護に必要な情報とアセスメントの視点を学ぶ。
- 主な感染症について,看護の視点を理解する。

I 肺炎患者の看護

A アセスメントの視点

1 症状の把握

細菌，ウイルス，クラミジア，真菌など多様な病原体が原因となって生じる。咳嗽，痰の増加，呼吸数増加，呼吸苦，発熱が主な症状で，胸部X線写真の異常を認める。咳嗽の有無・回数，痰の性状・量・頻度，呼吸の状態，発熱の有無・型など患者の訴えを注意深く聴く。

2 非定型肺炎の特徴

肺炎は，胸部の聴診で肺の音を鑑別することで診断に近づく。その一方，マイコプラズマ肺炎やクラミジア肺炎などの非定型肺炎は，胸部の聴診では所見を得ることが難しいことが特徴である。筋肉痛や頭痛を合併することがあるため，それらにも注意を払う必要がある。

検査として，喀痰の塗抹・培養検査，胸部X線検査，採血によるCRP（C反応性たんぱく）検査，血液ガス分析などが行われる。患者の状態を理解するために検査データも把握しておく。

B 生じやすい看護上の問題

- 呼吸器症状が悪化し，重症化するおそれがある
- 高齢者の場合，誤嚥をしやすく，より肺炎が悪化する

C 看護目標と看護の実際

看護目標
- 薬物療法や痰の喀出により呼吸器症状が改善できる
- 誤嚥による肺炎の悪化を予防できる
- 酸素が必要量体内へ吸入され呼吸不全が緩和されるとともに，呼吸困難の苦痛が軽減できる

❶ 薬物療法や痰の喀出により呼吸器症状が改善できる

呼吸器症状が悪化していないか，患者の状態を診査する。バイタルサイン測定により，

呼吸数，体温，心拍数，経皮動脈血酸素飽和度（SpO$_2$）などの異常や変動を速やかに把握し，医療チームと情報を共有する。

▶ **薬物療法**　抗菌薬を処方された場合は定時に定量与薬する。薬物療法では病原体により様々な抗菌薬が選択される。副作用の出現に注意しながら正確に与薬する。重症になるとチアノーゼをきたし，病状が軽快すると喀痰の量が減少し呼吸数が回復する。

▶ **痰の喀出**　痰の量や喀出の頻度，苦痛なく喀出できているかを観察する。喀出が難しい場合は，制限範囲内での水分摂取をしてもらい痰を柔らかにする。また，体位ドレナージにより，痰を呼吸器の末端から気管へ移動させる。痰の喀出困難な場合は吸引をする。患者が自力で喀出できる場合，痰の喀出はいつでも速やかにできるように，ベッドサイドにティッシュペーパーや廃棄物入れを設置し，必要時は介助する。喀痰が付着したティッシュペーパーやそれを触った手は汚染されているため，手洗いや手指消毒により清潔を保ち，標準予防策を遵守する。痰を検体として提出する場合は，唾液ではなく痰本体が喀出できるよう援助する。検体採取後，痰の性状を確認する。

▶ **水分補給**　発熱時には解熱薬や冷罨法が用いられる。水分の喪失が大きく脱水傾向になりやすいために，患者の状態に合わせて水分を補給する。

▶ **酸素療法**　呼吸困難の程度に応じて酸素療法が行われるが，酸素が指示量投与されるよう援助する。また，人工呼吸器が装着される場合は，その援助も行う。

▶ **胸部X線検査**　撮影は病状に応じて，ベッドサイドにおいて仰臥位で，もしくは放射線部門において立位で行う。着衣に金具がついていると正確な画像が得られないため，はずしてから撮影するよう患者に説明しておく。仰臥位での撮影が選択される場合，患者には点滴ルートなどが装着されていることがあるため，撮影に支障のないよう援助する。

▶ **専門チームとの協働**　医療施設でRST（respiratory support team，呼吸療法サポートチーム，呼吸ケアサポートチーム）が活動している場合，同チームの方針に従えているか確認する。同チームは多職種による呼吸ケアの専門チームで，人工呼吸器装着患者に対する呼吸ケアへのアドバイスができる。そこで人工呼吸器患者の呼吸器ケアで疑問がある場合，同チームに相談すると，よりよい援助方法が見つかる可能性が高まる。

❷ **誤嚥による肺炎の悪化を予防できる**

誤嚥は肺炎を悪化させる要因の一つとなるため，口腔ケアを実施して清潔にする。食事や経管栄養時は，決められた時間ファーラー位を保つなどして誤嚥を防ぐ。通常，患者のベッド上には，毛布など複数の掛け物や，ティッシュペーパーの箱などの私物も置かれているため，ファーラー位の支障となることがある。そのときには，ベッド上の私物を一時取り除き，患者のからだをベッドの頭部上限まで移動させ，そしてファーラー位となった後，ベッド上の私物を戻すなどの工夫が必要となる。

II MRSA感染症患者の看護

A アセスメントの視点

1 身体的側面

　メチシリン耐性黄色ブドウ球菌（MRSA）は，医療関連感染の起因菌の一つである。MRSAは乾燥状態で数か月間生存する場合もあり，接触感染により伝播する。感染した場合は，黄色ブドウ球菌が起因した感染症と同症状となる。具体的には敗血症や腸炎，肺炎，皮膚軟部組織感染症などを起こすため，発熱，下痢，腹痛，倦怠感などそれぞれの徴候を観察し，異常の早期発見に努める。

2 社会的側面

　院内で感染した可能性のあることを念頭において，患者からはその行動について十分に情報を収集する。市中感染の可能性もあるため，様々な感染経路を想定して情報を得る。

B 生じやすい看護上の問題

- 感染経路が特定できず，感染が拡大する
- 薬剤耐性菌のため治療効果のある抗菌薬が限定されており，患者の苦痛が遷延する可能性がある

C 看護目標と看護の実際

看護目標
- 感染経路の特定や感染拡大への対処ができる
- 適切な抗菌薬処方により苦痛を緩和させる

❶ 感染経路の特定や感染拡大への対処ができる

▶ **感染経路を特定するためのコミュニケーション**　MRSAは院内感染の起因菌の一つとして広く知られているため，患者や家族は院内で感染したと考えてしまう可能性がある。しかし，今日は市中感染もあり得るため，感染経路が不確定な場合は，十分なコミュニケーションをとり，患者や家族がどのように感じているのかを情報収集し，闘病意欲を損なわないように医療チームで支援する。

▶ **病室内における感染予防対策**　MRSA感染症の患者は，検出された部位によって標準予

防策と接触感染予防策が必要である。そこで個室へ入院してもらうか，MRSA感染症の患者と同室が原則である。その場合，感覚遮断に陥らないように援助をする。なお近年，咽頭や鼻腔のみのMRSA保菌者や，周囲をMRSAで汚染する可能性がない患者は，一般の多床室での加療を可能とする医療施設も出てきた。その場合，患者の日常生活行動が自立して手指衛生に協力できるなどの条件がある。そのため医療施設の感染予防対策マニュアルを確認し，それに従う。

❷**適切な抗菌薬処方により苦痛を緩和させる**

MRSA肺炎やMRSA腸炎などがMRSA感染症であり，抗菌薬としてバンコマイシン塩酸塩，テイコプラニン，リネゾリドなどが使われる。これらの抗菌薬が処方されたら，時間と投与方法，投与量を守って与薬する。その際，副作用で腎障害や肝障害などのおそれがあるため，徴候を早期に把握する。バンコマイシン塩酸塩の静脈注射時は，副作用である上半身の発赤（red neck syndromeあるいはred man syndromeともいう）を防ぐため投与の速度を下げ60分以上かけて静脈注射し，副作用の有無を観察する。

III 急性ウイルス性肝炎患者の看護

A アセスメントの視点

発熱，全身倦怠感，食欲不振，悪心・嘔吐，黄疸，右季肋部痛，下痢などが臨床症状でみられることが多いため，体温や排便の状態，皮膚の観察，右季肋部痛の有無，程度などを把握する。

1 身体的側面

感染の有無は，血清の抗体や遺伝子の存在を確認して診断する。血清トランスアミナーゼ（AST，ALT）の値が病状を知るうえでの目安となるため把握しておく。肝炎が劇症肝炎となる場合や，B型・C型肝炎が肝硬変や肝がんへ進展する場合があり，注意を要する。疾患の進行に伴う徴候に注意する。

2 心理的・社会的側面

A型肝炎はA型肝炎ウイルスの経口感染によって起こり，B型肝炎はB型肝炎ウイルスを保有する患者の血液や体液を介して感染する。そのためB型肝炎は，HIV感染を合併している可能性があり，身体的・心理的・社会的側面ともに，注意しなくてはならない。E型肝炎はウイルスの経口感染であり，C型肝炎，D型肝炎はB型肝炎と同様にウイルスが血液を介して感染する。

家族などが疾患に対する誤った知識から過剰に反応したり，偏見をもっていることもあるため，家族や関係者の疾患に対する理解度および患者への思いを把握しておく。

B 生じやすい看護上の問題

- 治療効果が得られずキャリア（保菌者）となると，闘病意欲の減退につながる可能性がある
- 疾患に対する誤った知識により過剰な反応や偏見が生じる
- ほかの患者・医療者に感染が生じる可能性がある

C 看護目標と看護の実際

看護目標
- 看護支援や確実な与薬により治療効果が得られる
- 適切な説明と生活指導により安心して日常生活を送れる
- 医療関連感染防止対策により感染を防止できる

❶看護支援や確実な与薬により治療効果が得られる

急性肝炎では，肝血流量を増加させ肝細胞の再生を促すために，安静をとり，食事療法を行う。食欲不振や悪心などの消化器症状が強いときには，輸液によって栄養や水分を補給する。

急性肝炎から劇症肝炎へ悪化する場合は注意を要する。理由は，致命的となり，肝移植が必要となることもあるためである。劇症肝炎では「肝性脳症」と呼ばれる意識障害が出現する。そのため，患者の意識レベルを確認し，低下したら速やかに医療チームと共有するようにする。

❷適切な説明と生活指導により安心して日常生活を送れる

誤った知識による過剰反応や偏見により，人間関係に歪みが生じることがないように，患者をはじめ家族や周囲の人々に対しても，疾病や具体的な日常生活上の注意点について正確に伝える。また，回復後は日常生活を規則正しく過ごすよう指導し，定期的な検査を勧める。

❸院内感染防止対策により感染を防止できる

ウイルス性肝炎に関しては，医療関連感染の発生や，汚染された血液の付着した注射針を医療者が誤って自分自身に刺して感染する危険がある。患者および医療者の感染を防ぐために施設ごとに対策が立てられているため，それぞれの対策に従う。汚染した注射針の誤刺などによって感染の可能性が生じた場合には，定められた方法で届け出て指示に従う。

IV 結核患者の看護

A アセスメントの視点

1 身体的側面

　肺結核は，長期の咳嗽や発熱，痰などを主訴とする。高齢者，副腎皮質ステロイド薬や免疫抑制薬を投与されている患者やHIV感染者，透析をしている患者など免疫が低下している人は感染のリスクが高い。咳嗽や痰の有無・程度，発熱の有無・型・程度，呼吸の状態，胸痛の有無・程度，体重の減少などを把握する。

2 検査データ

　診断は，患者の症状や胸部X線検査とともに核酸増幅検査（PCR法など），塗抹・培養検査を行う。気管支鏡により検体採取をする場合もある。さらに結核菌の感染の診断のため，インターフェロンγ遊離試験（interferon gamma release assay；IGRA）という血液を検体とする検査があり，その検査データも把握しておく。

3 感染経路の把握

　家族や所属集団内に結核の症状を示す人がいるかどうかなど，感染経路を把握するための情報収集を行う。

4 副作用の観察

　治療は「複数の抗結核薬」を「定められた量」「定められた期間（6か月など）」内服する。長期の服用により副作用が発生することがあるため，異常徴候に注意する。

5 心理的・社会的側面

　長期の療養になることから，患者の社会的役割，家族との関係などを把握しておく。排菌時は個室入院など行動制限が必要となる。そのため孤独感が増し，社会との接点がさらに少なくなるように感じる。

B 生じやすい看護上の問題

- 服薬を継続できなくなる
- 孤独感が闘病意欲に影響する

- ほかの患者・医療者に感染が生じる

C 看護目標と看護の実際

看護目標
- 長期の服薬を継続できる
- 感染拡大を予防できる
- 孤独感の軽減のため，社会との接点を可能な限り確保できる

❶ 長期の服薬を継続できる

▶ **抗結核薬の内服継続のための援助**　治療が長期にわたり，複数の抗結核薬の規定量を内服しなくてはならないため，患者が内服を続けることができるよう援助する。そのために医療従事者が内服の重要性を説明する必要がある。「結核は抗結核薬を（定められた期間）飲み続けることができれば必ず治癒する病気」と伝え，闘病意欲を減退させないようにする方法もある。定期の内服は患者にとって苦痛である。そのため，内服を続けることができる患者であるかアセスメントし，治療を継続できるように援助する。

▶ **内服の確認法**　患者が医療従事者の前で内服する直接服薬確認療法（directly observed treatment, short course；DOTS）を行っている施設もある。

❷ 感染拡大を予防できる

　空気感染を予防するため，肺結核を疑う患者の看護時にはN95マスクを着用する。患者には看護師がマスクを着用してのケアとなることを説明し，了承を得るよう努める。家族が患者のことをどのように理解しているかを把握し，必要に応じて日常生活の指導を行う。

❸ 孤独感の軽減のため，社会との接点を可能な限り確保できる

　病床に無料で視聴できるテレビを設置したり，リモートで面会できるシステムを備える。また，入院時にはスマートフォンやパソコンの持ち込みを勧める。

V 食中毒患者の看護

▶ **食中毒とは**　飲食物中の病原体または毒素が原因となり，急性胃腸炎を起こした状態を食中毒という。細菌性食中毒としては腸炎ビブリオ，サルモネラ属菌によるものが代表的であり，毒素による中毒としてはブドウ球菌やボツリヌス菌などがある。近年，ノロウイルスによる食中毒も集団発生している。

▶ **食中毒の発生**　飲食店や旅館，家庭と広く発生する可能性がある。集団発生した場合には多くの人々に不安をもたらす。冷凍・冷蔵庫の普及が季節を問わず食中毒が発生する原因となっている側面もある。家庭用冷凍庫（約 −20℃）では細菌は死滅することなく，常

温に戻すと繁殖が再開する。そのため，長期にわたり細菌が生存してしまうことがある。また，使用する側の問題として「冷蔵（冷凍）庫で保存したから大丈夫」さらには「冷房が効いているから常温に放置しても大丈夫」という油断が食中毒を招く一因と考えられる。日常の清潔や衛生に関する指導が必要となる。

A アセスメントの視点

　食中毒の基本的知識を踏まえ，悪心・嘔吐，腹痛，下痢，発熱の有無と程度を観察する。食中毒が疑われる場合は，"いつ""どこで""何を""誰と"食べたかを速やかに解明する。便や吐物の量や性状，自覚症状の観察とともに脱水状態となる可能性もあることから，バイタルサインや体重の変化，尿量，皮膚や粘膜の状態を観察する。

　また，ボツリヌス中毒では，複視や眼筋麻痺などの眼症状を主とした神経症状から，球麻痺による嚥下障害や言語障害が現れ，呼吸麻痺によって死に至ることがあるため，異常徴候には十分注意する。

B 生じやすい看護上の問題

- 嘔吐や下痢による脱水症状により苦痛がもたらされ，集団発生による不安などが生じる可能性がある

C 看護目標と看護の実際

看護目標　• 嘔吐や脱水症状による苦痛や不安を改善・軽減できる

❶ **嘔吐や脱水症状による苦痛や不安を改善・軽減できる**

▶ **基本的な治療法とその援助**　基本的には化学療法が行われ，必要時には輸液が行われる。嘔吐や下痢により脱水となる可能性がある。そこで，嘔吐回数や吐物の量と性状，排便の様子を観察し，医療チームと情報を共有する。そして処方された輸液により適切に補液する。嘔吐や下痢は頻繁となることが多いため，安楽に排泄できる環境を整える。また，抗菌薬を処方する場合は量と時間を守り与薬する。

▶ **不安軽減のための情報伝達**　集団発生したときは正確な情報を伝え，患者や周囲の人々の不安を軽減するよう努める。また，再発を予防するためには，衛生管理の徹底が第一となる。手指の清潔や調理用具の取り扱い，生鮮食品の保存方法や調理方法などを点検し再発防止に努める。

VI 造血幹細胞移植患者の看護

A アセスメントの視点

1 治療の特徴

　造血幹細胞移植は，血液がんに対する根治療法の一つである。その一方，合併症が重症化し，生命にかかわる場合もある。そこで医療従事者は患者と十分にコミュニケーションをとり，患者が治療方法を理解した後に治療を開始する必要がある。

　主な合併症は感染症と移植片対宿主病（GVHD）で，症状が見分けにくいとされている。そのため看護職者は，患者に発熱や咳嗽，下痢，関節痛など通常と異なる症状の有無を十分に観察し，もしそれらの徴候があれば医療チームと情報を共有する。加えて患者からも体調を教えてもらい，速やかな診断へつなげていく。

2 感染症が起こる時期と種類の把握

　造血幹細胞移植は，他人の造血幹細胞を移植する「同種移植」の場合，日和見感染症の注意が必要となる。その理由は，免疫抑制がなされ「易感染性」の状態となるためである。もし日和見感染症が起こると，侵襲部位と侵襲された臓器によって，多彩な感染症が起こる。サイトメガロウイルス感染症を例にすると，サイトメガロウイルス肺炎，サイトメガロウイルス胃腸炎，サイトメガロウイルス網膜炎，サイトメガロウイルス肝炎などの可能性がある。感染症が起こりやすい時期は，移植後3〜12週といわれている。しかし，移植後100日以降の遅発性サイトメガロウイルス感染症もみられている。これらから，日和見感染症が起こりやすい時期と同感染症の種類について理解し，その徴候を速やかに医療チームと情報を共有する。

3 患者の環境

　防護環境（過去に「無菌室」「移植病室」とよばれていた）に，一定期間入る場合がある。同環境の室内空気は高性能なHEPAフィルターで濾過され，一方向に流れている。廊下に対して室内空気圧は陽圧で，換気回数は12回以上/時間である。埃を最小にし，ドライフラワーや新鮮な花・鉢植えの持ち込みはできない。コントロールされた環境で，患者は部屋から自由に出ることができなくなること加え，面会者の制限も加わる場合がある。限られた場所で制限された療養生活を送ることになる。防護環境には医療従事者も，上気道感染や帯状疱疹に罹患している者は入室できないなど制限がある。患者が安楽に防護環境で治療生活が送れるよう，外部と自由に連絡をとることができる通信環境も整える。

B 生じやすい看護上の問題

- 根治治療を受けているにもかかわらず，合併症（特に感染症，GVHD）により致命的となるおそれがある
- 防護環境での生活は自由が制限され苦痛が大きい

C 看護目標と看護の実際

看護目標
- 合併症が起きても生命を守り，安全で安楽な療養生活が送れる
- 防護環境という制限された範囲でも安楽に生活できる

❶ 合併症が起きても生命を守り，安全で安楽な療養生活が送れる

生命にもかかわる敗血症は発熱や悪寒が初発の徴候となるが，造血幹細胞移植後の場合，発熱さえない敗血症も起こり得る。患者のそばに24時間いることができるのは看護職者である。バイタルサイン測定時や清拭時に皮膚の様子を観察したり，患者との会話のなかで異変がないか観察する。

❷ 防護環境という制限された範囲でも安楽に生活できる

たとえば，個室入院時の携帯電話の使用に制限はなかったが，会話途中で電話が切れてしまう医療施設があったとしよう。患者がそのことを医療施設へ知らせた結果，携帯電話用のアンテナ（屋内基地局）を医療施設側が増設し，会話途中で電波が切れることがなくなった。このように患者側からもたらされる情報で改善されることもある。防護環境にいる患者から不便なことがないか聞きとることは，情報収集の一つの方法と思われる。そして，それらの情報について可能な限り解決に取り組んでいく。

VII　HIV感染症／エイズ患者の看護

ヒト免疫不全ウイルス（HIV）は，ウイルスを含んだ血液や体液などを介して感染する。ウイルスの感染力は弱く，トイレや浴槽を介して，また食事や食器洗いなどの日常生活行為を通じては感染しない。以前は，エイズ発症後，ほとんどの患者は免疫不全状態となり，日和見感染症や出血で死亡していたが，抗HIV薬や治療方法の進歩により，慢性疾患の様相を呈するようになった。

HIV感染は個々の力を集結して予防できる疾患である。しかし，わが国では性的接触を感染経路とするHIV抗体陽性者数が増加しており，正しい知識をもって一人ひとりが取り組まなければならない課題になっている。

A アセスメントの視点

1 薬剤の内服状況

「抗HIV治療ガイドライン」により抗HIV療法の治療開始時期は「CD4陽性Tリンパ球にかかわらず，すべてのHIV感染者」となった[1]。そこで，HIV陽性の妊婦の場合も，速やかに抗HIV療法の開始となる。ただし，妊娠の可能性のある女性に対しては，出産希望の有無と妊娠の有無の確認が必要となる。

治療薬は継続して内服しなければならないため，医療チームは可能な限り1日に1度の内服ですむ薬剤を選択し，さらに内服が継続できるか確認していく。抗レトロウイルス療法（anti-retroviral therapy；ART）を開始後，炎症反応が起こることにより，日和見感染症の症状が悪化する免疫再構築症候群（immune reconstitution inflammatory syndrome；IRIS）が起こることもある。具体的には治療中の結核の悪化などであり，速やかに対処できるように観察していく。また抗HIV療法は薬を継続するため，治療費が高額となる。そのため医療費助成制度の活用希望の有無が患者に確認されているか把握する。そして必要時，医療ソーシャルワーカー（MSW）の支援を受ける。

2 感染初期の症状

感染初期には発熱，体重減少，リンパ節の腫脹，下痢，食欲不振などが起こるため注意して観察する。また，免疫機能の障害から感染しやすくなっているため，全身状態に注意する。患者は今後のことが不確かで，どのように行動してよいか，わからなくなっていることもある。そのため医療従事者は初期の段階から信頼関係を構築するかかわりをする。

3 エイズ発症の指標

エイズ指標疾患としてニューモシスチス肺炎やサイトメガロウイルス感染症などがあり，CD4陽性Tリンパ球数は低下する。

いまだにHIVに対する社会的偏見があることから，患者の社会的立場，家族・関係者との人間関係に関する情報を収集する。個人のプライバシーに深くかかわる問題でもあるため，情報収集は慎重にする必要がある。

B 生じやすい看護上の問題

- 抗HIV薬の内服が継続できない
- 免疫力が低下し，日和見感染を生じる
- 社会からの孤立感や絶望感が生じる

C 看護目標と看護の実際

1. 急性期の看護

看護目標
- 定量の抗HIV薬を内服することでHIVを体内で増加させず，合併症が起こらない
- 孤立感や絶望感を緩和できる

❶ **定量の抗HIV薬を内服することでHIVを体内で増加させず，合併症が起こらない**

　抗HIV薬の内服を開始し，定量を服用することでHIVの増加を止めることができる。HIVが増加しなければ，免疫系の破壊の進行を緩和できる。そこで，患者に抗HIV薬の服用が重要であることを説明する。そして，もし服用ができない場合，どうすれば服用できるかを一緒に考えて，その方法を編み出していく。

❷ **孤立感や絶望感を緩和できる**

　診断名を患者が知ったことで，衝撃を受けて孤立感や絶望感が増す場合が推測される。そこで医療従事者は，患者の思いや感情を受けとめ，孤立感や絶望感を緩和できるように援助する。

2. 慢性期の看護

看護目標
- 抗HIV薬の内服を継続できる
- 日和見感染を予防できる
- 孤立感や絶望感の緩和が継続できる

❶ **抗HIV薬の内服を継続できる**

　毎日，定時に複数の抗HIV薬を内服することにより，エイズの発症を遅らせ生命を守ることができる。そのため，肺結核患者の化学療法と同様に，服薬のアドヒアランス*を高めるように援助する。患者と情報を共有し，治療に積極的に参加してもらうよう，信頼関係をつくるための努力をする。その際，免疫再構築症候群を起こす可能性も伝え，徴候があれば知らせてもらうように説明する。

❷ **日和見感染を予防できる**

　免疫力が低下した場合は，エイズ指標疾患の発症の徴候を観察し，速やかに医療チームに報告し，治療を開始できるよう援助する。手指衛生を励行し，人が密集した場所へ行くことを避け，どうしても密集した場所へ行かざるをえない場合は，マスク着用を促す。ま

***アドヒアランス**：患者が積極的に治療行動をすること。すなわち患者が医療従事者と協働し，納得して治療を受け，治療効果を促進させる行動をとることをいう。

た，咳嗽をしている人からは離れ，顔面に手を触れないようにし，粘膜からの感染経路を断つ。

❸孤立感や絶望感を緩和できる

社会の偏見や誤った知識から患者は孤立感や絶望感をもっていることが多いため，精神的な援助もすべての病期で重要になる。

3. 在宅療養移行の看護

看護目標
- 在宅で抗HIV薬の内服を継続できる
- CD4陽性Tリンパ球数を200/μL以上保ち，日和見感染を起こさない

❶抗HIV薬の内服を継続でき，在宅での生活を継続できる

在宅においても抗HIV薬の内服を継続し，在宅での生活を継続できるよう援助する。外来通院時，患者や家族が困ったことはないか確認し，そのつど問題を解決していく。経済面についても困っていないか確認していく。

❷CD4陽性Tリンパ球数を200/μL以上保ち，日和見感染を起こさない

抗HIV薬の内服を定められた量で継続していれば，CD4陽性Tリンパ球数を低下させることはない。内服できた患者には，アクシデントが起きたときの対処方法も説明しておくとよい。具体的には，服用した薬を嘔吐した場合，再度内服するかどうか困ることなどが予想される。24時間対応できる相談窓口など，活用できる資源を探して紹介していく。

「効果的な抗レトロウイルス療法により血中HIV RNA量を200コピー/mL未満に持続的に抑制することにより性的パートナーへのHIV感染を防止できる」と「抗HIV治療ガイドライン」に記載された[1]。この情報を伝え，本人が新たな感染を受けないために注意することと，他者への感染を予防するための協力が得られるように援助する。

文献
1) HIV感染症および血友病におけるチーム医療の構築と医療水準の向上を目指した研究班：抗HIV治療ガイドライン，2023年3月版，令和4年度厚生労働行政推進調査事業費補助金エイズ対策政策研究事業，2023. https://hiv-guidelines.jp/pdf/guideline2023_v3.pdf（最終アクセス日：2023/8/9）

参考文献
- 青木眞：レジデントのための感染症診療マニュアル，第4版，医学書院，2020.
- 日本化学療法学会，日本感染症学会MRSA感染症の治療ガイドライン作成委員会編：MRSA感染症の治療ガイドライン，改訂版，2019. https://www.kansensho.or.jp/uploads/files/guidelines/guideline_mrsa_2019revised-booklet.pdf（最終アクセス日：2023/8/21）
- 日本造血細胞移植学会：造血細胞移植ガイドライン；造血細胞移植後の感染管理，第4版，2017.
- 日本造血・免疫細胞療法学会：造血細胞移植ガイドライン；サイトメガロウイルス感染症，第5版，2022.

> **演習課題**
>
> 1 肺炎患者の看護のポイントをあげてみよう。
> 2 MRSA感染症の治療に使用される薬剤と，投与時の観察ポイントについて説明できるようにしよう。
> 3 院内感染としての急性ウイルス性肝炎はどのような状況で発生するおそれがあるか説明できるようにするとともに，その防止策について話し合ってみよう。
> 4 結核患者の看護のポイントを説明できるようにしよう。
> 5 食中毒患者の看護における情報収集のポイントをあげてみよう。
> 6 HIV感染者のエイズ発症を遅らせるための看護のポイントを説明できるようにしよう。

第2編 感染症患者の看護

第4章

事例による看護過程の展開

この章では
● 事例をもとに感染症患者の看護を学ぶ。

I　HIV感染症／エイズ患者の看護の事例

　事例の概要

1. 患者プロフィール

患者：40歳，男性
病名：HIV感染症／エイズ
既往歴：22歳時：B型肝炎・梅毒・帯状疱疹，35歳時：帯状疱疹
社会生活歴：前職は会社員。喫煙・飲酒：なし。アレルギー：なし。性的接触：10歳代半ばから，不特定多数の男性と性的接触あり。
家族歴：70歳代の両親が別居している。両親との仲はよくない。
身体所見と検査所見の概要：意識清明。体温37.1℃。口腔内に白苔を多数認める。頸部から腋窩にかけて多数のリンパ節を触知する。心音・呼吸音に異常はみられない。肋骨下に肝臓および脾臓の辺縁を触れる。腹部から両側鼠径部・両下肢にかけて，硬く隆起した黒色の皮疹が散在し，一部は滲出液を伴っている。両下肢に著明な浮腫を認める。直腸指診で黒色便がみられる。CD4陽性Tリンパ球数：80/μL，HIV-RNA：68万コピー/mL。黒色皮疹の生検による病理学的診断はカポジ肉腫。胸部CT検査では両側胸水が認められる（胸水中にもカポジ肉腫を示唆する細胞がみられる）。消化管内視鏡検査で十二指腸部に潰瘍病変（病理学的診断はサイトメガロウイルス腸炎）を認める。眼底検査に異常はみられなかった。日和見感染症のスクリーニングでは，口腔カンジダ症およびサイトメガロウイルス感染症以外の明らかな疾患は認められない。

2. 入院までの経過

10年前に保健所の匿名検査でHIV感染が判明したが，医療機関を受診しなかった。10か月前から両下肢に黒い色調変化が出現し，黒い斑状の皮疹が両側鼠径部から大腿部にかけて増加して，両下腿浮腫も伴うようになった。2か月前には浮腫が大腿まで広がり，歩行ができなくなったため仕事を退職した。その後，両下肢の強い疼痛と体動時の呼吸困難感も出現したため自立して生活できなくなり，別居している両親から受診を促され来院した。

3. 身体的プロブレムリストと入院後経過

❶ HIV感染症／エイズ
　抗HIV薬（ラルテグラビルカリウム，テノホビルアラフェナミドフマル酸塩，エムトリシタビン）による治療を開始した。特に有害事象は発生せず，治療開始6か月後には，CD4陽性Tリンパ球数が120/μL，HIV-RNA量は検出限界以下となった。日和見感染症予防のために，ST合剤を継続して内服している。

❷ カポジ肉腫（胸膜，両下肢）
　半年間にわたってリポソーム化ドキソルビシン塩酸塩による抗がん化学療法を実施した。両下肢の浮腫はやや消失し，皮疹も縮小傾向にあったが完治せず，滲出液も消失していない。一方，両側胸水は消失した。疼痛に対しては，非ステロイド性抗炎症薬（NSAIDs）や医療用麻薬製剤を使用し，痛みは自制内となった。

❸ サイトメガロウイルス腸炎
　抗ウイルス薬（ガンシクロビル）による治療を行い，病変は消失した。

4. 退院に向けての問題点

抗HIV治療によって血中のウイルス量は減少したものの，CD4陽性Tリンパ球数は様々な日和見感染症の合併に注意が必要なレベルにある。もともと医療忌避傾向のある患者のため，抗HIV薬の内服が中断されないように十分な支援が必須となる。カポジ肉腫については完治していない可能性が高く，綿密なフォローが必要であるものの，いったんは退院が可能な状態である。

ただし，ADLを考慮すると，自宅での独居は困難な状況である。また家族と疎遠であり，患者本人の強い拒絶によってHIV感染の事実を両親にも告知できていないことから，家族からの協力を得ることも現時点では難しい。したがって現時点では，介護福祉施設への入所が望ましい。しかし，HIV感染があり，かつ両下肢からの滲出液がある状態で引き受け可能な施設は極端に限られているのが，わが国の現状である。

B アセスメントと看護のポイント

1. アセスメント

症状を自覚後も受診が遅れており，医療忌避傾向がある。そのため抗HIV薬の内服が中断されないように十分な支援が必須となる。エイズ指標疾患も発症しており，両下肢の滲出液と独歩が不可のためADLが低い。その結果，独居は難しいが，両親と不仲でHIV感染を伝えておらず，家族の支援を得ることが難しい状態である。退院可能であるが，受け入れ施設が限定されている。

2. 看護上の問題

- ADLが低い状況にもかかわらず一人で闘病，生活している状態である
- 家族と不仲で医療忌避傾向もあり他者からの援助を好まない傾向があるが，悪化すると他者の援助が必要となる

3. 看護目標

- エイズであっても，その人らしく生活できる
- 抗HIV薬の内服と受診が継続できる

4. 看護の実際

❶エイズであっても，その人らしく生活できる

患者の希望を医療チームで確認する。そして，患者と医療チームで解決可能なことと，そうでないことを明確化する。解決できることは，患者の承諾を得て実施する。

❷抗HIV薬の内服と受診が継続できる

その一方で，医療従事者が患者に求めること（内服と受診の継続など）は，患者にリクエストしていく。院内の退院支援チームを活用し，早期に退院できるよう援助する。

C まとめ

HIV感染症の治療は，抗HIV薬が1回／日の内服も可能となったことで目覚ましい進歩を遂げた。内服のために睡眠時間中でも起床せざるを得なかった頃と比較すると，患者のQOLは格段によくなった。

しかしながら，HIVを体内から排除する技術は2023年8月の時点でまだ確立されておらず，HIV感染症の患者は亡くなるまで内服を継続しなければならない状況にある。そこで医療チームのメンバーは，患者の闘病意欲が減退しないように支援を継続していくこ

とが求められる。そのために，患者の意思を明確にするためのコミュニケーションを欠かさず，信頼関係を醸成していく。

アレルギー・免疫

序章

アレルギー疾患をもつ成人を理解するために

I アレルギー疾患の近年の傾向

1. 私たちのからだのしくみとアレルギー疾患

　私たちのからだには，生体のもつ機能の維持を阻害する異物（たとえば病原微生物など）が侵入した場合，それを取り除くための免疫という働きが本来備わっている。この免疫の働きにより有害な反応が引き起こされることを**アレルギー反応**という。アレルギー反応によって起こる健康障害は，発熱，呼吸器症状，皮膚症状，消化器症状，眼症状など様々で，なかには喘息発作やアナフィラキシーショックのように，生命の危機を招くものもある。

　アレルギー反応は，アレルギーの原因となる物質（**アレルゲン**）が生体に侵入することにより引き起こされる。アレルゲンとなることが知られている物質は多岐にわたり，代表的なものに花粉，ダニ，イヌやネコなどのペットの上皮，羽毛，食品（卵，牛乳，大豆，小麦，ソバ，エビ，カニなど），薬品，ハチ毒，ラテックスなどがある。

▶ **主な疾患**　このようなアレルギー疾患の罹患者は，小児から高齢者まですべての年齢にわたっており，その代表的なものとして，気管支喘息，アレルギー性鼻炎（花粉症），食物アレルギー，アトピー性皮膚炎などがある。

▶ **治療**　薬物療法を中心に減感作療法（本編-第3章-Ⅲ-A-2「免疫療法（減感作療法）」参照），心理療法，身体訓練などが行われる。また，治療と並行して，日常生活において原因・悪化因子を回避するなどの予防行動をとることが重要である。

2. アレルギー疾患の近年の罹患傾向

　様々な治療により症状のコントロールをすることが可能となり，代表的なアレルギー疾患である喘息による死亡者は年々減少傾向にある（2005［平成17］年：3198人→2010［平成22］年：2065人→2015［平成27］年：1051人→2022［令和4］年：1004人）[1]。しかし，国民の約2人に1人が何らかのアレルギー疾患に罹患していると推定されており（気管支喘息が国民全体では約800万人，花粉症含むアレルギー性鼻炎は国民の40％以上，アトピー性皮膚炎が国民の約10％）[2]，アレルギー疾患は，生活環境の変化，食生活の変化などを背景に急速に増加し，受診者数も増え続けている。

Ⅱ アレルギー疾患をもつ患者の特徴

　アレルギー疾患は完全な予防法や根治的治療法が確立しておらず，完治が難しい。そのため，アレルゲン回避などの生活環境の改善や生活習慣の見なおし，薬物療法による長期的な対症療法が治療の中心となる。患者は長期に及ぶ定期的な通院や生活の制限を余儀な

表1 アレルギー疾患患者に生じやすい身体的症状

分類		具体的な症状
皮膚粘膜症状	皮膚症状	瘙痒感，蕁麻疹，発赤，湿疹，血管運動性浮腫，搔破による合併症
	眼症状	結膜充血・浮腫，瘙痒感，流涙，眼瞼浮腫，白内障，網膜剝離の合併
	口腔咽喉頭症状	口腔・口唇・舌の違和感・腫脹，喉頭絞扼感，喉頭浮腫，嗄声，のどの瘙痒感
呼吸器症状	上気道症状	くしゃみ，鼻汁，鼻閉
	下気道症状	呼吸困難，咳嗽，喘鳴，チアノーゼ
消化器症状		腹痛，悪心・嘔吐，下痢，血便など
全身性症状	アナフィラキシー	皮膚粘膜，呼吸器，消化器など多臓器の症状
	アナフィラキシーショック	頻脈，不整脈，虚脱状態，意識障害，血圧低下，心拍停止

くされ，進学や就職，転職，転居，妊娠，出産などのライフスタイルや生活環境や心身の変化に伴い，症状が悪化することも少なくない。重症化を予防し，生活の質（QOL）の維持・向上を図り，アレルギー疾患を自己管理できるように支援することが大切である。

1 身体的特徴

▶ **身体症状** アレルギー疾患の患者には，主に皮膚粘膜症状，呼吸器症状，消化器症状が生じやすく，アナフィラキシーショックに至ると全身性症状をきたすこともある（表1）。アナフィラキシーショックや重篤な気管支喘息発作は生命の危機に直結する。多岐にわたる身体症状の結果，不眠，集中力の低下，ボディイメージの変化による自尊心の低下，呼吸困難や激しい下痢などによる行動制限，喘息発作やアナフィラキシーショックによる生命の危機状況を経験し，QOLの低下をきたすこともある。

▶ **副作用** 治療に使用する薬剤による副作用の問題もある。副腎皮質ステロイド薬の副作用に対する知識・理解が不十分なため，副作用の発現に気づかず合併症を併発したり，多種多様な情報が氾濫しているため，患者や家族が正しい情報を取捨選択することが困難となり，突然治療を中断し民間療法に頼り，さらに症状を悪化させたりすることがある。

2 心理・社会的特徴

▶ **恐怖・不安** 呼吸不全をきたすような喘息発作や，ハチ毒，食物，薬物などによるアナフィラキシーショックなど，生命を脅かすような発作を経験した患者は，再び発作が起こるのではないかという恐怖感や学校や職場で発作を起こした際の対処方法について不安を抱えている。

▶ **日常生活への影響** アトピー性皮膚炎による皮膚瘙痒感や気管支喘息発作などの症状は，患者の睡眠・休息を損ないやすく，生活スタイル全般に大きな影響を与える。さらに，皮疹などによるボディイメージの変化は，患者の自己意識を変化させ，自尊心の低下など心理的問題を生じさせる。

▶社会活動への影響　治療と並行して日常生活におけるセルフケアを行いながら，疾患とつきあっていかなければならないという生活は，患者にとっての負担が非常に大きい。それらのことが原因となり，患者は生活行動の範囲を広げることに消極的になってしまう場合もあり，それが人間関係の結びつきを希薄にしたり，さらには社会活動の範囲を狭めたりしてしまうこともある。

▶家族などの理解と協力の必要性　アレルギー疾患には，小児の時期から寛解と再燃を繰り返しながら成人に至るものも多い。そのような経過のなかでは，親や周囲の人々の過剰な心配や疾患への誤った知識などが，社会的な活動への参加を阻害する要因として働くこともある。それだけに，アレルギー疾患をもつ患者が，疾患とうまくつきあいながら積極的に社会生活を展開していくためには，家族や周囲の人々の理解と協力が不可欠となる。

III アレルギー疾患患者の経過と看護

1. 経過と入院時の状況

　Aさんは24歳の女性で，会社員である。10歳のときに気管支喘息を発症して以降，季節の変わり目や寒冷刺激によって軽度な喘息発作が出現するため，定期的に受診し，薬物療法を受けていた。20歳頃からは発作が起こらなくなったため，治ったと思い，受診は

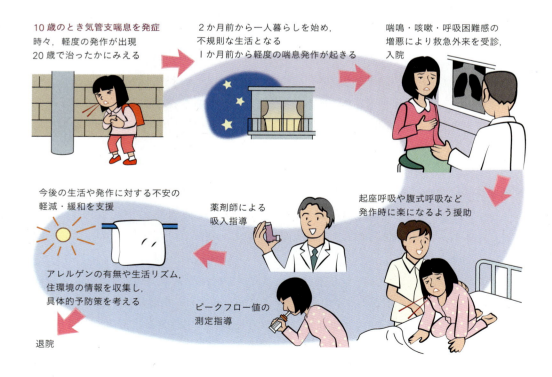

していなかった。

　2か月前までは両親と同居していたが転勤となり，自宅からの通勤が困難となったため，アパートを借りて一人暮らしを始めた。転勤に伴って今までより仕事が忙しくなり，帰宅時間も遅く，不規則な生活になりがちであった。

　1か月前より，たびたび軽度な喘息発作が起きるようになり，2週間前に受診したところ，吸入ステロイド薬が処方され，発作時には使用していた。しかし，徐々に発作の頻度が増し，喘鳴・咳嗽・呼吸困難感が増悪したため，救急外来を受診し，入院となった。

2. 治療およびケア

❶入院時の治療およびケア

　入院後すぐに，酸素投与，短時間作用型β_2刺激薬の吸入，アドレナリン（ボスミン®注1mg）の皮下注射，副腎皮質ステロイド薬の点滴静脈注射，アミノフィリン水和物の点滴静脈注射（持続）が行われた。看護師は，これらの与薬管理を行いながら呼吸状態やそれ以外のバイタルサインを観察・アセスメントし，症状の変化を見逃さず，適切な薬物治療が行われるよう援助した。

❷発作時の治療およびケア

　発作時は，起座位が楽にとれる姿勢保持を工夫し，腹式呼吸を促した。また，吸入薬（短時間作用型β_2刺激薬）の使用により痰の量が増えるため，適宜水分摂取を促しながら自己喀出ができるよう促した。

❸自己管理の指導

　数日経ち，症状が落ち着いてからはAさんの今後の自己管理に向けての支援を行った。その際，吸入薬を効果的に使用できているかを確認し，薬剤師による吸入指導が行われた。

　また，ピークフローメーターを用いてピークフロー値を測定するよう指導し，Aさんの自己管理につなげた。

❹退院に向けての指導

　Aさんは，今後の生活や発作に対する不安を訴えていた。そのためAさん自身で自分の生活を管理する能力を高め，不安の軽減・緩和を図り，自信をもち安心して生活できることを目指し支援した。また，アレルゲンや増悪要因となっているものはないか，生活リズムや住環境などについての情報を収集し，具体的予防策をAさんとともに考えた。

　Aさんに，①薬物療法の注意点，②感染予防の意義，③発作時の対応，④受診の目安などを指導し退院となった。

3. 患者と医療者のかかわり

　Aさんが罹患している気管支喘息をはじめ，アレルギー疾患は，その人の生活スタイルや生活習慣と密接に関係していることが多い。生活習慣などが症状を増悪させることもあ

ると同時に，症状が適切にコントロールされないことで生活の質（QOL）そのものが低下してしまうこともある。症状の適切なコントロールがなされているか否かは，QOLそのものに直結すると言っても過言ではない。Aさんの事例では，看護師はAさん自身が疾患・治療に対する知識をもち，発作の誘因と増悪要因，発作時の対処法について自分の生活と結びつけて考えることができるようにかかわり，Aさんが自信をもち安心して生活できるように支援している。

このように，看護師をはじめ医療に携わる者は，患者が病との共存を実現し，日常生活・社会生活を積極的に送ることができるように支援していくことが求められる。

IV 多職種と連携した退院支援と継続看護

A 入退院支援における看護師の役割

▶ **在宅での療養支援**　アレルギー疾患患者の療養の場は，大半が家庭である。食物・薬物などによる重症のアレルギー反応や喘息発作時を除いて入院することはほとんどない。看護師は，急性期症状に対するケアだけではなく，症状緩和後には，①アレルギー反応を起こす様々な原因であるアレルゲン，気道刺激物や運動，心理的ストレスをできるだけ避けるように環境を調整しているか，②規則正しい生活をしているか，③薬物療法を理解し適切に対処できているかなどを正確に把握する必要がある。

▶ **セルフケアの向上**　急性発作時だけの対処では次第に悪化することを患者や家族に認識してもらい，患者のセルフケアの状況，家族のサポート状況を把握し，セルフケア能力を高めることが看護師の役割となる。

B 退院に向けた多職種連携・地域連携

▶ **地域連携**　2014（平成26）年6月に「アレルギー疾患対策基本法」が成立し，2015年（平成27年）12月に施行された。この基本指針の中で，国民がその居住する地域にかかわらず等しく，その状態に応じて適切なアレルギー疾患医療を受けることができるよう，アレルギー疾患医療全体の質の向上を進めることが謳われている。そのため，専門医のいない地域でも適切な治療を受けられるために，専門的な治療が可能な施設である都道府県アレルギー疾患医療拠点病院とかかりつけ医との連携を強化し，情報交換，教育を推進することが求められている。

▶ **社会資源の活用**　環境汚染や職業に起因する気管支喘息は，公害健康被害者としての認定が得られ，薬物アレルギー患者の場合は「独立行政法人医薬品医療機器総合機構法」に

基づく医薬品副作用被害救済制度により，医療費の給付などで経済的に保障される。そのため，看護師は患者がアレルギー疾患を発症した背景について情報収集を行い，社会資源の活用について患者へ説明し，必要時には医療ソーシャルワーカー（MSW）と連携し，患者への詳細な情報提供につなげる。

▶ **多職種連携**　看護師は病院の医師，薬剤師，管理栄養士，臨床心理士などと連携し，地域のかかりつけ医，家族だけではなく，学校，職場，児童福祉施設，老人保健施設などの関係者に対し，患者のプライバシーに配慮したうえで，アレルギー疾患に関する知識や患者背景，症状出現時の対応について情報提供を行う。

C　継続看護

　患者の発達段階に応じて患者や家族をサポートしていくことが看護師の役割であるが，効果的な看護を継続させるためには，病院内の外来部門と病棟部門との間で情報を共有するとともに，他職種（医師や医療ソーシャルワーカー［MSW］など）のほか，患者の退院後に重要となる学校や職場との密接な連携が必要となる。特に小児期からアレルギー疾患を抱える患者が，症状や年齢の変化，親との関係性の変化，身体的・人格的な成熟に応じて，成人になっても適切な医療を継続して受けられることが重要である。そのため，小児期から成人期へ向けた患者教育や医療者間の情報共有などの**移行期支援**が医療者に求められている。

D　入退院支援の実際

　アレルギー疾患は，完全な予防法や根治的治療法がなく，薬物による対症療法が中心であるため，就学，就職，結婚などのライフイベントに応じて適切な薬物療法の選択やアレルゲンの回避，生活習慣の見なおしが重要になる。アレルギー疾患の療養の場は，ほとんどが家庭であるため，入院中に患者にかかわる看護師は，退院後も続く治療と日常生活を見据え，必要な知識や支援について患者・家族と話し合う必要がある。また，患者・家族のニーズに応じて，必要な専門職種と連携し，適切なケアを提供する。そして，患者にかかわる学校や職場，地域との情報交換やケアの引き継ぎを必要に応じて行う。

文献
1) 厚生労働省：人口動態統計．
2) 厚生科学審議会疾病対策部会リウマチ・アレルギー対策委員会：リウマチ・アレルギー対策委員会 報告書，2011．

参考文献
・厚生労働省：アレルギー・関節リウマチに罹患した労働者と患者の養育者に対する治療と就労の両立支援マニュアル，改訂版，2022．
・厚生労働省：事業場における治療と仕事の両立支援のためのガイドライン，2022．

第1編 アレルギー疾患とその診療

第 1 章

免疫とアレルギーの基礎知識

この章では
- 免疫機能を担う細胞と免疫系の特異性について理解する。
- アレルギー反応が免疫反応の結果であることを理解する。

I 免疫とは,アレルギーとは

免疫は本来,細菌やウイルスなどの感染症から,われわれのからだを守るために備わったものである。細菌やウイルスなどの抗原(免疫反応を引き起こす物質)が体内に侵入した後,その抗原が異物であり,排除する必要があることを抗原提示細胞が **T細胞** に対して示すことから免疫反応はスタートする。免疫の司令塔であるT細胞は,時にマクロファージに抗原を貪食するよう指令を出す。あるいは,抗原の種類によっては **B細胞** に抗体を産生させる指示を出し,この抗体により生体を守る。これらはわれわれのからだにおける通常の反応で,抗原が排除されれば免疫反応は収束し,生体は健康を維持することができる。

免疫 とは,本来,自己と非自己(異物=抗原)を認識し,自己を傷つけずに非自己のみを攻撃し排除しようとする機構である。

しかし,時によって抗原が排除された後でも免疫反応が収束しなかったり,あるいは反応が通常とは異なり生体にとって傷害作用を示すようなこともある。この行き過ぎた有害な反応を **アレルギー** と定義する。また,アレルギーを引き起こす抗原を **アレルゲン** とよぶ。アレルギーには様々な機序があり,これを理解することが治療上も非常に重要である。

II 免疫反応

アレルギー とは有害な **免疫反応** であることから,アレルギーを理解するには,まず免疫について復習する必要がある。

細菌,ウイルス,真菌,原虫およびそのほか様々な感染性微生物がわれわれの周りを取り囲んでいるなか,病気にならず健康に暮らすことができるのは,われわれに備わった **抵抗力** のためである。最も大きな抵抗力はわれわれのからだの表面を覆っている皮膚や粘膜,あるいはその表面にある線毛などである。けがをした場合,そこがすぐに化膿することはだれもが経験しているため,皮膚の抵抗力の重要性は容易に理解できるだろう。

しかし,このからだの表面を守る抵抗力という鎧のみでは,完全に感染症を防ぐことはできない。そこで,侵入してきた微生物を無毒化し処理する方法として免疫系が発達した。

A 2つの免疫系

われわれのからだに備わる免疫系は,生体が生まれながらにもっている **自然免疫** と,生後何らかの原因により獲得された **獲得免疫** の2つの種類に大別される(図1-1,column「免疫の担い手からみた自然免疫と獲得免疫の違い」参照)。

1. 自然免疫

　たとえば細菌が口腔内に入った場合を考えてみよう。唾液中に存在する（そのほか，涙液や粘液中にも多く存在する）リゾチームという酵素は，細菌の細胞壁を消化する作用があることから，細菌を溶解し，感染からわれわれを保護する力がある。リゾチームによる溶解を免れて体内に入ってきた細菌は，**好中球**や**マクロファージ**などの**貪食細胞**により消化されて死滅する。また，リンパ球の一種である**NK（ナチュラルキラー）細胞**は，ウイルスに感染した細胞や腫瘍細胞を非特異的に攻撃し，破壊する。これが自然免疫の働きである。

　自然免疫の特徴は，細菌の攻撃を受けるたびに同じ強さで反撃するところにある。つまり，1回目に「X」という細菌の感染を受け，次に「Y」という細菌の感染を受けた場合でも（あるいは前回と同じ「X」であっても）同じ強さの免疫力しか示さない。

2. 獲得免疫

　一方，獲得免疫*は自然免疫とはまったく異なる。病原体（病原微生物）の侵入に対し，初動で働くのが自然免疫で，自然免疫の攻撃から逃れた病原体を次の段階で個別に認識し確実に破壊するのが獲得免疫である。

　仮に「X」という抗原をもつ原因微生物の感染を受けた場合，抗原提示細胞である**樹状細胞**は，まず，その情報を司令塔である**ヘルパーT細胞**に送る。この情報を得たヘルパーT細胞は，**細胞傷害性T細胞**（キラーT細胞）やマクロファージを活性化して原因微生物を攻撃する（この働きを**細胞性免疫**という）。あるいは，B細胞を刺激することにより**抗体**（免疫グロブリン）を産生させて原因微生物を攻撃する（この働きを**液性免疫**という）。

　この際，抗原「X」に遭遇するのが初めての場合には細胞性免疫も液性免疫もあまり大きな反応にはならないが，再び原因微生物の抗原「X」に遭遇すると，細胞性免疫も液性免疫も1度目とは異なる非常に大きな反応を示す。ただし，2回目の感染が抗原「Y」であれば1回目と同程度の反応しか起こさない。

　このように，抗原が「X」か「Y」かの区別をつけることができること（これを**免疫学的特異性**という）と，それを記憶して2回目の反応が大きくなる（これを**免疫学的記憶**という）という特徴がある。この免疫学的特異性と免疫学的記憶が獲得免疫の最大の特徴である（記憶を保持するのは**記憶T細胞と記憶B細胞**）。

　獲得免疫は進化とともに発達してきた免疫系であり，非常に下等な動物には存在しない。

***獲得免疫**：獲得免疫のなかでも，その働きにより能動免疫や受動免疫とよばれることがある。ワクチン接種によって生体内に抗体産生や細胞性免疫の働きを促すことを能動免疫という。一方，免疫グロブリン製剤の投与や母体から胎児への免疫グロブリンの移行など，完成した抗体を生体内へ入れる場合は受動的なため受動免疫という。

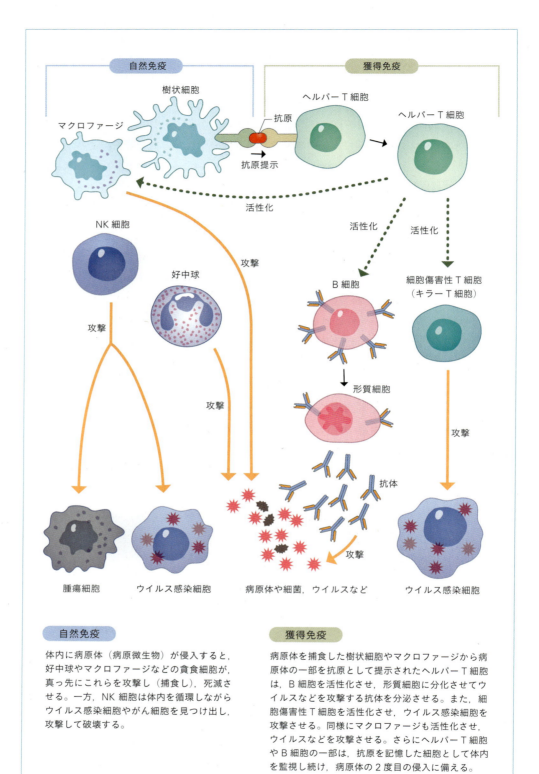

図 1-1 自然免疫と獲得免疫

Column 免疫の担い手からみた自然免疫と獲得免疫の違い

免疫系の担い手を考えてみると,自然免疫と獲得免疫の違いがさらに理解しやすい。採血直後の血液は赤血球が血液の中にまんべんなく分布しているため赤い。赤い血液を遠心分離してみると,黄色の層(血清部分),赤い層(赤血球部分),その中間にある白い層の3つに分かれる(図)。

血清中には抗体や補体系とよばれる免疫に重要なたんぱく成分が含まれている。抗体は獲得免疫の担い手である。また,補体は免疫機能を補助するたんぱく質の総称である。

白い層には,リンパ球,マクロファージ,好中球などのいわゆる白血球とよばれる細胞が含まれる。リンパ球(T細胞やB細胞)は獲得免疫,マクロファージや好中球は自然免疫の担い手である。

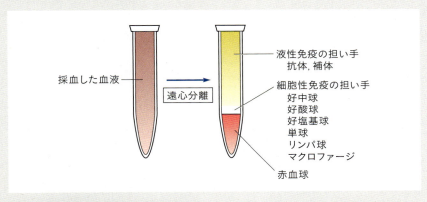

図 血液中の免疫細胞と免疫物質

▶ **抗体**(免疫グロブリン) たんぱく質で,B細胞から分泌される。免疫グロブリン(Ig;immunoglobulin)には,IgM,IgG,IgA,IgD,IgEの5種類がある。
- IgM:病原体(病原微生物)に感染したとき,最初につくられる抗体。血液中の抗体全体の約10%を占める。
- IgG:抗体全体の約75%を占め,最も多い。IgMの次につくられ,病原体を攻撃する。
- IgA:抗体全体の約15%を占め,消化管や気道の粘膜,唾液中に存在し,病原体の感染を予防する。
- IgD:血液中に含まれる量は1%以下。その機能はまだよくわかっていない。
- IgE:血液中の量は0.001%以下と最も少ない。アレルギー抗体とよばれ,花粉やダニなどの抗原に結合するとアレルギー反応を引き起こす。

▶ **補体** 補体(complement,Cと表記される)は血液中に含まれるたんぱく質の一群で,自然免疫の一部として機能する。抗体と一緒に細菌などに結合して無力化したり,補体だけで病原体に非特異的に結合し,細胞膜に穴を開けて破壊したりする。補体はC1〜C9の9成分からなる。

B 免疫機能に重要な細胞

免疫機能を担う細胞（免疫細胞）は，**骨髄系の細胞**と**リンパ系の細胞**に大別される（図1-2）。両者はともに骨髄の幹細胞が起源である。

1. 骨髄系細胞

骨髄系幹細胞は分化して最終的に好中球，好酸球，好塩基球（これら3つを顆粒球とよぶ），肥満細胞（マスト細胞），単球（分化してマクロファージ，樹状細胞）などになる。これらは主に**貪食細胞**であり，自然免疫の働きを担う。侵入した細菌や異物を無差別に（すなわち抗原非特異的に）細胞内に取り込み消化（殺菌）することで免疫機能を果たしている。特に好中球は自然免疫の一番の働き手で，細菌などの侵入で炎症が生じると血管内から炎症部位に遊走し，素早く細菌を貪食し顆粒内の消化酵素で消化（殺菌）する。

2. リンパ系細胞

一方，リンパ系の細胞としては，T細胞，B細胞およびNK（ナチュラルキラー）細胞が存在する。T細胞とB細胞は「特異性」と「記憶」を有する獲得免疫の主役である。

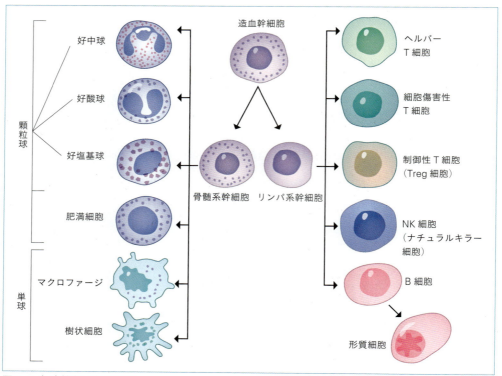

図1-2 免疫機能を担う細胞

▶ **T 細胞** オーケストラの指揮者のように働き，あるときは免疫機能を非常に高め，またあるときはこれを抑えるようにも働く。前者は**ヘルパー T 細胞**（Th），後者は**制御性 T 細胞**（Treg 細胞）とよばれる。このほかに，**細胞傷害性 T 細胞**（cytotoxic T lymphocyte；CTL，キラー T 細胞）があり，ウイルス感染細胞や腫瘍細胞を攻撃する。

▶ **B 細胞** ヘルパー T 細胞からの刺激や抗原刺激を受けて分化・増殖し，形質細胞となってその抗原を攻撃する抗体を産生する。

▶ **NK 細胞** 自然免疫の担い手として，ウイルス感染初期にウイルス感染細胞を非特異的に攻撃し破壊する。

T 細胞の機能不全時には，ウイルス，真菌，原虫，結核菌などに対して感染しやすくなり，B 細胞の機能不全時には一般細菌に感染しやすくなる。

C 免疫系活性化の機序

1. 樹状細胞，マクロファージの役割

ある細菌にわれわれが感染した場合に，免疫系はどのように活性化されるか考えてみよう。まず，自然免疫系に属する貪食細胞である樹状細胞やマクロファージによって細菌は貪食される。侵入した細菌がごく少数であれば，これだけで感染を収束させることができるが，非常に多数の場合には貪食細胞による貪食だけでは追いつかない。こうした場合に備え，樹状細胞やマクロファージは貪食以上に重要な機能をもっている。それは貪食した細菌を小さな分子（抗原）にまで分解し，それによってヘルパー T 細胞を刺激し，獲得免疫系を活性化させることである。つまり，自然免疫と獲得免疫の橋渡しをする（図 1-3）ことである。

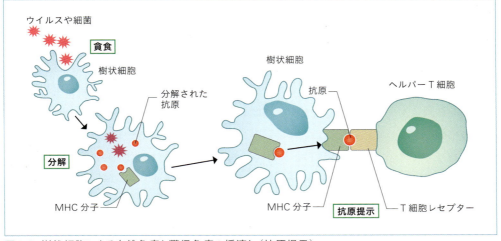

図 1-3 樹状細胞による自然免疫と獲得免疫の橋渡し（抗原提示）

その際に重要なことは，抗原が樹状細胞上の**主要組織適合抗原**（major histocompatibility complex：MHC）という分子と合体して，「抗原＋MHC分子」全体がヘルパーT細胞の受容体（T細胞レセプター）に反応することである．1個のT細胞は1種類の抗原受容体（抗原レセプター）しか有しないが，T細胞には非常に多くの種類が存在し，それぞれの抗原受容体が特定の「抗原＋MHC分子」と反応する．このことが獲得免疫の特異性の理由である．

2. サイトカインの分泌

　樹状細胞やマクロファージによって刺激されたT細胞は，いろいろなサイトカインを分泌することにより周りの免疫細胞に影響を与える．

　サイトカインとは，リンパ球が免疫刺激やそのほかの方法で活性化されると分泌される生理活性を有するたんぱく質の総称である．ヘルパーT細胞は免疫を強くし，細胞傷害性T細胞は腫瘍細胞やウイルス感染細胞を傷害する作用をもっているが，この違いはリンパ球から産生されるサイトカインによる影響が大きい．

　ヘルパーT細胞は分泌するサイトカインの種類によって，さらに3種類（Th1, Th2, Th17）に区別される．**Th1細胞**はIL（インターロイキン）-2やIFN（インターフェロン）-γなどを分泌するのに対して，**Th2細胞**はIL-4, IL-5などを産生する．

　Th1細胞は，細胞傷害性T細胞の活性化，マクロファージの貪食機能を亢進させるなど，**細胞性免疫**を活性化する．

　Th2細胞は，B細胞による抗体産生を亢進させるなど，**液性免疫**を活性化する（図1-4）．Th2細胞はアレルギーの主役をなすIgE抗体の産生を高めることから，アレルギーの理解に重要である．

　また，最近になって第3のヘルパーT細胞，**Th17細胞**が注目されている．これはインターロイキンの一種であるIL-17を産生し，好中球による炎症を引き起こしたり，自己免疫疾患において中心的役割を果たすことから重要視されている．

3. ケモカインの分泌

　ケモカインとは単球およびマクロファージ，あるいはそのほかの細胞から分泌されるサイトカインの一種で，ほかの白血球に対して走化性を有するものをいう．**走化性**とは，ケモカインの濃度勾配によって細胞を引きつけることをいう．ケモカインに対する受容体は特定の細胞に発現しているため，これを発現している細胞はケモカインが産生されている場所に集まってくる．たとえば好酸球（アレルギーに関与する）はエオタキシン（ケモカインの一種）に対する受容体であるCCR3を発現しており，エオタキシンが増加したアレルギー炎症の場に好酸球が吸い寄せられることになる．50種類以上のケモカインと20種類以上の受容体があるといわれている．

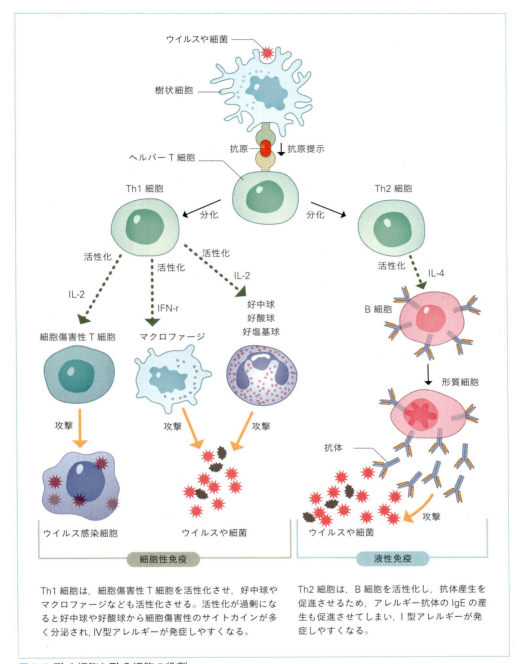

図 1-4 Th1細胞とTh2細胞の役割

4. 化学伝達物質（ケミカルメディエーター）

　化学伝達物質（ケミカルメディエーター）とは，一般的には細胞間の様々な情報伝達を仲介する物質のことを指すが，アレルギーにおいては肥満細胞や好塩基球などのアレルギー炎症に関連する細胞から分泌され，アレルギー炎症に深く関連する物質のことをいう。

好塩基球の内部には顆粒の1つであるヒスタミンがすでに貯蔵されている。好塩基球表面のIgE受容体に結合しているIgEにアレルギー抗原が結合すると，細胞が活性化され，ヒスタミンが即時に放出されアレルギー炎症を引き起こす。このため，これを即時型アレルギー（第2章-I「I型アレルギー」参照）とよんでいる。すでに産生され貯蔵されているケミカルメディエーターを1次性ケミカルメディエーターとよぶこともある。

　一方，アレルギー抗原が結合した後に新たに産生され周囲に分泌されるものもあり，これを2次性ケミカルメディエーターとよぶこともある。その代表は，**ロイコトリエン，トロンボキサン，プロスタグランジン**あるいは**血小板活性化因子**（PAF）などである。

III アレルギー反応に関係する因子

1. アレルギー抗体IgEの役割と意義

　IgE（immunoglobulin E）とは，免疫グロブリン（抗体）の一つである（column「免疫の担い手からみた自然免疫と獲得免疫の違い」参照）。免疫グロブリンには5種類あり，そのうちのIgG，IgA，IgM，IgDなどと異なり，このIgEは組織中の**肥満細胞**や血液中の**好塩基球**の表面上に存在する受容体に強固に結合している（本編-図2-1「I型アレルギー反応の機序」参照）。IgEの産生が多い体質を**アトピー**とよぶが，これには前述したTh2細胞が大いに関係している（本章-II-C-2「サイトカインの分泌」参照）。Th2細胞から産生されるサイトカインIL-4がIgEの産生には不可欠だからである。

　IgEはアレルギー，すなわち有害反応を引き起こす免疫グロブリンであるため，存在しないほうがよいのかというと，そうではない。人類は様々な感染症と闘いながら進化してきた。IgEのもつ本来の意義は，寄生虫（たとえば住血吸虫）に対する防御機構である。寄生虫に感染するとこれを撃退するための免疫機構としてIL-4によるIgE産生とIL-5による好酸球の増加が起こる。

　肥満細胞や好酸球は寄生虫を非常に有効に退治するための物質を含んでいるため，Th2細胞による反応を増大させることによって人類は寄生虫による感染に立ち向かってきた。アレルギー反応は感染防御という，より大きな使命に対する副次反応とも考えられる。

2. アレルゲンの特徴

　花粉症を想像すればアレルゲンの特徴は理解しやすいと思うが，少量のたんぱく質が，繰り返し経粘膜的に感作される場合にアレルゲンとなりやすい。生体への侵入経路により大きく表1-1のように分類される。

表1-1 代表的なアレルゲン

生体への侵入経路	アレルゲン
吸入性アレルゲン	ダニ，ハウスダスト，カビ，動物の表皮や毛，花粉など
食物アレルゲン	卵白，牛乳，大豆，小麦，マグロ，サバ，エビ，カニ，そば，落花生（ピーナッツ），木の実類（クルミ，カシューナッツ），フルーツ（バナナなど）など
感染性アレルゲン	ウイルス，マイコプラズマ，細菌（ブドウ球菌，レンサ球菌，ナイセリア，インフルエンザ菌など）
接触性アレルゲン	薬物，化学物質，化粧品など
薬物アレルゲン	ペニシリンなど様々（多くは血清中のたんぱく質と結合してアレルゲンとなる）

3. 遺伝因子，環境因子

アトピーには遺伝因子と環境因子の双方の関与が考えられる。

▶ **遺伝因子** 第5染色体や第11染色体上の遺伝子と関連することが明らかとされているが，ここにはTh2細胞への誘導をもたらすサイトカインの遺伝子が多く含まれる。また，特定のHLA-クラスⅡ遺伝子（MHC分子の一つ）をもつ人ではIgEの産生がより高いことも知られている。

▶ **環境因子** アレルゲンの量の増加，大気汚染，食習慣の変化などが考えられているが，環境因子として確固たる証拠があるわけではない。感染症が減少したことが，アトピーの頻度の増加と関連するという意見もある。これは感染症が発症するとTh1細胞が活性化されることが多く，そのことによりTh2細胞が抑制されていると思われる。

国家試験問題

1 ウイルス感染で最初に産生される抗体はどれか。　　（予想問題）

1. IgA
2. IgE
3. IgG
4. IgM

2 抗原特異的な免疫反応に関連する細胞はどれか。　　（予想問題）

1. 好中球
2. 好酸球
3. 好塩基球
4. T 細胞

3 IgE が結合できる細胞はどれか。　　（予想問題）

1. 好中球
2. 好酸球
3. B 細胞
4. 肥満細胞

≫ 答えは巻末

第1編 アレルギー疾患とその診療

第 2 章

アレルギー反応のしくみと分類

この章では

- アレルギー反応にかかわる抗体，細胞および化学伝達物質の作用を理解する。
- Ⅰ～Ⅳ型アレルギー反応によって起こる症状を学ぶ。

免疫系が関与するアレルギー反応を，イギリスの免疫学者クームス（Coombs,R.）とゲル（Gell,P.）はⅠ～Ⅳ型という4つの型に分類した（表2-1）。

Ⅰ～Ⅲ型は抗体が関与し，Ⅳ型は抗体が関与せず細胞性免疫が病変をつくり出す。Ⅱ型，Ⅲ型は，アレルギー疾患への関与よりも膠原病の発症機序としての役割のほうが重要である。また，Ⅱ型の亜型としてⅤ型が定義されることもある。

Ⅰ Ⅰ型アレルギー

1. Ⅰ型アレルギーの機序

Ⅰ型アレルギー反応では，免疫グロブリン（Ig）のうち，血液中にごく微量（200ng/mL）しか存在しないIgE抗体が重要である。

IgEは組織中の肥満細胞（マスト細胞）や血液中の好塩基球の細胞表面に結合する。Ⅰ型アレルギー疾患（アトピー性気管支喘息，花粉症，アレルギー性鼻炎，アトピー性皮膚炎およびアナフィラキシーなど）では，ダニ抗原，花粉抗原および食物のたんぱく質に結合する特異性をもったIgE（**抗原特異的IgE**）が生体内に存在する。生体にアレルゲン（抗原）が侵入すると，肥満細胞や好塩基球の表面の抗原特異的IgEと結合し，その刺激により細胞内からヒスタミン，ロイコトリエンなどの**化学伝達物質（ケミカルメディエーター）**が放出される。ケミカルメディエーターは，**血管透過性亢進，平滑筋収縮，粘液分泌亢進**および**各種白血球の遊走と組織浸潤**を招いて，Ⅰ型アレルギー反応が引き起こされる（図2-1）。

2. Ⅰ型アレルギー反応にかかわる化学伝達物質

Ⅰ型アレルギー反応にかかわる化学伝達物質（ケミカルメディエーター）は，大きく2つに分けられる。細胞が刺激を受ける前から顆粒内に貯蔵されているものと，刺激を受けてか

表2-1 アレルギー反応の分類（クームス−ゲル分類）

型	名称	関与する抗体・細胞	主なアレルギー疾患
Ⅰ型	即時型・アナフィラキシー型	IgE	気管支喘息，アレルギー性鼻炎，アトピー性皮膚炎，蕁麻疹，食物アレルギー，薬剤アレルギー，アナフィラキシー
Ⅱ型	細胞融解型・細胞傷害型	IgG，IgM	自己免疫性溶血性貧血，免疫性血小板減少性紫斑病，グッドパスチャー症候群（抗GBM病），血液型不適合輸血，Ⅴ型アレルギーとしてバセドウ病
Ⅲ型	アルサス型・免疫複合体型	抗原・抗体（IgG）・補体からなる免疫複合体	糸球体腎炎，血清病，過敏性肺炎，全身性エリテマトーデス（SLE），アレルギー性気管支肺アスペルギルス症（Ⅰ＋Ⅲ＋Ⅳ型）
Ⅳ型	遅延型・細胞性免疫型（ツベルクリン反応型）	感作ヘルパーT細胞	接触皮膚炎，金属アレルギー，同種移植片拒絶反応

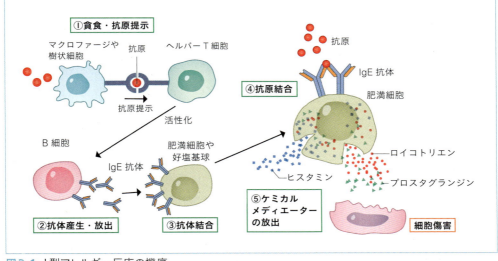

図2-1　I型アレルギー反応の機序

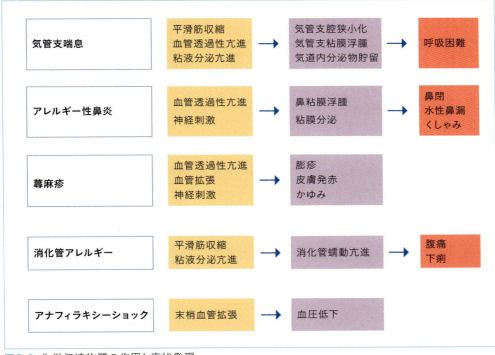

図2-2　化学伝達物質の作用と症状発現

ら初めて産生され遊離されるものである。前者の代表が**ヒスタミン**であり，後者の代表が**ロイコトリエン C_4，D_4，E_4 やプロスタグランジン D_2** である。後者は細胞膜の成分であるリン脂質（または摂取されたリノール酸）が代謝され，アラキドン酸を経て生じる。

3. Ⅰ型アレルギーの代表的疾患

　化学伝達物質の作用と代表的なⅠ型アレルギー疾患の症状発現について図2-2にまとめた。たとえば気管支喘息においては，アレルゲン曝露(ばくろ)後わずか数分〜十数分で気管支平滑筋収縮が引き起こされ，喘息発作が誘発される。このようにアレルギー反応が速やかに発現するため，Ⅰ型アレルギーは別名，**即時型アレルギー**ともいわれる。

　Ⅰ型アレルギーのなかで最も重篤な全身症状をきたす病態がアナフィラキシーである。ハチに刺されたり，薬物（ペニシリン系抗菌薬など）を投与した場合に，過敏性をもつ人では，全身の肥満細胞や好塩基球が一気に活性化されて化学伝達物質（ケミカルメディエーター）が大量に遊離する。その結果，血圧低下，頻脈および意識消失などをきたし，症状が強い場合には死に至ることもある。ただし，ハチアレルギーでは特異的IgE抗体が関与するが，薬物アレルギーには特異的IgE抗体が関与しないこともある。そのため抗体検査だけでは発症するかどうかわからず，薬物使用時には注意が必要である。

4. Ⅰ型アレルギー反応の即時相と遅発相

　気管支喘息や鼻アレルギー（アレルギー性鼻炎）などのⅠ型アレルギー疾患の症状は，アレルゲンとIgEとの反応後，数分で現れる。これを**即時相**(そくじそう)という。その症状が治まった後，数時間後に再び症状が現れ，その後，数時間〜数日にわたり症状が持続することがあり，これを**遅発相**(ちはつそう)あるいは**遅発アレルギー反応**とよぶ（Ⅳ型アレルギーにみられる遅延型反応とは異なるので注意する）。

Ⅱ　Ⅱ型アレルギー

1. Ⅱ型アレルギーの機序

　Ⅱ型アレルギーは，細胞や組織の抗原成分とIgGまたはIgM抗体が反応し，そこに正常な血清中に存在する酵素様物質である**補体**（本編-第1章-Ⅱ-A-column「免疫の担い手からみた自然免疫と獲得免疫の違い」参照）が結合して活性化することにより細胞傷害を起こす（**細胞傷害型，細胞融解型**）。

2. Ⅱ型アレルギー反応にかかわる化学伝達物質

　Ⅱ型アレルギーに関与する化学伝達物質としては，①補体の各成分があるが，そのほか，②好中球(こうちゅうきゅう)からのたんぱく質分解酵素，③リンパ球からの各種サイトカインがある。

　細胞傷害の標的になるのは，赤血球，白血球および血小板などの血液細胞が多い。赤血球が傷害されるのが自己免疫性溶血性貧血で，クームス試験*で診断できる。また腎臓や

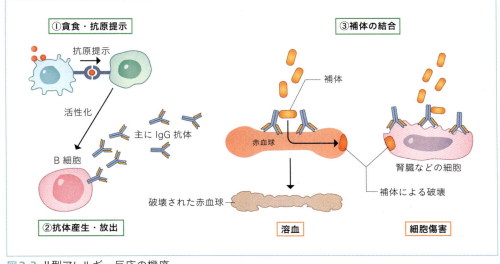

図2-3 Ⅱ型アレルギー反応の機序

皮膚組織の基底膜抗原が標的になる場合もある（図2-3）。

3. Ⅱ型アレルギーの代表的疾患

Ⅱ型アレルギーの代表的疾患としては、不適合輸血による溶血性貧血、自己免疫性溶血性貧血、免疫性血小板減少症（免疫性血小板減少性紫斑病）、グッドパスチャー（Goodpasture）症候群（抗GBM病：腎糸球体基底膜［glomerular basement membrane；GBM］に対する抗体が検出される）などがある。

4. 組織傷害をきたさないⅤ型アレルギー

Ⅱ型アレルギーのなかで、補体が活性化されないために組織傷害を直接きたさない疾患群がある。代表的な疾患は、甲状腺機能亢進症の原因となるバセドウ病（グレーブス病ともいう）である。これは、甲状腺刺激ホルモン（thyroid-stimulating hormone；TSH）受容体を抗原として認識する自己抗体が発症に関与する。この抗体は甲状腺細胞にTSH受容体を介して結合し、細胞を破壊するのではなく、あたかもTSHが結合しているかのような刺激を細胞に与え、甲状腺ホルモンの分泌を常に亢進状態にさせることで疾患を引き起こす。

補体が関与せず、細胞傷害も起こさないため**Ⅴ型アレルギー**（抗受容体型アレルギー）として分類されることもあるが、抗原抗体反応の面からはⅡ型アレルギーと同じような反応であり、Ⅱ型に含める場合が多い。

＊クームス試験：赤血球の細胞膜に結合する自己抗体の存在を調べる検査。患者の血液に、赤血球に結合した自己抗体がある場合、その抗体に結合する抗体をさらに加えると、赤血球どうしがつながり凝集するため判定できる

Ⅲ Ⅲ型アレルギー

1. Ⅲ型アレルギーの機序

　Ⅲ型アレルギーは，**免疫複合体型**または**アルサス型**ともよばれ，可溶性抗原（体液に溶けている物質）と IgG または IgM 抗体との抗原抗体結合物（**免疫複合体**）による組織傷害である。皮膚反応試験では，抗原皮内注射後 3〜8 時間で最大となる紅斑・浮腫を特徴とする炎症反応がみられる。

　Ⅲ型アレルギー反応の主役となる抗体は，IgG 抗体である。

　生体内で産生された免疫複合体は，**補体**を活性化することにより，補体成分 C3a，C5a を産生する。この補体成分はアナフィラトキシン（anaphylatoxin）として肥満細胞や好塩基球から化学伝達物質を遊離させ，血管透過性の亢進，平滑筋収縮などのⅠ型アレルギーに似た反応を引き起こす。また C3a，C5a は**好中球遊走因子**として好中球を組織局所に集め，その好中球が免疫複合体を貪食することにより，たんぱく質分解酵素の分泌，活性酸素の放出をもたらし，組織傷害性の炎症を引き起こす（図 2-4）。

　免疫複合体の存在を調べるには，血清沈降抗体検査などがある。患者の血清（抗原を含む）に抗体を加えることで，免疫複合体ができるかどうかがわかる。

2. Ⅲ型アレルギー反応にかかわる化学伝達物質

　Ⅲ型アレルギーに関与する化学伝達物質は，①Ⅱ型アレルギーと同様で補体各成分のほか，②好中球からのたんぱく質分解酵素，③リンパ球からの各種サイトカインなどである。

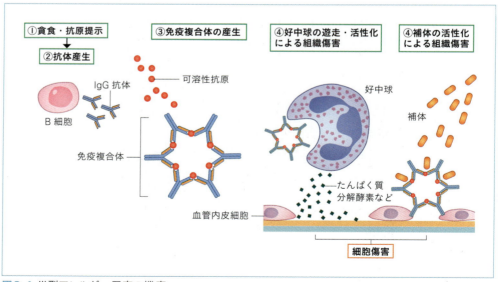

図 2-4　Ⅲ型アレルギー反応の機序

3. Ⅲ型アレルギーの代表的疾患

Ⅲ型アレルギーの代表疾患としては，血清病，膠原病（全身性エリテマトーデス，関節リウマチなど），急性糸球体腎炎，過敏性肺炎（Ⅲ型＋Ⅳ型アレルギーが関与），さらにアレルギー性気管支肺アスペルギルス症（Ⅰ型＋Ⅲ型＋Ⅳ型アレルギーが関与）などがあげられる。

Ⅳ Ⅳ型アレルギー

1. Ⅳ型アレルギーの機序

Ⅳ型アレルギーは，**遅延型アレルギー**，**細胞性免疫型**，**ツベルクリン型**ともよばれる。皮膚反応試験では，抗原皮内注射後 24～72 時間で紅斑，硬結を特徴とする炎症反応を示す。

このアレルギー反応は，Ⅰ～Ⅲ型のような抗体によって引き起こされる反応（液性免疫）とは異なり，リンパ球，特にヘルパー T 細胞が重要な役割を果たしている（細胞性免疫）。抗原に特異的に反応した**ヘルパー T 細胞**が分泌するサイトカインが，マクロファージや好中球を活性化し，炎症を引き起こす化学伝達物質を分泌させる（図 2-5）。

2. Ⅳ型アレルギーの代表的疾患

Ⅳ型アレルギーを引き起こす抗原としては，結核菌，サルモネラなどの細菌，ウイルス，カンジダなどの真菌のほか，様々な化学物質があげられる。

代表的疾患としては，結核感染時の肉芽腫形成や接触皮膚炎（特定の物質に直接触れると皮

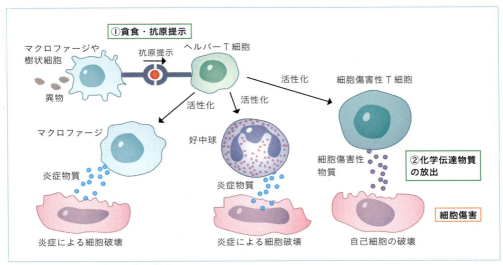

図 2-5　Ⅳ型アレルギー反応の機序

膚が炎症を起こす，かぶれのこと）が典型的である。

またⅣ型アレルギー反応として代表的な**ツベルクリン反応**では，結核菌由来の抗原の皮内注射後，抗原特異的なヘルパーT細胞，特にTh1細胞が注射部位で活性化されて種々のサイトカインを放出し，局所へ好中球などの顆粒球やマクロファージなどの炎症細胞を集積させる。

国家試験問題

[1] 肥満細胞から遊離する化学伝達物質の作用に含まれないのはどれか。　（予想問題）

1. 平滑筋収縮
2. 白血球遊走
3. 粘液分泌抑制
4. 血管透過性亢進

[2] アレルギー反応と疾患の組合せで正しいのはどれか。　（予想問題）

1. Ⅰ型 ―――――― 過敏性肺炎
2. Ⅱ型 ―――――― アトピー性皮膚炎
3. Ⅲ型 ―――――― 免疫性血小板減少症
4. Ⅳ型 ―――――― 接触皮膚炎

▶答えは巻末

第1編 アレルギー疾患とその診療

第3章

アレルギー疾患にかかわる診察・検査・治療

この章では

- アレルギー疾患の病歴聴取の手順と診察の進めかたについて学ぶ。
- アレルギー疾患の検査法を学ぶ。
- 免疫療法（減感作療法）について理解する。
- 薬物療法で使用される薬物の種類とそれらの作用・有害反応を理解する。

本章では主にⅠ型アレルギー疾患の診断のための診察法や検査法について述べる。
気管支喘息では喘鳴や呼吸困難，アレルギー性鼻炎ではくしゃみ，水性鼻漏（鼻汁），鼻閉といった鼻症状や眼のかゆみなどの結膜炎症状，アトピー性皮膚炎や蕁麻疹では湿疹，膨疹，かゆみなどを訴えて受診する。このような患者がⅠ型アレルギー疾患であるかどうかを診断するための手順を概説する。図 3-1 に診断の流れを示す。

Ⅰ アレルギー疾患の診察

A 医療面接

Ⅰ型アレルギー疾患の診断では，病歴の聴取は最初に行うべきであり，これのみでアレルゲンが推定できることがある。

1 家族歴

家族や近親者にⅠ型アレルギー疾患に罹患している者がいないかどうかを確認する。アトピーにかかわる遺伝子の候補として，IgE 産生を増加させるサイトカインである IL-4 と IL-13 遺伝子の役割が注目されている。

図 3-1 Ⅰ型アレルギー疾患の診断の流れ

2 発症年齢

Ⅰ型アレルギー疾患は，小児期に発症することが多い。アレルギー症状を年齢的に観察すると，消化器症状，皮膚症状，呼吸器症状などが互いに関連しながら年齢とともに表現型を変えて出現する。この現象は**アレルギーマーチ**（アレルギーの行進）とよばれている。乳児期にはアトピー性皮膚炎，幼児期になると気管支喘息，やや遅れてアレルギー性鼻炎やアレルギー性結膜炎の症状が明らかとなり，一般に皮膚症状から気道症状に進展していくことが多い。

なお，スギ花粉症は成人以降に発症することが多い。

3 症状の季節性

花粉シーズンと症状との発現が一致するときは，アレルゲンが推定可能である。これには地域ごとの花粉カレンダーが参考になる。花粉などによる**季節性アレルギー**に対して，**非季節性アレルギー**あるいは**通年性アレルギー**といわれるものもある。たとえば通年性アレルギー性鼻炎のアレルゲンは室内塵（ハウスダスト）や，その中のダニやカビであることが多い。

4 住環境との関連性

室内にいるときに症状が増悪するのか，屋外にいるときに増悪するのかを確認する。アレルゲンとして頻度の最も高いダニによるアレルギー疾患は，室内でダニを吸入することで発症する。

また，近年注目されている**シックハウス症候群**とは，たとえば住宅建築材料である木材や合板，接着剤などから発生する室内空気汚染物質（**ホルムアルデヒドや揮発性有機化合物**など）が原因で健康障害が引き起こされるものと定義されている。Ⅰ型アレルギー疾患を悪化または誘発することがあるため注意すべきである。

5 ペットの有無

イヌやネコの上皮や毛，小鳥の羽毛などがアレルゲンになることがあるため，ペット飼育の有無を確認する。

6 食物との関連性

特定の食物の摂取が症状の発現と関係するか否かを確認する。食物アレルギーは近年，小児だけでなく，成人にも増加している。アレルゲンとなる食物は，乳幼児では，3大アレルゲンとされる**卵，牛乳，小麦**のほか**甲殻類**（エビ，カニなど），**そば**が多い。成人では小麦などの穀類，魚類，甲殻類などが多い。近年，木の実類（クルミ，カシューナッツ）によるアレルギーが増加し，2023（令和5）年3月，食品表示基準が改正され，アレルギー表示

が義務付けられた品目（特定原材料）に「くるみ」が追加された。成人の食物アレルギーは，その特殊型である口腔アレルギー症候群や，アレルゲンである食物の摂取とその後の運動により症状が起きる食物依存性運動誘発アナフィラキシーの症例が多い。

7 職業との関連性

職業と関連するアレルギー疾患で代表的なものは，木工業者の米杉喘息（べいすぎぜんそく），カキ（貝）につくホヤの体液によるカキの打ち子喘息（ホヤ喘息），小麦粉によるパン製造業者の喘息，養鶏業者（ようけい）のニワトリの羽毛喘息，ウレタン製造・自動車塗装に使う TDI（toluene diisocyanate，トルエンジイソシアネート）による喘息などである。

近年注目されている**ラテックスアレルギー**は，医師や看護師などの医療従事者に発症することが多く，そのため医療現場ではラテックスを使っていないゴム手袋が使用されることが多くなっている。また，ラテックスは果物（バナナ，スイカ，リンゴなど）と交差反応性を有し，果物アレルギーを起こすことがあり，**ラテックス・フルーツ症候群**とよばれている。

8 感染症の有無

感染症はアレルギー疾患と似た症状を示すことがあるため，感染の有無を確認する必要がある。アレルギー疾患では，一般に発熱はみられない。また，鼻汁や喀痰（かくたん）は無色透明であるため，膿性（のうせい）である場合は感染症が存在すると考えられる。臨床的には，感染症が引き金となってアレルギー症状が増悪し受診する患者もあるため注意を要する。たとえば気管支喘息はウイルス感染を契機に増悪することが多い。

B 身体診察

1 診察時の留意事項

気管支喘息においては，軽症の患者では寛解期（かんかい）には異常がみられないため注意を要する。一般に夜間から早朝にかけて症状が悪化し，時間の経過により軽快するため，通常の外来診察時間では無症状であることも多い。

2 診察の進めかた

気管支喘息の症状があるときには連続性ラ音が聴取できる。軽度であれば強制呼気時（意識的に一気に呼気をしてもらう）にのみ聴取でき，重症になるにしたがい通常の呼気時にも聴取できるようになる。さらに，吸気時にも聴取できるようになり，最終的には呼吸音そのものの減弱という変化を示す。呼気相（呼気開始から吸気に変わる前まで）の延長も観察される。気管支喘息が重症になれば，会話，動作が困難となり，チアノーゼ，意識障害をもみられる。

アレルギー性鼻炎，花粉症ではくしゃみ，水性鼻漏（鼻汁）および鼻閉といった鼻症状や眼のかゆみなどの結膜炎症状を示し，重症例では頭重感や全身倦怠感があり，鼻鏡検査では蒼白に腫脹した鼻粘膜が観察される。

　アトピー性皮膚炎や蕁麻疹では，特徴的な湿疹や膨疹があり，後者では人工蕁麻疹*を認めることが多い。

II　アレルギー疾患の検査

　医療面接，身体診察の結果を踏まえて種々の臨床検査を行い，最終的な診断を行う。検査の種類は，先の図3-1を参照のこと。

A　一般的検査

　血液検査では**好酸球増加**（白血球分類の測定では5％以上）を示すことが多い。好酸球の基準値は1〜5％である。一般的には，症状が重いほど好酸球が増加する傾向にある。鼻汁や喀痰中に好酸球を認める場合は，鼻腔や気道の好酸球性炎症の存在を示唆する。

　血算（全血球計算）以外の検査では，特に気管支喘息の患者には尿検査，血液生化学的検査，胸部X線検査，心電図検査，呼吸機能検査も必要である。気管支喘息患者の胸部X線検査では特有の所見はみられないが，喘息発作時や慢性重症例では，ふだんから過膨張所見がみられる。

　気道内異物や気道を閉塞するような腫瘍などによる呼吸困難の鑑別も重要である。呼吸機能では閉塞性障害（**1秒量の低下**）を示すが，軽症例の寛解期では正常である。気管支喘息では，慢性閉塞性肺疾患（COPD）でみられる拡散障害は認められない。

B　総IgE値の検査

　IgEの量は，国際単位（IU）として求められる。1 IUはおよそ2.4 ngである。健常者は通常100 IU/mL（240 ng/mL）以下であり，200 IU/mL以上を増加とする。近年のより鋭敏な検査システムでは1 IU/mL以下でも測定可能で，臍帯血中のIgEの上昇からアトピー素因を推定できる。

　総IgE値はあくまでもIgEの総量であって，特定の抗原に対する特異的なIgEの抗体価を反映するものではない。したがって，高値であればI型アレルギーの関与，アトピー体質の存在が示唆される。高IgE値を呈する疾患には，**I型アレルギー疾患**（アトピー型気管支

---

*人工蕁麻疹：dermographia，掻くことなど機械的刺激によって生じる膨疹。皮膚描記症ともいう。

喘息，アレルギー性鼻炎，アトピー性皮膚炎など）と寄生虫感染症などがある（IgE の本来の標的は病原性微生物である）。

　ただし，正常もしくは低値であってもⅠ型アレルギーを否定できない。特に成人気管支喘息に多い非アトピー型（感染型）の患者の場合には，IgE 値は正常範囲であることが多い。正常範囲であっても抗原特異的 IgE 抗体が検出されることもまれではない。

　アトピー性皮膚炎では異常高値を示すことがある。アレルギー性鼻炎では，特に花粉症のように季節性の症状のみを示すような患者では正常範囲のことが多い。

C 抗原特異的 IgE 抗体の検査

　抗原特異的 IgE 抗体の検査とは，**Ⅰ型アレルギー疾患**の原因となる抗原（アレルゲン）の同定につながる検査であり，血液や鼻汁などの試験管内での検査と，生体での反応をみる検査とがある。

1. 試験管内での検査法

1 RAST

　ラジオアレルゴソルベントテスト（radioallergosorbent test；RAST）は，血清あるいはほかの体液中に存在するきわめて微量の抗体を測定するために開発された。主として抗原特異的 IgE 抗体を測定するために用いられる検査法である。

2 ヒスタミン遊離試験

　ヒスタミン遊離試験（histamine releasing test；HTR）は，アレルゲン添加による，患者の好塩基球から遊離したヒスタミン量を測定するもので，単に抗原特異的 IgE 抗体の存在を反映するだけでなく，よりⅠ型アレルギー反応に近い試験と理解されている。陽性であれば原因アレルゲンである可能性が高い。

2. スキンテスト（生体での検査法）

　皮膚を用いたスキンテスト（皮膚反応試験）が行われる。皮膚に少量のアレルゲンを注射あるいは接触させて，局所のアレルギー反応の発現をみる検査法である。

　未治療の患者では，試験管内の検査よりも感度がよく短時間で結果が出る点で優れているが，抗アレルギー薬（本章-Ⅲ-B「薬物療法」参照）が投与されている場合には，反応が抑制される可能性があるため注意を要する。また，皮膚反応が強く出ると，瘙痒感や発赤で不快感が強く，時に全身症状につながるおそれもあることから注意が必要である。生体での検査法として，そのほかに誘発試験（後述）がある。

1 皮内反応試験

▶**概念** 皮内反応試験（intracutaneous test）は，皮内に少量のアレルゲン抽出液を注射して10～15分後の膨疹・発赤反応により判定する。IgE抗体（Ⅰ型アレルギー，即時型）の存在を確認するものである。また，数時間後のアルサス型反応（Ⅲ型アレルギー）によるIgG抗体，24～72時間後の遅延型反応（ツベルクリン反応など）による細胞性免疫（Ⅳ型アレルギー）を知ることもできるが，一般に皮内反応はⅠ型アレルギーの存在を確認する検査である。

▶**方法** ツベルクリン用の注射器を用い前腕内側に正確に0.02 mLの皮内注射をする。注射後15～20分に膨疹と発赤の直交する直径を測定し，その平均値を求める。アメーバ状に広がる偽足形成や，かゆみがあればその旨を記録する。

　以上の即時型反応のほかに，5～6時間後に発赤を伴うびまん性の腫脹として観察されるアルサス型反応，24～72時間後の発赤を伴う硬結を示す遅延型反応がみられることがある。

▶**判定** 発赤径20 mm以上，または膨疹径9 mm以上のとき，即時型反応陽性とする。偽足形成があるときは強い反応を意味している。表3-1に反応の判定基準を示す。

▶**臨床的意義** 即時型アレルギー反応陽性は，その抗原に対するIgE抗体の存在を示す。

2 搔皮反応試験（スクラッチテスト）と単刺反応試験（プリックテスト）

▶**概念** 搔皮反応試験（**スクラッチテスト**，scratch test）は，皮膚にアレルゲンを滴下し，そこを針で引っ搔く方法。単刺反応試験（プリックテスト，prick test）は，針をわずかに刺して皮膚に傷をつけてアレルゲンを皮内に入れ，アレルゲンを確認する方法である。15～20分後に発赤・膨疹反応をみるもので，皮内反応と同様の意義をもつ。皮内反応に比べて操作が簡単で多数のアレルゲンについて同時に検査ができる。またショックの頻度がきわめて低いなどの利点をもつ。

▶**判定基準** 表3-1に示す。膨疹径5 mm以上，または発赤径15 mm以上を陽性と判定する。

表3-1 皮内反応，搔皮反応（単刺反応）の判定基準

	反応	膨疹		発赤
皮内反応	陰性　−	0～5 mm	または	0～9 mm
	偽陽性　±	6～8 mm	または	10～19 mm
	陽性　+	9～14 mm	または	20～39 mm
	強陽性　++	15 mm以上	または	40 mm以上（偽足形成）
搔皮反応（単刺反応）	陰性	膨疹，発赤が対照（比較対照として50％グリセリン液をアレルゲンの代わりに用いる）と差異のないもの		
	陽性	膨疹径が5 mm以上，あるいは対照の2倍以上，または発赤径が15 mm以上を陽性とする		

Ⅱ　アレルギー疾患の検査

3 貼付試験（パッチテスト）

スキンテストの一つで，Ⅳ型アレルギーの検査法として用いられる。

▶ **概念**　一般にアレルギー性接触皮膚炎の病因抗原の決定に用いられる。アレルゲン液を滴下した検査用絆創膏を皮膚に貼布して局所に皮膚炎を起こさせるもので，一種の誘発試験である。T細胞を介する遅延型といわれるⅣ型アレルギー反応の検査であるため，48時間後に判定する。薬物アレルギー，そのほかの単純化合物によるアレルギーの抗原検索にも用いられる。

▶ **判定**　貼布した絆創膏を48時間後に剝がして抗原を取り除き，1時間後と24時間後に局所の紅斑，浮腫，小水疱などの皮膚炎症状をみて判定する。

▶ **臨床的意義**　病変部位に接触した物質が陽性反応を示せば，接触皮膚炎の原因物質と考えられる。

D 誘発試験・除去試験

スキンテストで陽性であっても，必ずしもそれが原因アレルゲンであるとは限らない。病歴から強く疑われ，しかもスキンテストが陽性であれば原因アレルゲンと考えられるが（たとえば花粉の季節に一致してアレルギー症状が出現し，その花粉に対するスキンテストが陽性である場合，またはペットを抱くとアレルギー症状が出現し，そのペットに対するスキンテストが陽性である場合など），確実に原因アレルゲンと同定するには，誘発試験が必要である場合が少なくない。

気管支喘息では**吸入誘発試験**，アレルギー性鼻炎では**鼻粘膜（抗原）誘発試験**，アレルギー性結膜炎では**眼粘膜反応試験**，食物アレルギーでは**食物経口負荷試験（除去試験）**が行われる。

1 吸入誘発試験

アレルゲンを低濃度から吸入させて，呼吸機能検査で1秒量の変化を測定する。陰性であれば順次高濃度に移行する。10〜20分後に1秒量が20％以上低下すれば陽性と判定する。さらに無処置で観察を続けると，4〜6時間後から始まり8〜12時間後にピークに達する遅発型喘息反応が出現する可能性がある。即時型喘息反応のみの検査で終了する際，帰宅後の大発作に結びつくことがあり，注意を要する。

2 鼻粘膜（抗原）誘発試験

アレルゲンを染み込ませて乾燥させたろ紙を鼻粘膜上（下鼻甲介前端）に置いて，10〜15分後の反応をみる。くしゃみ・鼻瘙痒感，粘膜の腫脹，蒼白および水性鼻漏の3項目のうち2項目がみられれば陽性と判定する。

3 眼粘膜反応試験

アレルゲン液を下眼瞼に滴下し，5〜15分後に反応をみる。瘙痒感，充血，浮腫，流涙がみられれば陽性と判定するが，瘙痒感のみのときは，疑陽性とする。吸入誘発試験結果との一致率が高く，吸入誘発試験よりも患者の負担が少ないため，気管支喘息のアレルゲン同定検査としても施行される。

4 食物経口負荷試験（除去試験）

アレルゲンと考えられる食物およびそれを含むすべての食品を除去した食事を数日から数週間続けて，症状が改善するかどうかを調べる。

III アレルギー疾患の治療

いずれのアレルギー疾患においても，治療の第一歩は診断にある。確定診断がつけば，診断の過程で同定された原因抗原（アレルゲン）を回避することが治療上の原則である。しかし，アレルゲンが避け難い場合は**免疫療法**（減感作療法）が適応になることもある。そのほかには抗アレルギー薬などの薬物療法，精神的な因子に着目した心理療法など，表3-2に示す治療法がある。患者の病態に応じてこれらの治療法を組み合わせて行う。

ここではアレルギー疾患の主な治療法について概説し，疾患ごとの治療を理解するため

表3-2 アレルギー疾患の治療法

特異的療法，根本的療法 （免疫学的療法）	❶抗原の回避 ❷免疫療法（減感作療法）
薬物療法 （対症療法，予防療法）	❶副腎皮質ステロイド薬 ・全身作用性 ・局所作用性：吸入副腎皮質ステロイド薬など ❷抗アレルギー薬 ・化学伝達物質遊離抑制薬 ・抗ヒスタミン薬（ヒスタミンH_1受容体拮抗薬） ・トロンボキサンA_2合成酵素阻害薬／受容体拮抗薬 ・ロイコトリエン受容体拮抗薬 ・Th2サイトカイン阻害薬 ❸β_2刺激薬 ❹テオフィリン（キサンチン誘導体） ❺抗コリン作用薬 ❻生物学的製剤 ・抗IgE抗体製剤 ・抗IL-5抗体製剤 ・抗IL-4受容体抗体製剤 ・抗IL-5受容体抗体製剤
心理療法，訓練療法	

の基本事項を概説する。

特異的療法，根本的療法

1. 抗原の回避

▶ **概念** アレルギー疾患は，原因物質（**アレルゲン**）が，からだの上皮や粘膜に接触するか，体内に侵入しなければ発症しない。つまりアレルゲンへの曝露を避けることが，アレルギー疾患の治療の基本である。

▶ **対象** これまでに種々のアレルゲンの関与が確認されているが，空気中に飛散し，気道から体内に入る吸入性抗原としては，室内塵（ハウスダスト）の主成分である**ダニ抗原**，特に**ヒョウヒダニ**が重要である。気管支喘息やアレルギー性鼻炎，さらにアトピー性皮膚炎にも関与するといわれている。また，スギ花粉をアレルゲンとする花粉症が急増し，一種の社会問題にまで発展している。さらに薬物，動植物，微生物，食物などがいろいろな形で抗原（アレルゲン）として関与している。

▶ **方法** これらの抗原のなかで，たとえば薬物や食物，さらにペットに起因するアレルギーは，それらの抗原を回避することで発症を未然に防ぐことが可能である。一方，ダニや花粉，真菌などの抗原から完全に逃避することは困難であるが，積極的に抗原を除去するように環境整備も含めた対策をとることが必要である。例としてヒョウヒダニの駆除法と，花粉症対策の一例を**表 3-3** に示す。

2. 免疫療法（減感作療法）

▶ **概念** **免疫療法（減感作療法）**とは，病因となっているアレルゲンに対する生体の反応を減弱させる治療法である。極微量のアレルゲンを皮下注射し，徐々に増量して維持量まで達したところで維持量を間隔を空けながら注射する。全体で3〜4年継続する。その機序については様々な説があるが，正確なところはわかっていない。近年，スギ花粉症またはダニアレルギー性鼻炎に対する**舌下免疫療法**が登場し，自宅で服用できるようになった。

表3-3 ヒョウヒダニの除去法，花粉症の対策（例）

ヒョウヒダニの除去法	花粉症対策
❶寝室，居間にダニ取り用掃除機をかける ❷ふとんにもダニ取り用掃除機をかける ❸ふとんの丸洗い，打ち直し ❹いわゆる殺虫剤は無効である ❺じゅうたんはなるべく使用しない ❻ぬいぐるみは置かない ❼室内換気を頻繁にする	❶花粉の多い場所には立ち入らない，近づかない ❷窓にはフィルターを設置し花粉を室内に入れないようにする（可能ならば空気清浄機を取り付ける） ❸花粉シーズンには，外出の際に必ずマスクや眼鏡を着用する。衣類にも花粉が付着しやすいため，帰宅時には外で花粉をよく落としてから家に入る。外出後はうがいと洗顔を必ず行う ❹鉢植えは室内に絶対入れない，置かない（花や葉に付着した花粉を持ち込まない）

▶ **適応** 吸入抗原のように，完全に回避することができないアレルゲンが関与するアレルギー疾患が適応となり，**アレルギー性鼻炎**，**ハチアレルギー**，**気管支喘息**などが対象疾患である。回避可能な食物アレルゲン，また，極微量のアレルゲンでも発病してしまう危険性のある真菌アレルゲンによる免疫療法は一般に行われない。

▶ **注意点** 免疫療法の施行上の注意としては，①確実に同定されたアレルゲンを選んで施行すること，②全身反応を引き起こすことがあるためアナフィラキシーに対処できる施設で行うこと，③注射後少なくとも 30 分は医師の監視下に置くこと，④体調が悪いときには施行しないこと，などがあげられる。

B 薬物療法

1. 副腎皮質ステロイド薬

▶ **概念** 副腎皮質ステロイド薬（グルココルチコイド）は，強力な抗炎症作用，抗アレルギー作用および免疫抑制作用をもち，多くのアレルギー疾患の治療に用いられている。気管支喘息やアレルギー性鼻炎などに対する副腎皮質ステロイド薬の効果発現には表 3-4 のような機序が推定されているが，いまだ不明な点も多い。

▶ **有害反応** 副腎皮質ステロイド薬には全身的（内服や静脈注射で使用）な長期投与で，消化性潰瘍，感染症，糖尿病，高血圧および骨粗鬆症などの有害反応が出現するという問題がある。1 日使用量がプレドニゾロン換算で 2.5mg 以下であると有害反応は少ないが，1 日 10mg 以上内服すると有害反応の頻度が高くなる。

近年，肝臓で容易に代謝される**吸入副腎皮質ステロイド薬**が出現し，全身性の有害反応が最小限となり，**気管支喘息やアレルギー性鼻炎**の治療に大きな変革をもたらしている。

▶ **適応** わが国の気管支喘息の治療ガイドラインでは，軽症から重症例のすべてに吸入副腎皮質ステロイド薬の使用が予防維持薬として推奨されている。重症例や急性発作時では経口投与や経静脈投与も行われる。

アレルギー性鼻炎については中等症以上に対して局所副腎皮質ステロイド薬を使用すべきとされ，抗ヒスタミン薬ほどの即効性はないが，満足な効果が得られている。また，重

表3-4 副腎皮質ステロイド薬の抗炎症・抗アレルギー作用

- 炎症細胞の肺・気道内への浸潤を抑制，炎症細胞の遊走・活性化を抑制
- 血管透過性の抑制
- 気道分泌の抑制
- 気道過敏性の抑制
- サイトカイン産生の抑制
- β_2 刺激薬の作用亢進
- アラキドン酸の代謝を阻害，ロイコトリエン，プロスタグランジン産生の抑制

症例では経口副腎皮質ステロイド薬が短期間（1週間程度）のみ使用されることがある。
　一方，アトピー性皮膚炎においては**副腎皮質ステロイド外用薬**による局所療法が中心となり，重症度に応じた使い分けが必要である。

2. 抗アレルギー薬

▶ **概念**　Ⅰ型アレルギー反応に関与する化学伝達物質の遊離ならびに作用を調節するすべての薬物および Th2 サイトカイン阻害薬を一括して**抗アレルギー薬**とよぶ。抗アレルギー薬はその作用機序によって，化学伝達物質遊離抑制薬，ヒスタミン H_1 受容体拮抗薬（抗ヒスタミン薬），トロンボキサン A_2 合成酵素阻害薬／受容体拮抗薬，ロイコトリエン受容体拮抗薬，Th2 サイトカイン阻害薬に分類される。

▶ **適応**　基本的にアレルギー症状の**予防・維持薬**であり，急性期（喘息発作時など）の治療としては用いられない。ヒスタミン H_1 受容体拮抗薬は主にアレルギー性鼻炎やアトピー性皮膚炎に対して，トロンボキサン A_2 合成酵素阻害薬／受容体拮抗薬，ロイコトリエン受容体拮抗薬は気管支喘息に対して効果が認められている。なお，原則として妊婦には投与しない。

3. IgE抗体産生抑制薬

▶ **概念**　抗アレルギー薬の一つに分類される Th2 サイトカイン阻害薬は，Th2 細胞からの IL-4 の産生抑制作用により，IgE 抗体の産生を抑制する。

▶ **適応**　気管支喘息やアトピー性皮膚炎に使用される。

4. 気管支拡張薬

　気管支喘息の治療に欠かせない気管支拡張薬としては，$β_2$ 刺激薬，テオフィリン薬などが用いられる（詳しくは本編-第4章「アレルギー疾患と診療」参照）。

C 心理療法，訓練療法

　アレルギー疾患の発症や経過には心理的因子が関与している。薬物療法と併せて心理療法を行う。心理療法として，面接，自律訓練法，行動療法，家族療法などがある。また排痰法や水泳，乾布摩擦などの身体訓練も行われる。

国家試験問題

1 アレルギー反応とその検査法の組合せで正しいのはどれか。　（予想問題）

1. Ⅰ型 ──────── 掻皮反応（スクラッチテスト）
2. Ⅱ型 ──────── 血清沈降抗体
3. Ⅲ型 ──────── クームス（Coombs）試験
4. Ⅳ型 ──────── ヒスタミン遊離試験

2 免疫療法で使用されるアレルゲンでないのはどれか。　（予想問題）

1. ハチ毒
2. ダニ
3. 花粉
4. 真菌

▶答えは巻末

第1編 アレルギー疾患とその診療

第4章

アレルギー疾患と診療

この章では
- アレルギー・免疫疾患の原因・症状・治療について理解する。

国家試験出題基準掲載疾患

気管支喘息 | アレルギー性鼻炎 | 蕁麻疹 | 接触皮膚炎 | アナフィラキシー

I 気管支喘息

1 気管支喘息とは

▶ **概念**　気管支喘息は気道の慢性炎症性疾患で，気道過敏性を伴う疾患である。種々の刺激に過敏に反応して，気管支平滑筋収縮，気道粘膜の浮腫および気道分泌の亢進などにより気道閉塞が起こる。気道には，好酸球，T細胞（Th2），肥満細胞（マスト細胞）が浸潤し，気道上皮の損傷・剝離がしばしば観察される。

▶ **分類**　気管支喘息は，アレルゲンに対する特異的IgE抗体が検出される**アトピー型**と，検出されない**非アトピー型**とに分類される。小児発症型はアトピー型が多く，成人発症型は非アトピー型が多い。アトピー型ではヒョウヒダニに対するIgE抗体を原因とするものが多い。

▶ **疫学**　わが国を含む世界各国で患者数は増加しており，わが国では成人の3～4％，小児ではさらに多い。気管支喘息による死亡数は人口10万人当たり2人以下で，高齢者ほど高率である。

▶ **病態**　気管支喘息は種々の因子（アレルゲン，気道刺激物）で気道に炎症を起こし，そのほかに運動，薬物（特にアスピリンなどの非ステロイド性抗炎症薬［NSAIDs］），心理的ストレスなどで発作を誘発する。

2 診断

気管支喘息診断の目安を次に示す。

❶ 発作性の呼吸困難，喘鳴，咳の反復

症状は，発作性の呼吸困難，喘鳴，咳，胸苦しさおよび体動時の息切れなどで，夜間から早朝にかけて起こることが多い。気道閉塞が高度になると横になって寝ることができず**起座呼吸**となり，会話困難，意識障害を起こし，まれに死に至ることもある。

❷ 部分的にみられる可逆性の気流制限

発作時の喘鳴，呼吸困難は，可逆性の気道狭窄によって起こる。増悪期と寛解期でピークフロー，1秒率は大きく変化する。日内変動またはβ_2刺激薬（気管支拡張薬）吸入により20％以上の変動または改善があれば，可逆性ありと判断する。しかし，長期罹患した慢性喘息患者では，気道のリモデリング（気道壁の器質的な肥厚などの器質的変化や再構築）により気道狭窄が固定化して元に戻りにくい例もあり，注意を要する。

❸ 気道過敏性の存在

健常者が反応しないレベルの非特異的な刺激によっても，気管支喘息患者は気道収縮反応を起こす。この非特異的な刺激に対する気道過敏性を客観的に証明する方法として，アセチルコリン，ヒスタミンおよびメサコリンなどの気管支収縮物質が用いられる（吸入誘

発試験)。

❹アトピー素因の存在

種々の環境アレルゲンに対する IgE 抗体の存在は**アトピー素因**の存在を示す。特定の環境アレルゲンに対する即時型皮膚反応陽性,RAST 陽性または吸入誘発試験陽性であれば**アトピー型気管支喘息**と考えられる。

3 治療

気管支喘息を管理するうえで目標になるのは,発作のない状態を維持することであるが,発作が起こってしまえば,なるべく速やかに寛解させることが目標となる。前者は気管支喘息の長期管理,後者は急性増悪の管理が治療目標となる。

結果として喘息死をなくし喘息の予後を改善させること,喘息患者の生活の質 (quality of life;QOL) を改善させることが重要である。この目的を達成するためには,原因の回避を含む生活環境や習慣の改善と,薬物療法からなる包括的な治療を実践しなければならない。

気管支喘息の治療薬は,気道の閉塞を寛解させる薬物である**対症救急薬**(リリーバー)と,長期的に慢性の気道炎症を含めて気管支喘息を制御する薬物である**長期管理薬**(コントローラー)の 2 種類に分類されている(表 4-1)。

治療法については,わが国の「喘息予防・管理ガイドライン 2021」(日本アレルギー学会喘息ガイドライン専門部会,2021)と「アレルギー総合ガイドライン 2022」(日本アレルギー学会,2022)に沿って説明する。

表 4-1 気管支喘息治療薬の分類

分類	治療の目的	治療薬	備考
対症救急薬(リリーバー)	気道の閉塞を寛解	・β_2 刺激薬 ・テオフィリン薬 ・抗コリン薬	・β_2 刺激薬は,気道平滑筋の β_2 受容体に結合して,強力な気管支拡張作用を発揮する。 ・テオフィリン薬は,アルカロイドの一種で,気管支拡張作用を示す。細胞内の cyclic AMP を増加させると考えられていたが,詳細は不明。 ・抗コリン薬は,迷走神経刺激によるアセチルコリンを介する気管支収縮を抑制することで気管支拡張作用を現す。
長期管理薬(コントローラー)	気道の炎症を制御	・副腎皮質ステロイド薬 ・長時間作用型 β_2 刺激薬 ・抗アレルギー薬 ・徐放性テオフィリン薬 ・抗 IgE 抗体製剤 ・抗 IL-5 抗体製剤 ・抗 IL-4 受容体抗体製剤 ・抗 IL-5 受容体抗体製剤	・抗 IgE 抗体製剤(一般名オマリズマブ)は,ヒト化抗ヒト IgE モノクローナル抗体で,遊離 IgE に結合する抗体薬。I 型アレルギーの引き金となる肥満細胞上の IgE 受容体へ IgE が結合するのを阻害する。重症持続性喘息に適応。 ・抗 IL-5 抗体製剤(一般名メポリズマブ)は,ヒト化抗ヒト IL-5 モノクローナル抗体である。炎症性サイトカイン IL-5 に結合してその作用を抑制する。難治性の気管支喘息に適応。

表4-2 喘息増悪の強度と目安となる増悪治療ステップ

PEF値（ピークフロー値）は，予測値または自己最良値との割合を示す．

増悪強度*	呼吸困難	動作	検査値の目安				増悪治療ステップ
			PEF	SpO$_2$	PaO$_2$	PaCO$_2$	
喘鳴／胸苦しい	急ぐと苦しい動くと苦しい	ほぼ普通	80％以上	96％以上	正常	45 Torr 未満	増悪治療ステップ1
軽度（小発作）	苦しいが横になれる	やや困難					
中等度（中発作）	苦しくて横になれない	かなり困難かろうじて歩ける	60〜80％	91〜95％	60 Torr 超	45 Torr 未満	増悪治療ステップ2
高度（大発作）	苦しくて動けない	歩行不能会話困難	60％未満	90％以下	60 Torr 以下	45 Torr 以上	増悪治療ステップ3
重篤	呼吸減弱チアノーゼ呼吸停止	会話不能体動不能錯乱意識障害失禁	測定不能	90％以下	60 Torr 以下	45 Torr 以上	増悪治療ステップ4

＊：増悪強度は主に呼吸困難の程度で判定する（他の項目は参考事項とする）．異なる増悪強度の症状が混在する場合は強い方をとる．

出典／日本アレルギー学会喘息ガイドライン専門部会監：喘息予防・管理ガイドライン2021，協和企画，2021，一部改変．

❶急性発作時の治療

急性発作時の治療について**表4-2**，**表4-3**に示す．

（1）自宅での発作時の対応

気管支喘息の発作は夜間に出現することが多いため，家庭での対応をふだんから指導しておくことが重要である（**column**「気管支喘息患者への対応」参照）．

発作が中等度までは，まずβ_2刺激薬を定量噴霧吸入器（metered-dose inhaler；MDI）で吸入する．また，テオフィリン薬の経口薬を併用することもある．症状が寛解し，その効果が3〜4時間持続するときは，そのまま自宅治療とし，症状が改善しないときは救急外来受診とする．

気管支喘息患者への対応

▶ **体位の工夫** 喘息発作が起こったときは，少しでも楽に呼吸できるように起座位かファーラー位（半座位）をとるとよい．具体的には，オーバーテーブルの高さを調節して前かがみにもたれやすくすることや，起座位をとる場合は背部や脚部の角度を変えられるギャッチベッドを利用し，からだの両側に寝具を置くことなどにより，座位保持を援助する．

▶ **腹式呼吸の励行**（主に小発作に対して） 喘息発作時は気道が狭窄し呼気時間が延長するため，二酸化炭素が蓄積しやすくなる．これを改善し，効率よく酸素を取り入れるために，さらに腹筋の筋力増強のためにも，日頃より腹式呼吸を行うよう促すことが大切である．

▶ **排痰の促進** 痰をやわらかくするために，水分を補給し，ネブライザーを使用する．

表 4-3 喘息の増悪治療ステップ

治療目標：呼吸困難の消失，体動，睡眠正常，日常生活正常，PEF 値が予測値または自己最良値の 80％ 以上，酸素飽和度＞95％，平常服薬，吸入で喘息症状の悪化なし。
ステップアップの目安：治療目標が 1 時間以内に達成されなければステップアップを考慮する。

	治療	対応の目安
増悪治療ステップ 1	短時間作用性 β_2 刺激薬吸入[*2] ブデソニド / ホルモテロール吸入薬追加（SMART 療法施行時）	医師による指導のもとで自宅治療可
増悪治療ステップ 2	短時間作用性 β_2 刺激薬ネブライザー吸入反復[*3] ステロイド薬全身投与[*5] 酸素吸入（SpO_2 95％ 前後） 短時間作用性抗コリン薬吸入併用可 （アミノフィリン点滴静注併用可[*4]）[*8] （0.1％ アドレナリン（ボスミン）皮下注[*6] 使用可）[*8]	救急外来 ・2〜4 時間で反応不十分 ・1〜2 時間で反応なし ｝入院治療 入院治療：高度喘息症状として増悪治療ステップ 3 を施行
増悪治療ステップ 3	短時間作用性 β_2 刺激薬ネブライザー吸入反復[*3] 酸素吸入（SpO_2 95％ 前後を目標） ステロイド薬全身投与[*5] 短時間作用性抗コリン薬吸入併用可 （アミノフィリン点滴静注併用可[*4]（持続静注）[*7]）[*8] （0.1％ アドレナリン（ボスミン）皮下注[*6] 使用可）[*8]	救急外来 1 時間以内に反応がなければ入院治療 悪化すれば重篤症状の治療へ
増悪治療ステップ 4	上記治療継続 症状，呼吸機能悪化で挿管[*1] 酸素吸入にもかかわらず PaO_2 50Torr 以下 および/または意識障害を伴う急激な PaO_2 の上昇 人工呼吸[*1]，気管支洗浄を考慮 全身麻酔（イソフルラン，セボフルランなどによる）を考慮	直ちに入院，ICU 管理[*1]

[*1]：ICU または，気管挿管，補助呼吸などの処置ができ，血圧，心電図，パルスオキシメータによる継続的モニターが可能な病室。気管内挿管，人工呼吸装置の装着は，緊急処置としてやむを得ない場合以外は複数の経験のある専門医により行われることが望ましい。
[*2]：短時間作用性 β_2 刺激薬 pMDI の場合：1〜2 パフ，20 分おき 2 回反復可。
[*3]：短時間作用性 β_2 刺激薬ネブライザー吸入：20〜30 分おきに反復する。脈拍を 130/ 分以下に保つようにモニターする。なお，COVID-19 流行時には推奨されず，代わりに短時間作業性 β_2 刺激薬 pMDI（スペーサー併用可）に変更する。
[*4]：アミノフィリン 125〜250mg を補液薬 200〜250mL に入れ，1 時間程度で点滴投与する。副作用（頭痛，吐き気，動悸，期外収縮など）の出現で中止。増悪前にテオフィリン薬が投与されている場合は，半量もしくはそれ以下に減量する。可能な限り血中濃度を測定しながら投与する。
[*5]：ステロイド薬点滴静注：ベタメタゾン 4〜8mg あるいはデキサメタゾン 6.6〜9.9mg を必要に応じて 6 時間ごとに点滴静注。AERD（NSAIDs 過敏喘息，N-ERD，アスピリン喘息）の可能性がないことが判明している場合，ヒドロコルチゾン 200〜500mg，メチルプレドニゾロン 40〜125mg を点滴静注してもよい。以後ヒドロコルチゾン 100〜200mg またはメチルプレドニゾロン 40〜80mg を必要に応じて 4〜6 時間ごとに，またはプレドニゾロン 0.5mg/kg/ 日，経口。
[*6]：0.1％ アドレナリン（ボスミン）：0.1〜0.3mL 皮下注射 20〜30 分間隔で反復可。原則として脈拍は 130/ 分以下に保つようにモニターすることが望ましい。虚血性心疾患，緑内障［開放隅角（単性）緑内障は可］，甲状腺機能亢進症では禁忌，高血圧の存在下では血圧，心電図モニターが必要。
[*7]：アミノフィリン持続点滴時は，最初の点滴（[*6] 参照）後の持続点滴はアミノフィリン 125〜205mg を 5〜7 時間で点滴し，血中テオフィリン濃度が 8〜20μg/mL になるように血中濃度をモニターして中毒症状の発現で中止する。
[*8]：アミノフィリン，アドレナリンの使用法，副作用，個々の患者での副作用歴を熟知している場合には使用可。
出典／日本アレルギー学会喘息ガイドライン専門部会監：喘息予防・管理ガイドライン 2021，協和企画，2021，一部改変．

ただし，次のような場合には，ただちに副腎皮質ステロイド薬（プレドニゾロン 15〜30mg/ 日）を内服して救急外来を受診する。

①高度以上の喘息症状，②気管支拡張薬で 3 時間以内に軽快しない，③ β_2 刺激薬を 1〜2 時間ごとに必要とする，④症状が悪化していく，⑤現在の発作は中等度でもハイリスクグループに該当する意識喪失を伴う発作の既往のある者，または副腎皮質ステロイド薬依存性患者など。

(2) 救急外来での段階的治療（表4-2）

▶ **喘鳴／胸苦しい，軽度症状（小発作）** 苦しいが横になれる状態である。β_2刺激薬をMDIかネブライザーで反復吸入する。テオフィリン薬の経口投与も有効である。

▶ **中等度症状（中発作）あるいは軽度症状の維持** 苦しくて横になれず起座呼吸の状態，および軽度症状の非寛解例の治療である。発作が未治療の場合は，ネブライザーでβ_2刺激薬を反復吸入する。1時間以内に症状が改善しない場合やβ_2刺激薬をすでに吸入している場合には，直ちにテオフィリン薬の点滴静脈注射，副腎皮質ステロイド薬の全身投与，アドレナリンの皮下注射などを施行する。またSpO_2 95%（PaO_2 80Torr）以下では酸素投与も併用する。

▶ **高度症状（大発作）あるいは中等度症状の持続** 身動きできず話せない状態，および中等度症状の非寛解例である。中等度症状で列挙した治療をすべて開始し，継続する。脱水があれば補液が重要である。酸素投与はSpO_2 95%（PaO_2 80Torr）前後を目標とするが，慢性閉塞性肺疾患（COPD）合併例ではCO_2ナルコーシス（血中の二酸化炭素［CO_2］分圧の上昇によって意識障害などの精神神経症状をきたした状態）に注意する。

▶ **重篤喘息症状（重篤発作）・エマージェンシー** 来院時に呼吸停止している場合や，最大限の薬物療法と酸素投与でもSpO_2 85%（PaO_2 50 Torr）未満で$PaCO_2$が急激に増加し，意識障害の出現などがみられる場合である。気管挿管し，人工呼吸管理を施行する。さらに追加治療として全身麻酔も有効である。

❷ 喘息の長期管理における段階的治療

表4-4に喘息の長期管理における重症度に対応した段階的治療の実際を示す。

▶ **重症度分類** 重症度は症状と呼吸機能検査値を指標に判定し，ステップ1（軽症間欠型），ステップ2（軽症持続型），ステップ3（中等症持続型），ステップ4（重症持続型）に分類する。喘息の長期管理においては，炎症を含めた喘息の基本的病態を制御するコントローラーとともに，喘息症状を寛解させるリリーバーに分類される薬物も投与される。

▶ **吸入副腎皮質ステロイド薬** コントローラーのなかで，気道炎症に対する抑制効果が最も強い薬物は副腎皮質ステロイド薬であり，長期管理では**吸入副腎皮質ステロイド薬**（以下，吸入ステロイド）の使用がすべてのステップで推奨されている。炎症のコントロールの悪い状態が続けば，気道壁の肥厚化などのリモデリング（再構築，器質的変化）をきたし，難治化の原因になると考えられる。この気道リモデリングが気管支喘息の病態に重要な役割を果たしていることが明らかにされたことから，早期の治療介入（early intervention）が注目され検討されている。

長期的な治療としては，吸入ステロイドを中心に抗アレルギー薬，徐放性テオフィリン薬，長時間作用性β_2刺激薬，抗コリン薬を長期管理の目的で使用する。現在は，強い抗炎症作用を有し肺局所に有効に作用して全身への影響の少ない吸入ステロイドが治療の中心となっている。しかし，小児科領域における吸入ステロイドの役割は，効果においては十分であるが，その副作用発現を極力抑えたいという気持ちが強く，ほかの治療法を十分

表4-4 喘息治療ステップ

		治療ステップ1	治療ステップ2	治療ステップ3	治療ステップ4
長期管理薬	基本治療	ICS（低用量）	ICS（低〜中用量）	ICS（中〜高用量）	ICS（高用量）
		上記が使用できない場合，以下のいずれかを用いる	上記で不十分な場合に以下のいずれか1剤を併用	上記に下記のいずれか1剤，あるいは複数を併用	上記に下記の複数を併用
		LTRA テオフィリン徐放製剤 ※症状が稀なら必要なし	LABA （配合剤使用可*5） LAMA LTRA テオフィリン徐放製剤	LABA （配合剤使用可*5） LAMA （配合剤使用可*6） LTRA テオフィリン徐放製剤 抗IL-4Rα抗体*7, 8, 10	LABA （配合剤使用可） LAMA （配合剤使用可*6） LTRA テオフィリン徐放製剤 抗IgE抗体*2, 7 抗IL-5抗体*7, 8 抗IL-5Rα抗体*7 抗IL-4Rα抗体*7, 8 経口ステロイド薬*3, 7 気管支熱形成術*7, 9
	追加治療	アレルゲン免疫療法*1（LTRA以外の抗アレルギー薬）			
増悪治療*4		SABA	SABA*5	SABA*5	SABA

ICS：吸入ステロイド薬，LABA：長時間作用性β₂刺激薬，LAMA：長時間作用性抗コリン薬，LTRA：ロイコトリエン受容体拮抗薬，SABA：短時間作用性吸入β₂刺激薬，抗IL-5Rα抗体：抗IL-5受容体α鎖抗体：抗IL-4Rα抗体：抗IL-4受容体α鎖抗体
* 1：ダニアレルギーで特にアレルギー性鼻炎合併例で，安定期% FEV₁ ≧ 70%の場合にはアレルゲン免疫療法を考慮する。
* 2：通年性吸入アレルゲンに対して陽性かつ血清総IgE値が30〜1,500 IU/mLの場合に適用となる。
* 3：経口ステロイド薬は短期間の間欠的投与を原則とする。短期間の間欠投与でもコントロールが得られない場合は必要最小量を維持量として生物学的製剤の使用を考慮する。
* 4：軽度増悪までの対応を示す。
* 5：ブデソニド／ホルモテロール配合剤で長期管理を行っている場合は同剤を増悪治療にも用いることができる。
* 6：ICS/LABA/LAMAの配合剤（トリプル製剤）
* 7：LABA，LTRAなどをICSに加えてもコントロール不良の場合に用いる。
* 8：成人および12歳以上の小児に適応がある。
* 9：対象は18歳以上の重症喘息患者である。
* 10：中用量ICSとの併用は医師によりICSを高用量に増量することが副作用などにより困難であると判断された場合に限る。
出典／日本アレルギー学会喘息ガイドライン専門部会監：喘息予防・管理ガイドライン2021，協和企画，2021，一部改変．

に行ったうえでコントロールが困難な例に用いられることが多い。成人のように，ほぼ第1選択薬というわけではない。

4 予防

気管支喘息の予防を考える場合には，喘息発症の予防と，すでに喘息に罹患している患者の増悪（発作）の予防に分けて考える必要がある。

喘息発症にかかわる因子としては，①アトピー素因，②アレルゲン，職業性感作物質や食品添加物など，③喫煙，大気汚染などがある。このうちアトピー素因という遺伝子を介する因子については現時点では予防ができないため，環境の整備に重点を置いた予防策が

重要になる。

▶ **発症予防** 発症予防の具体策を次に示す。

①室内塵，ダニ曝露の抑制。
②喫煙を避ける。
③職場で適切な衛生対策を講じる。
④母体のケアを改善し，良好な栄養状態を保つことで，早産や出生児低体重の原因を回避する。

▶ **増悪（発作）予防** 発作を引き起こす環境因子，すなわちアレルゲン，大気汚染物質，呼吸器感染症や薬物，食品添加物，職業性感作物質など，さらに運動，過換気，気象変化，強い情緒負荷などが増悪因子としてもあげられる。これら各種増悪因子の回避・コントロールが薬物療法とともに大切である。

5 NSAIDs過敏喘息

▶ **概念** NSAIDs過敏喘息とは，ピリン，非ピリンにかかわらず，すべての**非ステロイド性抗炎症薬**（non-steroidal anti-inflammatory drugs；**NSAIDs**）で発作が誘発される気管支喘息のグループを指す。世界的にアスピリン喘息とよばれているため，わが国でもアスピリン喘息と称されていたが，本来はNSAIDs過敏喘息とよぶべきものである。

▶ **症状** 小児にはまれであるが，成人喘息の約10％を占め，決して少なくない。NSAIDsの使用直後か，1時間後までに喘息発作を起こす。時に発作は致死的な大発作となるため，注意を要する。30〜40歳代に発症することが多く，慢性副鼻腔炎や鼻茸（鼻ポリープ）を合併しやすい。NSAIDs以外にもコハク酸エステルナトリウム，食品・医薬品添加物（パラベン，サルファイト，安息香酸ナトリウムなど），サリチル酸化合物（各種香辛料），香料（ミントなど）に対する過敏症をもつことがある。

▶ **発症機序** I型アレルギーに基づく症状ではなく，NSAIDsの薬理作用であるシクロオキシゲナーゼ阻害によるロイコトリエン系の過剰産生と推定されているが，本当の機序はわかっていない。

II アレルギー性鼻炎

Digest

アレルギー性鼻炎	
概要	・鼻粘膜に起こるI型アレルギー疾患。 ・通年性アレルギー性鼻炎と季節性アレルギー性鼻炎に分類される。
原因	・ダニ，花粉抗原，ペット皮屑，カビなど。
症状	・くしゃみ，水性鼻漏，鼻閉を3主徴とする。

検査・診断	・ほかのアレルギー疾患の既往，家族歴。 ・鼻鏡検査，鼻汁中好酸球検査，皮内反応試験，特異的IgE抗体定量検査，鼻粘膜抗原誘発試験。
主な治療	・抗原の除去・回避。 ・抗ヒスタミン薬を中心とした薬物療法。 ・アレルゲン免疫療法（減感作療法）。

1 アレルギー性鼻炎とは

▶**概念** アレルギー性鼻炎は鼻粘膜に起こるⅠ型アレルギー疾患で，原則的には発作性反復性のくしゃみ，水性鼻漏，鼻閉を3主徴とする。通年性のものと季節性のものに分けられ，花粉症は原因アレルゲンが花粉抗原に特定された呼称で，季節性のアレルギー性鼻炎である。

▶**疫学** アレルギー性鼻炎のわが国での有症（病）率は，報告者によりまちまちであるが，通年性アレルギー性鼻炎が18％程度，スギ花粉症が13～16％，スギ以外の花粉症が10％程度と推定されている。

2 原因／病態／分類／症状

▶**原因** ダニ，花粉抗原，ペット皮屑，カビなど，大部分が吸入性アレルゲンによって起こり，食物アレルゲンはまれである。

▶**病態** 発症機序を図4-1に示す。アレルギー性鼻炎はⅠ型アレルギーであり，IgE-肥満細胞反応を引き金とするアレルギー炎症である。

▶**分類** アレルギー性鼻炎は，通年性アレルギー性鼻炎と季節性アレルギー性鼻炎に分類される。**通年性アレルギー性鼻炎**のアレルゲンで最も多いのはハウスダスト（ダニ）で，ほかにカビなど，常に身の回りに存在するものであり，症状は季節に関係なく出現する。一方，**季節性アレルギー性鼻炎**は，スギ，ブタクサ，イネ科などの花粉のように，アレルゲンの発生がある季節に限定され，症状が現れる時期も限られる。近年，患者数が急増している花粉症は季節性アレルギー性鼻炎の典型例である。

▶**症状** アレルギー性鼻炎の主症状は，**くしゃみ，水性鼻漏，鼻閉**であり，花粉症ではこれに加えて眼瘙痒感，眼球結膜の充血，流涙，皮膚・耳・のどのかゆみ，時に眠気，めまいおよび頭痛など多様な症状が出現する。

花粉症の場合，いわゆる鼻かぜとの鑑別が問題となる。鑑別点は，花粉症の場合，くしゃみや鼻の瘙痒感が強く，また眼にも瘙痒感が強く現れる。一方，全身倦怠感，発熱および咽頭痛を伴えば，鼻かぜの可能性があり，これらに黄色味を帯びた膿汁色の鼻汁があれば，鼻かぜの可能性が強い。

3 検査／診断

▶**検査** アレルギー性鼻炎の検査では，次の4つが重要である。

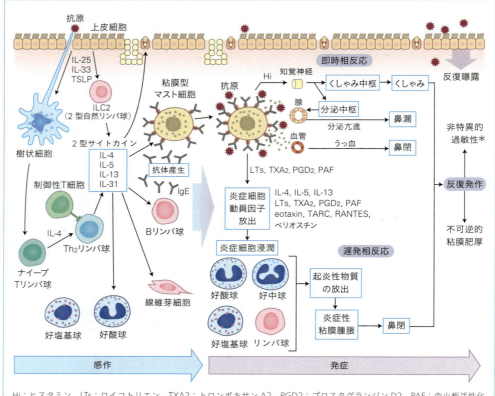

図4-1 アレルギー性鼻炎症状発現のメカニズム

①鼻鏡検査
②鼻汁中好酸球検査
③抗原を用いた皮内反応試験,あるいは血清中の特異的IgE抗体の定量検査
④鼻粘膜（抗原）誘発試験

鼻鏡検査では下鼻甲介粘膜の蒼白,水性鼻漏がアレルギー性鼻炎の特徴である。医療面接および鼻鏡検査でアレルギー性鼻炎が疑われた場合は②〜④の検査を行うが,④の鼻粘膜（抗原）誘発試験は必須ではない（本編-第3章-Ⅱ-D-2「鼻粘膜（抗原）誘発試験」参照）。これは重症例には施行が困難である。実地診断上,「原則として有症者で,鼻汁中好酸球検査,皮内反応試験あるいは血清中の特異的IgE抗体の定量検査,誘発試験のうち2つ以上陽性」を確定診断とする。

▶ **診断** 医療面接時のポイントを次に示す。

① ほかのアレルギー疾患（気管支喘息，アトピー性皮膚炎など）の既往や合併，家族歴の有無
② 発症時期，きっかけはあるか（たとえば引っ越し，転職など）
③ 季節性か通年性か。季節性の場合はその時期（表 4-5）
④ 3主徴（くしゃみ，水性鼻漏，鼻閉）の存在と程度
⑤ それぞれの症状の程度および日常生活への影響
⑥ 症状の起こる場所は家庭か職場（学校）か，そのきっかけ
⑦ 職業と生活環境
⑧ 今まで受けていた治療，その継続期間など
⑨ 定期的通院が可能か否か
⑩ 治療に対する患者の希望

4 治療

アレルギー性鼻炎の治療においては，①抗原の除去と回避，②個体の免疫応答性をコントロールするアレルゲン免疫療法（減感作療法），③薬物療法の3つの戦略が主軸となる。

表 4-5 花粉の種類とおもな季節

- 2〜4月：スギ
- 3〜4月：ヒノキ
- 4〜6月：シラカンバ（北海道，東北）
- 5〜6月：イネ科
- 8〜9月：ブタクサ属
- 9月：ヨモギ属
- 9〜10月：カナムグラ

表 4-6 アレルギー性鼻炎の治療法

❶ 患者とのコミュニケーション
❷ 抗原の除去と回避
　ダニ：清掃，除湿，防ダニフトンカバーなど
　花粉：マスク，メガネなど
❸ 薬物療法
　ケミカルメディエーター受容体拮抗薬（抗ヒスタミン薬，抗ロイコトリエン薬，抗プロスタグランジンD_2・トロンボキサンA_2薬）（鼻噴霧用，経口，貼付）
　ケミカルメディエーター遊離抑制薬（鼻噴霧用，経口）
　Th2サイトカイン阻害薬（経口）
　ステロイド薬（鼻噴霧用，経口）
　生物学的製剤（抗IgE抗体）
　血管収縮薬（α交感神経刺激薬）（鼻噴霧用，経口）
　その他
❹ アレルゲン免疫療法（皮下，舌下）
❺ 手術療法
　鼻粘膜変性手術：下甲介粘膜レーザー焼灼術，下甲介粘膜焼灼術など
　鼻腔形態改善手術：内視鏡下鼻腔手術Ⅰ型，内視鏡下鼻中隔手術Ⅰ型など
　鼻漏改善手術：経鼻腔的翼突管神経切断術など

出典／日本耳鼻咽喉科免疫アレルギー学会鼻アレルギー診療ガイドライン作成委員会：鼻アレルギー診療ガイドライン2020年版；通年性鼻炎と花粉症，改訂第9版，ライフ・サイエンス，2020.

表4-7 通年性アレルギー性鼻炎の治療

重症度	軽症	中等症		重症・最重症	
病型		くしゃみ・鼻漏型	鼻閉型または鼻閉を主とする充全型	くしゃみ・鼻漏型	鼻閉型または鼻閉を主とする充全型
治療	❶第2世代抗ヒスタミン薬 ❷遊離抑制薬 ❸Th2サイトカイン阻害薬 ❹鼻噴霧用ステロイド薬	❶第2世代抗ヒスタミン薬 ❷遊離抑制薬 ❸鼻噴霧用ステロイド薬 必要に応じて❶または❷に❸を併用する。	❶抗LTs薬 ❷抗PGD₂・TXA₂薬 ❸Th₂サイトカイン阻害薬 ❹第2世代抗ヒスタミン薬・血管収縮薬配合剤 ❺鼻噴霧用ステロイド薬 必要に応じて❶, ❷, ❸に❺を併用する。	鼻噴霧用ステロイド薬 ＋ 第2世代抗ヒスタミン薬	鼻噴霧用ステロイド薬 ＋ 抗LTs薬または抗PGD₂・TXA₂薬 もしくは 第2世代抗ヒスタミン薬・血管収縮薬配合剤 オプションとして点鼻用血管収縮薬を1〜2週間に限って用いる。
				鼻閉型で鼻腔形態異常を伴う症例, 保存療法に抵抗する症例では手術	
	アレルゲン免疫療法				
	抗原除去・回避				

＊症状が改善してもすぐには投薬を中止せず, 数か月の安定を確かめて, ステップダウンしていく。
＊遊離抑制薬：ケミカルメディエーター遊離抑制薬。
＊抗LTs薬：抗ロイコトリエン薬。
＊抗PGD₂・TXA₂薬：抗プロスタグランジンD₂・トロンボキサンA₂薬。
出典／日本耳鼻咽喉科免疫アレルギー学会鼻アレルギー診療ガイドライン作成委員会：鼻アレルギー診療ガイドライン2020年版：通年性鼻炎と花粉症, 改訂第9版, ライフ・サイエンス, 2020.

さらに, 鼻の通気度や水性鼻漏の改善のために外科治療が行われることがある（表4-6）。

▶**患者とのコミュニケーション**　患者に適した治療を選択するためには患者とのコミュニケーションは重要であり, そのツールとしてアレルギー日記の利用が有用である。

▶**抗原の除去と回避**　抗原の除去と回避は, 治療だけでなく, 予防策の第一にあげられる。

▶**薬物療法**　日本耳鼻咽喉科免疫アレルギー学会の「鼻アレルギー診療ガイドライン2020年版」に沿って解説する（表4-7）。通年性アレルギー性鼻炎に関しては, 軽症のくしゃみ・鼻漏型の患者には抗アレルギー薬のなかで**第2世代抗ヒスタミン薬**が有効である。鼻閉も訴える患者には**化学伝達物質**（ケミカルメディエーター）**遊離抑制薬**が奏効することがある。中等症の患者には第2世代抗ヒスタミン薬や化学伝達物質遊離抑制薬も有効であるが, 鼻閉型には**局所用副腎皮質ステロイド薬**が適応であり, トロンボキサン阻害薬やロイコトリエン受容体拮抗薬も有効である。また鼻閉に対して鼻粘膜血管収縮作用をもつα交感神経刺激薬も使用されるが, リバウンドによる血管拡張があり, 頻用すると薬剤刺激性鼻炎を誘発するため注意が必要である。

重症例に対しては局所用副腎皮質ステロイド薬を第1選択とする。効果が不十分であれ

ば，第2世代抗ヒスタミン薬または化学伝達物質遊離抑制薬を併用する。

　花粉症に関しても同様の方針で治療する。季節前の初期治療には原則として化学伝達物質遊離抑制薬，第2世代抗ヒスタミン薬を花粉飛散の1～2週前から投与するが，大量の花粉飛散が予想される場合には局所用副腎皮質ステロイド薬を飛散前から開始することもある。飛散中は抗ヒスタミン薬や化学伝達物質遊離抑制薬と局所用副腎皮質ステロイド薬とを適宜併用する。

▶ **アレルゲン免疫療法（減感作療法）**　免疫療法は，花粉症，ハチ毒，ダニなどのIgE抗体を介したⅠ型アレルギー（通年性アレルギー性鼻炎を含めて）に対しての有効性が確立している。しかし，副作用として蕁麻疹，気管支喘息，まれに全身性アナフィラキシーの誘発があり，救急対応の準備下での治療が要求されるため，一般診療での実施に抑制がかかっている。近年，スギ花粉症またはダニアレルギー性鼻炎に対する舌下免疫療法が登場し，自宅で服用できるようになった。

▶ **手術療法**　鼻粘膜の本来もつ生体防御機能を犠牲にするような広範囲の手術療法は行うべきではない。慢性化したアレルギー炎症の結果，粘膜組織の肥厚，線維化により不可逆的な変化が生じ，鼻腔通気障害が高度になったとき粘膜組織の減荷手術や鼻腔整復が行われる。鼻漏の改善には経鼻腔的翼突管神経切断術なども行われる。

▶ **日常生活の管理**　患者に次の点を中心に説明する。

①アレルギー性鼻炎は，慢性疾患であり長期の治療が必要である（妊婦については column「アレルギー性鼻炎の妊婦に対する治療法」参照）。
②治療は，抗原の除去と回避，薬物療法，免疫療法が主体となるが，高度鼻閉の場合には手術療法も考慮する。

Ⅲ　アトピー性皮膚炎

1　アトピー性皮膚炎とは

▶ **概念**　アトピー性皮膚炎は「増悪・寛解を繰り返す，瘙痒感のある湿疹を主病変とする

Column　アレルギー性鼻炎の妊婦に対する治療法

　妊娠4か月以前の妊婦に対する薬物投与は原則として避けるべきである。しかし，薬物を使用しなければ症状のコントロールができない場合には，内服は避け，局所治療薬を用いることがある。鼻閉には温熱療法，蒸しタオル，マスクなどで対処できることがある。

疾患であり，患者の多くはアトピー素因をもつ」と定義されている（日本皮膚科学会）。

▶疫学　わが国におけるアトピー性皮膚炎の罹患率は，全人口の約3〜10％を占める。5歳までに患者の約80％が発症する。生下時に発症することはまれで，通常，生後1〜2か月頃から発疹を認めるようになる。年長になるにしたがい軽快・治癒することが多いが，なかには重症化して成人に至る場合もあり，個人差が大きい。

2　病態／症状

❶病態

血清IgE値の上昇はアトピー性皮膚炎患者の約80％に認められる。また，皮内反応検査やRASTなどでダニや食物アレルゲンに対する特異的IgE抗体が検出され，Ⅰ型アレルギーの関与が考えられている。

さらにアトピー性皮膚炎では，Ⅰ型アレルギー反応だけでなく，皮膚の**易刺激性**（皮膚のバリア機能の低下など）という因子も病態形成に重要である。

湿疹のある皮膚には，肥満細胞（マスト細胞），脱顆粒した好酸球，CD4陽性のヘルパーT細胞が多数観察される。皮膚に侵入したダニなどのアレルゲンは，肥満細胞上のIgEの2つに橋を架けるように結合し（架橋し），化学伝達物質やサイトカインを遊離させ，血管の透過性を亢進させたり，白血球の遊走を促進する。

一方，表皮に存在する抗原提示細胞であるランゲルハンス細胞は，高親和性IgE受容体（レセプター）を介してIgEを結合することができる。したがって，アレルゲンはランゲルハンス細胞に取り込まれ，ヘルパーT細胞に抗原提示され，**Ⅳ型アレルギー反応**を成立させる過程も考えられる。

❷症状

アトピー性皮膚炎の特徴に瘙痒感があげられる。かゆみが強く，搔破を繰り返す。年齢に応じ皮膚症状に変化がみられるのが特徴である。

▶新生児期，乳児期　湿潤傾向の強い皮疹が主体である。生後2〜3か月から頭部，顔面に紅斑，びらん，痂皮を生じ，さらに体幹，四肢にも紅斑，紅色丘疹が出現する。関節屈曲部ではびらんが強い。

▶幼小児期，学童期　湿潤傾向が次第に減少し，乾燥傾向が出てくる。皮膚全体が乾燥してカサカサし，四肢近位，体幹では毛孔に一致する角化性の丘疹が多発し，落屑も強くなり，いわゆるアトピー皮膚という状態になる。肘，膝の内側，腋窩，首などに湿疹が強く，搔破のために表皮が肥厚し，苔癬化を示す。

▶思春期，成人期　多くの患者は，皮脂の分泌が盛んになる思春期から成人期にかけて皮膚症状は軽快するが，改善しない場合は乾燥化，苔癬化がいっそう強くなる。皮疹は顔面，首，胸背部などの上半身に強く認められる。顔面に皮疹の強い重症患者では，白内障，網膜剝離などの眼症状を生じやすい。

3 検査／診断

▶ **検査**　アトピー性皮膚炎の検査では，末梢血好酸球増加（約70％），血清ECP（好酸球塩基性たんぱく）上昇，血清LD（LDH）上昇がみられ，これらは皮疹の重症度と相関することが多い。血清総IgEの上昇は約80％の患者に認められ，長期的な重症度と相関する。アレルゲンに関しては，コナヒョウヒダニ，ヤケヒョウヒダニおよびハウスダストに対する特異的IgE抗体の検出率が高い。

▶ **診断**　日本皮膚科学会によるアトピー性皮膚炎の定義と診断基準による。

4 治療

日本皮膚科学会・日本アレルギー学会の「アトピー性皮膚炎診療ガイドライン2021」の治療の手順（図4-2）を参考に解説する。

❶ 原因・悪化因子の検索と対策
原因・悪化因子としては食物，発汗，搔破を含む物理的刺激，環境因子，細菌・真菌，接触抗原およびストレスなどがあげられる。

❷ スキンケア
ドライスキン（乾燥肌）に対しては，低下している皮膚の保湿性を補うため，保湿性の高い親水軟膏や吸水軟膏を外用する（column「アトピー性皮膚炎患者の処置と日常生活指導」参照）。皮膚の清潔は入浴・シャワー浴を励行する。

❸ 薬物療法
薬物療法の基本は次のとおりである。

> ①外用薬の種類，強度，剤形は重症度に加え，個々の皮疹の部位と性状および年齢に応じて選択する。
> ②顔面には副腎皮質ステロイド外用薬はなるべく使用しない。用いる場合は，可能な限り弱いものを短期間にとどめる。
> ③症状の程度を評価して，適宜，副腎皮質ステロイドを含まない外用薬を使用する。タクロリムス水和物の軟膏はその薬剤の使用法に従う。
> ④1～2週間をめどに重症度の評価を行い，治療薬の変更を検討する。
> ⑤必要に応じて抗ヒスタミン薬，抗アレルギー薬を使用する。

（1）外用療法

▶ **副腎皮質ステロイド外用薬**　副腎皮質ステロイド外用薬は皮膚の炎症症状の抑制には不可欠であり，有害作用に注意しながら使用すれば現在でも非常に有用な治療法である。副腎皮質ステロイド外用薬は，抗炎症作用の強さにより，Ⅰ群（ストロンゲスト：最強），Ⅱ群（ベリーストロング：非常に強い），Ⅲ群（ストロング：強い），Ⅳ群（マイルド：中程度），Ⅴ群（ウィーク：弱い）の5群に分類されている。アトピー性皮膚炎は長期にわたる経過をとるため，副腎皮質ステロイド外用薬の使用に際しては，局所，全身の有害作用に注意する。選択には，症状，部位，範囲，年齢を考慮する。顔面，頸部，腋窩，陰股部，肛門周囲では副腎

皮質ステロイド外用薬の吸収率が高く，皮膚萎縮などの有害作用が起こりやすいため，これらの部位では原則としてⅢ〜Ⅴ群の副腎皮質ステロイド外用薬を使用する。

副腎皮質ステロイド外用薬は剤型により，軟膏，クリーム，ローション，テープなどが

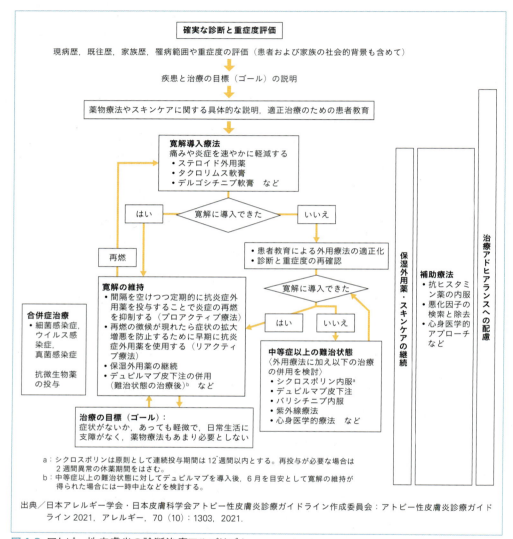

図4-2 アトピー性皮膚炎の診断治療アルゴリズム

> Column
> ### アトピー性皮膚炎患者の処置と日常生活指導
>
> - 外用薬を塗布する際には，手のひらを使って伸ばすように行う。処置を実施する人の手に創がある場合は，ディスポーザブルの手袋を使用する。
> - 入院して外用療法を開始すると，急速に短期間で改善する例が多くみられる。退院してすぐに悪化するような場合は，日常生活の悪化要因の検索が必要となる。

ある。アトピー性皮膚炎に最も頻用されるのは軟膏である。軟膏は基剤が白色ワセリンなどを主体としており，塗ると伸びがよく，刺激も少ないが，外用後の皮膚のべたつき感があるため夏季にはクリームが使用しやすい。ローションは被髪頭部に用いられる。また，テープは乾燥した苔癬化病変，痒疹に用いられる。

▶ **保湿性外用薬**　アトピー性皮膚炎患者では，皮疹部だけでなく，無疹部でも角質のバリア機能が低下している。保湿性外用薬は湿疹病変に先行する乾燥皮膚や湿疹病変が軽快した後の**維持療法**に用いられる。保湿性外用薬としては，尿素軟膏，白色ワセリン，ヘパリン類似物質含有軟膏などが使用される。

▶ **タクロリムス水和物軟膏**　免疫抑制薬であるタクロリムス水和物は，主にT細胞の活性化初期段階に作用し，免疫応答に重要なIL-2などのサイトカイン遺伝子の発現を阻害することにより免疫抑制効果を示す。特に顔面，頸部皮疹に著効を示す。

(2) 内服療法

▶ **抗アレルギー薬**　搔破により皮疹が増悪するため，瘙痒感を軽減させる止痒効果のあるヒスタミンH_1拮抗作用を有する抗アレルギー薬が使用される。

▶ **副腎皮質ステロイド薬**　通常，アトピー性皮膚炎には適応とならないが，劇症の場合には短期間内服させることがある。

(3) 皮下注射

▶ **デュピルマブ（ヒト型抗ヒトIL-4/IL-13受容体モノクローナル抗体）皮下注**　既存治療（タクロリムス水和物や副腎皮質ステロイド薬の外用薬）で効果不十分なアトピー性皮膚炎に用いられる。

IV　蕁麻疹

Digest

蕁麻疹	
概要	・I型アレルギーの代表疾患の一つで，かゆみを伴う皮疹（膨疹）が病的に出没する。
原因	・多くが特発性（原因不明）である。 ・刺激誘発性のものは，原因により物理性，コリン性，アレルギー性などに分類される。
症状	・かゆみを伴う膨疹が皮膚に突如出現する。 ・膨疹は境界明瞭で1～2 mmから手掌大まで，円形，環状または地図状など様々な形状を示す。
検査・診断	・病歴に応じて，病型診断・I型アレルギーに必要な検査（誘発試験，スキンテスト，抗原特異的IgE抗体検出など），そのほか身体所見から想定される原因や誘因に関連する検査。 ・かゆみを伴う膨疹の24時間以内の出没を確認することで診断できる。
主な治療	・薬物療法：抗ヒスタミン薬，抗アレルギー薬など。 ・生命に危機が及ぶ症状がある場合には，アナフィラキシーに対する処置。

1 蕁麻疹とは

▶ **概念** 紅斑を伴う一過性，限局性の皮膚の浮腫，すなわち膨疹が病的に出没する疾患であり，多くは瘙痒（かゆみ）を伴う。個々の膨疹が突然に出現し，24時間以内に跡形もなく消える。

▶ **疫学** 全人口の1/5～1/4が生涯に一度は何らかの蕁麻疹を経験すると報告されている。医療機関を受診する蕁麻疹患者の多くは慢性蕁麻疹であり，次いで物理性蕁麻疹，コリン性蕁麻疹の順である。Ⅰ型アレルギーに基づく蕁麻疹は約5％である。

▶ **原因** 原因不明の特発性が最も多い。次いで物理性，コリン性，アレルギー性などが原因とされる。

2 病態／分類／症状

▶ **病態** 何らかの理由で皮膚の肥満細胞（マスト細胞）が脱顆粒し，ヒスタミンなどの化学伝達物質が組織内に放出されることによる。IgE抗体を介したⅠ型アレルギー以外にも種々の因子が蕁麻疹の病態に関連している（物理的刺激，発汗刺激，食物，薬物，運動など）。

▶ **分類** ①特発性（急性，慢性），②刺激誘発性（アレルギー性，食物，薬物，物理性，コリン性，接触など）に分類される。**物理性蕁麻疹**は，物理的刺激（着衣をベルトやゴムで締め付ける，など），寒冷，日光などの刺激により誘発される。**コリン性蕁麻疹**は，入浴，運動，精神的緊張など，発汗を促す刺激が加わったときに生じる。アセチルコリンが関与していると考えられる。

▶ **症状** 境界明瞭の様々な形のわずかに隆起した膨疹が，皮膚に突如出現する。形は，1～2mmから手掌大までの大小の円形，環状または地図状などの膨疹を示す。強い瘙痒を伴う。四肢，体幹など全身どこにでも出現する。通常は数時間で跡形もなく消失するが，場所が移動したり，新しい蕁麻疹が出現して全身に拡大することがある。ただし，24時間以上同じ場所に持続することはない。一度発症するとその後，再発を繰り返すこともある。

3 検査／診断

▶ **検査** 病歴と身体所見から病型を決めて，原因や誘因が想定されれば，それに関連する検査を進めていく。

▶ **診断** 蕁麻疹の特徴は個々の膨疹の一過性にあるため，かゆみを伴う紅斑（膨疹）が24時間以内に出没することが確認できれば，ほぼ診断できる。また**赤色皮膚描記症**という症状があり，皮膚を擦過すると赤く膨隆する。アトピー性皮膚炎では白色になる（**白色皮膚描記症**）ので対照的である。

4 治療

膨疹に加えてショック症状や気道閉塞などの生命に危機が及ぶ症状がある場合には，気

道確保，昇圧薬（アドレナリンなど）投与，静脈ラインの確保などアナフィラキシーに対する処置を実施する。

緊急性のない場合には，膨疹の程度により薬物療法の必要性を判定する。膨疹が全身性にみられ患者の苦痛が強い場合には，抗ヒスタミン薬（ヒスタミン H_1 受容体拮抗薬）の内服，注射，必要であれば副腎皮質ステロイド薬の全身投与を行う。

V　接触皮膚炎

接触皮膚炎	
概要	・原因となる物質に直接接触することにより引き起こされる皮膚の炎症反応で，いわゆる「かぶれ」のこと。 ・アレルギー性接触皮膚炎と刺激性接触皮膚炎とに分類される。
原因	・植物（ウルシなど），金属類，化粧品，洗剤，化学薬品など。
症状	・比較的境界鮮明な浮腫性紅斑，小丘疹，湿潤，痂皮など。 ・かゆみを伴う。 ・アレルゲンが接触した部位に一致して認められる。
検査・診断	・パッチテスト（原因となるアレルゲンの検索）。 ・アレルゲンの除去（除去により症状が改善すれば確定診断）。
主な治療	・アレルゲンの除去。 ・限局性の場合は，副腎皮質ステロイド外用薬が第1選択。

1　接触皮膚炎とは

▶ **概念**　経皮的に侵入した分子量1000以下の低分子化学物質により引き起こされる表皮，真皮上層を中心とした炎症反応である（いわゆるかぶれ）。病変形成にⅣ型アレルギーが関与するか否かで，**アレルギー性接触皮膚炎**と**刺激性接触皮膚炎**とに分類される。

▶ **疫学**　皮膚科外来患者の4〜30％を占める一般的な皮膚疾患の一つである。

▶ **原因**　化粧品，洗剤，化学薬品，植物（ウルシなど）など，職場・家庭環境下のほとんどのすべての物質が原因アレルゲンとなる。

2　病態／分類／症状

▶ **病態**　アレルギー性接触皮膚炎は典型的なⅣ型アレルギー反応に基づく。

▶ **分類**　刺激性接触皮膚炎とアレルギー性接触皮膚炎とに大きく分類される。さらに光線の関与したタイプを加えて，①刺激性接触皮膚炎，②アレルギー性接触皮膚炎，③光接触皮膚炎＊（光毒性接触皮膚炎，光アレルギー性接触皮膚炎），④全身性接触皮膚炎・接触皮膚炎症

＊光接触皮膚炎：原因となる物質に触れた後，日光（紫外線）に当たることで生じる。光接触皮膚炎は特異的免疫反応のあるなしで光アレルギー性接触皮膚炎，光毒性接触皮膚炎に分類される。

候群のほか，接触蕁麻疹に分類できる。
▶ **症状** アレルゲンが接触した部位に一致して認められる比較的境界鮮明な浮腫性紅斑，小丘疹，湿潤および痂皮などからなり，瘙痒を伴う。また，刺激が繰り返し加えられると，皮膚の肥厚・苔癬化をきたし，慢性湿疹に至る。

3 検査／診断

▶ **検査** 原因となるアレルゲンの検索には貼付試験（パッチテスト）が最も有用である（本編‐第3章‐Ⅱ‐C‐2‐3「貼付試験［パッチテスト］」参照）。パッチテストで明らかになったアレルゲンを除去することで，難治性・再発性のかぶれの根治が可能となる。
▶ **診断** 境界の比較的明瞭な湿疹病変，慢性的で遷延している湿疹病変の場合には接触皮膚炎を強く疑う。手背や前腕などの露出部に難治性の慢性化した湿疹病変があるときは職業性接触皮膚炎を疑う。時間的経過が急であればエピソード重視，慢性的であれば生活重視で医療面接を進める。接触皮膚炎を診断するためにはパッチテストで原因となるアレルゲンを特定し，それを除去すると症状が改善するかどうかで診断を確定することができる。

4 治療

図 4-3 に接触皮膚炎の治療アルゴリズムを示す。治療では，原因アレルゲンの除去が最も重要である。限局性の接触皮膚炎の第1選択薬は副腎皮質ステロイド外用薬である。

Ⅵ 薬物アレルギー

1 薬物アレルギーとは

ある限られた薬物にのみ反応する細胞，抗体により生じる免疫反応（Ⅰ〜Ⅳ型アレルギー反応）で，自らを傷つけるような過度な反応である。薬物アレルギーの病変は皮膚だけでなく，肝，肺，腎などにもみられるが，圧倒的に皮膚に認めることが多く，それをアレルギー性薬疹（あるいは単に薬疹）とよぶ。

2 病態／症状

▶ **病態** Ⅳ型アレルギー反応に基づく例が多いが，Ⅰ〜Ⅳ型アレルギー反応すべてで引き起こされる。
▶ **症状** 薬疹は，表 4-8 に示すように様々な臨床型をとるが，蕁麻疹型など一部の例外を除きほとんどの例で認めるのは，リンパ球が表皮を傷害する結果として生じる皮膚病変である。その表皮傷害の軽度の例が播種状紅斑丘疹型である。傷害が進むと多形紅斑型となり，重症型が**スティーヴンス‐ジョンソン症候群**（Stevens-Johnson syndrome；SJS）／**中毒**

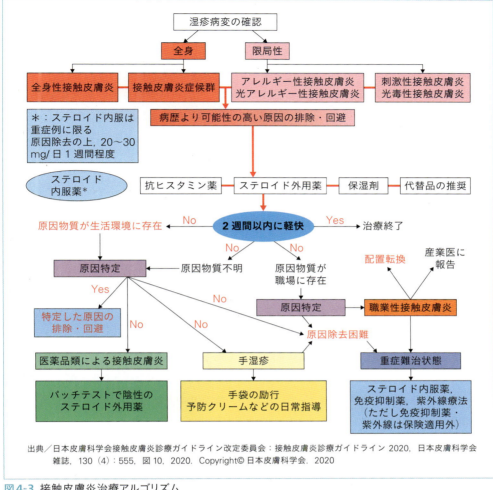

図4-3 接触皮膚炎治療アルゴリズム

表4-8 薬疹の臨床型

・播種状紅斑丘疹型（麻疹・中毒疹型）	・紅皮症型
・多形紅斑型	・紫斑型
・苔癬型（扁平苔癬型）	・湿疹型
・固定薬疹	・光線過敏型
・蕁麻疹型	・結節性紅斑型
・スティーヴンス-ジョンソン症候群（SJS）	・痤瘡型
・中毒性表皮壊死症（TEN）	・血管炎型
・薬剤性過敏症症候群（DIHS）	・エリテマトーデス型
・急性汎発性発疹性膿疱症（AGEP）	・水疱型

性表皮壊死症（toxic epidermal necrolysis；TEN）である。特殊型として**薬剤性過敏症症候群**（drug-induced hypersensitivity syndrome；DIHS）があり，ヒトヘルペスウイルス6型（HHV-6）との関連が明らかになった薬疹である。

3 診断

❶ スティーヴンス・ジョンソン症候群（SJS）

　発熱を伴い，皮膚粘膜移行部における重篤な粘膜疹と皮膚の紅斑がみられ，しばしば表皮の壊死性障害を認める疾患である。主な所見は，①皮膚粘膜移行部の重篤な粘膜病変，②体表面積の10％未満に認められるびらんや水疱，③38℃以上の発熱，である。粘膜病変では，眼病変として結膜充血，眼脂および偽膜形成などがある。両側性の急性角結膜炎の所見はSJSの診断がされる可能性が高い。

❷ 中毒性表皮壊死症（TEN）

　広範囲な紅斑と体表面積の10％を超える水疱，表皮剥離およびびらんなどの顕著な表皮の壊死性障害を認め，高熱と粘膜疹とを伴う疾患である。SJSとは一連の病態であり，TENはその最重症型ととらえられる。正常にみえる皮膚を指で擦ると表皮が剥離する現象（ニコルスキー［Nikolsky］現象）が認められる。

❸ 薬剤性過敏症症候群（DIHS）

　比較的限られた薬物を長期（2～6週間）に内服することで引き起こされる，ヒトヘルペスウイルス6型（HHV-6）の再活性化を伴う重症の薬疹である。

　初期に認められる皮疹は麻疹・風疹様の紅斑，あるいは多形紅斑であり，進行すると紅皮症様となる。しばしば原因薬を中止すると顔面の浮腫が著明に増悪する。頸部のリンパ節腫大も認められる。血液検査で，白血球増多，異型リンパ球の出現，好酸球増多などの血液学異常やAST，ALT上昇などの肝機能障害が認められる。

　DIHSの最大の特徴は，発症2～3週間後にHHV-6の再活性化が認められることである。HHV-6は突発性発疹の原因ウイルスであり，成人では既感染し潜伏している。DIHSにおけるHHV-6の再活性化を証明するには，全血中のHHV-6DNAの検出や抗HHV-6IgG抗体価による検索を行う。後者の検査は発症後14日以内と28日以降の2回測定し，4倍以上の差がみられれば証明できる。

4 治療

❶ スティーヴンス-ジョンソン症候群（SJS），中毒性表皮壊死症（TEN）

　最初に被疑薬を中止し，副腎皮質ステロイド薬を第1選択として加療する。重症例では発症早期にステロイドパルス療法を含む高用量の副腎皮質ステロイド薬を全身投与することが推奨されている。副腎皮質ステロイド薬で効果がみられない場合には，免疫グロブリン療法や血漿交換療法を併用する。

❷ 薬剤性過敏症症候群（DIHS）

　最初に被疑薬を中止する。治療として確立されたものはないが，副腎皮質ステロイド薬の全身投与が推奨されている。

VII 食物アレルギー

1 食物アレルギーとは

　食物アレルギーとは，食物によって引き起こされる抗原特異的な免疫学的機序を介して生体にとって不利益な症状が引き起こされる現象である。

2 病態／分類／症状

▶ **病態**　IgE依存性反応（I型アレルギー反応）と非IgE依存性反応とに分類される。

▶ **臨床型分類**　食物アレルギーは小児から成人まで様々なタイプが存在する。詳しくは，表4-9に示す。新生児・乳児消化管アレルギーは生後1週間以内に生じる下痢，血便などの消化器症状を中心とした食物アレルギーで，近年，増加している。ほとんどが人工栄養による牛乳アレルギーである。小児期の食物アレルギーの多くは乳児アトピー性皮膚炎に合併して発症する。原因食物として卵，牛乳，小麦の順に多く認められる。過去5年間ではくるみが増加し，アレルギー表示が義務づけられた品目に追加された。最初は顔面・頭皮のかゆみを伴う湿疹として発症する例が多い。乳児期発症の食物アレルギーは3歳までに約50％，6歳までに約90％が自然に寛解する。即時型症状のなかには2つの特殊型が存在し，**食物依存型運動誘発アナフィラキシー**と**口腔アレルギー症候群**とがある。食物依存型運動誘発アナフィラキシーは食物単独，運動単独ではアレルギー症状を起こさず，食

表4-9 食物アレルギーの臨床分類

臨床型	発症年齢	頻度の高い食物	耐性獲得（寛解）	アナフィラキシーショックの可能性	食物アレルギーの機序
食物アレルギーの関与する乳児アトピー性皮膚炎	乳児期	鶏卵，牛乳，小麦など	多くは寛解	(+)	主にIgE依存性
即時型症状（蕁麻疹，アナフィラキシーなど）	乳児期〜成人期	乳児〜幼児： 鶏卵，牛乳，小麦，ピーナッツ，木の実類，魚卵など 学童〜成人： 甲殻類，魚類，小麦，果物類，木の実類など	鶏卵，牛乳，小麦などは寛解しやすい その他は寛解しにくい	(++)	IgE依存性
食物依存性運動誘発アナフィラキシー（FDEIA）	学童期〜成人期	小麦，エビ，果物など	寛解しにくい	(+++)	IgE依存性
口腔アレルギー症候群（OAS）	幼児期〜成人期	果物・野菜・大豆など	寛解しにくい	(±)	IgE依存性

FDEIA：food-dependent exercise-induced anaphylaxis
OAS：oral allergy syndrome
出典／食物アレルギー診療の手引き2020検討委員会：食物アレルギー診療の手引き2020，2020

表4-10 食物アレルギーの症状

皮膚		紅斑，蕁麻疹，血管浮腫，瘙痒，灼熱感，湿疹
粘膜	眼症状	結膜充血・浮腫，瘙痒，流涙，眼瞼浮腫
	鼻症状	鼻汁，鼻閉，くしゃみ
	口腔咽頭症状	口腔・咽頭・口唇・舌の違和感・腫脹
呼吸器		喉頭違和感・瘙痒感・絞扼感，嗄声，嚥下困難，咳嗽，喘鳴，陥没呼吸，胸部圧迫感，呼吸困難，チアノーゼ
消化器		悪心，嘔吐，腹痛，下痢，血便
神経		頭痛，活気の低下，不穏，意識障害，失禁
循環器		血圧低下，頻脈，徐脈，不整脈，四肢冷感，蒼白（末梢循環不全）

出典／食物アレルギー診療の手引き2020検討委員会：食物アレルギー診療の手引き2020，2020より転載

物を摂った後に運動をして初めてアレルギー症状が出現するタイプである。日本では小麦，エビ・カニなどの報告例が多い。

　口腔アレルギー症候群は果物や野菜などによる口腔内の症状を主体とするタイプで，若年成人に多い。最初にシラカンバやハンノキの花粉に対してIgE抗体が作られ，それらの花粉と類似する構造をした果物（主にバラ科のリンゴ，ナシ，モモなど）や野菜などに反応して症状が出現する。ラテックス（ゴム）アレルギー患者でもバナナアレルギーが同様の発症機序で起こることがある（ラテックス・フルーツ症候群）。

▶ **症状**　症状は多彩で表4-10に示すように，皮膚・粘膜症状，消化器症状，呼吸器症状，全身性症状（アナフィラキシー）に分類される。皮膚・粘膜症状は全体の症例の約90％で観察される。呼吸器症状の出現はアナフィラキシーへの進展の危険因子である。

3　検査／診断

▶ **検査**　特定の食品摂取に伴う誘発症状の出現と，その機序として特異的IgE抗体の関与を証明することで診断が確定する。詳しくは，表4-11に示す。そのなかで食物経口負荷試験は原則として専門医が行う。

▶ **診断**　食物アレルギーの診断フローチャートを図4-4に示す。

4　治療

　原因療法としての症状の発現回避のために行う食事療法（食材として用いない，調理による

表4-11 食物アレルギーの検査

❶特定の食物摂取後に症状が誘発されること
　・誘発症状の病歴
　・食物経口負荷試験
❷特異的IgE抗体など免疫学的機序の証明
　・抗原特異的IgE抗体の検査
　・プリックテスト
　・ヒスタミン遊離試験

出典／食物アレルギー診療の手引き220検討委員会：食物アレルギー診療の手引き2020，2020より転載

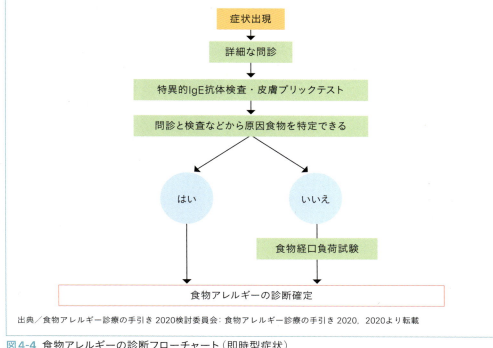

図 4-4 食物アレルギーの診断フローチャート（即時型症状）

低アレルゲン化，低アレルゲン化食品の利用など）と，出現した症状に対する対症療法からなる。食物アレルギーによる症状を予防ないし軽減する薬物としては，経口クロモグリク酸ナトリウム（DSCG）が食物アレルギーの関与するアトピー性皮膚炎に対して唯一，適応が認められている。発現した軽度の症状に対しては，まずヒスタミン H_1 受容体拮抗薬（抗ヒスタミン薬）が用いられる。

VIII アナフィラキシー

アナフィラキシー	
概要	・医薬品，食物，ハチ毒などに対する急性・全身性のアレルギー反応（I型アレルギー反応が主体）。 ・重症例では通常 5〜30 分以内に死に至る。
原因	・薬物：抗菌薬，非ステロイド性抗炎症薬，抗てんかん薬など。 ・食物：鶏卵，牛乳，小麦，そば，ピーナッツ，エビ，カニ，くるみなど。 ・ハチ毒：スズメバチ，アシナガバチなどのハチの毒液。
症状	・初期に，皮膚症状（瘙痒感，蕁麻疹など），消化器症状（腹痛，悪心・嘔吐など），呼吸器症状（鼻閉塞，嗄声など）。 ・進展して，呼吸困難，喘鳴，動悸，頻脈，血圧低下，意識障害など。

検査・診断	・薬物投与や食物の摂取状況，臨床経過と症候などから臨床的に診断。 ・プリックテスト，皮内試験。
主な治療	・薬剤が原因の場合，投与中止。 ・アナフィラキシーショックへの対応（気道確保，酸素投与，血圧維持，薬剤［アドレナリン］投与など）。 ・抗ヒスタミン薬，気管支拡張薬の投与を考慮

1 アナフィラキシーとは

　アナフィラキシーとは，医薬品，食物およびハチ毒などに対する急性の過敏反応（Ⅰ型アレルギー反応が主体）が全身性に起こり，重症例では通常 5〜30 分以内に死に至る。特徴的症状として，急速に悪化する致命的な気道，呼吸，または循環の異常があり，通常は皮膚と粘膜変化を伴う。蕁麻疹などの皮膚症状，消化器症状，呼吸困難などの呼吸器症状が，同時または引き続いて複数臓器に現れる。

　さらに，血圧低下が急激に起こり，意識障害などを呈することをアナフィラキシーショックとよぶ。

2 原因

▶ **食物**　鶏卵，牛乳，小麦，そば，ピーナッツ，エビ，カニ，くるみなど，特定の食べ物を食べたときに起こる。子どもから大人まで幅広い世代でみられるが，特に乳幼児に多くみられる。特殊型として食物依存性運動誘発アナフィラキシーがある。

▶ **ハチ毒**　スズメバチ，アシナガバチなどのハチの毒液によるアレルギー反応。日本ではハチ刺されによるアナフィラキシーショックで年間 20 人ほどが死亡している。

▶ **薬物**　ペニシリンなどの抗菌薬，アスピリンなどの非ステロイド性抗炎症薬，抗てんかん薬の頻度が多く，また，検査に使われる造影剤，そのほかに，ワクチンや麻酔薬，輸血なども原因となる。

▶ **ラテックス**　ラテックスはゴムノキの樹液に含まれる成分である。天然ゴム製品に触れてアナフィラキシー反応が起こる場合がある。ラテックスは医療用手袋やカテーテルなどに使用されているほか，風船や避妊具，ゴム靴，ゴム草履などの日用品に使われている場合もある。また，ラテックスアレルギーがあると，バナナ，アボカド，キウイなどにもアレルギーを起こすラテックス・フルーツ症候群が知られている。

▶ **運動**　まれに運動中，もしくは運動直後にアナフィラキシーを起こす場合があり，運動誘発性アナフィラキシーとよばれる。運動を中止することで症状が治まることが多い。

3 病態／分類／症状

▶ **病状**　IgE 依存性反応（Ⅰ型アレルギー反応）と非 IgE 依存性反応とに分類される。
▶ **重症度分類**　アナフィラキシーの重症度分類は，大きく 3 段階に分けて考えることができる。重症度「グレード 1」は，症状は部分的で軽症の段階で，「グレード 2」に進むと

広範囲に症状が広がり，「グレード3」ではアナフィラキシーショックや重篤な症状が示される。この重症度に応じた速やかな対応が必要となる。特に重症度グレード2から3にかけては，状態に応じて応急処置薬のアドレナリン自己注射薬を使用するタイミングとなる（表4-12）。

▶ **自覚症状** 瘙痒感，蕁麻疹および全身の紅潮などの皮膚症状が初めにみられることが多い。皮膚症状に続き，腹痛，悪心，嘔吐および下痢などの消化器症状がしばしばみられる。呼吸器症状として鼻閉塞，くしゃみ，嗄声，咽喉などの瘙痒感，胸部の絞扼感などは比較的早期からみられる。進展すると咳嗽，呼吸困難および喘鳴などがみられる。やがて動悸，頻脈などの循環器症状や，不安，恐怖感，意識の混濁などの神経関連症状がみられる。

▶ **他覚所見** 蕁麻疹や紅斑などの皮膚所見がまずみられることが多い。呼吸器所見として嗄声，犬吠様咳嗽，喘鳴，呼気延長，連続性ラ音の聴取，また重篤化した場合にはチアノーゼがみられる。頻脈，不整脈がみられ，ショックへ進展すれば血圧の低下，また意識の混濁などを呈する。

4 検査／診断

▶ **検査** アナフィラキシーの現場では一刻一秒を争うことが多いので，医薬品投与や食物

表4-12 アナフィラキシーの重症度分類

		1（軽症）	2（中等症）	3（重症）
皮膚・粘膜症状	紅斑・蕁麻疹・膨疹	部分的	全身性	同左
	瘙痒	軽い瘙痒（自制内）	強い瘙痒（自制外）	同左
	口唇，眼瞼腫脹	部分的	顔全体の腫れ	同左
消化器症状	口腔内，咽頭違和感	口，のどのかゆみ，違和感	咽頭痛	同左
	腹痛	弱い腹痛	強い腹痛（自制内）	持続する強い腹痛（自制外）
	嘔吐・下痢	悪心，単回の嘔吐・下痢	複数回の嘔吐・下痢	繰り返す嘔吐・便失禁
呼吸器症状	咳嗽，水性鼻漏，鼻閉，くしゃみ	間欠的な咳嗽，鼻汁，鼻閉，くしゃみ	断続的な咳嗽	持続する強い咳き込み，犬吠様咳嗽
	喘鳴，呼吸困難	—	聴診上の喘鳴，軽い息苦しさ	明らかな喘鳴，呼吸困難，チアノーゼ，呼吸停止，$SpO_2 \leq 92\%$，締めつけられる感覚，嗄声，嚥下困難
循環器症状	脈拍，血圧	—	頻脈（+15回/分），血圧軽度低下，蒼白	不整脈，血圧低下，重度徐脈，心停止
神経症状	意識状態	元気がない	眠気，軽度頭痛，恐怖感	ぐったり，不穏，失禁，意識消失

血圧低下：1歳未満＜70mmHg，1～10歳＜（70mmHg＋[2×年齢]），11歳～成人＜90mmHg。
血圧軽度低下：1歳未満＜80mmHg，1～10歳＜（80mmHg＋[2×年齢]），11歳～成人＜100mmHg。
出典／柳田紀之，他：日本小児アレルギー学会誌，28：201-210，2014，一部改変．

■ 診断基準

以下の2つの基準のいずれかを満たす場合，アナフィラキシーである可能性が非常に高い。

1. 皮膚，粘膜，またはその両方の症状（全身性の蕁麻疹，瘙痒または紅潮，口唇・舌・口蓋垂の腫脹など）が急速に（数分～数時間）で発症した場合。

さらに，少なくとも次の1つを伴う

A．気道/呼吸：重度の呼吸器症状（呼吸困難，呼気性喘鳴・気管支攣縮，吸気性喘鳴，PEF低下，低酸素血症など）

B．循環器：血圧低下または臓器不全に伴う症状（筋緊張低下［虚脱］，失神，失禁など）

C．その他：重度の消化器症状（重度の痙攣性腹痛，反復性嘔吐など［特に食物以外のアレルゲンへの曝露後］）

2. 典型的な皮膚症状を伴わなくても，当該患者にとって既知のアレルゲンまたはアレルゲンの可能性が極めて高いものに曝露された後，血圧低下*または気管支攣縮または喉頭症状#が急速に（数分～数時間で）発症した場合。

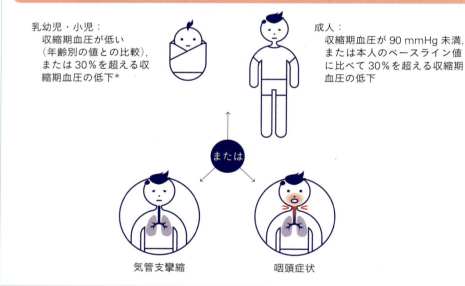

乳幼児・小児：
収縮期血圧が低い（年齢別の値との比較），または30％を超える収縮期血圧の低下*

成人：
収縮期血圧が90 mmHg 未満，または本人のベースライン値に比べて30％を超える収縮期血圧の低下

または

気管支攣縮　　　咽頭症状

図4-5　アナフィラキシーの診断基準

*血圧低下は，本人のベースライン値に比べて30％を超える収縮期血圧の低下がみられる場合，または以下の場合と定義する。
　i 乳児および10歳以下の小児：収縮期血圧が（70＋[2×年齢（歳）]）mmHg 未満
　ii 成人：収縮期血圧が90mmHg 未満
#喉頭症状：吸気性喘鳴，変声，嚥下痛など。
出典／日本アレルギー学会 Anaphylaxis 対策委員会：アナフィラキシーガイドライン 2022．

の摂取状況と上記の臨床経過と症候で臨床的に診断することが多い。後日プリックテストや皮内試験を行う。

▶ **診断** 日本アレルギー学会によるアナフィラキシーの診断基準を図 4-5 に示す。

5 治療

①原因の可能性がある医薬品の投与中であれば、早期に中止する。

②直ちに血圧測定を行い、可能であればパルスオキシメーターによる動脈血酸素分圧濃度測定を行う。

③犬吠様咳嗽、呼吸困難、喘鳴、チアノーゼなどの呼吸器症状がみられれば、アドレナリンの筋肉内注射またはアドレナリン自己注射用製剤を投与する。アドレナリン自己注射薬（商品名エピペン®）を医療機関外で用いた場合は必ず、直ちに医療機関を受診するよう指導する。なお α 遮断薬投与中では、アドレナリンの β_2 作用による血管拡張を介して血圧低下を助長する可能性があり、注意を要する。β 遮断薬投与中の患者ではアドレナリンの効果は期待できないのでグルカゴンを投与する。

④血管を確保し、ショック症状の出現や収縮期血圧の 20 mmHg 以上の低下または 90 mmHg 以下のショックの場合は、最初の 5 分間で生理食塩水を急速輸液する。改善がなければリンゲル液などに変更して輸液を継続する。さらに改善がなければドパミンの投与を行う。気管支喘息や遷延または遅発型薬物アレルギーの既往のある場合、またショックの場合には副腎皮質ステロイドを点滴静脈注射する。心電図モニター装着、経時的な血圧および可能であればパルスオキシメーターによる動脈血酸素分圧濃度を測定し、同時に酸素投与、気道確保の準備を行う。

⑤応援医師や看護師を要請する。

⑥抗ヒスタミン薬、気管支拡張薬の投与を考慮する。

⑦再発予防が極めて重要である。特に重篤なショックに至った例や、再発しているケースでは、可能な限りの原因検索と、第三者に明確にするために原因医薬品や食物の名刺、カードなどによる明記のほか、アナフィラキシーの患者教育、アドレナリン自己注射システムの導入・教育を検討する。

国家試験問題

1 気管支喘息の発作時の治療としてまず行うのはどれか。 （予想問題）

1. 吸入 β_2 刺激薬
2. 吸入副腎皮質ステロイド
3. アミノフィリン点滴静注
4. 副腎皮質ステロイド点滴静注

2 抗 IgE 抗体製剤が適応になる疾患はどれか。 （予想問題）

1. 蕁麻疹
2. 気管支喘息
3. アトピー性皮膚炎
4. アレルギー性鼻炎

3 蕁麻疹の原因として最も頻度の高いのはどれか。 （予想問題）

1. 特発性
2. 物理性
3. コリン性
4. アレルギー性

4 接触皮膚炎の診断に有用な検査はどれか。 （予想問題）

1. プリックテスト
2. スクラッチテスト
3. 皮内試験
4. パッチテスト（貼付試験）

5 Stevens-Johnson 症候群について正しいのはどれか。 （予想問題）

1. 粘膜疹がみられる。
2. Ⅰ型アレルギー反応に基づく。
3. ヒトヘルペスウイルス6型の再活性化を認める。
4. 体表面積の10%を超える水疱，表皮剥離およびびらんを認める。

6 アナフィラキシーショックに対する第一選択薬はどれか。 （予想問題）

1. ドパミン
2. グルカゴン
3. アドレナリン
4. ノルアドレナリン

▶答えは巻末

第2編 アレルギー疾患患者の看護

第1章

主な症状に対する看護

この章では
- 原因疾患やその重症度によって異なる呼吸器症状を理解する。
- 腹痛,下痢,悪心・嘔吐などの消化器症状を軽減させる看護のポイントを学ぶ。
- アナフィラキシーショックへの対処の仕方を学ぶ。
- アレルギー疾患にみられる皮疹のアセスメントの仕方を学ぶ。
- 結膜炎,瘙痒感,充血,流涙などの眼症状を軽減させる看護のポイントを学ぶ。

I 呼吸器症状

1. 呼吸器症状のある患者のアセスメント

　アレルギー疾患患者を看護するうえで，呼吸器症状は重要な症状である。アレルギーによる呼吸器症状は，原因疾患やその重症度によって異なる。主なアレルギー疾患と呼吸器症状の特徴を表1-1に示す。症状の発生機序は第1編-第4章「アレルギー疾患と診療」参照。

1 身体的側面

❶呼吸器症状の程度，原因，重症度

　主な呼吸器症状としては，くしゃみ，鼻汁（びじゅう），鼻閉（びへい），咳嗽（がいそう），喘鳴（ぜんめい），呼吸困難などがある。情報収集のポイントには次のようなものがある。

- 症状がいつ（初発年月日，好発時期，好発時刻），どこで（症状が出現しやすい場所），何によって（花粉，冷気，薬品，過労，ストレスなど），起こっているのかを把握する
- 喘息（ぜんそく）発作やアナフィラキシーショックでは，咳嗽や喘鳴，呼吸困難が出現する
- 吸入や内服・注射による薬物治療の有無を確認する
- 呼吸パターンや回数，チアノーゼの有無，ラ音の有無，痰（たん）の有無と性状，呼吸困難発作が反復するかどうかを把握する
- 非発作時の様子についても情報を得る

❷バイタルサインと随伴症状

　アレルギー症状は，時間の経過とともに変化し，複数の症状が同時に出現することがある。また，呼吸器症状や消化器症状の悪化により，不整脈などの循環器症状や意識障害に至る可能性があるため，バイタルサインや心電図を定期的に観察する必要がある。

❸検査データ

　血液ガス分析の検査結果から，血液中に十分酸素が取り込まれているか，二酸化炭素の蓄積はないかどうかなどを把握する。また，喘息治療薬の血中濃度を測定し，有効量か否かを知ることも必要である。

表1-1 主なアレルギー疾患と呼吸器症状の特徴

アレルギー疾患	症状
アレルギー性鼻炎	発作性・反復性のくしゃみ，鼻汁，鼻閉。
食物・薬物・ハチ毒アレルギー	初期症状として，くしゃみ，鼻汁，鼻閉が出現し，重症になると咳嗽，喘鳴，呼吸困難に至る。
アレルギー性気管支喘息	発作性の呼吸困難や喘鳴，夜間あるいは早朝の咳嗽，重症になると呼吸困難に至る。

2 心理的側面および日常生活への影響

呼吸器症状は次のように日常生活にも影響する。

- 咳嗽や呼吸困難：駅の階段を上ったときに息切れしたり，夜間や早朝の咳嗽や呼吸困難のために睡眠不足になったり食事が摂れなかったりすることから，行動範囲の制限につながる
- 呼吸機能の低下：喘息発作を繰り返すことで呼吸機能が不可逆的に低下すると日常生活にも支障をきたしてくる
- 心理的影響：「息苦しい」「呼吸ができない」という自覚は，患者自身が日常生活動作（ADL）を制限する
- 食物・薬物アレルギー：症状は原因物質により様々で個人差があるが，原因物質を特定し避けることができれば呼吸器症状を予防することも可能である
- 鼻閉，鼻汁：鼻閉による注意力の低下や活動意欲が低下する場合もあるため，患者の日常生活にも目を向ける

2. 看護の視点

呼吸器症状の悪化は，生命の危機に直結する可能性もあるため，医療者として落ち着いて対応し，患者の不安を増大させないように注意を払う。

1 看護問題

- 呼吸状態が悪化し，生命の危機的状態に陥る
- 不安の増大により，呼吸状態が悪化する
- 身体的・精神的苦痛により活動意欲が低下し，活動耐性が低下する

2 看護目標

- 呼吸状態が安定し，生命の危機的状況から脱する
- 不安が軽減し，呼吸状態の悪化がない
- 症状をコントロールすることができ，日常生活を送ることができる

3 看護の実際

❶呼吸状態を改善するための援助

- 胸式呼吸が不十分なために呼吸困難が生じているときは，衣類の緊縛（きんばく）を解き，ゆったりとした腹式呼吸を勧める
- 起座位になると横隔膜（おうかくまく）が下がり呼吸筋の運動を楽にするため，患者は自発的に起座位となることが多い。前かがみで，もたれやすいようにオーバーテーブルを調節したり，ギャッチベッドを利用し上半身を挙上したり，身体の両側に枕を置くなどして姿勢を保

持できるように援助する
- 気道が狭くなっている場合は，気管支拡張薬や去痰薬の吸入を行うが，症状が改善しない場合は酸素吸入や人工呼吸器の装着をすることもある
- 安楽な体位，心身の安静を図り，清潔の保持に留意し，エネルギーの消耗を最小にする

❷不安を軽減させるための援助

　不安のために患者は興奮状態となることがあるが，興奮は酸素消費量を増大させる。看護師は患者の苦しさを察知していることや，速やかに対処することで苦痛がやわらぐことを患者に伝え，その不安感を軽減する。また，看護師は不用意な言動に注意し，落ち着いて対応する。

❸患者の自立を促すための援助

　苦痛のなかにあっても，可能な範囲で患者の自立を促す働きかけは重要である。苦痛が治まったら，アレルゲンなどの原因物質やストレスなどの誘因を避けるなどのセルフコントロールができるように援助する。そのため，それまでの吸入や服薬の指導内容を確認し，患者の生活様式を振り返る。

▶ **ピークフロー測定の意義**　感冒罹患後などの症状悪化を早期に予測でき，自己管理に有用である。また，喘息日誌（本編-第3章-Ⅳ-A-3「治療効果」参照）は症状の変化やピークフロー値などを毎日記載することで，増悪要因を同定することにも役立つため，継続できるように援助する。

Ⅱ　消化器症状

1. 消化器症状のある患者のアセスメント

　消化管は平滑筋で形成されているが，その収縮によって血流障害が起こると**痛み**を感じる。また，血管透過性の亢進によって組織間液が増加し，腸粘膜の**浮腫**が起こる。さらに，腺分泌の亢進によって消化液が増加すると**下痢**が起こる。また，腸壁の収縮や腸管内圧の増大は**悪心・嘔吐**の原因となる。

1　身体的側面

❶消化器症状の程度や発生時期

　腹痛や下痢，血便，悪心・嘔吐について，いつ，どのように始まり，どのように推移しているのか，次のような点から細かく観察する。

- **腹痛**：部位（限局しているか全体的か），性状（鈍痛か疝痛か），程度（発作的か継続的か）
- **下痢**：回数，性状（不消化物混入か血液混入か水様性か）
- **悪心・嘔吐**：回数，性状（発作的か継続的か），吐物の性状（胃液や胆汁，血液の混入はないか）

❷バイタルサインと随伴症状

　消化器症状が強い場合には，体液を喪失することによる脱水や強い腹痛などに伴う強いストレスによる血管迷走神経反射が起こりやすく血圧低下など循環動態が変化し，顔面蒼白（そうはく）や発汗，悪心などを前駆症状として神経調節性失神を起こすこともある。安静を促し，バイタルサインや意識状態の観察が必要である。

❸検査データの把握

　消化器症状が強い場合には，体液を喪失し脱水が起こりやすい。電解質異常や貧血などの全身状態に影響を及ぼしている要因がないか確認する。

2 │ 心理的側面および日常生活への影響

❶消化器症状による活動量の低下

　嘔吐や下痢が度重なると，脱水症状に加え，脱力感や疲労感が強くなり，生活に支障が出るため，関連する症状の回数，頻度，程度などについて観察する。また，肛門（こうもん）周囲の皮膚にトラブル（発赤（ほっせき），腫脹（しゅちょう），びらん，疼痛（とうつう））や腹痛があると，活動量の低下を招くこともあるため，合わせて観察する。

2. 看護の視点

1 │ 看護問題

- 消化器状態が悪化し，身体的・精神的苦痛により活動意欲が低下し，活動量が低下する

2 │ 看護目標

- 消化器症状が軽減した日常生活を送ることができる
- 消化器症状による不安感や自尊心の低下を緩和する

3 │ 看護の実際

❶腹痛，下痢，悪心・嘔吐などの症状を軽減するための援助

　鎮痛薬や止痢薬，制吐薬を用いるときは，医師の指示に従い用量や用法を守り，バイタルサインの変化に注意しながら投与する。

- **腹痛**：全身および腹部の保温に留意する。温罨法（おんあんぽう）は神経の感受性を低下させ，痙攣性疼痛（けいれんせいとうつう）を緩和させる
- **嘔吐**：顔を横に向け窒息や誤嚥（ごえん）を予防する。吐物（とぶつ）のにおいは不快であるばかりでなく，嘔吐を誘発するため，吐物を速やかに取り除き，含嗽（がんそう）を行う
- **下痢**：頻繁な下痢がみられるときは，体液の喪失や電解質の異常，排泄動作による体力の消耗が起き，血管迷走神経反射による起立時の意識消失を起こす可能性があるため，転倒しないように適切な排泄方法を選択する。水分の経口摂取が可能な場合は，白湯（はくとう）な

Ⅱ　消化器症状

ど刺激の少ないものを少量ずつ摂取できるよう準備する。経口的に摂取することは，脱水を予防するとともに患者の精神的な慰安ともなる

❷ **不安感や自尊心の低下に対する援助**
- **不安**：腹痛や下痢，悪心・嘔吐がいつまで続くのか，という患者の不安には，症状は一過性の反応によるもので，必ず消失することを伝え励ます
- **自尊心の低下**：下痢により衣類や寝具を汚染することによって屈辱感を抱く患者も多いため，患者の気持ちを察して，羞恥心に配慮しながら更衣や保清など必要な援助を行う

III 循環器症状

1. 循環器症状のある患者のアセスメント

アレルギーによる症状のなかでも重篤となる**アナフィラキシー**は，直後より顔面蒼白，冷汗，血圧低下，不整脈などのショック症状，意識障害が起こり，生体に不可逆的な変化をもたらす可能性がある。こうした生命を脅かす危険な状態を**アナフィラキシーショック**という。また，低酸素や脱水状態の持続によって頻脈が起こりやすい。

アナフィラキシーショックを起こした際には救命が最優先となる。迅速で確実な対応によって，日常生活に影響を及ぼす障害を残さないよう注意を払う。

1 身体的側面

❶ **ショック症状の観察**
アナフィラキシーショックが疑われたら，次の点について速やかに情報を得る。
- **血圧の変化**：多くの場合は低血圧となる
- **脈拍の変化**：頻脈もしくは徐脈となり，微弱に触知される
- **尿量の変化**：尿量が減少するため，1時間尿量を測定する
- **意識状態の変化**：ショック状態では混濁もしくは消失する
- **皮膚の変化**：ショック状態では顔面は蒼白となり，冷汗のために湿潤する

❷ **検査データの把握**
ショック状態では循環動態を把握するために，同時に複数の検査が実施される。血圧や脈拍などバイタルサインの変化，血液一般検査，血液ガス分析検査，心電図などのデータを把握する。

2 心理的側面および日常生活への影響

循環器症状を伴うアレルギーは，特に迅速な対応が優先されるが，患者は急激な状態悪化に動揺している可能性が高い。そのため，治療・処置中には安心感を与えるような声か

けをする。また、再び発症することへの不安や不可逆的な機能障害が、その後の日常生活に悪影響をもたらす可能性があるため、急性期を脱した後も不安軽減のケア、機能回復へ向けたケア、再発予防への教育が必要である。

2. 看護の視点

1 看護問題

- ショック症状による生命の危機的状態に陥る

2 看護目標

- 循環動態が安定し、生命の危機的状態から脱する
- アナフィラキシーの要因を把握し、再びショック状態とならないための予防行動について情報や知識を得ることができる

3 看護の実際

❶ショック症状を軽減させるための援助

ショック状態は、早期に発見して、早期に対処することが救命につながる。循環不全状態に陥りショック症状を起こした患者は、素早く衣類の緊縛を解き、集中治療室など治療に適した病室に移送し、救命処置や緊急検査が滞りなく実施されるよう援助する。

ショック状態は瞬時の判断と対応が、経過に大きな影響を及ぼす。次に起こりうる事態を予測して検査や処置を行うこと、つまり予測的な行動が悪化を防ぐことになる。そのため、ショック対応のトレーニングを定期的に実施することが、緊急時の迅速かつ的確な対応に、ひいては患者の迅速な回復につながる。

❷患者や家族の心理的側面への援助

患者の意識状態に合わせた説明で、現在の症状が一時的な状態であり改善することを伝える。また、次のような配慮をする。

- 家族に連絡をとり来院を促し、患者が危機的状態であると知った家族が受ける衝撃や不安に対し、十分な説明や傾聴を行う
- 医師と緊密な連携をとり、診断に基づいて正しいアレルギー情報を患者や家族に提供することで過剰な不安を取り除く
- 治療や処置が優先される状況でも、患者の尊厳が守られていると患者や家族が感じとれるような援助を行う
- 医療機関以外でアレルギー症状を起こした場合の対応についても説明し、必要に応じ内服やアドレナリン（エピペン®）の自己注射の指導を行う。ただし、アドレナリンの自己注射はアナフィラキシーの補助治療を目的としているため、使用後は直ちに医療機関を受診するよう指導する

Ⅲ　循環器症状

Ⅳ 皮膚症状

1. 皮膚症状のある患者のアセスメント

1 身体的側面

❶発赤や皮疹の発現部位や症状の変化

皮疹の原因，発現時期，推移などを把握する。さらに皮疹が，疼痛や瘙痒感，熱感を伴っていないか，皮疹の部位は限局しているのか，全身的かどうかについても観察する。

❷検査データの把握

血液検査による IgE 抗体価はアレルギー反応の程度を示す。そのため滲出液が多量であったり，感染を伴っていたりする場合や，全身状態が極めて悪化している患者では血液検査などの結果に注意する。

2 心理的側面および日常生活への影響

皮疹による外観の変化は患者のボディイメージを損ない，活動性を低下させることが多い。瘙痒感が強い場合，搔破によって感染を受けやすくなるばかりでなく，精神の安定を欠くこともあるため，落ち着きがない患者などと誤解される可能性もある。

患者の訴えを傾聴し，どのような症状が患者の行動の変化や心理的問題に影響しているのか観察する。そして，適切な方法で早急に症状の緩和を行う必要がある。

2. 看護の視点

1 看護問題

- 皮膚症状の悪化により，痛みの増強や皮膚からの感染が起きる
- 皮膚症状の悪化により，集中力の低下やボディイメージの変化が起き，日常生活に支障をきたす

2 看護目標

- 皮膚症状による身体的・心理的な不快感が軽減し，日常生活を送ることができる

3 看護の実際

❶発赤や痛み，瘙痒感を軽減するための援助

- **清潔**：皮膚の乾燥や湿潤は瘙痒感を増強させる。毎日の入浴を勧め，皮膚の清潔を保つとともに保湿をはかる

- **入浴温度**：からだが温まると血管が拡張して瘙痒感を増強させることがあるため，ぬるめの湯での入浴を勧める
- **食品**：飲酒のほか，コーヒーなど熱い飲料や食物も血管拡張を招きやすい
- **室温**：室内の必要以上の加湿も血管拡張を招きやすい
- **冷罨法**：皮膚の冷却は血管を収縮させ，瘙痒感を弱める効果があるため，冷罨法によって瘙痒部位を冷やしたり，室温を低めに設定したりするなど配慮する
- **衣類**：ナイロンやポリエステルなど化学繊維の入ったものを避け，綿などの柔らかく低刺激のものを選択するよう指導する
- **皮膚の破綻**：搔把などにより皮膚の破綻がある場合，その弱くなった部分に皮膚のバリア機能の障害が起きる。そこに刺激が加わることで湿疹が発生し，さらに痒みが増すといった悪循環に陥るため注意する
- **治療**：抗ヒスタミン薬，抗アレルギー薬の内服や，軟膏，ローションなどの外用薬が用いられる。患者によっては外用薬による衣類の汚染を嫌い，外用薬を指示どおりに用いないことがあるため，外用薬を使用後，包帯などで保護をすることも有効である
- **内服薬の注意点**：抗ヒスタミン薬の内服は眠気を催すことがあるため，服用後の活動に注意が必要である

❷ **精神の安定を得るための援助**

情緒不安定や睡眠不足に陥ることで，自尊心の低下や抑うつ状態に陥る可能性がある。
- **傾聴**：患者の訴えに十分に耳を傾け，人間関係や環境の変化がないかにも注意する
- **気分転換**：好みの音楽を聴くことや，趣味に熱中するなどの気分転換を図ることによって心身の安定が得られる場合もある
- **運動**：皮疹があっても，全身状態が良好のときには適度の運動を勧める。関節に皮疹がある場合は，関節の安静を保ちながらも可能な運動を行うほうがよい

V 眼症状

1. 眼症状のある患者のアセスメント

アレルギー性結膜炎や鼻炎，花粉症では，ヒスタミンの遊離によって眼の瘙痒感や，血管透過性の亢進による充血，腺分泌の亢進による流涙が出現する。

1 身体的側面

結膜の充血や流涙，瘙痒感，眼脂，異物感について，いつ，どのように始まり，どのように経過しているか，またその程度などを確認する。

2 心理的側面および日常生活への影響

　眼症状は比較的軽くとらえられがちであるが，患者にとっては苦痛である。また，他者の目を気にし，活動を控えがちになることもあるため，患者の気持ちを察するよう努める。

2. 看護の視点

1 看護問題

- 眼症状の悪化により，集中力や意欲の低下を引き起こし，日常生活に支障をきたす

2 看護目標

- 眼症状による身体的・心理的な不快感が軽減し，日常生活を送ることができる

3 看護の実際

❶ 充血や瘙痒感を軽減するための援助

- サングラスなどを用い，眼がなるべくアレルゲンから遠ざかるように工夫する
- 抗ヒスタミン薬や副腎皮質ステロイド薬などの内服や点眼が行われる場合には，副作用についてあらかじめ説明し，正確な服薬と点眼の方法を指導する
- 眼の保護，感染予防に留意し，必要な場合は清潔で柔らかいもので眼や涙を拭くことや，手指の保清について指導する
- 瘙痒感のため皮膚を叩いたりこすったりすることが白内障や網膜剝離の原因となることもあるため注意を促す

❷ 不安を軽減するための援助

　薬物療法によって苦痛のコントロールが可能であること，今後も時期によって繰り返す可能性があることをあらかじめ伝え，患者の不安を軽減し，予防するための注意を促す。
　症状をコントロールし，平常時と変わらない生活が維持できるよう援助する。

演習課題

1. アレルギー疾患をもつ患者に対する看護のポイントを整理しよう。
2. 主なアレルギー疾患と呼吸器症状の特徴をまとめよう。
3. 消化器症状を緩和させ，活動量の低下を防ぐための看護のポイントをまとめよう。
4. アナフィラキシーショックをアセスメントするための適切な情報の取りかた，患者の家族への効果的な説明の仕方を整理しよう。
5. 皮膚症状による身体的な不快感を軽減させるための援助の方法をまとめよう。
6. 結膜炎などの眼症状を軽減させるための具体的な方法をまとめよう。

第2編 アレルギー疾患患者の看護

第 2 章

主な検査と治療に伴う看護

この章では

- アレルギー疾患をもつ患者の診察時の看護について学ぶ。
- 皮膚反応検査, 誘発試験時の看護について学ぶ。
- 造影剤を使用する検査時の看護について学ぶ。
- 免疫抑制薬による治療を受ける患者の看護について理解する。
- ステロイド療法を受ける患者の看護について理解する。
- アレルゲン免疫療法を受ける患者の看護について理解する。

I 診察時の看護

1 プライバシーの保てる診療環境

　診察には，個室もしくはカーテンなどで仕切られた独立した空間が必要であり，医療者であっても必要以上の出入りを慎む。共に来院した家族でも，診察時に患者が家族の介助を必要としない場合は，原則的には同席させないほうが望ましい。

　アレルギー疾患では，家族関係のストレスが誘因となっていることもある。そのため初診時には患者と家族を同席させず，家族からの情報が必要な場合に改めて機会を設けるなどの配慮が必要な場合もある。

2 不必要な露出の防止

　診察時，検査時の脱衣については，患者はできれば避けたいと考えている。皮疹の部位によっては羞恥心や屈辱感を最小限にとどめるために，不必要な露出は避けるよう努める。

3 安楽の工夫

　呼吸苦のある患者の場合，安楽な体位を工夫し，必要時は酸素吸入を行う。皮膚病変によっては座位よりは立位のほうが安楽な場合がある。患者の状態を迅速に把握し，苦痛なく診察が受けられるよう体位などに配慮する。

4 患者に安心感を与える工夫

▶**感染の不安**　感染性のない皮膚疾患であっても，皮膚症状が明らかな患者の次に診察室に入室する患者は，不快や不安を抱くことがある。患者の表情や態度を注意深く観察し，必要時は不安を取り除くような説明をする。清潔感のある診察室，診察台，診察用具やリネンは，それだけで患者に安心感を与える。

▶**騒音**　アレルギー疾患では，問診と視診が特に重要な役割をもつ。患者がゆったりとした気分で安心して診察を受けることができるよう，医療者間の不必要な会話は慎み，騒音防止を図る。病院内の騒音のほとんどは，患者ではなく医療者がつくり出しているものである。

▶**不測事態への対応**　救命処置が必要な場合に備えて必要物品を整備しておく。

II 主な検査に伴う看護

A 皮膚反応検査

皮膚反応検査は，アレルゲン検索のために行われる。

▶ **検査の種類** 皮膚にアレルゲン液を滴下した後に皮膚を浅く傷つける搔破反応（スクラッチテスト），同様に皮膚を浅く刺す単刺反応（プリックテスト），アレルゲン液を皮内注射する皮内反応（皮内テスト），病因と考えられる物質を皮膚に貼付する貼付試験（パッチテスト）がある。

1 検査前の看護

❶検査の事前説明

人工的にアレルギー反応を起こす検査であるために，様々なアレルギー症状が出現する可能性がある。検査前にその必要性と出現しうる症状について説明し，患者の理解と承諾を得る。

❷検査部位の確認

検査部位（主として背部，腹部，前腕部）は清潔に留意し，前日に入浴を勧める。必要時は除毛する。

2 検査中の看護

❶アレルギー症状の出現時のケア

アレルギー症状の出現時に備え，必要な薬品や物品を準備しておく。重症例ではアナフィラキシーショックを起こすこともある。

❷苦痛への配慮

搔破反応や単刺反応，皮内反応では患者の皮膚を傷つけるため，患者の苦痛を理解し，確実な手技で速やかに行う。貼付試験は，検査部位を絆創膏で48時間密閉しておく。

3 検査後の看護

❶副作用の有無の確認

検査部位の発赤，腫脹，瘙痒感，疼痛がないか確認する。そのほか，呼吸器症状などのアレルギー症状がないか確認する。

❷検査結果の説明

検査結果を正確に患者に伝え，治療への動機づけを行う。

B 誘発試験

　誘発試験は，病因となるアレルゲンを確定するために行われる。アレルギー症状を誘発し患者に苦痛を与える検査であるため，安全に行われるよう配慮する。
▶検査の種類　アレルゲンを吸入する（吸入誘発試験），アレルゲン溶液を眼結膜に点眼する（点眼誘発試験），アレルゲンを鼻粘膜に接触させる（鼻粘膜誘発試験），アレルゲンと考えられる食品を摂取または除去させる食事経口負荷試験（食物除去試験）がある。

1 検査前の看護

　検査前には，その必要性と出現しうる症状について説明し，患者の理解と承諾を得る。
　体調を整えて検査に臨む必要があるため，検査前は暴飲暴食や喫煙，飲酒を慎み，規則正しい生活を送るように指導する。検査の種類によっては，特定の薬の服用や特定の食品の摂取をしないように説明する。

2 検査中の看護

❶アレルギー症状の出現時のケア

　アレルギー症状の出現時に備え，必要な薬品や物品を準備しておく。重症例ではアナフィラキシーショックを起こすこともある。
▶吸入誘発試験　肺機能の低下や喘息（ぜんそく）発作が予想されるため，検査実施中のバイタルサインの観察を行う。重症例ではアナフィラキシーショックを起こす場合がある。遅発反応として，24時間後に発熱や全身倦怠感（けんたいかん）を伴い喘息症状が悪化する場合もあるため，患者が携帯用吸入器を準備していることを確認する。
▶点眼誘発試験　眼結膜反応で結膜の充血や瘙痒感が現れたら，直ちに洗眼やアドレナリンの点眼を行う。
▶鼻粘膜誘発試験　くしゃみや鼻汁（びじゅう），鼻内瘙痒感，鼻粘膜の腫脹（しゅちょう）が現れたら，直ちに鼻をかむように指示し，アドレナリンの点鼻を行う。
▶食事経口負荷試験　多様な反応が出現する可能性があるため，詳細な観察を必要とする。

❷精神面への援助

　アレルゲンと考えられる物質を故意に体内に入れる検査であるため，患者のアレルギー出現に対する不安は少なくない。アレルギー出現時の対応の準備が十分整っていることを説明し，安心感を与えるよう心がける。

3 検査後の看護

❶副作用の有無の確認

　検査によるアレルギー症状がないか確認する。

❷**検査結果の説明**

検査結果については，いずれも正確に伝え，治療への動機づけを図る。

C 造影剤を使用する検査

▶ **造影剤の投与経路**　造影剤は，CT検査，MRI検査，血管造影検査では静脈から投与され，消化管検査で用いる硫酸バリウムは経口的，経内視鏡的，経肛門的に使用される。いずれもアレルギー症状が出現する可能性がある。

▶ **ヨード造影剤**　CT検査や血管造影検査で使用するヨード造影剤は，急性（即時性）アレルギー症状が出現する可能性が，ほかの造影剤よりも高い。

▶ **ガドリニウム造影剤**　ヨード造影剤よりも発症の頻度は少ないが，MRI検査で使用するガドリニウム造影剤でもアレルギー症状が生じることがある。

▶ **遅延性アレルギー**　どの造影剤も遅発性の症状を生じる可能性があるため，検査後も注意が必要である。

▶ **リスク管理**　造影剤使用によるアレルギー症状を完全に予測することは困難であるが，表2-1 に該当する場合，造影剤の使用について慎重に検討する必要がある。

▶ **副作用の予防**　副腎皮質ステロイド薬や抗ヒスタミン薬を前投薬として使用することで，副作用を抑えられるという議論もあるが，明確な指針がないため，検査前の情報収集と個別の対応が必要である。

1 検査前の看護

❶**正確な情報収集**

アレルギー出現のリスクについて，患者・家族，医療記録から正確な情報を収集する。得た情報は検査を指示した医師，検査室の看護師や診療放射線技師と共有する。

❷**検査の事前説明**

検査前にその必要性と出現しうる症状について説明し，患者の理解と承諾を得る。また，体調を整えて検査に臨む必要があるため，検査前は暴飲暴食や喫煙，飲酒を慎み，規則正

表2-1 造影剤によるアレルギー症状出現のリスクが高い患者

- 過去に造影剤使用時に中等度・重度の症状が出現した経験がある患者
- 薬物治療が必要な気管支喘息やアトピー性皮膚炎の患者
- 重症の心臓病の患者
- 重症の甲状腺疾患の患者
- 重症の肝臓疾患の患者
- 副腎に腫瘍がある患者
- マクログロブリン血症，多発性骨髄腫の患者
- ビグアナイド系糖尿病治療薬を服用中（ヨード造影剤のみ検査2日前〜検査2日後まで休薬が必要）の患者

しい生活を送るように指導する。

　検査の種類によっては，検査前後の禁飲食や特定の薬の服用が中止されたり，患者が授乳中の場合，造影剤によっては検査後に授乳を中止する必要性があることを説明する。

　アレルギー出現時の対応の準備が十分整っていることを説明するなど，安心感を与えるよう心がけ，検査中は，些細な違和感であっても，ためらわずに伝えるよう説明する。

2 検査中の看護

❶静脈路の確保

　造影剤の投与は静脈注射で行う。確実な投与を行うため，検査前に確保された静脈路に漏れなどがないか確認する。造影剤の血管外漏出が発生した場合は，数時間で吸収されることが多いが，腫脹，疼痛がないか観察する。また，アレルギー症状の出現リスクが高い場合は，緊急時に必要な静脈路も確保する。

❷検査中の注意事項の確認

　造影剤投与時には，体熱感を感じることがあるが，数分間で消失することを説明する。
　CT検査やMRI検査では，患者が隔絶された検査室にいるため，観察が困難となる場合がある。気になる症状や違和感があれば，知らせるよう患者に説明する。

❸アレルギー症状の出現時のケア

　アレルギー症状の出現時に備え，必要な薬品や物品を準備しておく。症状は軽度から心肺蘇生が必要となるような重度まであり（表2-2），造影剤投与から症状出現までの時間も様々である。

　急激な症状の出現により，患者が症状を訴えられない場合もあるため，検査中の患者の様子を継続的に観察し，適宜バイタルサインの観察を行う。

3 検査後の看護

❶副作用の予防と観察

　造影剤の体外への排泄を促すため，病状から飲水制限がないか確認したうえで，可能な

表2-2 造影剤によるアレルギー症状の重症度分類

重症度	状態	症状
軽度	症状が軽度に出現し，多くは治療を必要としない	蕁麻疹，瘙痒感，紅斑，鼻汁，くしゃみ，結膜充血，悪心・嘔吐，熱感，めまい，血圧上昇，血管迷走神経反応
中等度	症状が著明に出現し，治療を伴うことがある	蕁麻疹，悪心・嘔吐，気管支痙攣，呼吸苦を伴わない気道狭窄，顔面浮腫，咽頭浮腫，治療が必要な血管迷走神経反応
重度	直ちに緊急時対応を要する	呼吸苦を伴う気道狭窄，呼吸停止，低血圧性ショック，心停止，不整脈，痙攣，急性心不全，治療抵抗性の血管迷走神経反射

範囲で飲水を促す。造影剤使用後，数日経過してからアレルギー症状が出現する可能性もある（遅発性アレルギー）ため，1週間程度は症状の出現に注意し，必要時受診をするよう説明する。

❷ 検査結果の説明

検査結果を正確に患者に伝え，治療への動機づけを行う。

III 主な治療・処置に伴う看護

A 免疫抑制療法

アレルギー反応は，体内の免疫反応によって引き起こされる。免疫抑制薬は免疫反応に対し抑制的に作用することで，サイトカインやヒスタミンの放出を抑え，アレルギー反応を抑制する。アレルギー疾患では積極的に用いられることはないが，抗ヒスタミン薬，抗アレルギー薬，副腎皮質ステロイド薬で改善しないアトピー性皮膚炎などで用いられることがある。

1　治療前の看護

患者に服薬指導を行う。看護師は患者の病状や薬剤についての認識を確認したうえで，患者の生活像と性格傾向を把握し，患者が適切な治療を継続できるように指導を行う。

2　治療中の看護

❶ 感染予防行動

免疫抑制状態では日和見感染症に注意が必要で，次のような点に注意する。
- 上気道感染や尿路感染症などの予防に努める
- 日常的な手洗い（必要時には手指消毒），含嗽を促し，人ごみではマスクの着用を勧める
- 皮膚から感染を起こさないようからだを清潔に保ち観察する
- 皮膚に傷がある場合は保護をする

❷ 転倒・打撲による出血予防

骨髄抑制による貧血や出血傾向が起こりやすいため，転倒が起きないよう行動に留意し，転倒・打撲後には患部の観察を行う。異常を感じたら受診行動をとるよう患者に説明する。

3　治療後の看護

症状の観察に努めるよう指導する。症状をみながら免疫抑制薬の増減がされるため，病状や副作用症状の変化を観察することが重要になる。

B ステロイド療法

1 治療前の看護

　患者に服薬指導を行う。患者が病状や治療の必要性，副作用について理解できているか確認し，服薬管理能力をアセスメントする。医師や薬剤師が患者に説明した後も患者の理解度や不安の内容を確認し，患者に合った方法で説明を補足する。患者に十分な服薬管理能力がない場合，家族などのサポーターへの指導を行う。

▶ **自己判断での服薬中止**　ステロイド療法による症状の軽快を病状の回復と誤解し，医師の指示がない状態で突然中止あるいは使用量を変更をすると，急激な症状悪化や副腎皮質機能低下によるショック症状を起こすことがある。ステロイド療法による副作用を心配する患者や家族などの心情を理解したうえで，副腎皮質ステロイド薬の使用量や使用期間は医師の指示に従う必要性を十分説明する。

2 治療中の看護

❶ 感染予防行動

　副腎皮質ステロイド薬を長期間使用すると，感染症に対する防御力が低下するため，上気道感染や尿路感染症などの予防に努める。日常的な手洗い（必要時には手指消毒），含嗽を促し，人ごみではマスクの着用を勧める。

❷ 副作用への対処

　副腎皮質ステロイド薬による副作用を軽減するため，気管支喘息では吸入薬，アトピー性皮膚炎では外用薬，アレルギー性鼻炎では点鼻薬が主流になっている。これらは経口投与よりも副作用は少ないといわれ，使用期間も重症例の一時期に限定されるため，副作用の発現はほとんどない。しかし，長期使用となれば，骨粗鬆症による骨折，消化管粘膜の抵抗性の低下による消化管潰瘍，インスリン分泌能の低下や肝臓からの糖放出の亢進によるインスリン不足から起こる高血糖などの副作用が出現する。

▶ **骨粗鬆症**　転倒・転落を防ぐために運動習慣を取り入れるなど日常生活の見なおしを勧める。また，必要に応じてカルシウム補助薬，胃粘膜保護薬，経口血糖降下薬の内服やインスリン療法が行われる。

▶ **吸入薬の副作用**　吸入ステロイド薬でも口腔・咽頭カンジダ症，嗄声などの局所の副作用に加えて，眼への影響（白内障，緑内障），皮膚への影響などがある。したがって，口腔・咽頭への影響を低減し全身への吸収を減らすため，吸入補助器具を使用することや，吸入後は必ずうがいをすることを指導する。

❸ 精神面の援助

▶ **精神症状**　副腎皮質ステロイド薬の副作用には精神症状もある。自分の感情をコント

ロールすることが困難となり，興奮したり，抑うつ的になりやすい。不眠となることも多く，精神症状を助長するため，睡眠障害の有無を確認し，必要時，処方された睡眠導入薬の服薬を勧める。精神症状に対して抗不安薬，抗うつ薬などが処方されることもある。

▶ **ボディイメージの変容** 多毛症，満月様顔貌，皮下出血，肥満などの外見の変化が起きることがあり，ボディイメージの変容による自尊感情の低下が精神症状へ影響することがある。様々なボディイメージの変化は，副腎皮質ステロイド薬の減量に伴い軽減することを患者に説明し，精神状態を維持し必要な治療を継続できるよう支援する。

3 治療後の看護

患者の症状を観察する。症状をみながら副腎皮質ステロイド薬の増減がされるため，病状や副作用症状の変化を観察することが重要になる。

C アレルゲン免疫療法（減感作療法）

花粉，動物の毛，カビ，ハウスダスト（室内塵）などの吸入性アレルゲンを日常生活で避けることは，ほとんど不可能であり，アレルゲン免疫療法（減感作療法）の適応となる。

▶ **方法** 減感作療法は治療開始から終了までに，約3～4年を必要とする。定期的に受診し，皮下注射でアレルゲン製剤を投与する**皮下免疫療法**（SCIT）と自宅でアレルゲン製剤を舌下服用する**舌下免疫療法**（SLIT）がある。治療期間中に進学，就職，結婚，出産，転居など多くの転機が含まれる可能性もあるため，継続的に治療を受けられるように患者個々の状況を治療開始前に必ず確認する。

1 治療前の看護

患者に治療の事前説明を行う。患者が治療を中断するという決断をした場合は，治療の中断による症状の悪化を最小限とするため，必ず医師と相談するよう伝える。

2 治療中の看護

❶治療を安全に継続するための援助

▶ **皮下免疫療法（SCIT）** 週に1回の投与から始まり，徐々に治療用アレルゲン製剤の濃度を上げ，最終的には月に1回の投与となる。投与後30分間は副作用を観察し，注射部位の発赤や硬結，痛みの有無を観察する。

▶ **舌下免疫療法（SLIT）** 自宅で服薬できる一方で，次のような制約がある。舌下前2時間は入浴や飲酒，激しい運動は避ける。1～2分間かけて完全に溶解するまで舌下に保持する。1回目の服薬は受診時に行い，2回目の服薬は自宅で可能だが，副作用の出現に備え，なるべく家族のいる前で服薬する週間をつける。長期間休薬した場合は，急に再開せず医師の指示に従う。

❷**副作用への対処**

アレルゲンと考えられる物質を故意に体内に入れる治療であるため，患者のアレルギー出現に対する不安は少なくない。アレルギー出現時の対応の準備が十分整っていることを説明し，安心感を与えるよう心がける。アレルギー症状の出現時に備え，必要な薬品や物品を準備しておく。自宅で急激な症状の悪化があれば，受診行動をとるよう説明する。

❸**精神面の援助**

患者が一時的な症状の増悪(ぞうあく)に適切に対処するための正しい方法を事前に説明し，それらは決して悪い徴候ではなく，むしろ改善に向かっている徴候であることを伝え励ます。

長期間かけて行う治療であるため，治療を中断しなければならない状況になったとき，治療を困難とする患者の要因について理解を示し，患者自身で意思決定できるよう支援する。また，家族や周囲のサポーターの理解が不可欠であるため，家族関係などの情報収集を行い支援する。

3　治療後の看護

患者が症状の観察に努める。症状をみながら治療用アレルゲン製剤の濃度と投与間隔を調整するため，病状や副作用症状の変化の観察を患者自身で行う。

演習課題

1. 皮膚反応検査，誘発試験にはどのようなものがあるかあげてみよう。
2. 造影剤によるアレルギー症状出現のリスクが高い患者は，どのような患者か復習してみよう。
3. 免疫抑制薬による治療を受ける患者は，どのような点に注意が必要かポイントをまとめてみよう。
4. ステロイド療法を受けている患者への副作用についての説明のポイントをあげてみよう。
5. アレルゲン免疫療法を受ける患者が治療を安全に継続するための援助の仕方をまとめてみよう。

第2編 アレルギー疾患患者の看護

第 3 章

アレルギー疾患をもつ患者の看護

この章では

- 蕁麻疹患者の急性期・慢性期のそれぞれの看護のポイントについて学ぶ。
- アトピー性皮膚炎患者の急性期・慢性期のそれぞれの看護のポイントについて学ぶ。
- アレルギー性鼻炎・花粉症患者の看護について理解する。
- 気管支喘息患者の発作時の対応やその予防について学ぶ。
- アナフィラキシー患者の看護について，急性期・慢性期の対応について学ぶ。
- 食物アレルギー，薬物アレルギーをもつ患者の看護のポイントについて学ぶ。

I 蕁麻疹患者の看護

　蕁麻疹は，発赤を伴う一過性，限局性の膨疹が突然現れる疾患で，多くは瘙痒感を伴う。通常，個々の皮疹は 24 時間以内に消退し，色素沈着や落屑などは伴わない。

▶原因　蕁麻疹の原因としては様々なものが知られているが，通常はいくつかの因子が病態に関与しており，それらに対する何らかの過敏性をもつ人に蕁麻疹が起こる。

▶治療　蕁麻疹の患者では，原因，病型，重症度などによって対処法と予後が異なるため適切な対応が必要になる。蕁麻疹がアナフィラキシーショックの前駆症状と考えられる場合は，気道の確保，酸素吸入および全身的な循環血液量の確保を優先させる。

　医療機関を訪れる蕁麻疹患者のなかでは特発性の蕁麻疹が最も多く，Ⅰ型アレルギーによるものは数パーセント以下にとどまる。表 3-1 に主な病型を示す。

A アセスメントの視点

1 バイタルサインと随伴症状

　バイタルサイン，患者の表情や反応，全身状態の変化に注意して観察する。
　四肢の冷感，動悸，頻脈，呼吸困難，喉頭違和感，消化器症状などを伴っている場合は，アナフィラキシーショックの前駆症状と考えられるため，迅速に対応する。

表 3-1　蕁麻疹の主な病型

特発性の蕁麻疹	急性：発症後 6 週間以内 慢性：発症後 6 週間以上	・医療機関を受診する蕁麻疹の中で最も多い ・直接的原因や自発的に膨疹が出現する ・基本的に毎日またはほぼ毎日のように症状が出現する
刺激誘発性の蕁麻疹	1. アレルギー性の蕁麻疹 2. 食物依存性運動誘発アナフィラキシー 3. 非アレルギー性の蕁麻疹 4. アスピリン蕁麻疹 5. 物理性蕁麻疹 6. コリン性蕁麻疹 7. 接触蕁麻疹	・特定刺激や負荷により皮疹を誘発することができる蕁麻疹 ・多くは数時間以内に消失する
血管性浮腫	2〜3 日で消失する	・瘙痒感はない ・まれに遺伝性のものもある
蕁麻疹関連疾患	蕁麻疹様血管炎，色素性蕁麻疹など	・蕁麻疹様血管炎では皮疹が 24 時間以上持続，色素沈着を残す

2 関連因子

蕁麻疹の誘因となる食物や薬剤，植物，運動，環境などの有無について情報を得る。

3 発症部位・症状持続時間・頻度

症状消失後も再燃に備えた観察を継続する。治療方針の決定には，蕁麻疹の発症部位や範囲，症状の持続時間，頻度などの情報収集が重要である。また，初発ではない場合，前回の症状出現時との違いにも注目して患者から聴取する。

4 参考となる検査データ

抗原特異的 IgE 抗体の測定は I 型アレルギーの検査には有用である。そのほかは病型（表3-1）に応じて必要な検査を実施し，原因の検索を行う。

B 生じやすい看護上の問題

- アナフィラキシーショックへの前駆症状を見落とすと，生命の危機に陥る
- 瘙痒感による集中力の低下，ボディイメージの変化，活動制限などにより自尊感情の低下が起こる
- 蕁麻疹の原因が特定されず適切な治療が受けられないと不安が増強する

C 看護目標と看護の実際

1. 急性期の看護

看護目標
- 前駆症状に適切な対応ができ，アナフィラキシーショックによる重篤な状態にならない

❶ **前駆症状に適切な対応ができ，アナフィラキシーショックによる重篤な状態にならない**

▶ **症状悪化を回避するための観察と管理** 蕁麻疹の観察と同時にバイタルサインや，そのほかの自覚症状の観察を継続的に行う。遅発性の症状もあるため留意し，アナフィラキシーショックが起きたときに必要な準備をする。

▶ **瘙痒感への対応** 瘙痒感によるかき傷により，破綻した皮膚の部分から皮膚のバリア障害を起こすため，感染症を引き起こさないようにする。皮膚を清潔に保つとともに，瘙痒感に冷罨法(れいあんぽう)が有効なこともある。

2. 慢性期の看護

看護目標 ・蕁麻疹の原因を特定し適切な治療を受けることで，日常生活を安心して過ごすことができる

❶蕁麻疹の原因を特定し適切な治療を受けることで，日常生活を安心して過ごすことができる

（1）蕁麻疹の要因別に対処する

▶ 特発性の蕁麻疹　抗ヒスタミン薬を中心とした薬物療法が重要であり，一般には症状が出なくなってからも，しばらくは内服を続ける。このタイプの蕁麻疹でも感染，疲労，ストレス，場合によっては食物によって症状が悪化することがあるため，その因子を生活のなかからできるだけ取り除く。たとえば仕事が忙しくなると蕁麻疹が悪化するような場合は，主治医と相談して薬の量を多くするか，身体の危険信号と考えて仕事のペースを落とし十分な休養を確保するなど，生活のありかたを見なおすことも必要である。

▶ 刺激誘発型の蕁麻疹（皮疹を誘発する蕁麻疹）　原因・悪化要因を同定し，それらの因子を回避することが大切である。しかし，アレルギーの原因になり得るものすべてを避けて生活することは不可能であるため，できるだけ激しい症状を起こさないように調整する。

▶ 機械性蕁麻疹　身体を締め付けない，あるいは裾が擦れにくい服装にするなど工夫する。

▶ 寒冷蕁麻疹　いきなり冷たい水に飛び込むとショックに陥る危険もあるため水泳には十分注意する。

▶ 薬物性アレルギーによる蕁麻疹　アレルゲンとなる薬品を患者に正確に伝え，必要時には患者自身が医師や薬剤師に確実に示すことができるようにする。

（2）ストレス・不安の軽減

　患者は，適切な治療を受けていても悪化要因をすべて回避して生活することは困難であり，症状の出現に不安を抱えている。そのこと自体がストレスとなり，症状を悪化させる可能性もある。ボディイメージが変化したために活動量が低下したり，瘙痒感や不安で睡眠障害を引き起こすこともある。

　患者が抱える不安や悩みに耳を傾け，必要時，睡眠導入薬の服薬なども医師に相談する。

II アトピー性皮膚炎患者の看護

　アトピー性皮膚炎は，増悪・寛解を繰り返す瘙痒感のある湿疹を主病変とする疾患であり，患者の多くはアトピー素因をもつ[1]。アトピー素因には，家族歴・既往歴（気管支喘息，アレルギー性鼻炎，結膜炎，アトピー性皮膚炎のうちいずれか，あるいは複数の疾患）とIgE抗体を産生しやすい素因があり，両方もしくは，いずれかが該当するとアトピー性皮膚炎を引

表3-2 アトピー性皮膚炎患者の皮疹の好発部位

対象	好発部位
全体的な傾向	前額，眼周囲，口周囲，耳介周囲，頸部，肘窩，膝窩
乳児期	頭や顔に始まり，体幹や手足に降りていく傾向がある
幼小児期	首や手足の関節に多い
思春・成人期	頭，首，胸，背中などの上半身に多い

き起こす可能性が高まる。
▶ 診断　基本的に「瘙痒」「特徴的皮疹と分布」「慢性・反復性経過」の項目のすべてを満たすとアトピー性皮膚炎と診断される。
▶ 原因　アトピー性皮膚炎は，多病因性の疾患であり，アトピー素因と皮膚を含む臓器の過敏性などが複合的にかかわっている。

アセスメントの視点

1 皮疹

好発部位，左右対称性の分布であることを，年齢による特徴をふまえて観察する（表3-2）。全年代で皮膚が乾燥傾向であることが特徴である。初発時や慢性期から悪化した急性期には，紅斑，漿液性丘疹ができ，鱗屑・痂皮を生じる。慢性化すると皮膚が肥厚し，著しく乾燥することで苔癬化・痒疹が起こる。破綻した表皮から感染症を引き起こすことがあるため，感染徴候の有無を確認する。

2 随伴症状

アトピー性皮膚炎は瘙痒感が強い湿疹であり，その症状から患者は強い苦痛を覚え，日常生活あるいは社会的活動に支障をきたすこともある。睡眠時間の減少，集中力の低下，頭重感などの随伴症状の程度を観察する。

3 家族歴・既往歴

アトピー素因をもつ家系に多発する傾向があるため家族歴，既往歴は詳しく聴取する。多くが乳児期に発症し増悪・寛解を繰り返すため，発育に障害が出ることもある。

患者は外観の変化から他者の目を気にしていることも多く疎外感をもちやすい。そのため，疾患・治療に対する考えかたや学校・職場でのストレス状態など心理面についても情報を得る。

4 増悪要因とセルフケア能力

ライフスタイルや食生活などの変化が症状悪化につながる可能性があるため，それらを

聴取する。

　カビ，ダニ，温熱，発汗，ウール繊維，精神的ストレス，特定の食物，飲酒，感冒が増悪要因になりうる。生活環境に潜むそれら増悪要因がないか，それによって日常的なスキンケアなどのセルフケアが脅かされていないか患者とともに確認する。

5 | 参考となる検査データ

　血清 TARC 値上昇，抗原特異的 IgE 抗体の増加，末梢血好酸球数増加，血清 SCCA2 値上昇がみられる。

B 生じやすい看護上の問題

- 皮膚のバリア障害による感染症を合併する可能性がある
- 瘙痒感や痛みなどの症状コントロールができず，日常生活に支障をきたす
- 慢性的関節拘縮やボディイメージの変容により，活動量の低下が起こる
- 長期的な症状により，うつ状態や睡眠障害を引き起こす

C 看護目標と看護の実際

1. 急性期の看護

看護目標 ● 急性症状が軽快し，感染症などの合併症を起こさない

❶ **急性症状が軽快し，感染症などの合併症を起こさない**

▶ **症状悪化を回避するための観察と管理**　皮疹の観察と同時にバイタルサインやそのほかの随伴症状の観察を継続的に行い，指示された薬剤を確実に投与する。スキンケアや軟膏塗布が患者自身で行える場合も，確実に実施できているか確認する。感染徴候がないか観察し，伝染性膿痂疹，カポジ水痘様発疹症，伝染性軟属腫などの感染症を合併していると思われる異変に気づいたら，すぐに医師へ報告する。

▶ **瘙痒感への対応**　皮膚のバリア機能が低下するため，水分保持能の低下，瘙痒感の閾値の低下，易感染性など皮膚の機能異常が起こる。皮膚の破綻を最小限にするため，かき傷をつくらないようにする。瘙痒感を軽減するためには，皮膚を清潔に保つとともに，冷罨法も有効なことがある。皮膚の乾燥が瘙痒感を増強させるため，皮膚の保湿を行う。

2. 慢性期の看護

看護目標 ● 日常生活に支障をきたすような急激な症状の悪化がない

❶日常生活に支障をきたすような急激な症状の悪化がない

▶ **適切な受診行動を勧める**　日頃から自分自身で症状の変化を観察し，定期的な受診を継続するよう説明する。伝染性膿痂疹，カポジ水痘様発疹症，伝染性軟属腫などの感染症を合併しやすいため，症状の異変に気づいたら，すぐに受診するよう指導する。

　顔面に症状がある場合は，白内障や網膜剝離などの眼病変を合併しやすいため，定期的に眼科を受診するよう勧める。

▶ **皮膚の清潔を保つ**　汗や皮膚の汚れは瘙痒感の誘因となるため，入浴・シャワー浴は毎日行い皮膚を清潔に保つこと，特に夏季は発汗が多いため十分に注意することを指導する。

　入浴は感染を予防し，外用薬の効果を高めるため積極的に行うが，瘙痒感を生じるほどの高温の湯や入浴後にほてりを感じるような沐浴剤・入浴剤の使用は避ける。石けん・シャンプーは洗浄力の強いものを避け，十分にすすぐ。

　患者あるいは介助者には，タオルで強くこすらず，皮膚の状態に応じた洗いかたをするよう指導する。

▶ **皮膚の保湿を心がける**　角質層の水分保持能が低下すると皮膚がかさかさしたドライスキンの状態になるため，入浴後は，速やかに保湿剤を塗布し皮膚を乾燥から守る。皮膚の状態に応じて適切な保湿剤・外用薬を使用する。

　衣類による刺激を避けるため，新しい肌着は使用前に水洗いする。洗剤はできるだけ界面活性剤の含有量の少ないものを使用する。

　血流が増すと瘙痒感が増強するため，室温を下げる工夫や冷罨法を行う。

▶ **生活環境から増悪要因を取り除く**　ダニやほこり，カビは増悪要因となるため，室内の掃除をこまめにする。髪が皮膚を刺激しないよう髪型を工夫し，搔破による皮膚の障害を避けるため爪を短く切り，必要な場合は手袋や包帯を使用する。

▶ **ストレス・不安の軽減**　ボディイメージが変化し活動量が低下したり，瘙痒感や不安で睡眠障害を引き起こすこともある。患者個々が抱える不安や悩みに耳を傾け，必要時，睡眠導入薬の服薬なども医師に相談する。成年期の患者は，自分の子への遺伝について心配することもあるため，不安や悩みを表出しやすい関係を築く。

III　アレルギー性鼻炎・花粉症患者の看護

　アレルギー性鼻炎は，発作性・反復性のくしゃみ，水性鼻汁，鼻閉の3つの症状が出現するⅠ型アレルギーである。

また，花粉症の場合は，花粉をアレルゲンとしており，季節性に水性鼻汁，くしゃみ，鼻閉，鼻や眼の瘙痒感，鼻粘膜の蒼白性腫脹などの症状が出現する。比較的よくみられる症状のため軽視されがちであるが，患者が苦痛を感じていることを理解する。

アセスメントの視点

1 症状の程度・発症時期・場所

　症状をコントロールするためには，アレルゲンを特定する必要がある。そのため，いつ頃，どのような症状が出現したのか確認する。アレルギー性鼻炎のアレルゲンを表3-3に示す。花粉症のアレルゲンは花粉であるが，発現時期や検査で原因を特定し，アレルゲンを避けるための具体的な注意や方法を知ることが必要である（図3-1）。

　発作性・反復性のくしゃみ，水性鼻汁，鼻閉，口呼吸，鼻をこするしぐさ，鼻すすりなどの症状の有無や程度を観察する。寒暖差による症状の違い，ペットの飼育の有無，ストレスの有無などについても聴取する。

2 随伴症状

　眼やのどの瘙痒感，頭重感，いらいらなどの症状が出ることもあり，日常生活に大きな影響を及ぼす可能性がある。喘息発作や消化器系症状が出現することもある。生命に直接的には影響しないが，頭痛や記憶力・集中力の障害となり，勉強や仕事の能率を著しく低下させ，患者の社会生活に影響を及ぼす可能性がある。

3 参考となる検査データ

　鼻汁好酸球数の増加，抗原特異的IgE抗体の増加がみられる。皮膚反応検査，誘発試験の結果も参考にする。

表3-3　鼻アレルギーの主なアレルゲン（花粉を除く）

種類	アレルゲン
通年性のもの	ハウスダストおよびダニ 真菌：アスペルギルス，ペニシリウムなど
季節性のもの（4〜10月）	真菌：アルテルナリア，クラドスポリウムなど
職業性のもの	木材（アメリカスギ，リョウブ）：製材工 コンニャク粉：製造者 養蚕関係物（絹，まぶし［養蚕の道具］）：養蚕家 ホヤ：養殖家 ひよこや実験動物：養鶏家，研究者 薬剤：薬剤師

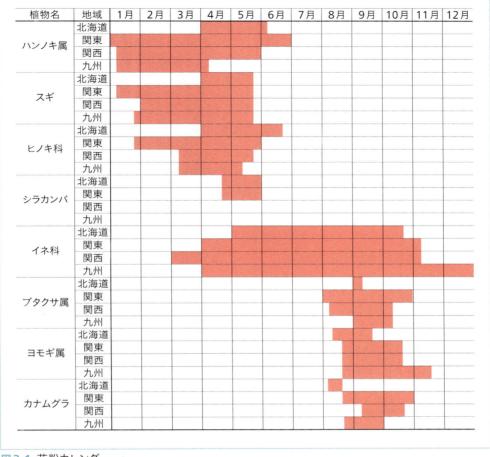

図 3-1 花粉カレンダー

B 生じやすい看護上の問題

- アレルギー反応を抑えることができず，呼吸器症状や消化器症状などが出現する恐れがある
- 睡眠障害，集中力の低下により，日常生活に支障をきたす

C 看護目標と看護の実際

看護目標 ・アレルゲンを特定し，適切な治療を受け，症状が軽快する

❶アレルゲンを特定し，適切な治療を受け，症状が軽快する
▶ 適切な治療を適切な時期に開始する　抗アレルギー薬内服，副腎皮質ステロイド薬の点

Ⅲ　アレルギー性鼻炎・花粉症患者の看護

眼，点鼻，吸入が行われる。抗アレルギー薬は1～2週間後にその効果が現れるため，花粉症では原因の花粉が飛び始める2週間前から服用すると，より大きな治療効果が期待できる。減感作療法を行う場合は，治療が継続できるよう注意事項の説明を十分に実施する。

　診察室には，アナフィラキシーショックに対応できる準備をする。

▶ **ダニ・ハウスダストの除去**　ダニ，ハウスダストの除去のために掃除を励行し，布団を干すか丸洗いした後に掃除機をかける。

　布団，枕などに防ダニのカバーをかけ，布製のソファやぬいぐるみ，カーペット，畳はできるだけ避ける。

　カビ対策として台所，浴室，窓，換気扇，冷暖房器具などの清掃と換気に努める。

　ペット（特に猫［毛が空中に漂いやすい］）の飼育は，できれば避け，飼育をする際には，屋外で飼い寝室には入れないように指導する。

▶ **花粉の回避**　アレルゲンとなる物質を吸入しないようにマスクを着用し，花粉情報に注意し，飛散の多い時期の外出を控える。

　また，外出時にはマスク，眼鏡を使用する。花粉の飛散の多いときは部屋の窓，戸を閉め，洗濯物の屋外干しはやめ，帰宅時は，衣服や髪をよく払ってから入室し，手洗い・洗顔・うがいをし，鼻をかむ。

　表面に毛羽立ちの多い毛織物のコートなどは避ける。

　鼻汁の多いときには鼻周囲の皮膚が荒れないように，柔らかい素材のティッシュペーパーを用いる。

▶ **ストレス・不安の軽減**　過労・暴飲暴食を避け，バランスのとれた食生活で栄養を摂り，ストレスを避け睡眠を十分にとることが必要である。患者は根気や集中力がなくなるというように，症状を自覚していることが多い。花粉症の場合，時季が過ぎると症状は必ず消失することを繰り返し伝え，患者の心理面を支える。

IV　気管支喘息患者の看護

　アレルギー疾患患者は増加する一方で，気管支喘息患者は治療薬の開発などにより近年死亡者数が減少している。発作時は症状の緩和を図り，薬物療法を適切に行うなど自己管理に向けての患者指導が重要になってくる。患者は，発作時の対応やその予防について学習し，日常生活を整えることが大切である。

A アセスメントの視点

1 呼吸器症状

　呼吸のパターンや喘鳴(ぜんめい)の有無，呼吸困難の程度（チアノーゼなどから判断する），冷汗の有無，不安から過呼吸になっていないか，脱水のために皮膚は乾燥していないかなどを観察する。病状に幅があり，セルフコントロールが可能なレベルから，重積発作(じゅうせきほっさ)のため救命処置が必要になるレベルまである。

　また，症状の出やすい季節，時間帯，状況の傾向がないか確認する。

2 主な吸入性アレルゲン

　気管支喘息の主な吸入性アレルゲンとしてはハウスダスト（植物繊維，食べかす，毛やふけ，細菌，ダニ，昆虫，羽毛）や，花粉（ブタクサ，スギ，イネ，ヨモギ，カナムグラ），真菌（カンジダ，アスペルギルス，アルテルナリア，クラドスポリウム，ペニシリウム）があり，食物のアレルゲンとしては大豆や卵，牛乳，ソバ，ピーナッツなどがある。また，過労・ストレス，感冒(かんぼう)，気象，煙草のにおいなど，様々な誘因で症状が悪化したり，発作状態になったりする。そのため根気よく治療を継続する必要があるが，患者は発作が治まると喘息が治ったと思い込み，自己判断で薬剤を減量・中止するなど，治療についての認識が不足していることもある。

3 治療効果

　治療効果は患者の自覚症状の消失のみでなく，喘息日誌（図 3-2）に記入された毎日の症状・薬の使用状況とともに，気管支の状態を反映するピークフロー値により正確に把握する。ピークフロー値とは，十分に息を吸い込んだ状態で，力一杯息を吐き出したときの息の速さの最大値(最大呼気流量)のことで喘息の評価に用いられる。ピークフロー値は，ピークフローメーターという専用器具を使って測定する。

　測定方法は（図 3-3）のとおりである。

4 精神状態

　呼吸ができないという自覚は，死を意識せざるを得ない恐怖体験である。病状の理解とともに患者が疾病をどのようにとらえているかを把握し，不安や恐怖について理解する必要がある。

5 参考となる検査データ

　抗原特異的 IgE 抗体の増加がみられ，皮膚反応検査，吸入誘発試験の結果も参考にする。

日付		／	／	／	／	／	／
天気							
ぜんそくの症状	大発作						
	中発作						
	小発作						
	発作なし						
	せき	強 弱 無	強 弱 無	強 弱 無	強 弱 無	強 弱 無	強 弱 無
	たん	多 少 無	多 少 無	多 少 無	多 少 無	多 少 無	多 少 無
	日常生活	○ △ ×	○ △ ×	○ △ ×	○ △ ×	○ △ ×	○ △ ×
	睡眠	○ △ ×	○ △ ×	○ △ ×	○ △ ×	○ △ ×	○ △ ×
ピークフロー値	ゾーン	朝 夜	朝 夜	朝 夜	朝 夜	朝 夜	朝 夜
	リットル／分 600 500 400 300 200 100 0	自己最良値　リットル／分（　年　月　日　測定）					
	測定値						
薬							

図3-2 喘息日誌

B 生じやすい看護上の問題

- 生命の危機に陥る可能性がある
- 発作が頻繁に起こり，活動量・活動意欲の低下が起こり，日常生活に支障をきたす

C 看護目標と看護の実際

1. 急性期の看護

看護目標 • 気道炎症を制御することで発作や喘息症状がない状態となる

❶気道炎症を制御することで発作や喘息症状がない状態となる

▶ **症状悪化を回避するための観察と管理** 患者が前駆症状の自覚を訴えた場合には，気管支拡張薬や副腎皮質ステロイド薬を点滴静脈注射として用いることが多い。

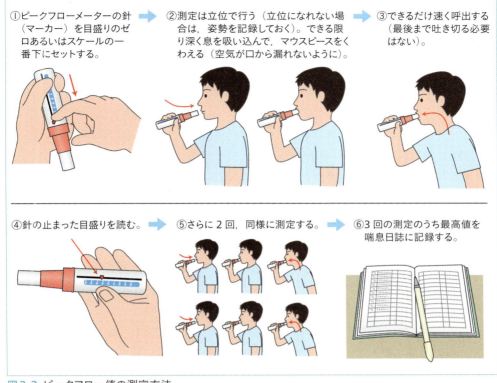

図3-3 ピークフロー値の測定方法

　体動や会話が酸素消費量を増大させるため，患者に苦痛を緩和するための処置を行っていることを説明するとともに，患者のニーズを察して援助する。

　起座位やファーラー位をとれるよう体位の工夫をし，状況をみて腹式呼吸や排痰を促す。

　喘息発作はそれ自体が非常に苦痛なばかりでなく，死の恐怖感を与え，その心理的負担がさらに呼吸困難を増強させるという悪循環を招く。したがって，自覚症状を取り除くことが重要である。

2. 慢性期の看護

看護目標 ●正常な呼吸機能を保つことができる

❶正常な呼吸機能を保つことができる

（1）発作時の対応を習得する

　吸入器の使用方法，受診の方法とその間隔などを理解し，患者自らが治療計画に参加し，自己管理技術を身につけ，症状を予防することが目標である。患者が，日常の対応（服薬，薬剤の吸入），増悪時の対応，発作時の対応を正確に理解しているかを確認し，発作時に備えて常に携行用の吸入器と薬剤を手元に準備しておくよう指導する。

アスピリン喘息（NSAIDs過敏喘息）は，内服薬，注射薬，坐薬だけでなく貼付薬，塗布薬でも起こる。アレルギー情報の書かれた患者カードを携帯し，非ステロイド性抗炎症薬（NSAIDs）の誤使用を防ぐ。

(2) 呼吸機能を患者自身でモニタリングする

　症状がなくても継続的に長期管理薬（吸入ステロイド薬，気管支拡張薬）を使用することと，発作の原因になるような状況を日常生活のなかで，できるだけ回避することが大切である。ピークフロー値のモニタリングのしかたを患者が身につけ，症状が現れないようにする。

▶**喘息管理ゾーン・システム**　喘息管理ゾーン・システムは，患者が喘息の状態を自分自身でモニターし，悪化の徴候を早い段階で感知して早期に対処するために役立つ指標である。ピークフローの目標基準値を100％として，次の3つのゾーンに区分する。事前に喘息日誌のピークフロー値の欄を色分けしておくと管理しやすい。

①**グリーンゾーン**（ピークフロー値：自己最良値の80％以上）

　喘息はコントロールされた状態にある。喘息症状はあっても喘鳴程度である。症状があればβ_2刺激薬の吸入を行う。

②**イエローゾーン**（ピークフロー値：自己最良値の50％以上80％未満）

　喘息症状（夜間症状，日常活動の障害，咳嗽，喘鳴，運動時または安静時の胸部圧迫感）が認められる。β_2刺激薬の吸入を1時間に3回まで行い，反応が不良であれば，医師により指示された量の経口副腎皮質ステロイド薬を内服して医師の診察を受ける。ピークフロー値がグリーンゾーンへ改善し，維持できればそのまま経過を観察してよい。

③**レッドゾーン**（ピークフロー値：自己最良値の50％未満）

　安静時にも喘息症状が認められ，日常活動に支障をきたす。直ちにβ_2刺激薬の吸入を行い，早期に経口副腎皮質ステロイド薬を服用する。速やかにピークフロー値の改善が認められなければ，早急に医師の診察が必要である。準備があれば酸素吸入も開始する。

(3) 症状を誘発する行動を控えるよう指導する

　基本的に気管支の炎症を悪化させる喫煙は，患者・家族ともに禁止する。かぜやインフルエンザにかからないように，手洗い・うがいを励行し，予防接種を受ける。

　暴飲，暴食，過労を避け，睡眠を十分にとり体調を整える。発作の起こりやすいスポーツは避けるが，無理のない運動の習慣はストレスを発散し精神的慰安になる。

(4) 症状を誘発する要素を生活環境から取り除く

　ダニやハウスダストなどの原因抗原を減らし，原則としてペットは飼わない。清潔に留意し，入浴はぬるめの湯で短時間にする。空気清浄機で室内を清潔にし，エアコンを使用して温度や湿度にも気をつける。

　喘息の原因，治療などについて，家族が誤って理解していると，家族関係が緊張したり，患者の就業や就労を制限したりすることにもなる。患者の意思が尊重されるように，家族や周囲の人々が疾患について理解を深められるよう指導する。

V アナフィラキシー患者の看護

　ショックとは，何らかの原因で急激な循環不全に陥り，主要臓器や細胞，組織の機能を維持するための十分な酸素と栄養を供給できなくなり，生命の危機的状況に陥った状態であり，**アナフィラキシーショック**は血液分布異常性ショックに分類され，ハチ毒や食物，薬物，ラテックスなどが原因で起こるアレルギーの即時型であり，急激に動悸や頻脈，呼吸困難，血圧低下，意識障害などが起こり，死に至ることもある（表3-4）。

　アレルゲンに曝露されてからアナフィラキシー症状が出るまでの時間は，アレルゲンによって異なる。アレルゲンへの曝露の有無を確認し全身状態を観察することで，アナフィラキシーの可能性を即座にアセスメントする必要がある。

A アセスメントの視点

1 前駆症状とショックの5徴候

　アナフィラキシーの前駆症状としては，蕁麻疹や紅潮などの皮膚症状，口唇・手足のしびれ，動悸，喉頭違和感，嘔吐，腹痛などがある。患者は「何か変な感じがする」「か

表3-4 アナフィラキシーを起こしやすい物質

起こしやすい物質	詳細
抗菌薬	ペニシリン，セファロスポリン，テトラサイクリン，ニトロフラントイン，アミノグリコシド，アムホテリシン B，そのほか
非ステロイド性抗炎症薬（NSAIDs）	サリチル酸製剤，インドメタシン，ピラゾロン系製剤
ホルモン剤	副腎皮質刺激ホルモン（ACTH），インスリン，副甲状腺ホルモン（PTH），エストラジオール
酵素製剤	トリプシン，キモトリプシン，L-アスパラギナーゼ，ソルコセリル，チトクローム C 製剤
麻酔薬	リドカイン，プロカイン塩酸塩，オピアト
生物学的製剤	全血，血漿，免疫グロブリン製剤，抗血清，ワクチン
アレルゲンエキス	
検査用薬剤	造影剤
ポリサッカライド	デキストラン
動物毒液	昆虫（ハチ，その他），ヘビ
食品	①加工食品において表示の義務がある8食材 　・えび，かに，くるみ，小麦，そば，卵，乳，落花生（ピーナッツ） ②表示が奨励されている20食材 　・アーモンド，あわび，いか，いくら，オレンジ，カシューナッツ，キウイフルーツ，牛肉，ごま，さけ，さば，大豆，鶏肉，バナナ，豚肉，まつたけ，もも，やまいも，りんご，ゼラチン
そのほか	ゴム製品：手袋，カテーテルなど

表3-5 ショックの5徴候

	機序	症状
虚脱	脳への血流減少	不穏,せん妄,脱力
冷汗	交感神経が優位となり発汗	全身が冷たくじっとりとする
蒼白	血管の収縮	皮膚の冷感,四肢や顔色の蒼白
脈拍触知不能	血流維持のために心拍数が増加するが心拍出量は少ない	末梢の動脈触知ができない
呼吸不全	組織の低酸素や代謝性アシドーシスの代償をする	頻呼吸

だがフワーとする」などという漠然とした訴えの後,急激にショック状態に陥る。

　ショック状態に陥らないためには,患者の訴えや様子に注意を払い,前駆症状に対して迅速かつ,ていねいに対応する必要がある。患者がショック状態(表3-5)に陥った場合には,呼吸,循環,意識などの全身状態を観察する。

2 参考となる検査データ

　アナフィラキシー直後は,心電図や動脈血酸素飽和度のモニタリング,必要な血液検査,動脈血ガス分析などを行う。

3 精神状態

　呼吸ができない,意識を失うなどのショック状態に陥ることは,死を意識する体験であり恐怖につながる。患者が疾病をどのようにとらえているかを把握し,その不安や恐怖について理解する必要がある。

B 生じやすい看護上の問題

- 生命の危機に陥る可能性がある
- アナフィラキシーの再発予防行動がとれず,再び生命の危機に陥る可能性がある
- 再発に対する不安により,活動量が低下する

C 看護目標と看護の実際

1. 急性期の看護

看護目標 ● 症状の早期発見と救命処置によって生命を維持できる

❶ 症状の早期発見と救命処置によって生命を維持できる

(1) 救命処置

　心拍を保ち,気道や静脈路を確保し,呼吸や循環,代謝を維持する。酸素吸入や気管内

挿管，人工呼吸器の装着が行われることもある。昇圧薬や強心薬，副腎皮質ステロイド薬など多くの薬剤が用いられる。

▶事前の準備　緊急時にはそれぞれの処置を確実に行う必要がある。バイタルサインを観察する者，薬品を準備する者などと分担を決め，一人ひとりが効率よく対処し，救命処置を迅速に行う。そのためには，普段から救急薬品や人工呼吸器，心電計などの点検・整備に努めると同時に，これらの操作に熟達しておく必要がある。

(2) 患者・家族の死への恐怖や不安へのケア

▶患者の不安　急激に起こる生命の危機であるため，患者は現状を理解できないことがある。その間は，救命のための多くの処置を受け，自覚的な苦痛の中におかれる。したがって看護師は，患者の意識が清明でないと思われる場合にも，不安を軽減するための言葉をかけるなど配慮し，少しでも安楽な状態をつくりだすことに留意しなければならない。

▶家族の不安　家族にとっても突然に起こった患者の病状の変化であり，受け入れ難い気持ちや不安感をもっている。患者の病状や行われている治療，今後の予測などについて，できるだけ早く医師から説明を受けられるよう配慮する。原因や経過の正確な説明と思いやりのある対応によって，家族は冷静さを取り戻すことができる。

2. 慢性期の看護

看護目標
- 不安や恐怖などの精神的苦痛が軽減されるとともに，再発防止のために必要な知識を獲得できる

❶不安や恐怖などの精神的苦痛が軽減されるとともに，再発防止のために必要な知識を獲得できる

(1) アレルゲンの特定と再発防止

　患者が生命の危機を脱し，症状の回復が得られたときは，アレルゲンとなる食物や薬物を特定するための検査を進める。アナフィラキシーを繰り返さないよう確実にアレルゲンを排除する方法を次のような点から決定する。

　加工食品（容器包装されたもののみ）には，アレルギーを起こす可能性のある食材の表示がされているため，家庭で食物アレルギー除去食を実践するうえでの重要な情報として，十分に確認するよう患者や家族に説明する。自己判断で誤った除去食を実行し，栄養不足に陥らないよう管理栄養士の協力を得て指導を行う。アレルゲンを明記した患者カードの携帯や健康保険証への記載も一つの方法である。

▶ハチ毒アレルギーの場合　ハチのいる可能性のある場所には，なるべく近づかない，長袖・長ズボン・手袋などを着用し肌を露出しない，などの注意が必要である。また，ハチ毒によるアナフィラキシーの既往がある場合や危険性が予想される場合には，アドレナリンの自己注射薬（エピペン®）を必要とするかどうか，医師に相談する。

▶ラテックスアレルギーの場合　日常生活では，炊事用の手袋，輪ゴム，粘着テープなど

多くの製品にアレルギーの原因となるラテックスが含まれている。ラテックスに対してアレルギー反応を示し日常生活において避けていた人が，原料として含まれていることを知らずに一部の医療用マスクやカテーテルを用いてアナフィラキシーを起こすことがある。医療用具では，手袋，点滴ルート，カテーテル類，マスクなど数多くの製品にラテックスが含まれており，特に注意が必要である。また，ラテックスのたんぱく質と類似のたんぱく質を含むバナナ，アボカド，キウイ，栗などを摂取すると，口腔アレルギー症候群やアナフィラキシーを起こすことがある。

(2) 不安の軽減

アナフィラキシーは急激に発症することが多いため，再び発症することへの不安が大きく，アレルゲンを避けて生活することに適応するまで時間がかかる。そのため，過度にアレルゲンを避け活動範囲や交友関係を狭め気分転換ができず，睡眠障害や抑うつ状態に陥ることもある。正しい知識を身につけ，予防的行動がとれるように，看護師は患者だけではなく，家族などの周囲の人たちの理解も得られるようにかかわる。

VI 食物アレルギー患者の看護

食物アレルギー患者の多くは乳幼児であり，加齢とともに漸減する。乳幼児の即時型食物アレルギー*患者の多くは，成長による消化機能や免疫機能の発達により自然耐性を獲得するため，症状が出現しなくなる。乳幼児時期に食物アレルギーを起こした児は，喘息，アレルギー性鼻炎，アトピー性皮膚炎などを発症する頻度が高い。

▶ **食物アレルゲン**　食物アレルゲンの本体は，食物の中に含まれるたんぱく質であることが多い。小児では，鶏卵，牛乳，小麦，ピーナッツ，木の実類による即時型アレルギーが多いのに対し，成人では特徴的な病型がみられる（表3-6）。

▶ **感作経路**　食物アレルゲンへの感作経路は，経口（消化管）といわれていたが，近年主な感作経路は皮膚であることがわかっている。そのほかにも，胎内，気道からも感作される。

アセスメントの視点

1 バイタルサイン

食物アレルギーの主な症状は皮疹だが，アナフィラキシーを起こすことが約10％で認められるため，重症度をアセスメントし対応する。症状に応じて，心電図や動脈血酸素飽和度をモニタリングするなどをして急変に備える。

---

* 即時型食物アレルギー：原因となる食物を摂取すると2時間以内にアレルギー症状が出現するもの。

表3-6 成人特有の食物アレルギー

花粉・食物アレルギー症候群	特定の花粉と果物や野菜との間で交差抗原性*をもつたんぱく質がアレルゲンとなるといわれている。幼少期には摂取可能だった新鮮な果物を，成人してから摂取すると口腔アレルギーを発症することが多い。
食物依存型運動誘発アナフィラキシー	小麦，甲殻類，果物がアレルゲンとなることが多く，アレルゲンの摂取後に運動をすることで症状が出現する。多くは食後2時間以内の運動で発症する。
アニサキスアレルギー	アニサキスの寄生率の高いタラ，カツオ，サバ，ニシン，アジ，スルメイカなどがアレルゲンとなることが多い。魚肉中のヒスタミンによるヒスタミン食中毒との鑑別が必要である。
ラテックス・フルーツ症候群	ラテックス製手袋の経皮感作が誘因となる。ラテックスと交差反応性*をもつバナナ，アボカド，クリ，キウイなどに対しても即時型反応がある。

2 発症リスク因子の有無

小児期の食物アレルギー発症リスクとして，アトピー性皮膚炎，家族歴，特定の遺伝子，皮膚バリア機能，日光・ビタミンDなどがあげられる。

3 参考となる検査データ

抗原特異的IgE抗体の増加のほか，食物経口負荷試験（oral food challenge；OFC）の結果が参考になる。

B 生じやすい看護上の問題

- アナフィラキシーを起こし，生命の危機状態になる
- アレルゲンが特定できず，再発する
- アレルゲンを過剰に避けることで，栄養状態の悪化や活動意欲の低下が起きる

C 看護目標と看護の実際

看護目標
- 症状が軽快し，同じ食物によるアレルギーを起こさない
- 正しい知識と対処方法を知り，原因食物の過度な除去を防ぎ，患者の生活の質を保つことができる

❶ 症状が軽快し，同じ食物によるアレルギーを起こさない

▶ **アレルギー発症時のケア** アナフィラキシーの症状を呈している場合は，アナフィラキ

---

*交差抗原性：構造が似たたんぱく質に対しても免疫細胞が間違って異物とみなし，アレルギー症状を起こしてしまうこと。
*交差反応性：抗体がその免疫原（抗体が作られるもととなった抗原）とは別の抗原と結合すること。

シーに対する看護介入に準じる（本章-Ⅴ-C「看護目標と看護の実際」参照）。
- ▶ **アレルゲンの特定と再発防止**　試験によるリスクよりも患者の利益が大きい場合，食物経口負荷試験（OFC）を行い，アレルゲンを特定し安全に摂取できる範囲を患者へ伝え，原因食物の除去の範囲を最小限にする。患者や家族に誤食による再発を防ぐよう指導する。

❷ **正しい知識と対処方法を知り，原因食物の過度な除去を防ぎ，患者の生活の質を保つことができる**

- ▶ **患者・家族へ正しい情報を提供する**　近年，確定診断に基づき除去の範囲を最小限にする考えかたが浸透し，可能な範囲で多くの食品を摂取することが推奨されている。栄養状態の評価を行い，必要時，管理栄養士による栄養指導を受けられるようにする。アナフィラキシーに備えアドレナリン注射液（エピペン®）の携帯が必要な場合は，使用法や注意点を患者・家族に説明する。学校や保育所などでの発症に備え，それぞれに必要な情報提供や教育を行う。

Ⅶ 薬物アレルギー患者の看護

薬疹（やくしん）は，体内に摂取された薬物によって引き起こされる皮膚の症状で，出現する症状は様々である。すべての薬物が原因となり得るが，抗菌薬，消炎鎮痛薬，感冒薬，抗痙攣薬などによる薬疹が多くみられる。アレルギーによる薬疹は，通常は初めて使用した薬物では起こることはなく，一般的には2～3週間の薬物使用後に発疹を生じることが多い。
- ▶ **治療**　軽症の場合は，副腎皮質ステロイド薬の外用，抗ヒスタミン薬の内服を行い，重症の場合は，ステロイドパルス療法や免疫グロブリン投与，血漿交換療法などを行う。

A アセスメントの視点

1　バイタルサイン

主な症状は薬疹だが，全身倦怠感，発熱，リンパ節腫脹，肝・腎・骨髄などの多臓器不全を伴うことがあり，血圧低下など循環不全やショックをきたすことがある。症状に応じて，心電図や動脈血酸素飽和度をモニタリングするなどをして急変に備える。

2　薬疹

原因薬物の中止により多くの薬疹は消失する。薬疹の型は，蕁麻疹型，固定薬疹型，播種状紅斑型，紅斑丘疹型，光線過敏型，湿疹型，紫斑型，多形滲出性紅斑型などがある。重症型として，眼や口などの粘膜に水疱やびらんが現れる**スティーヴンス-ジョンソン症候群**（SJS）や，全身の皮膚が赤くなり，やけどのようにむける中毒性表皮壊死症（TEN），

高熱と肝機能障害のほか神経症状など様々な臓器の症状がみられる薬剤性過敏症症候群（DIHS）などがあり，上気道粘膜や消化管粘膜にも同様の病変が拡大し，死の転帰をとることもある。長期間にわたる症状の持続や再燃を繰り返すことがあるため，継続的な全身の観察が必要である。

3　後遺症

スティーヴンス-ジョンソン症候群や中毒性表皮壊死症では，後遺症として視力障害などの眼の障害や呼吸器障害がみられることもあるため，異常の早期発見に努める。

4　既往症や禁忌薬剤情報

薬剤アレルギーの既往や禁忌薬剤について情報収集する。

5　参考となる検査データ

血液検査（薬剤リンパ球刺激試験），皮内反応検査，薬剤誘発試験の結果を参考にする。

B　生じやすい看護上の問題

- アナフィラキシーを起こし，生命の危機状態になる
- 情報伝達が徹底されず，再び同じ薬剤が使用され症状が出現する

C　看護目標と看護の実際

看護目標　・症状が軽快し，同じ薬剤によるアレルギーを起こさない

❶症状が軽快し，同じ薬剤によるアレルギーを起こさない

（1）アレルギー発症時のケア

薬剤投与中であれば，投与を中止する。アナフィラキシーの症状を呈している場合は，アナフィラキシーに対する看護介入に準じる（本章-Ⅴ-C「看護目標と看護の実際」参照）。

（2）感染予防

重症例では，ステロイドパルス療法や免疫グロブリン投与，血漿交換療法などの全身管理が必要となるため，全身の免疫力の低下による易感染状態が続く。薬疹によるバリア機能が低下した皮膚・粘膜から感染症を引き起こす可能性もあるため，感染予防の視点でケアを行う。

（3）アレルゲンの特定と再発防止

▶ **医療者側の再発防止**　スティーヴンス-ジョンソン症候群や中毒性表皮壊死症の患者は，再び同じ薬物を使用すると同じ症状が現れたり，以前よりひどい症状が出ることがあるた

め、薬疹を起こした薬物を再度処方しないように電子カルテでのアレルギー登録や既往歴に記載して医療者間で情報を共有する。医療者間においてシステムとして使用禁忌薬剤の登録を行い、処方ができないようにするなど事故を防ぐことが重要である。

▶ **患者側の再発防止**　患者に薬物アレルギーについて情報を提供し、薬疹を予防する意識を高める指導をする。具体的には、①薬物アレルギーの既往があることを医療者に伝えることができるように、②どの薬でどのような薬疹を生じたのかを記載した患者カードを常に携帯し、必ず医師や薬剤師に提示するように指導する。

▶ **ウイルス感染症での薬剤感作**　感冒などのウイルス感染症では免疫系の活性化により薬剤感作が生じやすく、薬疹を起こしやすいといわれている。長年内服している薬物でも咽頭痛や発熱などの感冒症状のあとにアレルギー性の薬疹を生じることがあることを説明し、市販薬の購入時にも注意を促す。口唇や眼、陰部など粘膜に出てくるタイプの発疹、水疱や二重の紅斑を認めるタイプの発疹は重症化しやすいため、すぐに医療機関を受診するように指導する。

文献
1) 日本皮膚科学会, 日本アレルギー学会, アトピー性皮膚炎診療ガイドライン作成委員会：アトピー性皮膚炎診療ガイドライン 2021, 2021.

演習課題

1. 蕁麻疹患者に対する日常生活の指導についてまとめてみよう。
2. アトピー性皮膚炎患者に対する日常生活の指導についてまとめてみよう。
3. アレルギー性鼻炎患者のアレルゲンの避けかたについてまとめてみよう。
4. 気管支喘息患者の発作時の対応と予防に関する指導事項をあげてみよう。
5. アナフィラキシーを起こした患者への再発防止の指導をまとめてみよう。
6. 食物アレルギー患者と家族への生活指導についてまとめてみよう。
7. 薬物アレルギー患者が同じ薬剤によるアレルギーを起こさないようにするための注意点をあげてみよう。

第2編 アレルギー疾患患者の看護

第 4 章

事例による看護過程の展開

この章では

- 事例をもとにアレルギー疾患をもつ患者の看護を学ぶ

I　気管支喘息患者の看護

　気管支喘息は，年代を問わず小児から高齢者まで多くの患者がおり，年々患者数が増えている。しかし，気管支喘息の要因であるアレルゲンや気道刺激物，運動や精神的ストレスは，日常生活を送るうえで完全に避けることが難しい。そのため，患者自身の自己管理が重要である。その一方で，気管支喘息の治療法が確立していることも事実である。
　患者や家族が治療を継続するための知識をもち，自己管理能力を高めることが，疾患の治癒や症状悪化予防に不可欠である。

事例の概要

1. 患者プロフィール

患者：Cさん，80歳，男性
病名：気管支喘息（60歳の頃に発症）
家族構成：妻は3か月前に病気で他界。息子が2人いるが，長男はCさんの家から車で1時間のところに家族と住んでおり，次男も他県に居住しているため同居は難しい。Cさんの兄が近所に住んでいるが，介護が必要な状態である。
食事：妻が他界してから食事は1～2食/日しか摂らなくなり，体重が5kg減少した。
喫煙：気管支喘息の発症以降は禁煙していたが，妻が他界したさびしさやストレスから，再び喫煙するようになり，症状が悪化している。
内服管理：吸入ステロイド薬とβ₂刺激薬の吸入薬を長期管理薬として使用。定期的にクリニックに通い，症状をコントロールできていたが，妻の他界後，吸入ステロイド薬の使用を中断している。
日常の生活：外出は買い物のため近くのコンビニに2～3回/週に行くのみで，1日中テレビを観ながら寝て過ごしている。家の中の片づけもできていない。
介護保険：介護認定は受けていない。

2. 入院までの経過

　妻が他界してから気力や食欲が減退し，食生活が乱れ，外出する機会も減っていた。軽度な喘息発作が，たびたび起きるようになっていたが，クリニックを受診する気力もなく，処方されていたβ₂刺激薬の吸入薬を使用する頻度が増えていた。20時頃，長男が自宅に電話してCさんが電話に出ないことを不審に思い自宅を訪ねると，Cさんは喘鳴・咳嗽・呼吸困難感で会話ができず，歩行困難な状態だった。長男はあわてて救急車を呼び病院の救急外来を受診した。
　救急外来到着時のCさんは，会話はできないが質問には首を振り答えることができた。起座呼吸で呼吸数30回/分（規則的，連続性ラ音あり），SpO₂（経皮的動脈血酸素飽和度）87％，心拍数120回/分（心室性期外収縮あり），血圧148/90mmHg，PaO₂（動脈血酸素分圧）60Torr，PaCO₂（動脈血二酸化炭素分圧）45Torr，体温37.3℃であり，気管支喘息の大発作の診断とされた。
　救急外来で心電図とSpO₂のモニタリングを行いながら，酸素吸入，β₂刺激薬のネブライザーを実施したが，1時間経過してもSpO₂が95％以下であるため副腎皮質ステロイド薬の点滴静脈注射，アミノフィリン水和物の点滴静脈注射が実施された。その後，横になり，会話が可能なレベルまで改善したが，採血の結果で炎症反応の上昇がみられ，経過をみるため緊急入院となった。

B 急性期の看護

1. アセスメントと看護のポイント

1 アセスメント

❶バイタルサインの観察

定期的にバイタルサインを観察し，症状の悪化や薬物治療の副作用による意識状態の変化や致死的不整脈の出現を見逃さないようにする必要がある。薬物治療による効果を判断するためにも呼吸回数や呼吸パターンの観察，呼吸音の聴取を行い変化を見逃さないようにする。

❷随伴症状の観察

皮膚の乾燥，発赤，皮疹などがないか観察する。アレルゲンへの感作や感染症など，ほかの疾患による症状悪化の可能性があるからである。また，全身を観察することにより栄養状態や日常生活の様子を推測することができる。

Cさんのような大発作の場合，患者自身に直接話を聞くことはできないが，付き添っている長男に最近のCさんの行動や家の様子などを聴取することで，慢性期に移行した際の看護介入につなげられる。

❸精神的側面の観察

Cさんは，大発作を初めて経験し，恐怖や不安を抱えている。状態悪化により興奮状態となったり，意識障害を起こす可能性も高い。また，Cさんの急変に1人で立ち会った長男も動揺している可能性があるため，長男の様子の変化にも注意する。

2 看護上の問題点

- 大発作の直後であり，再び症状が悪化するリスクがある
- 症状悪化による不安が増大し，さらなる症状悪化につながるリスクがある

3 看護目標

- 迅速な対応と的確な観察により，Cさんの症状が軽快し苦痛が軽減する
- Cさんと長男の不安を軽減する

4 看護の実際

❶Cさんの苦痛を軽減するための援助

- 指示された治療を迅速に行い，その後のバイタルサインやCさんの自覚症状を確認する
- 薬物治療開始からの経過をタイムリーに記録し，発作治療の効果のアセスメントをする

- 薬物治療が奏効しない場合に備えて，気管挿管や人工呼吸器管理に備えて薬剤や機器を準備する
- 静脈路の確保などの処置時もCさんの呼吸がしやすい体位を工夫する
- ファーラー位や起座位は，臥位よりも横隔膜が下がり肺の容積が広がるため呼吸が楽になることが多いので適宜調整する
- 頻呼吸により胸式呼吸になりやすいが，呼吸による疲労の少ない腹式呼吸を促す
- ネブライザーにより排痰が促進されるため，喀出ができるようにティッシュなどを近くに準備する
- 発汗などで脱水症状を起こしやすいが，飲水ができないことが多いため，口腔内が乾燥する場合は含嗽ができるよう援助する

❷ **生命の危機に対する不安を軽減する援助**

　落ち着いた口調でCさんにわかりやすく状況を説明し，会話ができなくてもCさんの反応を確認しながらケアを進め，今後の見通しを伝えるようにする。また，救急搬送を判断した長男を労い，医師から適宜患者の状態について説明が受けられるように配慮する。患者の急変に1人で立ち会った家族の不安は大きいため，医師からの説明には看護師が同席し，説明内容に対する理解度を確認し，家族の不安に寄り添い傾聴する。

C 慢性期の看護

1. アセスメントと看護のポイント

1 アセスメント

❶ **呼吸器症状**
- 気管支喘息以外の閉塞性障害などがないか確認する
- 非発作時の呼吸数，呼吸音，SpO_2，PaO_2，$PaCO_2$，ピークフロー値を確認する。外来での評価の指標となる
- 自宅で発作が起きやすい時間帯や状況を聞き，その傾向や特徴を把握する。
- 喫煙状況について確認する

❷ **治療・服薬状況**
- 吸入ステロイド薬を使用できなくなった要因や吸入の手技を，Cさんと振り返る
- 自宅で発作が起きたときのβ_2刺激薬の吸入の使用方法，頻度を確認する
- インフルエンザなどのワクチン接種状況を確認する

❸ **日常生活動作の変化**
- 家事の頻度，外出の頻度，保清行動の状況，自覚している身体機能の衰え（転倒歴，視力や握力の低下など）についてCさんや長男に確認する

- 入院中の日常生活動作（ADL）や認知能力を観察する

❹心理的側面

Cさんの場合，既に抑うつ状態である可能性もあるうえに，大発作の経験は抑うつ傾向を強める要因となりうる。妻が他界し大発作を起こしてから現在に至るまでの気持ちや考えかたの変化に理解を示したうえで，Cさんがこれからどのような生活を送りたいか確認する。

❺社会的側面

Cさんが症状をコントロールしながら自宅で生活をするために必要な支援を把握する。長男以外の介護者はいないのか，介護者の介護力（身体的機能，時間，技術，知識など），経済的な不安の有無，社会資源の申請状況など退院支援の必要性を判断するためにスクリーニングシートなどを用いて情報収集を行う。退院支援の必要があると判断した場合は，退院支援計画書を作成する。

2 看護上の問題点

- 治療継続行動や悪化要因を回避する行動が適切にとれないことによる発作の再発のリスクがある
- 発作の再発，日常生活全般に対する不安がある

3 看護目標

- 治療継続行動を促進し悪化要因を回避することができる
- 必要な社会資源を活用し，日常生活を送ることへの不安が軽減し，意欲を維持できる

4 看護の実際

❶自己管理能力を向上させるための援助

（1）症状の変化にCさん自身が気づけるようにする

入院中からピークフロー値の測定を訓練し，喘息日誌をつける。喘息管理ゾーン・システム（本編 - 第3章 - Ⅳ -C-2- ①-（2）「呼吸機能を患者自身でモニタリングする」参照）の色を確認しながら，自覚症状と緊急度の感覚を身につけられるようにする。

ピークフロー値の測定などが無理な場合，何時頃，何をしたときに息苦しくなったかなどの簡単な日記をつけるよう勧める。

（2）確実に定時の吸入ステロイド薬が実施できる

手指の筋力の低下などで吸入ができなくなっていないか確認し，効果に差がなければ，ほかの吸入可能な薬剤に変更することも検討する。吸入の実施状況を喘息日誌に記録する習慣をつける。

（3）症状を誘発する因子を避けることができる

かぜやインフルエンザにかからないように，手洗い・うがいを励行し，特定のウイルス

感染症に備え，計画的に予防接種を受けられるように調整する。入院中から定期的にシャワー浴や入浴を促し，保清に努める。また，深夜や早朝，季節の変わり目，急激な気温の変化，風邪をひいたとき，疲労ストレス，運動などの症状を誘発する因子について説明する。

(4) 症状の悪化に適切に対応できるようになる

喘息管理ゾーン・システムと関係づけた対応を身につける。β_2刺激薬の吸入の方法や回数，経口ステロイド薬の服用のタイミング，受診のタイミングなどを確認する。困ったときに相談できるように長男へも指導する。

❷ 日常生活を送るための活動耐性を回復するための援助

活動量の低下は，肺機能の低下や意欲の低下にもつながる。症状をみながら，歩行や保清を促す。必要があれば理学療法や作業療法を取り入れる。また，Cさんは食事摂取量が減少しており，嚥下機能の低下のリスクもあるため，嚥下機能評価を行った後，経口摂取を進める。

❸ 意欲を維持・向上するための援助

Cさんは，妻を亡くした喪失感から日常生活が通常に送れなくなり，症状の増悪に至ってしまった。まずは，Cさんの苦悩に寄り添い傾聴したうえで，認知力の低下や抑うつ状態の可能性がある場合は専門的な評価を依頼する。睡眠状況を確認し，睡眠困難な要因を除去するとともに，必要があれば薬物治療を検討する。

❹ Cさんの生活環境を整えるための援助（図4-1）

(1) 退院に向けた課題を抽出し，Cさんと長男に現状を理解してもらう

医療上の課題や生活上の課題，患者・家族の意向などの視点で退院支援に向けたスクリーニングを行い，Cさんの抱える課題を整理する。Cさんと長男へ，Cさんの現状を理解できるように説明し，それを支援する。

(2) Cさんと長男の意向を確認し必要な援助を検討する

病院内の多職種でCさんの日常生活自立度や生活背景に関する情報交換を行う退院支援カンファレンスを実施し，必要な援助を検討する。Cさんと長男に，Cさんが援助を受けずに一人で生活することは困難であり，マンパワーも不足しているため，服薬確認，環境整備，食事に関して社会資源の導入が必要であると説明し同意を得る。

(3) 社会資源の導入に向けた準備をする

長男に介護保険の申請の手続きを進めるよう案内する。院内の退院調整看護師や医療ソーシャルワーカー（MSW）や介護支援専門員（ケアマネジャー）との面談をセッティングし，Cさんや長男の経済的な面も含めた心配事に対応する。

(4) 退院前カンファレンスを開き，Cさんへのケアを検討する

院内の関係多職種とケアマネジャー，地域のかかりつけ医，訪問看護師などとカンファレンスを開き，支援内容（いつ，どのくらい，何をするか）について確認する。退院支援計画書を作成し，看護計画にも反映させる。

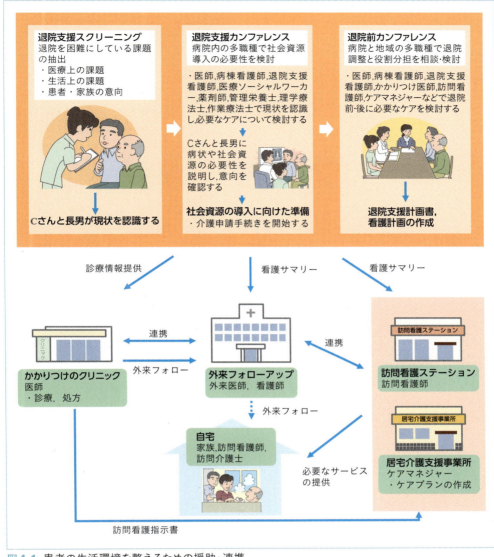

図4-1 患者の生活環境を整えるための援助・連携

(5) 退院後の支援に必要な情報を引き継ぐ

　看護サマリーを作成し，ケアマネジャーや訪問看護師に情報を伝達する。入院中の主治医から地域のかかりつけ医へ診療情報の提供を行う。

(6) 地域での患者の様子を確認する

　院内でも看護サマリーなどで病棟看護師から外来看護師へ情報を伝達する。外来看護師がフォローアップを行い，発作の再発のリスクについてアセスメントする。在宅で必要な支援強化があれば，訪問看護師へ連絡する。

膠原病

序章

膠原病をもつ成人を理解するために

I 膠原病の近年の傾向

1. 膠原病の特性と罹患傾向

膠原病とは，自己免疫機序を基盤とする多臓器障害性の炎症性結合組織疾患の総称である。その疾患は多岐にわたり，膠原病のうち 15 の疾患が，いまだ原因が不明で治療方法が確立していないものとして，特定疾患治療研究事業の対象疾患とされてきた。2015（平成 27）年に法律が改正されて，特定疾患は「指定難病」と名称が変わり，対象疾患も 56 疾患から 2024（令和 6）年 4 月現在では 341 疾病に増加し，膠原病とその類縁疾患においても多くの疾患が対象となっている。疾患によってばらつきがあるが，特定疾患医療受給者証の発行数には増加傾向がみられる（表 1）。好発年齢も疾患によって異なるが，わが国の総人口における高齢化率の上昇とともに，膠原病の患者にも高齢化の傾向がみられる。

2. 主な疾患の近年の傾向

1 全身性エリテマトーデス

全身性エリテマトーデス（systemic lupus erythematosus；SLE）における 2022（令和 4）年

表 1 膠原病に関する特定医療費（指定難病）受給者証所持者数

年度	2014 （平成 26）[※1]	2016 （平成 28）	2017 （平成 29）	2018 （平成 30）	2019 （令和元）	2020 （令和 2）	2021 （令和 3）	2022 （令和 4）
ベーチェット病	20,035	19,205	15,284	14,752	14,736	15,537	15,122	15,157
全身性エリテマトーデス	63,622	63,792	60,446	61,060	61,835	64,468	64,304	65,145
全身性強皮症	52,715[※2]	31,057	27,423	26,740	26,728	27,647	26,851	27,013
皮膚筋炎／多発性筋炎		21,832	21,411	22,195	23,168	24,894	25,259	26,046
結節性多発動脈炎	12,057[※3]	3,305	2,551	2,366	2,273	2,347	2,186	2,143
顕微鏡的多発血管炎		9,120	8,669	9,035	9,486	10,681	10,626	11,078
高安動脈炎	6,420	6,128	4,573	4,433	4,463	4,730	4,587	4,642
悪性関節リウマチ	6,697	6,067	5,571	5,406	5,246	5,281	5,075	4,966
多発血管炎性肉芽腫症	2,430	2,708	2,554	2,718	2,879	3,196	3,223	3,437
混合性結合組織病	11,005	10,935	9,871	9,814	9,835	10,182	10,009	10,099
巨細胞性動脈炎	199	374	603	925	1,269	1,716	2,066	2,453
好酸球性多発血管炎性肉芽腫症	1,356	2,047	2,640	3,401	4,207	5,162	5,839	6,723

※1 平成 26 年は特定疾患（難病）医療受給者証所持者数
※2 「強皮症，皮膚筋炎及び多発性筋炎」として報告
※3 「結節性動脈周囲炎」として報告
資料／難病情報センター：特定医療費（指定難病）受給者証所持者数. https://www.nanbyou.or.jp/entry/5354（最終アクセス日：2024/10/23）より作成

度の特定疾患医療費（指定難病）受給者証交付件数は約 6 万 5000 人である。男女比は 1：9〜10 であり，女性に多い。どの年齢にも発症するが，20 歳から 40 歳までの年齢に好発する。

　自己免疫機序をもつ疾患（自己免疫疾患）であるが，その原因の詳細は不明である。誘因は紫外線曝露，ウイルス感染，外傷，手術，妊娠・出産などである。ほかの膠原病である抗リン脂質抗体症候群やシェーグレン症候群，皮膚筋炎，多発性筋炎，全身性強皮症などを合併することもある。今日では，副腎皮質ステロイド薬や透析療法などの治療により，長期にわたる療養が可能になっている。5 年生存率は，副腎皮質ステロイド薬の開発前は 30％であったが，1970 年代から漸次上昇し，1990 年代になってからは 95％である。しかし，依然として免疫不全の感染症をはじめとした治療の副作用による多岐にわたる問題を抱えている。

2　関節リウマチ

　膠原病のなかでは最も罹患者数が多い疾患とされている。厚生労働省の 2020（令和 2）年患者調査，主な傷病の総患者数によると約 79 万 6000 人である。男女比は 1：3 で女性に多い。どの年齢にも発症するが，30〜50 歳代に好発し，近年では 65 歳以上で発症する高齢発症リウマチが増加傾向にある。

　初期の段階で認められる症状は，全身の関節で左右対称に腫脹，痛み，朝のこわばりなどが現れるのが特徴である。関節の炎症，変形や痛みに伴い日常生活動作（activities of daily living：ADL）が制限され，生活の質（quality of life：QOL）が低下しやすい。しかし近年，治療の進歩により，関節炎を早期治療によってコントロールし，関節破壊の抑制とそれに伴う ADL の改善・保持が可能になってきた。これに伴って QOL も向上した。

　関節リウマチに対しては，診断基準や治療ガイドラインの改訂，治療薬の開発が行われており，自宅などでの自己注射による治療が可能なものもある。新しい抗リウマチ薬は，早期から高用量使用されるために，副作用に対処していく必要がある。治療を適切に受けていくために，患者は関連する知識や技術の獲得やセルフケアが求められる。

II　膠原病をもつ患者の特徴

　膠原病の特徴として，自分のからだの成分に対して異常な免疫反応を生じることがあげられる。自己免疫疾患の原因は環境やストレスなどと考えられているが，明確にはなっていない。また女性に多く，女性ホルモンの関与も考えられている。人間の免疫機構と自己免疫疾患について研究が進められているが，まだ十分に解明されておらず，治療法も確立していない。潜在的に発症する特徴から，早期治療ができるように早期の診断方法の確立が待たれている。

1. 身体的特徴

　膠原病で一般的に生じやすい身体的問題は，第2編-第1章「主な症状に対する看護」で示すとおり，全身の臓器に及び，多岐にわたるため，それぞれの疾患の特徴をよく知る必要がある（図1）。膠原病の各疾患にはそれぞれ固有の症状があるが，共通する特徴も多い。ここでは共通する問題について概観する。

1 全身症状

　全身症状としては，発熱，全身倦怠感，疲労感，貧血，食欲低下，体重減少などがみられる。いずれも炎症が慢性に続くことによって起こる。筋肉に症状が現れるものでは，筋肉痛や筋力低下がみられる。これらの症状は，動きたくても動けない状況となり，身体的活動に影響が及ぶ。

2 関節症状

　膠原病の多くの疾患に，関節痛，関節炎などの関節症状がみられる。関節症状は，痛みとともに，日常生活への支障，心理的・社会的な問題へも波及することが多い。関節炎は，疾患によって特徴がみられる。また，関節炎が長期に及ぶと，関節靱帯の緩みなどから脱臼による変形をきたす場合がある。関節の変形は日常生活機能への障害のみならず，ボディイメージの変化にもつながる。

3 皮膚症状

　多様な皮膚症状も膠原病の特徴である。顔面や手指の紅斑，皮下出血による紫斑，皮膚の硬化のほか，寒冷や心因ストレスにより指先の血管が収縮するレイノー現象が起こる。また，血管壁の変化によって慢性的な循環障害が続くと皮膚の潰瘍や壊疽を生じる。これらは苦痛が増強するのみならず，重篤な感染症のリスクともなる。

4 内臓機能の障害

　膠原病は，内臓にも炎症性の病変をもたらす。腎臓・尿路系の症状のほか，呼吸器症状，神経症状，循環器症状，消化器症状と全身にわたり，各機能の障害が起こる。

5 薬物による副作用と合併症

　治療による問題としては，薬物の副作用がある。治療を継続する必要性の理解とともに，有害事象による問題についても対処し，付き合っていかなければならない。

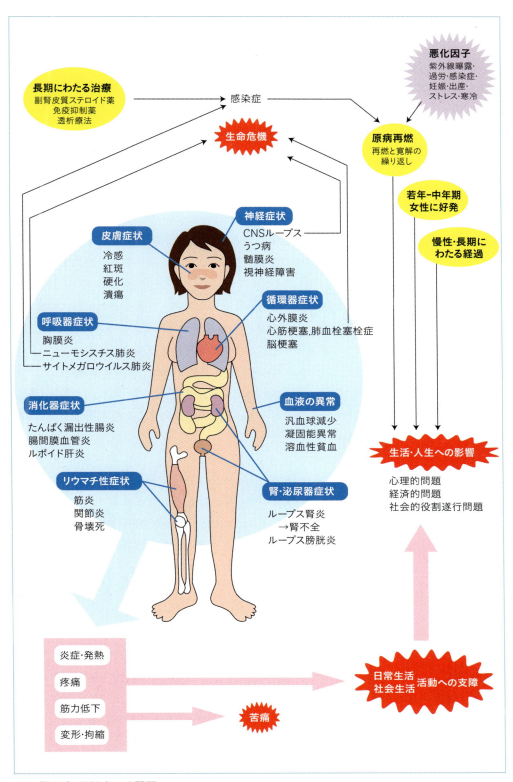

図1 膠原病が引き起こす問題

2. 心理・社会的特徴

人は，病いに直面すると，様々な心理的動揺や葛藤に苦しむことになる。しかし，治療が進むに従って，それらを乗り越え，自分の病気と向き合い，様々な対処をしながら療養生活を送っていこうとする力をもっている。その療養生活のプロセスのなかには，次にあげるような心理・社会的な問題がある。

1 治療への不信と生活への不安

▶**長期経過に伴う不安** ①病いが慢性的に長期に経過すること，②寛解と再燃を繰り返すこと，③薬を使い続けなければならないこと（治療を継続しなければならないこと）は，人の生活や人生に大きな影響をもたらす。治療の見通しが立たず，不確かなことが多いと，人は不安になる。病気の進行に伴い将来の不安も高まる。また，集中力や持続力を欠くことにもなりやすい。

▶**治療への不信** 寛解と再燃を繰り返す場合，身体的な苦痛もさることながら，治療内容に対する不信感を抱くこともあり，治療継続への意思が揺らぐことにもなる。そこには，寛解時期を治癒したとみなしてしまう周囲の誤解が影響することもありうる。

▶**社会生活への不安** また，社会的な役割の遂行にも影響が及ぶ。青年期に罹患しやすい疾患においては，職業選択の問題にもかかわってくる。また職に就いても，入退院を繰り返すことで休職せざるを得なくなる場合もあり，職業継続に対する意思が揺らぐこともある。

2 妊娠・分娩への不安

女性の場合は，妊娠・分娩が発症の契機や悪化要因になることもある。また，治療薬が胎児の発育に影響を及ぼすことも考えられる。このことは結婚に積極的になれなくなったり，あるいは妊娠をあきらめることにつながり得る。さらには分娩後の症状悪化で子育てに支障をきたし，母親としての役割が果たしにくくなることもある。

3 家族の負担と経済的・社会的不安

一方，患者の家族が負担を感じることもある。罹患年齢をみると，疾患によって思春期から中高年期までにわたるが，患者をもつ親の心配は年齢に関係なく尽きないものである。患者自身にとっても，長期にわたって家族に負担をかけるという思いや，親の面倒をみることもできないという無力感など，心理的な負担は少なくない。病気に関する周囲の人々の無理解は患者の孤立感を強めやすい。そういう意味でも，家族を含めた周囲の人々の理解は重要である。

III 膠原病患者の経過と看護

1. 全身性エリテマトーデスと診断されたAさんの経過

　35歳，女性。28歳頃から両下肢や顔面・口唇に膨疹や紅斑を認めるようになった。次第に両下肢のむくみを自覚するようになったため外来受診したところ，尿検査で尿たんぱく・尿潜血を指摘された。当初，ネフローゼ症候群が疑われたが，採血結果から全身性エリテマトーデス，ループス腎炎と診断された。腎生検のための短期入院予定であったが，全身性エリトマトーデス活動性評価や早期治療介入が必要と判断され，入院継続となり治療が開始された。

　Aさんは初回入院から5年間，少し無理をすると悪化し，再燃と寛解を繰り返しながら，そのつど入院をして，病気をコントロールしてきた。現在は外来通院している。その間に全身性エリトマトーデスの腎障害であるループス腎炎により，腎機能が次第に低下してきており，透析療法を視野に入れた医療者のかかわりが行われている。

　勤めていた会社は体力的に厳しいために退職し，自宅近くの会社でパートタイムの事務職をしている。半年前に結婚し，挙児希望である。

全身性エリテマトーデスのAさん

1 急性期

▶ **薬物療法の開始**　各種検査を追加で施行したが，病変部位は腎臓が中心で，筋骨格系や中枢神経の問題はなかった。腎臓はすでにネフローゼ症候群の状態（低たんぱく血症に伴う浮腫がみられている）であり，まずは高用量の副腎皮質ステロイド薬の内服が開始となった。免疫抑制により易感染状態となるため，感染予防行動の必要性があること，高用量の副腎皮質ステロイド薬を1か月以上服用する場合，筋力が低下する[1]ため，転倒のリスクが高まることを患者に指導し，理解は良好であった。日常生活動作（ADL）は自立していたため，①必要なタイミングで感染予防行動が行えているか，②筋力低下の有無や程度の評価のため「しゃがみ込む動作」が行えるか，定期的にモニタリングした。

▶ **ステロイドパルス療法の施行**　副腎皮質ステロイド薬は高用量の内服を2週間続け，尿たんぱく量の減少傾向がみられた。副作用のコントロールのために副腎皮質ステロイド薬を減量し，別の免疫抑制薬を併用する方針となった。治療上の有益性とリスクを説明したうえで免疫抑制薬としてプリン代謝拮抗薬が選択された。1週間間隔で副腎皮質ステロイド薬を漸減したが，2週目に再び尿たんぱく量の上昇を認め，血清アルブミン値は低下した。病勢をコントロールできていないと判断され，ステロイドパルス療法を施行した後，副腎皮質ステロイド薬を内服するとともに，免疫抑制薬をさらに1種類追加する方針となった。

▶ **挙児希望への対応**　複数の免疫抑制を2週間行ったが，反応性は乏しかった。そこで，B細胞活性化因子を阻害するヒト化抗CD20モノクローナル抗体の投与を追加する方針となった。しかし，尿たんぱく量は改善せず，病勢のコントロールが図れなかった。治療強化目的で，アルキル化薬の投与が望ましいと考えられたが，同薬剤が卵子の数を極度に減らす作用があるため，Aさんから投与前に将来の妊娠に備えた卵子凍結の希望があった。そのため生殖医療外来の診察を夫とともに受けられるように調整し，産科医師から凍結保存のための採卵について説明され，リウマチ科医師からは採卵に合わせて，治療を一時的に変更することを説明された。

　プリン代謝拮抗薬は中止して，ヒト化抗CD20モノクローナル抗体を投与しながら，採卵を迎えることになった。採卵準備期間にさらに尿たんぱく量が増加したため，再度，ステロイド大量療法を施行した。無事に採卵を終えたが，卵巣過剰刺激症候群の症状が出現し，さらに胸水・腹水，低アルブミン血症が悪化した。体液貯留により徐々に身体的なバランスをくずしやすくなり，倦怠感も出現してきたことから，歩行器の使用や中距離以上の移動や希望時には車椅子で移動を介助した。

　後療法として，再度，副腎皮質ステロイド薬を増量し，前回よりも慎重に漸減していくことになった。また，免疫調整薬も追加して，ヒト化抗CD20モノクローナル抗体は4回の投与を完遂したが，治療反応はやや乏しかった。

▶ **精神症状の出現**　日々，支持的にかかわりながら援助してきたが，この頃より表情が乏しくなり，息苦しさや，のどのつかえ感を訴えるようになった。長期化する入院生活にお

いて，病状改善の実感が得られず，先行きの見えない不安からくる心因的な不調を抱えていた。そこで，精神科にコンサルトし，定期的な面接や不眠に対する薬剤調整を行った。しかし，大声で叫ぶなどパニックになり，希死念慮がみられ，衝動による行動化も否定できなかったため，抗うつ薬の投与とともに，Aさんの母親が24時間付き添うことになった。1週間程度でパニックを認めることはなくなり，夜間の睡眠も確保できるようになったため，付き添いは終了とした。数日経ってから尋ねてみると，「2，3日記憶がない」と話した。

▶ その後の経過　免疫抑制強化のためにアルキル化薬の投与が望ましいと考えられたが，誘因なく血球減少を認めたため，各種検査を追加し，免疫調整薬も一時中止となった。また，CT検査を行い，腸管浮腫が判明したため，副腎皮質ステロイド薬を内服から静脈投与に変更した。頻繁な下痢を認めて体力はさらに低下し，ベッド上での体動も困難であったため，エアマットを使用し，定期的な体位変換，ポジショニングや全身の保湿を励行し，スキントラブルを予防するように努めた。ADLは疲労度をみながらAさんのできることは促し，できない部分を援助するようにした。また，疲労感を与えないように清潔ケアや体位変換などが短時間ですむように，必ず2人で介助した。次第に炎症反応は改善し，病勢のコントロールのために，ステロイドパルス療法を再度行ってからアルキル化薬を投与した。

2　回復期

▶ 治療の効果　アルキル化薬投与後，2週間を経過したころから，わずかではあるが尿たんぱく量の減少を認めはじめたこともあり，副腎皮質ステロイド薬を漸減した。1回目のアルキル化薬投与後の血球減少が急激だったため，2回目，3回目は減量して投与することになった。緩徐ではあるが，尿たんぱく量は低下傾向が続き，アルキル化薬の効果が出てきていると思われた。

▶ 日常生活への援助　食事摂取がなかなか進まず，担当医や管理栄養士と相談しながら，Aさんの嗜好に合うものや栄養補助食品も取り入れるように援助した。理学療法士と協働しながら，本人の調子に合わせてリハビリテーションを行い，気分転換を兼ねて車椅子への移乗訓練を行うようにした。腹水コントロールのために投与していた利尿薬の効果が出てくると腹部膨満感が改善し，車椅子の乗車時間が少しずつ延長してきたため，院内のラウンジで過ごす時間を設けることができるようになった。夫や両親との面会などにより，精神的にも安定していた。

▶ 投薬の調整　しかし，尿たんぱく量が微増傾向を認めたため，アルキル化薬を早めて投与し，以降は2週間間隔で投与することになった。これにより，尿たんぱく量の減少，血清アルブミン値の改善を認めるようになり，腹部膨満感の改善，ADLも徐々に拡大して端座位の保持が可能となった。リハビリテーションを進めて，介助者が腰を支えながらではあるが歩行器を使用して歩くことができるようになった。次第に食欲がもどり，ほぼ毎

食全量摂取ができるようになった。

▶ **退院までの経過**　アルキル化薬を8回投与したところで病勢のコントロールが図れていると判断され，9回目は4週間間隔の投与に戻すことになった。食事摂取量は安定し，100m程度の歩行，スクワットや階段昇降ができるまでにADLは改善した。最終10回目の投与は外来で行うことになり，自宅へ退院となった。

3 　寛解期

▶ **外来でのフォローアップ**　Aさんが退院後通院する膠原病外来では，全身性エリテマトーデスの状態をフォローアップしている。再燃はないか，呼吸器系，循環器系，消化器系，脳神経系，皮膚，泌尿器系への影響はないか，悪化因子のコントロールはうまくできているか，治療薬の副作用はどの程度かをモニタリングして，セルフケアの状態について医師，看護師と話し合っている。

　腎臓内科外来では，ループス腎炎による腎機能の低下の状態を診察し，医師より透析療法が必要になるかもしれないことを説明された。それまで，外来時の面談で看護師や管理栄養士から腎機能を維持するための生活のしかた，食事療法などについて説明された。透析看護認定看護師から透析療法についての情報が提供され，透析室の見学をして，そこで働く医療スタッフを紹介されたり，透析療法を受けている患者から話を聞くなどした。経済的な問題については医療ソーシャルワーカー（medical social worker：MSW）に相談し，高額療養制度や身体障害者手帳の申請について説明を受けた。

▶ **Aさんの受けとめと看護師の対応**　Aさんは，病気や治療に関する知識は十分にあり，病気との付き合いかたも少しずつ慣れてきているが，どうしても無理をして，そのたびにステロイドパルス療法の必要が生じる。また，副腎皮質ステロイド薬による副作用とも付き合っていかなければならないという問題もある。様々な症状や治療など「つらいなかで，よくがんばっている」というねぎらいの言葉を常にかけるようにしている。

　また，全身性エリテマトーデスの全身症状としてループス腎炎があり，中長期的にみると一定の程度は末期の腎不全になり，透析療法導入が必要になることもあると説明されたAさんは，そのことに直面してショックを受け，できれば透析療法を受けたくないと思っている。実際に長期にわたり透析療法を受けていくことになった場合に備え，多様な資源（医療スタッフ，医療ソーシャルワーカー，家族，友人，他患者など）を使ってどのようにAさんを支えることができるか考えていく。

IV　多職種と連携した入退院支援と継続看護

　突然に膠原病と診断された患者は，難病であること，長期にわたって治療を継続してい

かなければならないことを知って，戸惑うことが多い。また，副作用の強い治療を受けることに恐れを抱くこともある。妊娠や出産が病気の悪化の要因になることや，紫外線や過労など日常のなかに悪化要因があり，寛解期と再燃期を繰り返し，緊急に入院を余儀なくされることで，病気とうまく付き合っていけるかどうか自信がもてないことも考えられる。病気とどう付き合っていくか，折をみて患者と話し合い，医療者が長期にわたってサポートしていくことを伝えていくことが望ましい。

　疾患によっては，肢体に不自由をきたし，日常生活に大きな影響が出ることもある。在宅療養に向けての支援は，患者・家族を中心とした多職種協働によるチームアプローチであり，病院内・地域の専門家が患者・家族の療養を支えていくことになる。

1. 入退院時支援における看護師の役割

　膠原病は自己管理が求められる。薬物療法を継続し，寛解期を維持し，再燃を予防するための療養法を獲得できるように援助する。また身体的に機能障害をもち日常生活に支障をきたす場合もあるため，在宅での療養への支援が必要になる。

　医療制度改革や医療技術の進歩などを背景にした入院期間の短縮化によって，入院直後から退院に向けた援助が重要となる。

1　スクリーニング

　入院中，在宅での支援の必要性を最初に見いだすのは患者・家族の最も身近にいる看護師である。初回入院，再入院の直後に患者や家族の状況をスクリーニングし，退院支援を必要とするケースの早期発見を行う。

　特に緊急入院となった患者，何らかの療養上の問題があって入退院を繰り返す患者，疾患によってADLが低下し退院後の生活方法の変更が必要な患者，一人暮らしや介護力の低い家族と同居をしている患者などは退院支援が必要になることが予測される。年齢的に比較的若い年代の場合は，年齢的に見落とされ，本人自身が支援を拒みかねないため留意する。次の点の情報を把握し，退院支援の必要性を判断する。

●スクリーニングの視点
- 社会的条件（年齢，世帯，住宅）
- 障害条件（身体障害者手帳所有の有無，日常生活動作［ADL］の程度，認知障害・精神障害の有無）
- 疾患・医療行為条件（指定難病申請状況，継続的な医療行為の有無，継続した服薬・食事・リハビリテーションの必要性）
- 療養条件（入退院の頻度，1か月以内の再入院，緊急入院）
- 経済的問題（生活保護受給者，無年金者，高額医療費助成制度の対象者）
- 家族介護問題（介護者が高齢・病弱・知識不足・情緒不安定・介護意思の低さ・疲労，ほかに介護の必要な者の存在）
- 社会資源の利用の有無（障害福祉サービスの利用，介護保険制度利用と申請の有無）

2 アセスメント

　患者・家族の生活状況を身体的・心理的・社会的側面から把握する。膠原病の場合は，継続して服薬管理を必要とすることが多いうえに，病状の悪化因子を避けた生活をする必要がある。また退院後も関節，筋，神経などの障害により日常生活機能障害があり，居宅の改修や介護，社会とのかかわりにおいて支援を必要とする場合や，リハビリテーションや透析療法の継続を必要とする場合もある。

　看護師は入院直後から，それら退院後の生活の状況を把握し，患者の身体的状況，心理的状況，社会的状況をアセスメントして，計画を立てる必要がある。

　アセスメントは多職種によるチームで行い，計画は患者・家族を中心として目標を共有し立案する。アセスメントはICF（国際生活機能分類）などの項目を参考にする。

●アセスメントの視点
- 生活機能：心身機能・身体構造の損傷の程度・種類・部位，活動と参加の状況（学習と知識の応用，課題遂行と要求，コミュニケーション，運動・移動，セルフケア，家庭生活，対人関係，市民生活などの活動）
- 個人因子：性別，年齢，ライフスタイル，習慣などの状況
- 環境因子：家庭・職場・学校などの物的環境の状況，家族・知人・仲間などの人的環境の状況，各種サービス・制度・政策・交通機関・人々の態度などの社会的環境の状況

3 意思決定支援，目標共有

▶ **発症期**　患者には，①診断や治療に関する不安を表出し，②病気とともに生活していくことを受け入れ，③疾患を理解して新しい療養法を獲得していくことなどが求められる。医師から患者や家族に対して疾患の説明がされる場合は必ず同席し，患者や家族が疾患と今後の見通しについて理解し，主体性をもって療養できるように支援する。具体的には患者本人の生活に密着した形で，いかに病状の悪化要因を回避した生活をするか，いかに治療を継続していくかなど，患者や家族が治療方針に沿った療養法を獲得していくための支援が重要となる。

　悪化要因に対する療養法は，患者本人の生活に密着したものでなくては獲得しにくいため，本人が日常生活のなかに療養法を取り入れられるように，わかりやすい具体的内容で話し合っていく。そこでは患者を支える家族の理解も不可欠であり，家族への働きかけも重要となる。また，患者が自分の病気について周囲の人に理解してもらうために，自らアピールできるような支援も忘れてはならない。

▶ **再燃期**　病状悪化による再燃期や副作用による合併症の発症などでは，①在宅酸素療法が適応になることや，②透析療法が導入される場合がある。それらを含め，膠原病への新たな治療方針が出された場合は，患者はそれを十分に理解し，その治療を受けながら日常生活を送らなければならない。どこで療養するか，どのような生活を送るかを決められるように支援する。

患者や家族には十分な情報を提供し，在宅用医療機器の業者や在宅療養の経験者を紹介するなど，退院後も治療を受けながら生活する自分をイメージできるように退院目標を共有する。在宅療養に対する患者や家族の考えを重視し，意思決定を尊重する。

4 医療処置・退院指導

▶ **日常生活面への支援**　日常生活にも，病状による様々な支障がある。患者自身がモニタリングをして，残存機能を維持・拡大できるように工夫する。またその支障の程度によって，清潔，排泄，整容，食事などの支援はもちろん，家事などのサポートも受けられるようにする。

▶ **健康管理面への支援**　病状や治療によっては，腎機能，心機能，血管の機能，糖代謝機能などに障害が起こりやすいため，栄養面では塩分や水分の調整や，肥満を避けるなど，日々の健康管理について支援する。特に，食事に関しては管理栄養士，リハビリテーションに関しては理学療法士との連携により，患者のセルフケアを支援する。

▶ **医療処置面への支援**　膠原病の治療の主体となる薬物療法は内服薬だけではなく，生物学的製剤を使用する患者は2か月に1度の点滴静脈注射や，週に2度の自己注射などを継続する必要がある。副腎皮質ステロイド薬の副作用による糖尿病がある場合には，自己血糖測定やインスリン自己注射が必要になることもある。また，関節の変形や疼痛によって，あるいは虚血性心疾患や心内膜炎，呼吸器疾患や脳血管障害，脳梗塞などの合併により日常生活上の工夫や介助が必要な患者，透析療法が必要な患者，在宅酸素療法が必要な患者など，様々な医療処置や介助が必要になる患者もいる。

　ADLや認知機能に問題がなく，患者自身で管理できる場合は，患者が必要な知識や手技を獲得できるように支援する。患者自身で管理できない場合，または管理はできても介助が必要な場合，まずは誰が行うのかという役割分担が重要である。

▶ **社会生活面への支援**　患者は退院後の生活に不安をもち，周囲の人に支援を受けながら生活していかなければならないことに負担を感じている場合が多い。家庭内での役割変更や，支援の受けかた，職場への復帰にかかわる問題，経済的な問題などについて，家族や職場の人を含めて話し合う場を設けるなどのサポートも必要である。また，利用できる社会資源についても紹介する。

2. 退院に向けた多職種連携・地域連携

▶ **多職種連携**　入院時から退院後に他施設もしくは自宅へと療養の場が変わっても，患者や家族が望む療養生活ができるように，患者・家族の身体的・心理的・社会的な状況をアセスメントし支援する。そのためには看護のみならず，多職種協働によるアプローチが必要となる。

▶ **地域連携**　病院内にとどまらず，地域における専門職と連携をとり，患者の目標を共有し，必要な資源が提供できるようにする。膠原病患者は一般の人より病院を利用すること

図2 多職種協働による療養支援

が多いため，病院と診療所との密な連携が必要である。また，病診連携のためにもホームドクター（かかりつけ医）をもつことが望ましい。さらには職場の健康管理部門との連携をとり，病いをもちつつ職業生活のための支援が得られるようにする（図2）。

▶ **社会資源の活用**　長期にわたり機能障害をもつ膠原病患者は，社会的・経済的な支援が必要となる。患者・家族に対して社会資源について紹介し，対象や手続きなどについては医療ソーシャルワーカーに相談できるようつなぐことも看護師の役割の一つである。

❶ 難病法による医療費助成制度

難病患者に対する医療費助成[2]は，法律に基づかない予算事業（特定疾患治療研究事業）として進められてきたが，公平で安定的な医療費助成の制度の確立のため 2014（平成 26）年 5 月に「難病の患者に対する医療に関する法律」（難病法）が成立し，2015（平成 27）年 1 月施行により，法に基づく助成が行われている。「難病法」による医療費助成の対象となるのは，原則として「指定難病」と診断され，「重症度分類等」に照らして病状の程度が一定程度以上の場合である。膠原病のなかでは，全身性エリテマトーデスや多発性筋炎，悪性リウマチなど数種類の病気が指定されている。

手続きは保健所に設置されている所定の申請書に加えて，難病指定医が記載した診断書（臨床調査個人票）などの必要書類を提出し，認定を受ける。自己負担額は 0 円から 3 万円まで様々で，各家庭の収入に合わせて変動する方式である。ただし，毎年 1 回，主治医の意見書を含めた種々の書類を保健所に提出しなければならない。

❷ 障害年金

公的年金制度に加入している間に身体に障害をもち，通常の生活を営むことができなく

なった場合に，年金や一時金が支給される制度である。障害厚生年金は市町村の社会保険事務所，障害基礎年金は都道府県の国民年金担当窓口，障害共済年金は各共済年金組合に自分の意思で請求する。障害年金の診断書を主治医に記載してもらい，各担当窓口に提出する。

❸障害者総合支援法による福祉サービス

それまでの「障害者自立支援法」に代わって2013（平成25）年4月から「障害者の日常生活及び社会生活を総合的に支援するための法律（障害者総合支援法）」が施行されるとともに，法律の対象とする障害者の範囲に新たに「難病等」が追加された[3,4]。これにより，政令で定められた130疾病（2024［令和6］年4月1日から369疾病）が対象となり，症状の変動などにより，身体障害者手帳の取得はできないが，疾病による障害により継続的に日常生活または社会生活に相当な制限を受けている方（児童を含む）に対して，障害の程度に応じて，ホームヘルプサービスや短期入所など，日常生活用具の給付に限らず，すべての障害福祉サービスが利用できるようになった。このため，それまでの難病患者等居宅生活支援事業（難病患者等ホームヘルプサービス事業，難病患者等短期入所事業，難病患者等日常生活用具給付事業）は2012（平成24）年度末をもって廃止になった。

❹高額療養費制度

1か月間の医療費の自己負担が一定の限度額を超えた場合に，超過した自己負担額の払い戻しを受けられる制度である。

❺介護保険制度

65歳以上の高齢者を対象に給付を行うことを原則としているが，40〜64歳でも介護保険で定められた16種類の特定疾患に罹患しており介護が必要な場合には給付を受けられる。関節リウマチは特定疾病になっており，様々な介護サービスを受けられるが，利用した額の1割は自己負担することになっている。

3. 継続看護

1 発症期

患者と家族に膠原病の特徴や治療の内容，今後の経過，予測される生活の変化について説明をし，患者・家族がそれらを理解して受け入れ，退院後の生活がイメージでき，説明された療養法を実践していけるように援助する。長期に療養を余儀なくされる患者の心理的支援の一つとして「日本リウマチ友の会」「全国膠原病友の会」などの患者会の紹介・情報提供も行う。患者会などのピアサポートグループとの交流により様々な問題を共有することで孤立感を少なくすることもできるため，必要に応じその情報提供を行う。

また経済的な問題も大きい。膠原病の患者が利用できる制度について本人や家族が理解し，社会資源を有効に活用できるように情報の提供をしたり，医療ソーシャルワーカーを紹介することも，看護する者の大きな役割となる。

2 │ 再燃時

　膠原病は入退院を繰り返すことが多いため，入院のたびに病状の変化についてアセスメントし，さらには在宅での支援体制に関するアセスメントを繰り返し，そのときの病状や機能障害，支援体制状況に応じた援助をする。

4. 入退院支援の実際

1 │ セルフケア能力が高い患者の場合

❶入院時

　患者のセルフケア能力が高い場合は，薬剤師・医師とともに服薬に関する情報を提供し，治療が継続できるようにサポートする。また，再燃を予防するために悪化因子について患者や家族へ情報提供し，それを避けるような生活ができるように話し合う。膠原病は炎症性の疾患であるため体力の消耗を防ぎ，体力を維持するように栄養補給や休息の方法を患者や家族と一緒に考える。長期にわたる療養であることを患者に認識してもらい，ストレスにうまく対処できるような生活とする。家族や周囲の人にも病気の特徴を理解してもらい，協力を得ながら生活できるようにする。患者が体力的にそれまでの職業生活が送れず，仕事を辞めてしまうこともあるため，体力に応じた仕事ができるように職場と相談することを勧める。特定疾患の場合は，医療費公費負担の申請をするように，医療ソーシャルワーカーに相談することを勧める。

❷外来通院時

　継続看護シートなどを活用して，退院支援計画の内容について，患者・家族と関係職種が情報を共有する。看護師は外来通院時に患者とともに療養状況を振り返り，療養継続の困難さや不安などについて患者の思いを表出してもらい，フィードバックをして療養が継続できるようにする。病状の悪化傾向がみえたら再アセスメントをする。その結果，処方の変更などがあれば説明し，悪化を予防するための生活について患者と話し合う。

2 │ 医療依存度の高い患者の場合

❶入院時

　医療依存度の高い患者とは，膠原病患者の場合には透析療法を受けることがこれに該当する。透析を受ける患者の食事療法について，管理栄養士と相談し患者や家族が理解し病状に応じた食事が摂れるようにする。透析を受けることに対する本人の意思決定，受け続けることに対する不安などについて透析看護認定看護師や透析療法室の看護師と連携をとって援助する。必要に応じ，ほかの透析患者を紹介し，その経験を聞けるようにするなど治療継続できるようにサポートする。週2～3回通院をして透析を受ける必要があるため，必要に応じ通院支援に関する相談にのる。身体障害者手帳の申請，医療費公費負担の

申請に関して，医療ソーシャルワーカーに相談することを勧める。透析を受けていても，それまでの生活を維持し，趣味や旅行などQOLの高い生活ができるように，生活のしかたについて患者・家族と話し合う。

❷透析療法のための通院時

血液透析を受ける患者は，血液透析を継続していくために自己管理が必要となる。主な自己管理として，食事管理，水分管理，シャント管理，薬物療法などがある。週に3回，1回に4時間程度の治療を必要とするので，患者は生活スタイルの変更を余儀なくされ，家族の生活も影響を受けることが多い。看護師は治療が継続されるように支援することが必要である。もし患者の生活状況に変化がみえたら再アセスメントをして，必要な援助について多職種でのカンファレンスなどで話し合い，療養生活に関する計画を修正し患者と情報共有する。

❸病診連携

患者が自宅近くの診療所で透析を行う場合，病院の看護師は地域の診療所と連携をとりながら，診療情報提供書，継続看護シートなどで情報共有し，継続した医療・看護が受けられるようにする。

3 脳梗塞などのリハビリテーションが必要な患者の場合

❶急性期病院

膠原病による血栓症などによって脳梗塞を発症し，回復期リハビリテーション病院・施設でのリハビリテーションが必要になる場合が多い。急性期リハビリテーションにおいては，理学療法士，作業療法士，言語聴覚士とともに残存機能の回復を目指す。患者には脳梗塞の再発を予防するための服薬について理解を深めてもらい，継続して服薬できるように援助する。患者・家族は，退院調整看護師や医療ソーシャルワーカーと相談しながら，回復期リハビリテーション病院・施設への転院を決定する。

❷回復期リハビリテーション病院・施設

脳梗塞による機能障害の程度（たとえば意識や麻痺の状態，言語的コミュニケーションの程度など）について日常生活に及ぼす影響，必要となる介護力についてアセスメントし，自立の程度，介助の程度を明確にして目標設定する。必要に応じて住宅の改修や環境の調整，補助具の準備などを行い，患者が役割復帰などへの意思を維持できるように援助する。他機関との調整として支援計画の情報共有を行い援助が継続するようにする。

❸自宅

膠原病の場合，単に脳梗塞のみでなく，腎不全，心疾患，原病そのものの治療も含め複数の疾患を抱えて在宅で療養することがある。必要に応じ地域連携クリティカルパスを作成して複数の医療機関で計画を情報共有する。介護支援専門員（ケアマネジャー）と連絡をとり，障害福祉サービスの利用や，年齢によっては介護保険認定の申請をし，訪問介護，訪問看護，在宅リハビリテーション，デイケアのリハビリテーションなど社会資源が活用

できるようにする。

4 関節や筋肉・神経の障害によって日常生活動作に障害があり介護が必要な場合

❶入院中→自宅

　関節リウマチなどで関節に変形が起こり日常生活に支障がある場合は，障害の程度，日常生活動作（ADL）への影響，介護の程度，介護力，本人の社会復帰の希望などをアセスメントし，できるだけ自立した生活が送れるように支援計画を作成する．炎症による痛みが強い時には安静にし，関節に負担がかからない生活を送るための生活環境を整えられるように，生活上の工夫などについて助言する．また，残存機能についてはリハビリテーションを行い，自宅でも継続できるようにする．退院調整看護師や医療ソーシャルワーカーと相談しながら障害の程度に応じて，住宅の改修，補助具の調達について準備する．ケアマネジャーと連絡をとり，障害福祉サービスの利用や年齢によっては介護保険認定の申請をし，訪問介護や訪問看護など社会資源が活用できるようにする．

引用文献

1) 上阪等：ステロイドミオパチーの発症機序，診断と治療，BRAIN and NERVE，65（11）：1375-1380，2013.
2) 難病センター：FAQ 代表的な質問と回答例；医療費助成について．https://www.nanbyou.or.jp/entry/1383#03（最終アクセス日：2023/3/15）
3) 内閣府：生活安定のための施策；在宅サービス等の充実．https://www8.cao.go.jp/shougai/whitepaper/r04hakusho/zenbun/h2_04_01_02.html（最終アクセス日：2023/3/15）
4) 厚生労働省社会・援護局障害保健福祉部：障害者総合支援法における障害支援区分；難病患者等に対する認定マニュアル，2015．https://www.mhlw.go.jp/file/06-Seisakujouhou-12200000-Shakaiengokyokushougaihokenfukushibu/0000116601.pdf（最終アクセス日：2023/3/15）

参考文献

- 医療情報科学研究所編：免疫・膠原病・感染症〈病気がみえる vol.6〉，メディックメディア，2009，p.52-60，72-87，91-93.
- 勝呂徹：ナースが話せる！患者がわかる！関節リウマチの治療とケア，メディカ出版，2009，p.34-119.
- 川合眞一：慢性関節リウマチと Quality of Life，リウマチ，35（3）：609-620，1995.
- 小池隆一，住田孝之編：GUIDELINE 膠原病・リウマチ；治療ガイドラインをどう読むか，改訂第 2 版，診断と治療社，2010，p.164-224.
- 厚生労働省：令和 2 年（2020）年患者調査の概況．
- 全国訪問看護事業協会監，篠田道子編：ナースのための退院・調整；院内チームと地域連携のシステムづくり，第 2 版，日本看護協会出版会，2017，p.34-62.
- 竹内勤：治療パラダイムシフト，メディカル・サイエンス・ダイジェスト，36（9）：2，2010.
- 難病情報センター：全身性エリテマトーデス．https://www.nanbyou.or.jp/entry/53（最終アクセス日：2023/3/17）．
- 日本リウマチ学会生涯教育委員会編：リウマチ病学テキスト，診断と治療社，2010，p.72-80，129-131，222-234.
- 日本リウマチ財団監：関節リウマチのトータルマネジメント，医歯薬出版，2011，p.97-191.
- 橋本博史：ともに生きる；リウマチ・膠原病，悠飛社，2008，p.39-54.
- 松田剛正：関節リウマチの疫学，日本臨牀，68（増刊号 5）：20-23，2010.

第1編 膠原病とその診療

第1章

膠原病の基礎知識

この章では

- 膠原病,膠原病類縁疾患,自己免疫性疾患,リウマチ性疾患の意味を理解する。
- 免疫応答のしくみを理解し,膠原病(自己免疫性疾患)発症のメカニズムを学ぶ。

I 膠原病とは

A 膠原病，結合組織病，リウマチ性疾患，自己免疫性疾患の意味

　古くは紀元前から関節の変形，痛みと全身の炎症反応を伴う疾患が知られていたが，関節リウマチという病気の概念が確立したのは1800年代のことである。そして1942年にアメリカの病理学者ポール・クレンペラー（Paul Klemperer，1887-1964）は，全身の**結合組織や血管壁の膠原線維**（図1-1，Column「結合組織，膠原線維とは」参照）に，**フィブリノイド変性**（図1-2）という炎症性変化がみられる疾患をまとめて膠原病（collagen disease）として報告した。

　クレンペラーが当初提案した古典的膠原病は，①関節リウマチ，②全身性エリテマトーデス，③強皮症，④皮膚筋炎，⑤結節性多発動脈炎，⑥リウマチ熱の6疾患であり，その後，リウマチ熱以外の疾患には自己免疫の異常を伴うことがわかった（リウマチ熱は溶血性

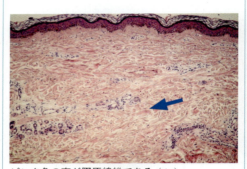

ピンク色の束が膠原線維である（←）。

図1-1　膠原線維

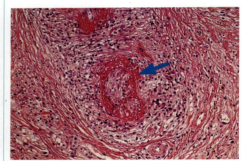

血管壁にフィブリノイド変性あるいは壊死（赤い部分）を認める。

図1-2　フィブリノイド変性

Column 結合組織，膠原線維とは

　ヒトのからだは心臓，肺，消化器，皮膚などの臓器からなるが，その隙間を埋めてからだの構造を形づくる部分を結合組織といい，顕微鏡で観察すると細胞成分と線維の束からなっている（図1-1参照）。この線維の束を膠原線維といい，コラーゲンというたんぱく質が主な成分である。"膠原"という言葉は外来語"コラーゲン"の当て字とされている。膠原線維は組織の形を維持し，弾力性を保つ役割がある。

レンサ球菌感染症であることがわかり，現在は感染症に分類される）。

　リウマチという言葉はギリシャ語由来で，関節・骨・筋肉の症状がみられる病気を意味し，膠原病はいずれもこのリウマチ症状を伴う点が共通した特徴である。

　もともと膠原病は，前述の6疾患（リウマチ熱を除くと5疾患）を指したが，シェーグレン（Sjögren）症候群，ベーチェット（Behçet）病，抗リン脂質抗体症候群，成人スチル（Still）病など膠原病と類似あるいは関連した疾患があり，それらを膠原病類縁疾患とよぶ。

　膠原病は自己免疫の異常という観点からは自己免疫性疾患という呼び名があり，また，リウマチ症状がみられることからリウマチ性疾患でもある。しかし，自己免疫性疾患もリウマチ性疾患も，膠原病以外に様々にあることがわかり，現在ではそれらを包括する概念として，自己免疫性疾患，リウマチ性疾患という表現が用いられることが多い（つまり膠原病は自己免疫性疾患の一部であると同時に，リウマチ性疾患の一部でもある）。

II　膠原病の原因・分類

A　膠原病の原因

　古典的な膠原病の原因は完全に解明されているわけではないが，膠原病を発症する原因には遺伝的要因，環境要因があることがわかっている。遺伝的要因には遺伝子多型（遺伝子配列の違い）や遺伝子発現の違い，また環境要因には感染症，喫煙，妊娠，ストレス，紫外線，薬剤の副作用などがある。膠原病の原因は単一の要因で説明できるものではなく，複数の要因が重なった結果，発症すると考えられている。

B　膠原病の分類

　クレンペラーが提唱した古典的膠原病の5疾患に加え，代謝性，感染症，加齢によるものなど様々な疾患があり，それらを包括した**リウマチ性疾患**という表現が用いられることが多い（表1-1）。自己免疫異常を伴う疾患は**自己免疫性疾患**とよばれる。

1　古典的膠原病

　もともと膠原病とは，クレンペラーが報告したリウマチ熱を含む6つの膠原病を指した。その後，リウマチ熱は溶血性レンサ球菌感染症であることがわかり，現在は感染症に分類される。

　膠原病のなかでは関節リウマチが最も頻度が高い。膠原病の共通点は関節・骨・筋の**リウマチ症状**と**自己免疫異常**を伴うことにある。

表 1-1 代表的なリウマチ性疾患

分類	代表的疾患
膠原病	関節リウマチ，全身性エリテマトーデス，強皮症，筋炎，結節性多発動脈炎
膠原病類縁疾患	成人スチル病，リウマチ性多発筋痛症，シェーグレン症候群，ベーチェット病，抗リン脂質抗体症候群，混合性結合組織病，IgG4関連疾患，血管炎症候群
代謝性疾患	痛風，偽痛風（ピロリン酸カルシウム結晶沈着症）
変性疾患	変形性関節症
脊椎関節症	強直性脊椎炎，反応性関節炎，乾癬性関節炎
感染症	化膿性関節炎
自己炎症症候群	家族性地中海熱
先天性結合組織疾患	マルファン（Marfan）症候群，エーラスダンロス（Ehlers-Danlos）症候群
骨関連	骨粗鬆症，骨壊死
そのほか	再発性多発軟骨炎

2 膠原病類縁疾患

膠原病と似た疾患，膠原病に合併しやすい疾患にシェーグレン症候群，抗リン脂質抗体症候群，ベーチェット病，成人スチル病などがある．また，結節性多発動脈炎と似た血管炎には顕微鏡的多発血管炎，多発血管炎性肉芽腫症（旧名：ウェゲナー肉芽腫症），好酸球性多発血管炎性肉芽腫症（旧名：アレルギー性肉芽腫性血管炎），巨細胞性動脈炎，大動脈炎症候群（高安動脈炎）など様々な疾患があり，血管炎症候群とよばれる（本編-第4章-IV「血管炎症候群」参照）．以上の疾患はリウマチ症状をもち，自己免疫異常を伴うことも多く膠原病類縁疾患とよばれる．

3 リウマチ性疾患

「リウマチ」という言葉は関節・骨・筋肉の痛みがみられる病気を意味する．膠原病，膠原病類縁疾患では，ほぼすべての例でリウマチ症状を認める．しかし，自己免疫の異常は認めないがリウマチ症状を呈する疾患には，加齢による変形性関節症，細菌感染による感染性関節炎，痛風などの結晶誘発関節炎，家族性地中海熱，そのほか様々な疾患がある．

リウマチ性疾患とは，以上の関節・骨・筋肉の痛みやこわばりなどの症状を示す疾患を包括した呼び名である．

4 自己免疫性疾患

自己免疫性疾患とは，本来は細菌やウイルスなどから身を守るはずの免疫システムが自分のからだの成分を異物と認識した反応（自己免疫という），すなわち自己抗体あるいは自己反応性リンパ球が陽性となる疾患である．自己免疫性疾患には膠原病，膠原病類縁疾患

表1-2 自己免疫性疾患の分類と出現する自己抗体

自己免疫性疾患	自己抗体
臓器特異的自己免疫性疾患	臓器特異的自己抗体
橋本病	抗サイログロブリン抗体
バセドウ病	抗TSHレセプター抗体
悪性貧血	抗内因子抗体
I型糖尿病	抗GAD抗体，抗IA-2抗体
グッドパスチャー（Goodpasture）症候群	抗糸球体基底膜抗体
重症筋無力症	抗アセチルコリンレセプター抗体
特発性血小板減少性紫斑病	血小板関連IgG（PAIgG）
自己免疫性溶血性貧血	抗赤血球自己抗体
全身性（臓器非特異的）自己免疫性疾患	全身性（臓器非特異的）自己抗体
全身性エリテマトーデス	抗DNA抗体，抗Sm抗体
関節リウマチ	リウマトイド因子，抗CCP抗体
強皮症	抗Scl-70抗体，抗セントロメア抗体
多発性筋炎，皮膚筋炎	抗RNAポリメラーゼIII抗体
混合性結合組織病	抗ARS抗体，抗MDA-5抗体
シェーグレン症候群	抗TIF1-γ抗体，抗Mi-2抗体
顕微鏡的多発血管炎，多発血管炎性肉芽腫症，	抗RNP抗体
好酸球性多発血管炎性肉芽腫症	抗SS-A抗体，抗SS-B抗体
	抗好中球細胞質抗体（ANCA）

の一部の全身性疾患とバセドウ（Basedow）病における甲状腺など単一の臓器が標的となる疾患がある（表1-2）。

III 膠原病（自己免疫性疾患）発症のしくみ

古典的膠原病，そのほか膠原病類縁疾患の一部では自己免疫の異常が認められる。これらの疾患における発症のメカニズムを理解するには，免疫系のしくみを知る必要がある。

A 免疫と免疫応答のしくみ

1. 免疫とは

免疫とは"疫（病気）を免れる"しくみを意味する。たとえば，麻疹（はしか）に一度かかった人は，その後は麻疹にはかからない。これは麻疹に感染すると麻疹ウイルスに反応する抗体が免疫細胞（**B細胞**）によって産生されるからである。抗体は**免疫グロブリン**（図1-3）というたんぱく質であり，次に麻疹ウイルスが侵入しても，速やかに同じ抗体が産生されてウイルスを排除することができる。病原体の特徴を免疫細胞が覚えているため，このようなしくみは**免疫記憶**とよばれる。

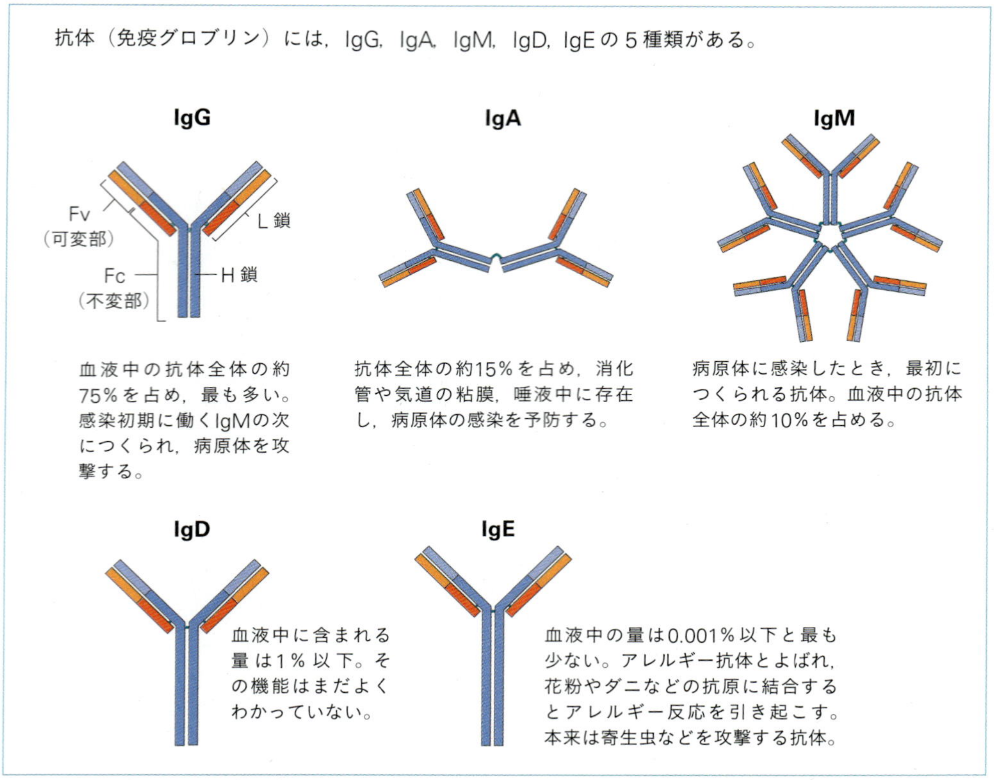

抗体（免疫グロブリン）には，IgG，IgA，IgM，IgD，IgE の 5 種類がある。

IgG
Fv（可変部）
Fc（不変部）
L鎖
H鎖
血液中の抗体全体の約75％を占め，最も多い。感染初期に働くIgMの次につくられ，病原体を攻撃する。

IgA
抗体全体の約15％を占め，消化管や気道の粘膜，唾液中に存在し，病原体の感染を予防する。

IgM
病原体に感染したとき，最初につくられる抗体。血液中の抗体全体の約10％を占める。

IgD
血液中に含まれる量は1％以下。その機能はまだよくわかっていない。

IgE
血液中の量は0.001％以下と最も少ない。アレルギー抗体とよばれ，花粉やダニなどの抗原に結合するとアレルギー反応を引き起こす。本来は寄生虫などを攻撃する抗体。

図 1-3　抗体（免疫グロブリン）の構造と種類

2. 免疫応答が起こるしくみ

　麻疹ウイルスを排除する反応は**抗原抗体反応**による。ウイルスの特徴を示す抗原のみを認識して，特異的に攻撃する免疫応答で，**獲得免疫**とよばれる。獲得免疫では貪食細胞，リンパ球などの免疫細胞が働く。正常な免疫応答の流れは次のとおりである（図 1-4）。

①ウイルス，細菌などの病原体が感染するとマクロファージ，樹状細胞などの**貪食細胞**がその病原体を"食べて"細胞内に取り込む
②取り込まれた病原体は細胞の中で消化される
③消化されてできた病原体の断片（**抗原**）は **HLA**（Column「HLAとは」参照）に乗せられて細胞の表面に出て，抗原に反応する **T 細胞**を刺激する（抗原提示）
④刺激された T 細胞は活発に増殖し，ほかの細胞を刺激する**サイトカイン**（Column「サイトカインとは」参照）を分泌する。T 細胞はさらに抗原と反応する **B 細胞**を刺激する
⑤B 細胞は抗原に対する**抗体**を大量に産生する**形質細胞**に分化・増殖する

　このような過程で病原体に反応する抗体が大量に産生され，病原体は排除される。T 細胞は細胞表面に発現している分子の種類から，**CD4 陽性 T 細胞**，**CD8 陽性 T 細胞**に分類される。前述の B 細胞の抗体産生を助けるのは CD4 陽性 T 細胞で，その機能から**ヘルパー T 細胞**とよばれる。CD8 陽性 T 細胞は**細胞傷害性 T 細胞**ともよばれ，ウイルスに感染した

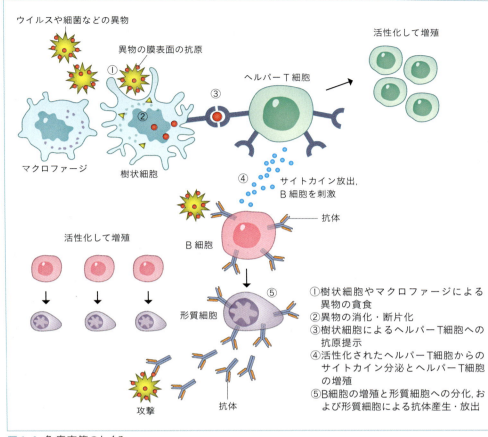

図1-4 免疫応答のしくみ

細胞やがん細胞を破壊する。

　活性化したリンパ球の一部はメモリー細胞となって体内に残り（免疫記憶），次に同じウイルスあるいは細菌が侵入してきた際にはすばやく反応し，ウイルスや細菌を排除する。

　ヘルパーT細胞と細胞傷害性T細胞のように，細胞によって病原体を排除する**細胞性免疫**と，B細胞から産生される抗体による**液性免疫**を指す。

HLAとは

　HLA（human leukocyte antigen）とは**ヒト白血球抗原**という白血球表面の分子で，赤血球のABO型のような"白血球の型"と考えられていた。当初は白血球のみに発現していると考えられたが，その後すべての細胞に発現していることがわかり，ヒト以外の動物でも臓器移植の拒絶反応を起こす分子（主要組織適合抗原[major histocompatibility complex：MHC]）をもつことが明らかになっている。

Ⅲ　膠原病（自己免疫性疾患）発症のしくみ

B 免疫寛容（トレランス）

多彩な病原体に反応するために，T細胞やB細胞には，それぞれいろいろな種類のT細胞レセプター（受容体），抗体（B細胞レセプター）が必要となる。そのためにリンパ球は，遺伝子組換えにより無数のT細胞レセプター，抗体をつくり，どのような病原体にも対応できるように備えている。

しかし，T細胞やB細胞の種類が膨大になれば，自分のからだの細胞に対して反応してしまうT細胞やB細胞もできてしまう。正常なヒトでは，そのようなリンパ球を除去して，免疫が自分自身を攻撃しないようにするしくみがあり，これを**免疫寛容**（**自己免疫寛容，トレランス**）という。

C 自己免疫寛容の破綻

通常は，自分のからだに反応するリンパ球は除去されるが，自己免疫性疾患では自分のからだの細胞成分に反応する抗体（**自己抗体**）や，**自己反応性リンパ球**が存在する。自己免疫性疾患の発症には**遺伝的要因**と**環境要因**の2つの要素があり，自己に対する免疫寛容が破綻するメカニズムは，次のように考えられている。

❶ 遺伝的要因（遺伝子多型，遺伝子発現の違い）

自己免疫性疾患では血縁者に同じ疾患の発症率が高く，膠原病の発症には遺伝的背景の影響があることが以前より想定されていた。近年の遺伝学的解析の結果，たとえば関節リウマチの患者は健常人と比べると免疫系に関する分子の遺伝子に異なる配列（**遺伝子多型**）をもつ頻度が高いことが示された。遺伝子配列の違いにより免疫系に何らかの狂いが生じ自己免疫性疾患を発症すると想定されている。また，最近では遺伝子の発現の違いも報告されている。

❷ 環境要因（自己抗原の修飾）

遺伝的要因だけではなく環境要因も自己免疫性疾患の発症に関与すると推測されている。たとえば全身性エリテマトーデスは強い紫外線の曝露の後に発症することがある。関

サイトカインとは

サイトカインは，細胞間で情報をやりとりするたんぱく質の総称である。主に免疫細胞が産生し，細胞表面の受容体に結合し作用する。炎症を調節する**インターロイキン**，ウイルス増殖を抑える**インターフェロン**，白血球の遊走を起こす**ケモカイン**など，そのほか現在までに数百種類のサイトカインが発見されている。

膠原病ではサイトカインの高値がみられ，その病態にかかわっていると考えられる。

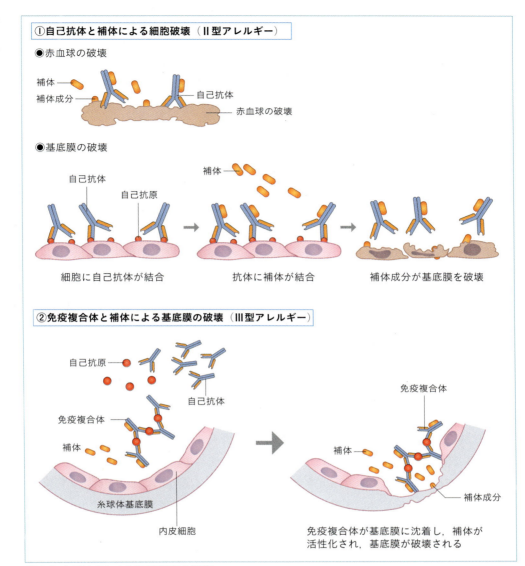

図1-5 自己抗体による組織傷害の機序

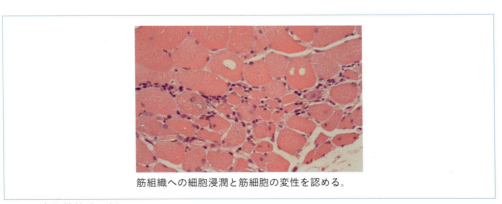

筋組織への細胞浸潤と筋細胞の変性を認める。

図1-6 多発性筋炎の例

節リウマチの発症と喫煙の関連も報告されている。

❸そのほか

加齢，腸内細菌，隔絶抗原（免疫系から隔絶された組織の抗原。例：水晶体起因性眼内炎），病原体との分子相同性（病原体と自己の成分が似ているために自己免疫が誘発される）も正常免疫機構の破綻に関与していると想定されている。

D 膠原病（自己免疫性疾患）における臓器障害を生じるしくみ

自己免疫性疾患では皮膚，関節，腎臓，そのほか全身のあらゆる臓器に障害を生じうる。そのしくみには**自己抗体**（液性免疫）と，**細胞傷害性T細胞**（細胞性免疫）によるものがある。

1. 自己抗体（液性免疫）による臓器障害の発症機序

自己抗体による臓器障害発症のしくみには，①自己抗体が細胞表面やそのほかの成分と反応し組織傷害を起こす機序（Ⅱ型アレルギー），②自己抗体が血中の成分と免疫複合体を形成し組織傷害を起こす機序（Ⅲ型アレルギー）がある。これらには補体（complement）という抗体の作用を補助するたんぱく質も関与する。

①の例には自己免疫性溶血性貧血，抗糸球体基底膜抗体症候群がある。自己免疫性溶血性貧血では赤血球に対する自己抗体が赤血球膜上の補体成分に反応し，補体の働きも加わり赤血球が破壊（溶血）される。抗糸球体基底膜抗体症候群では，自己抗体が肺，腎臓にある自己抗原と反応，基底膜を破壊し，肺胞出血，腎炎などをきたす（図1-5 ①）。

②の免疫複合体による臓器障害の例としては，全身性エリテマトーデスのループス腎炎がある。抗DNA抗体などの自己抗体が血中の自己抗原と反応して免疫複合体を形成し，免疫複合体は腎臓の糸球体に沈着し，補体の作用も加わり腎障害を起こす（図1-5 ②）。

2. 細胞傷害性T細胞（細胞性免疫）による臓器障害の発症機序

細胞傷害性T細胞が自己細胞を攻撃するという細胞性免疫による臓器障害発症の例には**多発性筋炎**がある。多発性筋炎では筋生検を行うとCD8陽性の細胞傷害性T細胞が筋細胞を取り囲み傷害している所見を認める（図1-6）。

国家試験問題

| 1 | 膠原病について**誤っている**のはどれか。 | (84回 AM108 改変) |

1. 結合組織にフィブリノイド変性がみられる。
2. 血液中に自己免疫抗体が認められる。
3. 免疫複合体が赤血球に結合し，障害を起こす
4. 治療に副腎皮質ステロイドが用いられる。

▶答えは巻末

第1編 膠原病とその診療

第2章

膠原病の症状と病態生理

この章では

- 膠原病でみられる症状(全身症状,リウマチ症状,皮膚・粘膜症状,内臓病変,眼・耳鼻咽喉病変)を理解する。
- 膠原病の症状には,それぞれの膠原病に特有の症状と膠原病に共通する非特異的な症状があることを理解する。

膠原病の症状は，①全身症状，②リウマチ症状（関節の痛みなど），③皮膚・粘膜症状，④内臓病変の4つに分けると理解しやすい。このうちリウマチ症状はすべての膠原病でみられる。以上の症状は，時間の経過とともに順次出現することも多い。
　膠原病の症状には，共通する症状がある。
▶ 共通する症状　関節炎・関節痛，手のこわばり，筋痛などのリウマチ症状のほか，レイノー（Raynaud）現象，発熱などがある。
▶ 重複（オーバーラップ）症候群　膠原病の特徴として1人の患者が複数の膠原病の症状を併せもつことがある。2つ以上の膠原病の症状を完全に併せもつ場合は重複（オーバーラップ）症候群とよばれる。

I 全身症状

　膠原病では発熱をはじめ倦怠感，易疲労感，体重減少など，炎症に伴う症状がみられる。発熱は免疫系の炎症細胞から分泌されるIL（interleukin，インターロイキン）-1，IL-6，TNF（tumor necrosis factor，腫瘍壊死因子）-αなどの炎症性サイトカインが脳の視床下部で**プロスタグランジンE2**を産生し体温調整中枢に作用することによる。
　炎症性サイトカインは，肝臓では急性炎症たんぱくの産生亢進をきたすように作用する。
　炎症が持続すると全身が消耗し，食欲や体重が減少し，長期にわたると低栄養，筋肉の萎縮，骨粗鬆症をきたす。

A 発熱

　膠原病では特徴的な熱型を示すことがある。たとえば成人スチル（Still）病では急な38℃以上の体温上昇後に平熱に戻る**スパイク熱**を呈し，発熱時に**サーモンピンク疹**（後述図2-4参照）とよばれる特徴的な皮疹が出現する。熱型とそれに伴う症状を観察することも患者の病状を把握するうえで重要である。38℃未満の微熱は膠原病でしばしばみられる。
▶ 原因　一般的に発熱の原因は感染症が最も多く，次いで膠原病，悪性腫瘍が続き，診断が確定しないこと（不明熱：原因が明らかにできない発熱）もある。副腎皮質ステロイド薬や免疫抑制薬を使用中には免疫力が低下し，日和見感染症（免疫不全者に発症する感染症）を合併する危険性が高い。経過中に発熱した場合には膠原病以外にも感染症の鑑別が必要である。
▶ 治療　発熱が持続すると体力を消耗し全身状態の悪化を招く危険性があるため，対症療法的に解熱薬を用いることもある。

B そのほかの全身症状

　倦怠感,易疲労感などは膠原病でしばしばみられ,「だるくて家事や仕事ができない」「疲れやすい」「気力や集中力が出ない」などと訴える。そのほかにも,からだのこわばり,リンパ節腫脹などの全身症状もみられる。

II リウマチ症状

　リウマチ症状とは関節・骨・筋肉など運動器に関する症状である。

A 関節症状

　重要なのは関節に炎症を伴うか否かである。たとえば関節リウマチによる関節炎は炎症所見(滑膜炎)を伴うのに対し,加齢に伴う変形性関節症,線維筋痛症による心因性の関節痛では炎症は伴わない。

1. 関節の痛み,こわばり

▶関節の痛み　関節の痛みは関節包や靱帯に分布する痛みの受容器で感知される侵害受容体性疼痛である(関節の構造は本編-図3-1「関節の構造」参照)。痛みは炎症により産生されたプロスタグランジンによるが,関節液貯留や出血による圧迫でも痛みを生じる。臥床が長くなると関節周囲の組織が硬くなり,動きの制限(拘縮)と運動時の痛みを生じる。心因性の痛みは中枢神経系に由来する。

▶こわばり　関節の"朝のこわばり"は関節リウマチにしばしばみられる症状で,午前中に手指が握りづらい,こわばって動かしづらいなどと訴える。こわばりは関節リウマチを疑うが,変形性関節症でもしばしばみられる。その場合は,持続時間も短く軽度なことが多い。

2. 関節炎と関節痛の違い

　関節炎は関節破壊が進行する危険性が高く,関節炎か関節痛かの見きわめは重要である。

▶炎症　関節炎では関節の腫脹,圧痛(押すと痛むこと),運動時痛,熱感,発赤など炎症の所見を伴う。単なる関節痛の場合には炎症所見は伴わない。

▶性状　関節炎の判断には関節の腫脹の性状も大切である。関節リウマチの関節炎は軟らかく触れ,しばしば関節液の貯留を伴う。一方,変形性関節症は骨の増殖により関節が腫れるため硬い。

3. 関節炎の予後

　関節リウマチやそのほかの炎症性疾患の関節炎が未治療の場合には，関節の変形，動き（可動域）の制限をきたし，身体機能障害を残す．近年，薬物療法で関節破壊を抑えることが可能となったため，早期診断と治療開始が重要である．

4. 関節炎の鑑別と診断

1　原因疾患の診断の重要性

　関節炎の場合，原因疾患を次のような点から正しく診断することが大切である．

- 関節リウマチは治療が遅れると関節破壊が進行し，身体機能の低下をきたす
- 感染性関節炎は敗血症を伴う命にかかわる疾患で，早急な抗菌薬治療が必要である
- 変形性関節症は加齢に伴う変化であり，通常は NSAIDs（non-steroidal anti-inflammatory drugs，非ステロイド性抗炎症薬）による対症療法が基本である

　関節炎の原因を正しく診断することは，適切な治療を行ううえで重要である．

2　鑑別点

　関節炎の鑑別点について重要な点を次に述べる．

▶ **関節炎の部位**　関節炎の部位は原因診断に有用な情報となる．**関節リウマチ**では手，PIP（proximal interphalangeal，近位指節間）関節，MCP（metacarpophalangeal，中手指節）関節などの小関節に，対称性に関節炎がみられる．一方，**変形性関節症**では，DIP（distal interphalangeal，遠位指節間）関節と PIP 関節の硬い腫脹が特徴で，それぞれヘバーデン（Heberden）結節，ブシャール（Bouchard）結節とよばれる．

▶ **性別・年齢**　関節リウマチは女性，痛風発作は中年男性，偽痛風は高齢者に多いなどの特徴がある．

▶ **経過**　たとえば関節リウマチや変形性関節症は数か月の慢性経過だが，化膿性関節炎や痛風・偽痛風の発作は日単位の経過である．

▶ **単関節炎・多関節炎**　関節炎が 1 か所の単関節炎か複数の多関節炎かも鑑別にある程度重要である．

▶ **変形**　関節の変形のパターンも次のように診断に重要である．

- 関節リウマチに特徴的な変形には，手指の尺側偏位，スワンネック変形，ボタン穴変形，母指の Z 字型変形（図 2-1），足趾の槌趾変形や鷲爪変形がある
- 全身性エリテマトーデスでは，骨破壊を伴わず尺側偏位をきたすことがある（ジャクー［Jaccoud］関節症）
- 強皮症では，手指の皮膚硬化のため手指の関節が伸びづらくなり，進行すると拘縮する

　参考までに，変形が進み関節面が完全にずれた場合には**脱臼**，一部関節面が合っている

- ●スワンネック変形
  MCP関節の炎症による変形

  屈曲／過伸展／屈曲

- ●ボタン穴変形
  PIP関節の炎症による変形

  過伸展／屈曲

- ●母指のZ字型変形
  IP関節の炎症による変形

  過伸展／屈曲

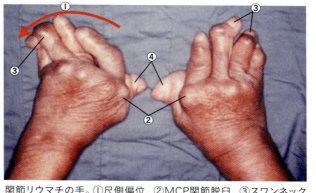

関節リウマチの手。①尺側偏位，②MCP関節脱臼，③スワンネック変形（右第3, 4指，左第4指），④母指のZ字型変形がみられる。

図2-1 手指の変形例

ものは**亜脱臼**という（関節所見のみかたは，本編-第3章-Ⅰ-B「身体所見」を参照）。

B 筋症状

筋症状としては，筋肉痛および筋力低下がある。

1. 筋肉痛

リウマチ性多発筋痛症や**血管炎症候群**の筋肉痛は，痛みによる筋力低下はあるが，筋力自体は低下せず筋原性酵素（筋肉組織の崩壊によって上昇する）の上昇もみられない。
多発性筋炎・皮膚筋炎などの筋疾患の筋肉痛では筋力低下と筋原性酵素の上昇を伴う。

2. 筋力低下

多発性筋炎，皮膚筋炎では近位筋*の筋力が低下し，階段の上り下りやトイレでの立ち上がりが困難となる。筋炎では血液検査により筋由来のCK（creatine kinase，クレアチンキナーゼ），ALD（aldolase，アルドラーゼ），そのほかAST（aspartate transaminase，アスパラギン酸アミノトランスフェラーゼ），LD（lactate dehydrogenase，乳酸脱水素酵素）の上昇がみられる。
筋炎が疑われた場合には，筋電図検査，筋のMRI検査，筋生検を行う。

C 滑液包炎・腱鞘炎

関節の周囲には，滑液という液体を含んだ滑液包があり，関節の動きをスムーズにする。

---

*近位筋：上肢では上腕，下肢では大腿など体幹部に近い筋肉群。

また骨と筋を結合する腱のまわりは，やはり滑液を含んだ腱鞘が覆い，動きをスムーズにする。滑液包，腱鞘（本編-図3-1「関節の構造」参照）に滑液包炎，腱鞘炎などの炎症を起こすと関節周囲の痛みや運動障害を起こす。

D 骨痛・四肢痛

膠原病自体で骨痛を生じることはまれで，副腎皮質ステロイド薬の大量療法（ステロイドパルス療法）による大腿骨頭壊死や膝関節の骨壊死，骨粗鬆症に伴う圧迫骨折で痛みを生じる。

そのほかの四肢に生じる痛みとしては，末梢神経障害，動脈閉塞症，静脈血栓症，感染症による蜂窩織炎，腰椎ヘルニアによる放散痛などがある。

III 皮膚・粘膜症状

膠原病では各膠原病に特有の皮疹（表2-1）と，疾患に特異的ではない皮疹（非特異疹）がある。皮膚・粘膜症状は原疾患の活動性と並行することが多い。

表2-1 膠原病にみられる皮膚・粘膜症状

部位		症状
頭部	頭髪	脱毛（SLE）
	頭皮	紅斑・円板状紅斑（SLE），側頭動脈の結節・発赤（巨細胞性動脈炎），後頭部の皮下結節（RA）
	顔面	蝶形紅斑・円板状紅斑（SLE），ヘリオトロープ疹（DM），仮面様顔貌（SSc）
	口	口腔内潰瘍（SLE），開口制限・舌小帯肥厚短縮（SSc），口腔乾燥・う歯増加・舌乳頭萎縮・口角炎（SjS），有痛性アフタ性潰瘍（ベーチェット病）
体幹	体幹	紅斑・サーモンピンク疹（成人スチル病），皮膚硬化・色素沈着・色素脱失・毛細血管拡張（SSc）
	陰部	陰部潰瘍（ベーチェット病）
四肢	肘	ゴットロン徴候（DM，手指・膝にもみられる），皮下結節（RA）
	手	レイノー現象（膠原病全般），手掌紅斑（SLE），凍瘡様皮疹（SLE），皮膚硬化・ソーセージ様指（SSc，MCTD），皮膚梗塞・皮膚潰瘍（血管炎），皮下石灰化（SSc），手指末節の短縮（SSc），機械工の手（DM）
	爪	爪囲紅斑（SLE，DM），爪床出血・血栓（血管炎），爪甲点状陥凹（乾癬）
	下肢	結節性紅斑（ベーチェット病，サルコイドーシス），網状皮斑（血管炎），皮膚潰瘍（血管炎）

（ ）内の疾患名略称／SLE：全身性エリテマトーデス，RA：関節リウマチ，SSc：強皮症，DM：皮膚筋炎，MCTD：混合性結合組織病，SjS：シェーグレン症候群

A 紅斑

紅斑は，皮膚血管の充血による紅色から暗赤色の斑で，通常はむくみや表皮の変化を伴う。

1. 顔面にみられる紅斑

顔面にみられる膠原病に特徴的な紅斑には全身性エリテマトーデスの蝶形紅斑や円板状紅斑（ディスコイド疹），皮膚筋炎のヘリオトロープ疹がある。

▶ **蝶形紅斑** 両側頰部から鼻根部に広がる蝶に似た形をした浮腫性紅斑で，全身性エリテマトーデスの活動期にみられ，治療により消えることも多い（図2-2a）。

▶ **円板状紅斑（ディスコイド疹）** 皮膚の萎縮，鱗屑，色素沈着を伴う全身性エリテマトーデスの皮疹である。丸い形で，表皮の変化が高度で瘢痕を残すことが多い（図2-2b）。

▶ **ヘリオトロープ疹（図2-3a）** 皮膚筋炎でみられる眼瞼の紫紅色の紅斑である。

2. 体幹や四肢にみられる紅斑

紅斑は顔面以外にも体幹や四肢にもみられる。

▶ **凍瘡様皮疹** 全身性エリテマトーデスでは，手指，爪周囲，手掌，足底にも紅斑がみられる。手足にみられるしもやけ様の皮疹は凍瘡様皮疹という。

▶ **ゴットロン徴候** 皮膚筋炎に特徴的な皮疹で，手指や肘・膝関節の背面に表面がぽろぽろとむける落屑を伴った紫紅色の皮疹を認める（図2-3b）。

▶ **サーモンピンク疹** 成人スチル病では，発熱時にサーモンピンク疹が体幹や四肢近位部に出現し，解熱とともに消失する（図2-4）。

▶ **環状紅斑** シェーグレン症候群でみられ，環状の特徴的な形をしている（図2-5）。

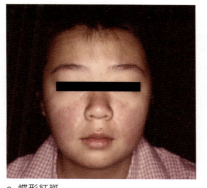
a. 蝶形紅斑

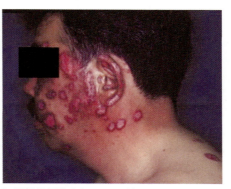
b. 円板状紅斑（ディスコイド疹）

図2-2 全身性エリテマトーデスでみられる紅斑

▶ **網状皮斑（リベドー）** 網状皮斑は下肢，特に下腿にみられる網目状の皮疹で，血管炎や抗リン脂質抗体症候群など血流障害をきたす膠原病でみられる（図2-6）。

▶ **結節性紅斑** 数cm大の膨隆した紅斑で，痛みを伴う。皮下脂肪組織の炎症が主体である。ベーチェット病，サルコイドーシス，そのほか溶血性レンサ球菌や結核などの感染症でみられる。

B 紫斑

紫斑は皮膚の真皮での出血で，紅斑とは異なり圧迫しても色は消失しない。原因には血管炎，凝固因子異常や血小板数減少，皮膚血管の脆弱性，血清たんぱく質の異常などがある。

▶ **IgA血管炎**（ヘノッホ・シェーンライン［Henoch-Schönlein］紫斑病） IgA血管炎の皮疹は下肢に生じることが多く，やや盛り上がっており，疾患の活動期に出現する（図2-7）。

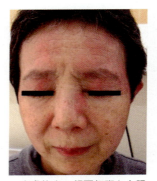

a. 皮膚筋炎の顔面紅斑と上眼瞼のヘリオトロープ疹

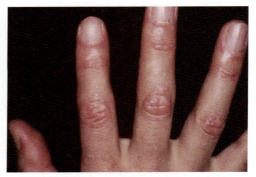

b. 皮膚筋炎のゴットロン徴候と爪上皮の出血点（第3指）

図2-3 皮膚筋炎の皮膚症状

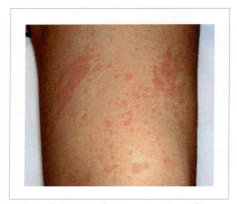

図2-4 成人スチル病のサーモンピンク疹

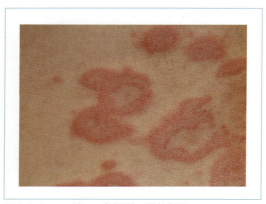

図2-5 シェーグレン症候群の環状紅斑

▶ **自己免疫性血小板減少症**　血小板数が3万/mm³以下では出血傾向を生じ，数ミリ大の点状出血が下腿や口腔内粘膜にみられる。1万/mm³以下では重要臓器への出血の危険性が高く，副腎皮質ステロイド薬や輸血などでの治療を要する。

▶ **ステロイド療法**　副腎皮質ステロイド薬での治療期間が長い患者では，皮膚の結合組織がもろくなり，誘因なく紫斑が出現する（特に前腕）。

▶ **シェーグレン症候群**　高ガンマグロブリン血症による**過粘稠度症候群**（免疫グロブリンの濃度上昇により血液の粘性が高まった状態）など，血清たんぱく質異常による紫斑はシェーグレン症候群でみられる。

C　レイノー現象と皮膚潰瘍・梗塞・壊疽

1. レイノー現象

寒冷や心因ストレスが誘因となり指の血管が収縮して指の色が変化し，しびれ感，疼痛，冷感を伴うのがレイノー現象（Raynaud's phenomenon）である。典型的なレイノー現象では指は最初に白色（図2-8），次いでチアノーゼにより紫色，最後に血流が戻りピンク色と**3相性の色調変化**を示す。強皮症，混合性結合組織病ではほぼ必発で，そのほかの膠原病でもしばしばみられる。

2. 皮膚潰瘍・梗塞・壊疽

次のようなときに潰瘍・梗塞・壊疽がみられる。

- 血管炎や血管内腔の狭窄により血流障害が続くと，皮膚に潰瘍・壊疽が生じる
- 強皮症では血流障害により指先に小潰瘍や小陥凹性瘢痕ができる（本編-図4-5 b「硬化期における手指の小陥凹性瘢痕（第3指），指の短縮（第2指），屈曲拘縮もみられる」参照）
- 血管炎により指先の小血管が閉塞すると，黒色の小梗塞巣や潰瘍を生じる

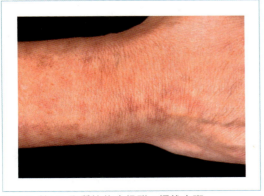

図2-6　抗リン脂質抗体症候群の網状皮斑

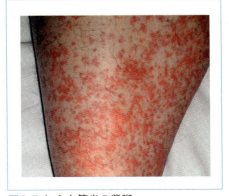

図2-7　IgA血管炎の紫斑

Ⅲ　皮膚・粘膜症状

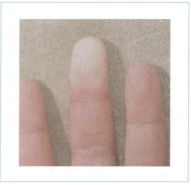
図2-8 レイノー現象

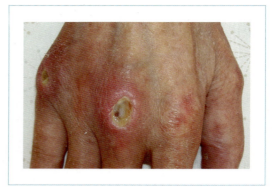
図2-9 皮膚筋炎患者にみられた皮膚潰瘍

- 皮膚筋炎では血管炎を伴い潰瘍を生じることがあり，そのような例は抗MDA-5抗体陽性で肺病変を伴い予後不良である（図2-9）

D そのほかの皮膚・粘膜症状

1. 皮膚硬化

強皮症，混合性結合組織病でみられる。皮膚の真皮にある膠原線維の増加により，皮膚が硬くなり，つまみづらくなる。

2. 皮下結節

皮下結節にはリウマトイド結節（リウマチ結節），石灰沈着，痛風結節などがある。

▶ **リウマトイド結節**　関節リウマチの患者の肘伸側，後頭部，手指などに生じる数ミリから数センチ大の結節である（図2-10）。

▶ **皮下の石灰沈着**　強皮症や皮膚筋炎・多発性筋炎でみられ，皮下に硬く触れる。

▶ **痛風結節**　長期間放置された痛風でみられることがある。尿酸ナトリウム塩が沈着したもので手指・足趾や耳介など皮膚温が低いところにできやすい。

3. 口腔粘膜の病変

▶ **全身性エリテマトーデス**　無痛性の口腔内の潰瘍と硬口蓋部の紅斑がある。

▶ **ベーチェット病**　口腔内に有痛性の**アフタ性潰瘍**（円形の表面が白い潰瘍）を繰り返し生じ（後述図4-7参照），陰部にも強い痛みを伴う潰瘍が生じる。

▶ **シェーグレン症候群**　唾液の分泌低下による口腔内乾燥がみられ，う歯（虫歯）の増加，舌乳頭の萎縮，口角炎を生じる。強皮症では舌小帯の短縮・肥厚がみられ，舌の運動が制限される。

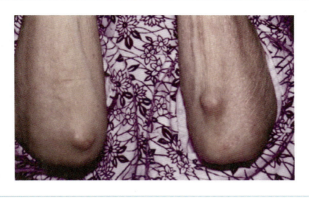
図 2-10　両肘関節伸側に生じたリウマトイド結節

4. 爪周囲の変化・爪の変化

末梢循環障害やレイノー現象のある膠原病患者にしばしばみられる。

強皮症，皮膚筋炎では，爪の付け根の上皮（爪郭部）に点状小出血ないし小梗塞がみられる。**全身性エリテマトーデス，皮膚筋炎**などでは，爪の周りの紅斑（爪囲紅斑）がみられる。**乾癬性関節炎**では，爪に点状の陥凹，剥離がみられる。

IV　内臓病変

膠原病では内臓臓器病変の合併頻度が高い。関節リウマチでは関節以外の病変を**関節外症状**，シェーグレン症候群では唾液腺以外の症状を**腺外症状**とよぶ。

A　腎・尿路病変

血液中の老廃物は，腎糸球体で濾過され尿細管を通過して尿に排泄される。腎障害は糸球体もしくは尿細管の障害による。腎障害が高度になると老廃物が蓄積し**尿毒症**となり人工透析治療が必要となる。たんぱく尿が 1 日当たり 3.5g を超えると，いわゆる**ネフローゼ症候群**となる。

1. 糸球体病変

▶**ループス腎炎**　全身性エリテマトーデスでは，糸球体の基底膜に免疫複合体が沈着し，ループス腎炎を合併する。ループス腎炎の重症度により腎予後が左右される。

▶**壊死性半月体形成性糸球体腎炎**　血管炎症候群，特に ANCA（anti-neutrophil cytoplasmic antibody，抗好中球細胞質抗体）陽性の血管炎では腎炎の合併頻度が高い。糸球体の炎症に伴

い半月体が形成され壊死を伴う。
- ▶ **強皮症腎**　まれに強皮症腎（**強皮症腎クリーゼ**）を起こし，腎機能が急速に悪化することがある。副腎皮質ステロイド薬の使用や急速な皮膚硬化の進行などが危険因子である。
- ▶ **腎アミロイドーシス**　関節リウマチでは抗リウマチ薬による腎障害がある。炎症が長期にわたると腎アミロイドーシスを合併することがあるが，近年は減少している。

2. 尿細管病変

- ▶ **間質性腎炎**　シェーグレン症候群は間質性腎炎を合併し，尿細管アシドーシス，それに伴う低カリウム血症，腎機能低下を合併することがある。

3. そのほかの病変

- ▶ **尿路系障害**　全身性エリテマトーデスでは，まれに尿路系の障害による水腎症や間質性膀胱炎（ループス膀胱炎）を伴うこともある。

B　呼吸器病変

肺は腎臓と並んで膠原病の予後を決定する重要な臓器である。人工透析治療の進歩により膠原病の腎障害で命を落とすことは少なくなった一方で，死因の多くを呼吸器疾患が占めるようになってきた。

1. 間質性肺炎

膠原病で頻度が高いものに間質性肺炎（**図2-11**）がある。疾患により頻度は異なり，関節リウマチ，強皮症，多発性筋炎・皮膚筋炎では，しばしばみられるが，全身性エリテマトーデスではまれである。
- ▶ **症状**　自覚症状としては乾性咳嗽（痰を伴わない咳）や，進行すると息切れが生じ，低酸

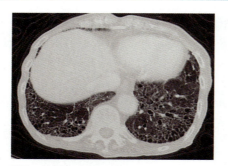

両肺に蜂巣肺がみられる。

図2-11　間質性肺炎のCT画像

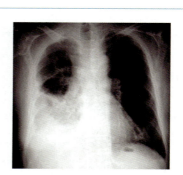

右肺に胸水貯留を認める。

図2-12　全身性エリテマトーデスに合併した胸膜炎

素血症をきたす。
▶**診断** 呼吸状態が悪化した場合は，間質性肺炎の増悪のほか，薬剤の副作用，感染症を除外する必要がある。

2. 気道病変

関節リウマチでは，気管支拡張症や細気管支炎などの気道病変をしばしば伴う。**多発血管炎性肉芽腫症**（ウェゲナー[Wegener]肉芽腫症）では，気道病変を合併し，気道が狭窄することがある。**好酸球性多発血管炎性肉芽腫症**（チャーグ・ストラウス[Churg-Strauss]症候群，アレルギー性肉芽腫性血管炎）では気管支喘息を高率に合併する。

3. 胸膜炎

胸膜炎（図2-12）は全身性エリテマトーデスや関節リウマチに合併し，呼吸困難や胸痛などの症状がみられる。胸膜炎に心膜炎を合併することもある。

4. 肺高血圧症

肺高血圧症は混合性結合組織病，強皮症，全身性エリテマトーデス，抗リン脂質抗体症候群などでみられる。生命予後不良な病態だが，肺血管拡張薬や免疫抑制療法が進歩し，早期に治療を行うことで生命予後が改善した。

5. そのほかの病変

▶**肺胞出血** 全身性エリテマトーデスや血管炎では肺の毛細血管炎により肺胞出血をきたすことがある。呼吸不全となることも多い重篤な病態である。

▶**肺の結節影** 関節リウマチのリウマトイド結節（リウマチ結節）の多発結節影，多発血管炎性肉芽腫症の空洞を伴う多発結節影がある。

▶**肺血栓塞栓症** 主に抗リン脂質抗体症候群で下肢の深部静脈血栓が遊離し，肺動脈に塞栓を起こし生じる。突然の強い胸痛や呼吸困難を訴え，早急な対応を要する。

▶**日和見感染症** 副腎皮質ステロイド薬や免疫抑制薬の治療中には，健康なヒトでは感染を起こさない弱毒菌により感染を起こすことがある。これを日和見感染症という。真菌感染症，ニューモシスチス肺炎，サイトメガロウイルス感染症などがその例である。

C 神経病変

神経病変は，中枢神経病変（脳から脊髄）と末梢神経病変（脳と脊髄以外）に分けられる。

1. 中枢神経病変

▶**精神症状・神経症状** 中枢神経病変が多いのは全身性エリテマトーデスで，精神症状と

神経症状がある。**精神症状**は急性錯乱状態，認知機能障害など。**神経症状**には脳血管障害，頭痛，運動麻痺，髄膜炎，脊髄障害，痙攣などがある。

▶ 脳出血・梗塞　結節性多発動脈炎や悪性関節リウマチでは，脳の血管炎により脳出血・梗塞がみられることがある。巨細胞性動脈炎による眼動脈の血管炎では視力が低下し，治療が遅れると回復しない。

▶ 中枢神経障害　神経ベーチェット病では5～20％に中枢神経障害を認める。脳幹が好発部位で，多彩な神経症状を呈する。

▶ 環軸椎亜脱臼　関節リウマチの進行例では，頸椎の環軸椎亜脱臼のため脊髄が圧迫され運動障害と感覚障害をきたすことがあり，その際は外科的治療が必要となる。

2. 末梢神経病変

▶ 多発性単神経炎　血管炎を伴う疾患に末梢神経病変の頻度が高い。多発性単神経炎は，左右非対称の感覚障害と運動障害が特徴で，下肢に生じることが多い。

▶ しびれ・運動障害　シェーグレン症候群では末梢神経障害によるしびれや運動障害をきたすことがある。

▶ 絞扼性神経障害　末梢神経が機械的に圧迫されて障害を生じるものは絞扼性神経障害とよばれる。関節リウマチでは手根管症候群を合併することがある。

D　循環器病変

循環器病変は，心病変と血管病変に分けられる。

1. 心病変

▶ 心嚢水貯留　心膜炎による心嚢水貯留は，全身性エリテマトーデス，関節リウマチ，強皮症でみられる。

▶ 不整脈　強皮症では，心筋の線維化が進行すると刺激伝導系の障害で不整脈を生じる。

▶ 大動脈弁閉鎖不全　大動脈炎症候群（高安動脈炎）では，大動脈の拡張に伴い大動脈弁閉鎖不全をみることがある。

▶ リブマン・サックス心内膜炎　全身性エリテマトーデスではリブマン・サックス（Libman-Sacks）心内膜炎の報告があるが，まれである。

2. 血管病変

▶ 心筋梗塞　全身性エリテマトーデス，結節性多発動脈炎では冠動脈病変により心筋梗塞を合併することがある。

▶ 四肢の潰瘍・壊死　血管炎症候群では，末梢血管の閉塞により四肢の潰瘍，壊死をきたすことがある。

▶血栓　抗リン脂質抗体症候群では，動脈あるいは静脈に血栓を形成する。
▶動脈内腔の狭窄　強皮症では血管内膜肥厚により動脈内腔の狭窄をきたし，血管の収縮を伴いレイノー現象，皮膚潰瘍，時に手足の壊死をきたす。
▶静脈炎　血管ベーチェット病では静脈炎による血管の閉塞をきたすことがある。

E 消化器病変

1. 消化管病変

▶嚥下障害・逆流性食道炎　強皮症では，消化管平滑筋の線維化により食道拡張と蠕動運動低下をきたし，嚥下障害や逆流性食道炎による胸やけなどの症状を起こす。また腸閉塞や吸収不良症候群，便秘，腹部膨満などの症状もある。
▶腹痛・下血・潰瘍形成　血管炎症候群では腹腔内動脈の血管炎により腹痛，下血，潰瘍形成，重症の場合には消化管穿孔を生じ，急性腹症がみられることがある。
▶ループス腸炎など　全身性エリテマトーデスではループス腸炎，腹膜炎，たんぱく漏出性胃腸症とそれによる低たんぱく血症を合併することがある。
▶潰瘍性病変　腸管ベーチェット病の潰瘍性病変は小腸の回盲部が好発部位である。

2. 肝病変

▶肝機能異常　全身性エリテマトーデスの活動期には，軽度の肝機能異常はしばしばみられる。成人スチル病の活動期にも肝酵素の上昇をみる。
▶自己免疫性肝炎　各膠原病に合併することがあり，強皮症やシェーグレン症候群は原発性胆汁性胆管炎をしばしば合併する。

V 眼・耳鼻咽喉病変

眼病変

　眼病変には乾燥性角結膜炎，強膜炎，上強膜炎，ぶどう膜炎，網膜の血管障害など多彩な病変がある。

▶乾燥性角結膜炎　シェーグレン症候群でみられ，乾燥症状（ドライアイ），異物感，痛みを訴える。涙腺組織の傷害，涙液分泌量の低下が原因である。
▶強膜炎　眼球の白い部分である強膜の炎症（図2-13）で関節リウマチ，多発血管炎性肉芽腫症，再発性多発軟骨炎などにみられる。強い炎症により穿孔することがある。上強膜

図2-13 強膜炎

炎は強膜表層部の炎症で関節リウマチなどにみられる。
▶ **ぶどう膜炎**　虹彩に炎症をきたす前部ぶどう膜炎，眼球の脈絡膜，網膜に炎症をきたす後部ぶどう膜炎がある。重度の場合は失明の危険がある。ぶどう膜炎の原因としてはサルコイドーシス，ベーチェット病などがある。
▶ **失明**　巨細胞性動脈炎では，眼動脈の閉塞により失明することがある。一度視力が低下すると治療によって回復することは少ないため，早期の治療開始が必要である。

B　耳鼻咽喉病変

副鼻腔，耳介，中耳，内耳の病変がある。
▶ **副鼻腔**　副鼻腔炎は，多発血管炎性肉芽腫症，好酸球性多発血管炎性肉芽腫症などでみられる。多発血管炎性肉芽腫症の進行例では鼻の変形（鞍鼻，本編-図4-4「鞍鼻」参照）がみられる。
▶ **中耳・内耳**　ANCA（抗好中球細胞質抗体）関連血管炎で中耳炎，内耳炎，難聴をきたすことがあり，OMAAV（ANCA関連血管炎性中耳炎）とよばれる。

国家試験問題

| 1 | 関節リウマチで起こる主な炎症はどれか。 | （103回 PM34） |

1. 滑膜炎　　3. 骨軟骨炎
2. 骨髄炎　　4. 関節周囲炎

| 2 | ベーチェット病にみられる症状はどれか。 | （97回 AM107） |

1. 真珠腫　　3. はばたき振戦
2. 粘液水腫　4. 口腔内アフタ性潰瘍

▶ 答えは巻末

第1編 膠原病とその診療

第3章

膠原病にかかわる診察・検査・治療

この章では
- 膠原病を疑う場合の問診のしかた，身体所見のとりかたを学ぶ。
- 膠原病を疑う場合に行う検査について学ぶ。
- 膠原病の治療（薬物療法，外科的治療，リハビリテーション），社会的支援の活用，日常生活上の注意点を学ぶ。
- NSAIDs，副腎皮質ステロイド薬，抗リウマチ薬，免疫抑制薬，生物学的製剤など，多様な機序をもつ治療薬について理解する。

I 膠原病の診察

どのようなときに膠原病を疑うか……。関節痛・筋肉痛などのリウマチ症状に炎症や自己免疫異常を伴うのが膠原病の特徴である。加えて皮膚・粘膜症状や，呼吸器，腎などの臓器病変があれば膠原病の可能性は高い。

一方で，リウマチ症状を欠き，発熱，全身倦怠感などの非特異的な症状のみの例もある。また，膠原病の症状は必ずしも同時にはそろわず，ある時点の症状だけからは診断が難しいことも少なくない。

問診

病歴を漏れなく聴取することが大切である。特徴的な病歴や症状，所見があれば，膠原病をすぐに診断できる場合もあるが，悪性腫瘍や感染症の除外が必要なことも多い。

1 主訴・患者背景

▶ **主訴** 患者が困っている訴えを聞く。膠原病では関節症状，発熱，皮膚・粘膜症状の訴えが多い。

▶ **患者背景** 疾患により性，年齢に特徴がある。たとえば全身性エリテマトーデス，大動脈炎症候群（高安動脈炎）は10〜30歳代の女性の割合が高い。ベーチェット病も比較的若い年代に多い。逆にリウマチ性多発筋痛症，顕微鏡的多発血管炎は高齢者に多い。

2 現病歴

主訴の始まりは急性，慢性など様々で，症状の経過も参考となる。関節リウマチは手のこわばりや痛みで始まり，数か月の経過でよくなったり悪くなったりを繰り返し，痛む部位は移動することが多い。一方，リウマチ性多発筋痛症などは症状の発現が急性のことが多い。

発病前の状況も重要である。海水浴やハイキングなどでの日光曝露は，全身性エリテマトーデスの発症の誘因となることがある。IgA血管炎（ヘノッホ・シェーンライン紫斑病）は感冒が先行することが多い。

3 既往歴

既往歴，たとえば血小板減少症，溶血性貧血，腎炎，肺炎の既往などがないか聴取する。過去の病気以外にも薬剤服用歴，出産・流産の有無も尋ねる。

薬剤服用歴は重要で，抗てんかん薬や抗菌薬は薬剤性ループス，抗甲状腺薬はANCA（抗好中球細胞質抗体）関連血管炎を誘発する。

流産を繰り返している場合は抗リン脂質抗体症候群の可能性が，胎児の先天性心ブロックの既往がある場合は母体が抗SS-A抗体陽性のシェーグレン症候群の可能性がある。
悪性腫瘍や感染症の病歴，歯科治療歴も膠原病以外の疾患を除外するうえで大切である。

4 家族歴

膠原病の発症は遺伝的要因が大きく，家族構成や膠原病の家族歴を聴取する。

5 社会歴，生活歴

職業歴，喫煙歴，飲酒歴，信仰する宗教の有無，そのほか生活習慣などは，必ずしも膠原病の診断には結びつかないが，その後の治療を行ううえで有用な情報となる。

B 身体所見

1. 視診

膠原病は関節や皮膚・粘膜の症状を伴うことが多いため，まず皮膚・粘膜を観察する。膠原病には特徴的な皮疹がある。
皮膚・粘膜症状の詳細は，本編-第2章-Ⅲ「皮膚・粘膜症状」を参照。

2. 触診

触診は皮膚，関節で行う。膠原病の皮疹は炎症のためむくみ，病変の皮膚が厚くなっていることが多い。強皮症では，皮膚が硬く，つまみにくく，循環不全により手指の皮膚温を低く感じる。関節に炎症がある場合は，その部分の皮膚温を高く感じる。
リウマチ性疾患では関節を触り所見をとることが大切である。関節所見のみかたについて次に述べる。

1 関節の構造

関節の構造を図3-1に示す。骨の関節面は軟骨が覆い，関節包によって包まれ，その外側の靱帯により関節構造が維持される。関節包の内側は滑膜に覆われ，滑膜は関節の動きをスムーズにする滑液（関節液）を産生する。関節リウマチでは滑膜に炎症を起こす（滑膜炎）。滑液は血管のない軟骨へ栄養を供給する役割ももつ。関節包のさらに外側は腱が骨に付着し，筋肉に結合する。

2 関節の診察

❶痛みの部位

関節の痛みは関節以外にも腱，筋肉，皮膚や皮下組織，骨も原因となる。主訴をよく聞

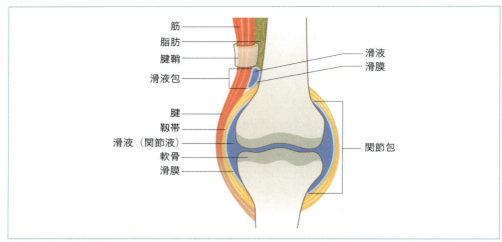

図3-1 関節の構造

き，視診・触診も加えて痛む部位を特定する。

❷関節痛と関節炎の区別

痛みが関節にある場合は，炎症を伴う関節炎か，炎症を伴わない関節痛かを区別することが治療上重要である。関節炎であれば，関節の腫脹，圧痛，熱感，発赤などを伴う。

❸罹患関節の分布

症状の分布は原因を鑑別するうえで重要である。関節リウマチの症状はPIP（近位指節間）関節，MCP（中手指節）関節，手関節に好発するが，変形性関節症はDIP（遠位指節間）関節とPIP関節，乾癬性関節炎はDIP関節に好発する（図3-2）。

❹関節腫脹

関節は滑膜の増殖，軟部組織の腫脹，関節液の貯留，加齢に伴う骨増殖により腫れる。関節リウマチでは指が紡錘状に腫脹し柔らかく，関節液があると触診で液体が貯留している様子がわかる。一方，加齢に伴う変形性関節症は骨増殖性変化が主体で硬い。

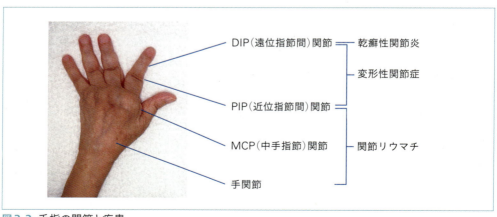

図3-2 手指の関節と疾患

❺ 関節可動域

関節可動域（関節の動く範囲）も評価する。関節の動きは関節炎，関節の変形のほかに強皮症による皮膚硬化や廃用により制限される。

❻ 関節の変形

関節リウマチに特徴的な変形には，手指の尺側偏位，スワンネック変形，ボタン穴変形，母指のZ字型変形（本編-図2-1「手指の変形例」参照）などがある。

❼ 関節炎の鑑別と診断

関節炎の鑑別と診断については，本編-第2章-Ⅱ-A「関節症状」を参照。

3 打診

打診は主に胸部，腹部で行う。胸部では胸水貯留の有無，腹部では腹水や腸管ガスの増加がないかを観察する。

4 聴診

胸部では心音，乾性ラ音の異常の有無を観察する。間質性肺炎では吸気の終わりに細かいパリパリとした捻髪音（fine crackles）を聴取する。大動脈炎症候群（高安動脈炎）などの血管炎症候群では動脈の狭窄部に，血管雑音をしばしば聴取する。

Ⅱ 膠原病の検査・診断

A 検査の意義

膠原病の診療では，次の目的で検査を行う（表3-1）。

1 診断に必要な検査

膠原病は自己免疫の異常を伴う病気で，自己抗体が検出されることが多い（詳しくは，本節-B-3「免疫学的検査」参照）。また筋炎，血管炎などの確定には病理組織学的検査が必要となる。

2 臓器病変評価のための検査

膠原病は多臓器に病変が及び，臓器病変の評価が必要である。対象臓器により血液検査，尿検査，画像検査，病理組織学的検査などで評価する。

表3-1 膠原病で行われる主な検査

尿定性・沈渣検査	たんぱく尿，血尿，病的円柱
血液検査	
血算検査	白血球数，赤血球数（貧血），血小板数
血液生化学検査	たんぱく質，アルブミン，肝機能，筋原性酵素，腎機能，間質性肺炎
感染症	真菌（β-Dグルカン），結核，B型肝炎ウイルス
炎症反応検査	CRP，赤沈
免疫学的検査	免疫グロブリン，リウマトイド因子，抗CCP抗体，抗核抗体，自己抗体，補体
穿刺検査	髄液，関節液，胸水，腹水
病理組織学的検査	腎臓，皮膚，肺，筋肉，末梢神経，唾液腺，滑膜
画像検査	単純X線，超音波（エコー），CT，MRI，シンチグラフィー

3　疾患活動性評価，経過を観察するために必要な検査

　治療方針の決定には病気の活動性を判断する必要がある。たとえば全身性エリテマトーデスでは抗ds（double stranded，二本鎖）-DNA抗体価，補体価，白血球数，赤沈（赤血球沈降速度，erythrocyte sedimentation rate；ESR），関節リウマチや血管炎症候群などではCRP（C reactive protein，C反応たんぱく）や赤沈，筋炎では筋原性酵素のCK（クレアチンキナーゼ），間質性肺炎ではLD（乳酸脱水素酵素），KL-6（シアル化糖鎖抗原）などが疾患活動性の指標となる。これらは治療経過の指標にもなる。

4　薬剤副作用のモニタリングに必要な検査

　治療薬の副作用を早期に発見するために定期的に検査する。肺障害，肝障害，腎障害，骨髄抑制，糖尿病のほか，日和見感染のモニタリングが必要である。

5　予後の推定に役立つ検査

　抗CCP（cyclic citrullinated peptide，環状シトルリン化ペプチド）抗体が高値の関節リウマチは関節破壊が進行する危険性が高い。全身性エリテマトーデスでは腎臓の病理組織型が腎機能予後（透析へ移行するリスクがある）に，中枢神経病変や肺高血圧症では生命予後と関連する。このような予後を左右する病変の有無の評価は治療を行ううえで重要である。

B　検査の実際

1．一般検査

1　尿定性・沈渣検査

　ループス腎炎や血管炎に伴う活動性の腎炎では，尿定性検査で，たんぱく尿，血尿が陽

性となる。また尿沈渣検査で，赤血球や白血球数の増加，顆粒柱や赤血球円柱などの病的円柱が出現する。

2 ｜ 血算検査

白血球，赤血球（貧血），血小板の3系統を評価する。

▶ **白血球数** 関節リウマチや血管炎などで，白血球数は炎症を反映し増加する。一方で全身性エリテマトーデスやシェーグレン症候群では白血球数は減少することが多い。白血球数は薬剤の副作用によっても減少する。

▶ **赤血球数（貧血）** 貧血は赤血球数，ヘモグロビン値で評価し，貧血の原因には溶血性貧血，鉄欠乏性貧血，薬剤性貧血，炎症性貧血などがある。

▶ **血小板数** 増加は関節リウマチや血管炎などの炎症性疾患，逆に減少は全身性エリテマトーデス，抗リン脂質抗体症候群，薬剤の副作用，血球貪食症候群などでみられる。

3 ｜ 血液生化学検査

以下に記すように，血液中のたんぱく質，アルブミン，肝酵素，腎機能，筋原性酵素などを評価する。

①たんぱく質，アルブミンは，栄養状態の指標であるが，腎炎ではたんぱく質が尿中に失われ血中の値が低値となる。

②肝胆道系酵素は，自己免疫性肝炎，原発性胆汁性胆管炎，成人スチル病などのほか，薬剤の副作用，ウイルス肝炎（B型肝炎，C型肝炎）などでも上昇する。フェリチンは，成人スチル病や血球貪食症候群を併発した際にも高値となる。

③CK（クレアチンキナーゼ），ALD（アルドラーゼ）は筋炎で高値となる。

④BUN（blood urea nitrogen, 尿素窒素），Cr（creatinine, クレアチニン）は腎機能の指標で，ループス腎炎，血管炎症候群，強皮症腎，薬剤性腎障害（非ステロイド性抗炎症薬，シクロスポリンなど）などで高値となることがある。

⑤KL-6（シアル化糖鎖抗原），SP-D（肺サーファクタントプロテインD），SP-A（肺サーファクタントプロテインA）は間質性肺炎の診断と評価の指標となる。

⑥LD（乳酸脱水素酵素）は肝障害，筋炎，間質性肺炎，溶血性貧血など様々な病態で高値となる。

⑦そのほか，糖尿病の有無を観察するためのグルコース，高CK血症の鑑別のための甲状腺機能検査などが行われる。

4 ｜ 感染症に関する検査

膠原病では，免疫抑制に伴う日和見感染症や潜在性感染症の再活性化の危険が高い。膠原病治療の際に必要な感染症のスクリーニング検査を次にあげる。

①β-Dグルカンはニューモシスチス肺炎，真菌感染症で高値となる。

②サイトメガロウイルス感染症は抗原血症や抗体で評価する。
③インターフェロンγ遊離試験（クォンティフェロン® や T-SPOT®.TB など）は，潜在性結核感染症の診断に行われる。
④B型肝炎ウイルスの既感染患者が免疫抑制治療を行うと，まれにウイルスの再活性により劇症化することがあり（de novo B型肝炎），予後不良のため，治療前のスクリーニング検査は必須である。

2. 炎症反応検査

1 赤血球沈降速度（ESR）

赤血球沈降速度（赤沈，ESR）は炎症で亢進するが，貧血，血清たんぱく質などの影響も受ける。膠原病の活動性に伴い上下するが，以下のC反応性たんぱく（CRP）より変動は遅い。

2 C反応性たんぱく（CRP）

C反応性たんぱく（CRP）は，肝臓で産生される急性期反応物質である。赤沈よりも炎症を鋭敏に反映し，関節リウマチ，血管炎症候群などで赤沈とともに活動性の指標となる。一方，全身性エリテマトーデスでは赤沈が亢進しCRPは正常となることが多い。赤沈，CRPのいずれも感染症や悪性腫瘍でも高値となる。

3. 免疫学的検査

1 免疫グロブリン

免疫グロブリンにはIgG，IgA，IgM，IgD，IgEの5種類があり（図1-3参照），様々な抗原に対応できる可変領域（Fv）と構造の一定した不変領域（Fc）からなる。本来は異物に対する抗体だが，次に述べる抗核抗体，自己抗体など自分自身のからだの成分に対する抗体が含まれる。膠原病で高値となることが多い。

2 リウマトイド因子（RF）・抗CCP抗体

リウマトイド因子（rheumatoid factor：RF）は，免疫グロブリンIgGのFc部分に対する自己抗体で，関節リウマチ患者の80〜90％で陽性となるが，正常人でも5％程度陽性となる。

抗CCP（環状シトルリン化ペプチド）抗体の陽性率はRFと同程度だが，ほかの疾患での陽性率が低く（特異度が高い），より診断に有用で骨破壊を予測するマーカーである。

3 抗核抗体(ANA)

抗核抗体（anti-nuclear antibody：ANA）は細胞核の成分に対する抗体である。膠原病のスクリーニング検査として行われ，対応抗原により均質型，辺縁型，斑紋型，核小体型などのパターンがある。全身性エリテマトーデス，混合性結合組織病ではほぼ100％，強皮症では高率に陽性となるが，関節リウマチ，ベーチェット病，血管炎症候群などでは陰性のことが多い。

4 自己抗体

抗核抗体（ANA）が陽性となった場合に，さらにどの自己抗体が存在するか詳しく検査する。表3-2に示すように，自己抗体は特定の疾患や臓器障害と関連することが多い。たとえば抗ds-DNA抗体は全身性エリテマトーデスに特異的で，シェーグレン症候群などでみられる抗SS-A抗体は胎児の先天性心ブロックと関連する。

5 補体

補体は抗体の働きを助けるたんぱく質で，C1～C9まで9種類のタイプがある。検査では各因子の定量（C3，C4が用いられる）か，溶血活性（血清補体価，CH50）で測定する。全身

表3-2 代表的な自己抗体と陽性となる主な疾患

	自己抗体	陽性となる主な疾患
抗核抗体	抗ds-DNA抗体 抗RNP抗体 抗Sm抗体 抗SS-A抗体 抗SS-B抗体 抗Scl-70抗体 抗RNAポリメラーゼIII抗体 抗リボソームP抗体 抗セントロメア抗体	SLE MCTD，SLE，SSc SLE SjS，SLE SjS SScび漫型 SScび漫型 SLE SSc限局型
抗細胞質抗体	抗Jo-1抗体 抗ARS抗体 抗ミトコンドリア抗体	PM/DM PM/DM 原発性胆汁性胆管炎
抗好中球細胞質抗体	MPO-ANCA PR3-ANCA	MPA，EGPA GPA
クームス試験	赤血球膜上抗原	AIHA，SLE
血漿中成分	リウマトイド因子 抗CCP抗体 抗リン脂質抗体 抗カルジオリピン抗体 ループスアンチコアグラント	RA，APS，SLE

＊SLE：全身性エリテマトーデス，MCTD：混合性結合組織病，SSc：強皮症，SjS：シェーグレン症候群，PM/DM：多発性筋炎/皮膚筋炎，MPA：顕微鏡的多発血管炎，EGPA：好酸球性多発血管炎性肉芽腫症，GPA：多発血管炎性肉芽腫症，AIHA：自己免疫性溶血性貧血，RA：関節リウマチ，APS：抗リン脂質抗体症候群

性エリテマトーデスおよび悪性関節リウマチでは補体が消費され低値となる。逆に通常の関節リウマチ，血管炎症候群などでは炎症により高値となる。

4. そのほかの検査

1 穿刺検査

　中枢神経系の病変が疑われる場合は，髄液を採取し細胞数やたんぱく質などを調べる。関節液，胸水，腹水は正常ではごくわずかだが，病的状態で増加した場合は貯留液を採取し検査する。いずれも無菌的な操作が重要である。
▶ **髄液**　髄液検査は，中枢神経系の炎症をみる目的で，全身性エリテマトーデス，ベーチェット病などに中枢神経症状を認めたときに行う。
▶ **関節液**　関節液は正常では少量で無色透明だが，関節リウマチ，結晶誘発関節炎，感染性関節炎では関節の炎症のため関節液が増加する。関節液を採取し，結晶の有無などを調べる。外傷，抗凝固薬内服中，血友病などでは血性となる。
▶ **胸水，腹水**　胸水，腹水では穿刺して，滲出液か漏出液か区別する。滲出液は原病や感染症などによる炎症により，漏出液は心不全，腎不全などによる二次的なものである。

2 病理組織学的検査

　膠原病の臓器病変の診断，重症度の判断のために病理組織学的検査を行う。生検にあたっては，痛みを伴うこともあり，安全に行えるように，また術後感染を起こさないように十分な配慮が必要である。
①**全身性エリテマトーデス**の腎炎では，診断とその重症度の評価の目的で腎生検を行う。皮疹の組織検査も診断目的で行われる。
②**皮膚筋炎**や**多発性筋炎**では，筋炎を確定するために筋生検を行う。
③**血管炎症候群**では，腎臓，筋肉，皮膚，側頭動脈などの臓器の組織検査を行う。
④**間質性肺病変**がある場合，病変により治療反応性や予後が異なるため，肺の組織検査を行う。
⑤**シェーグレン症候群**では，診断目的で口唇の小唾液腺の生検を行う。

3 画像検査

　病変の検出，評価のために画像診断は重要である。単純X線検査，超音波検査（エコー検査），CT（コンピューター断層撮影）検査，MRI（核磁気共鳴画像）検査，シンチグラフィー，サーモグラフィーなどがある。

C 膠原病の診断

　膠原病の診断には，まず**臨床所見**が重要で，問診，診察から膠原病が疑われた際には各検査を行い診断の補助とする。**診断基準**が個々の患者の診断を目的としているのに対し，学会などで出されている**分類基準**は個々の患者の診断よりも臨床研究で均一な患者集団を選別する目的で用いる。臨床所見，診断基準，分類基準を参考に担当医が個々の症例を診断する。

III 膠原病の治療

　膠原病の治療は薬物療法が主体だが，外科的治療，リハビリテーションも行われる。また膠原病は治療期間が長く，社会的支援の活用や日常生活上の注意点も重要である。最近では各種の指針（ガイドライン）も出され，治療にあたり参考にされている。

A 薬物療法

1. 炎症と自己免疫異常の抑制

　炎症に対しては**非ステロイド性抗炎症薬**（NSAIDs）を対症療法的（症状を改善する治療）に使用する。また，自己免疫異常に対しては，免疫抑制作用をもつ**副腎皮質ステロイド薬，免疫抑制薬**を使用する。
　関節リウマチの関節症状の改善と関節破壊の抑制を目的に用いられる薬剤は**抗リウマチ薬**（disease modifying anti-rheumatic drugs：DMARDs）である。
　副腎皮質ステロイド薬，免疫抑制薬，DMARDsによる治療を行う際には，自己免疫異常と同時に正常の免疫反応も抑えるため日和見感染症に注意する。

2. そのほかの症状に対する薬物治療

　レイノー現象，皮膚潰瘍，血栓症，肺動脈性肺高血圧症などに対しては血管拡張薬や血栓を予防するための抗血小板薬・抗凝固薬を併用する。

B 膠原病の治療薬

　膠原病治療薬の基本であるNSAIDs，副腎皮質ステロイド薬，抗リウマチ薬，免疫抑制薬，生物学的製剤，そのほかの薬剤について述べる。

1. 非ステロイド性抗炎症薬（NSAIDs）

　細胞膜にあるアラキドン酸から PG（prostaglandin, プロスタグランジン）あるいは LT（leukotriene, ロイコトリエン）が産生される経路は，**アラキドン酸カスケード**とよばれる（図3-3）。PG，LT はからだの機能を維持する重要な生理活性をもつと同時に炎症も介する。このカスケードで重要なのは PG の合成酵素である **COX**（cyclooxygenase, シクロオキシゲナーゼ）で，NSAIDs は COX 阻害作用により PG 合成を抑えて抗炎症・鎮痛効果を発揮する。

　COX には，常に存在し臓器保護に働く COX-1 と，炎症部位で産生される COX-2 の2種類がある。COX-2 選択性の高い NSAIDs は，その抗炎症効果に比べ胃粘膜障害などの副作用が少ない。

1 NSAIDs の種類

　多くの種類があり，化学構造や投与経路で分類される。投与経路には内服薬のほかに坐薬，注射薬，軟膏やゲルなどの経皮吸収薬，湿布やテープなどの貼付薬などがある。副作用を減らすために，プロドラッグ（体内で活性型となる薬剤），COX-2 選択的阻害薬もある。

2 NSAIDs の副作用

　NSAIDs の副作用では，胃腸障害，腎障害が高頻度で，NSAIDs を長期に使用する関節リウマチの患者では，胃十二指腸潰瘍が15.5％という高い頻度でみられるとの報告がある。心不全，ネフローゼ，肝硬変の患者，高齢者などでは PG により腎血流が維持されており，NSAIDs 使用時は PG 合成阻害による腎機能障害に注意する。

2. 副腎皮質ステロイド薬

1 副腎皮質ステロイド薬の種類・作用

　副腎皮質ステロイド薬は，副腎皮質から分泌される天然の構造をもつ物質（糖質コルチコイド），あるいは化学構造に変化を加えて合成された物質で，多彩な生理作用をもつ。膠原病では，糖質コルチコイド作用（糖新生による血糖値の上昇，抗炎症作用，免疫抑制作用など）の強さ，作用時間，胎盤通過性，鉱質コルチコイド作用（電解質バランス，体液バランスへの影響）の有無により使い分けられる（表3-3）。

　副腎皮質ステロイド薬は，少量では**抗炎症作用**，多量では**免疫抑制作用**をもつ。

2 副腎皮質ステロイド薬の投与法

　通常は内服薬だが，注射薬，外用薬もある。抗炎症作用はプレドニゾロン 5～10mg/日で発揮され，免疫抑制作用には 30mg/日以上が必要である。治療対象となる臓器病変と，体重により投与量を決定する。

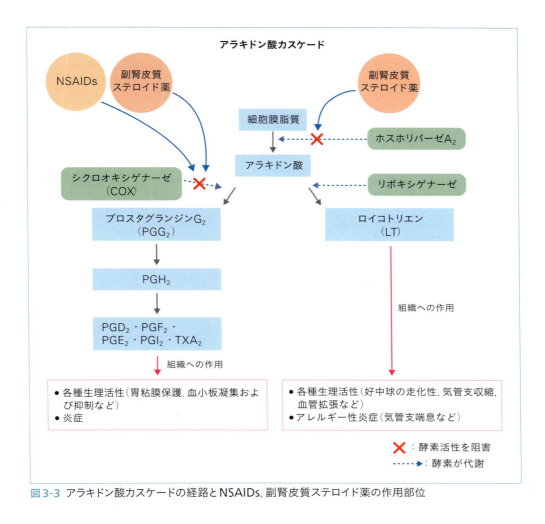

図3-3 アラキドン酸カスケードの経路とNSAIDs，副腎皮質ステロイド薬の作用部位

　十分量を2～4週投与した後に減量を開始するが，疾患の増悪がなければ投与量の1割を目安に1～2週ごとに減量する。最終的には1日5～10mg程度の維持量を目標とする。
　急性間質性肺炎，急速進行性腎炎，中枢神経症状などの重篤な病態では，**ステロイドパルス療法**（副腎皮質ステロイド薬の大量投与）を行う。
　副腎皮質ステロイド薬の投与が長期にわたると副腎皮質が萎縮し，自らのステロイド産生力が低下するため，副腎皮質ステロイド薬の急な中止は血圧低下などのショック症状をきたす（**ステロイド離脱症候群**）。少量の服用中でも，手術などの際には一時的に増量（**ステロイドカバー**）する。関節リウマチで副腎皮質ステロイド薬を使用する際は，半年程度で中止するよう心がける。

3　副腎皮質ステロイド薬の副作用

　副腎皮質ステロイド薬には様々な副作用がある（表3-4）。特に注意が必要なものは，免疫抑制による**日和見感染症**と**潜在性感染症**（結核，B型肝炎ウイルス）の再活性化，骨粗鬆症，

表3-3 副腎皮質ステロイド薬の種類と特徴

	コルチゾール（ヒドロコルチゾン）	プレドニゾロン	メチルプレドニゾロン	ベタメタゾン	デキサメタゾン
糖質コルチコイド作用*	1	4	5	25	25
血中半減期（時間）	1.2	2.5	2.8	3.5	3.5
特徴・使用方法	・天然型ステロイド ・即効性がありショック症状の患者に使用 ・副腎不全の患者への副腎ステロイドの補充治療 ・ステロイドカバーに使用	・免疫疾患に使用する ・標準的な副腎皮質ステロイド薬	・鉱質コルチコイド作用が少なく電解質への影響が少ない ・肺への移行性が高い ・ステロイドパルス療法で使用される	・胎盤へ移行するために新生児呼吸窮迫症候群に使用	
商品名	・コートリル® ・水溶性ハイドロコートン® ・ソル・コーテフ® ・ヒドロコルチゾンコハク酸エステルNa	・プレドニン® ・プレドニゾロン	・メドロール® ・ソル・メドロール®	・リンデロン®	・デカドロン® ・リメタゾン®

＊：コルチゾールを1としたときの薬理作用の強さ。

表3-4 副腎皮質ステロイド薬の副作用

重症副作用		軽症副作用	
・感染症の増悪・誘発 ・消化性潰瘍 ・糖尿病 ・脂質異常症，動脈硬化 ・無菌性骨壊死 ・精神障害 ・血栓症	・高血圧 ・骨粗鬆症，骨折 ・副腎不全 ・白内障，緑内障 ・ステロイド筋症	・尋常性痤瘡（にきび） ・多毛症 ・皮下出血 ・紫斑 ・満月様顔貌 ・体幹肥満 ・体重増加	・月経異常 ・多尿 ・多汗 ・興奮 ・不眠 ・浮腫 ・低カリウム血症

糖尿病である。感染予防（例：マスクを着用するなど），骨粗鬆症の評価と治療，耐糖能のチェックなど，定期的な副作用モニタリングと予防を欠かさず行う。

3. 抗リウマチ薬（DMARDs）

1 抗リウマチ薬（DMARDs）の種類

関節リウマチの治療目標は，症状の改善と関節破壊の進行を抑えることである。そのために用いるのが抗リウマチ薬（DMARDs）で，化学合成された製剤とバイオテクノロジー技術を用いて生成された生物学的製剤がある。日本では現在約20種類のDMARDsが使用可能である（表3-5）。近年開発された生物学的製剤やJAK（Janus kinase，ヤヌスキナーゼ）阻害薬は，関節リウマチの炎症にかかわる分子を標的とし**分子標的薬**とよばれる。

関節リウマチの治療の第一選択薬DMARDsは，**メトトレキサート**（MTX）である。内服方法が特殊で，4～16mgを週1回，曜日を決めて内服する。副作用予防のため葉酸併

表3-5 抗リウマチ薬（DMARDs）の種類と用法・副作用

一般名	商品名	効果	用法	副作用
疾患修飾性抗リウマチ薬				
【金製剤】				
金チオリンゴ酸ナトリウム	シオゾール®	中	筋注	皮疹，尿たんぱく
【SH製剤】				
ペニシラミン	メタルカプターゼ®	中	経口	皮疹，尿たんぱく，血液障害
ブシラミン	リマチル®	中	経口	皮疹，尿たんぱく，間質性肺炎
【そのほか】				
サラゾスルファピリジン	アザルフィジン®EN	中	経口	皮疹，消化器症状，肝障害
アクタリット	モーバー®，オークル®	弱	経口	少ない
イグラチモド	ケアラム®	中	経口	肝障害
免疫抑制薬				
メトトレキサート	リウマトレックス®	強	経口	肝障害，間質性肺炎，骨髄抑制リンパ増殖性疾患
	メトジェクト®	強	皮下注	肝障害，間質性肺炎，骨髄抑制リンパ増殖性疾患
ミゾリビン	ブレディニン®	弱	経口	少ない
レフルノミド	アラバ®	強	経口	肝障害，下痢，間質性肺炎
タクロリムス水和物	プログラフ®	中	経口	肝障害，下痢，血圧上昇
JAK阻害薬				
トファシチニブクエン酸塩	ゼルヤンツ®	強	経口	帯状疱疹，感染症
バリシチニブ	オルミエント®	強	経口	帯状疱疹，感染症
ペフィシチニブ臭化水素酸塩	スマイラフ®	強	経口	帯状疱疹，感染症
ウパダシチニブ水和物	リンヴォック®	強	経口	帯状疱疹，感染症
フィルゴチニブマレイン酸塩	ジセレカ®	強	経口	帯状疱疹，感染症
生物学的製剤				
【TNF阻害薬】				
〈キメラ抗TNFα抗体〉				
インフリキシマブ	レミケード®	強	静注	感染症（結核，肺炎），投与時反応
〈リコンビナントsTNFレセプター〉				
エタネルセプト	エンブレル®	強	皮下注	感染症，注射部位反応
〈ヒト型抗TNFα抗体〉				
アダリムマブ	ヒュミラ®	強	皮下注	感染症
ゴリムマブ	シンポニー®	強	皮下注	感染症
〈ペグ化抗ヒトTNFα抗体フラグメント〉				
セルトリズマブ ペゴル	シムジア®	強	皮下注	感染症
〈一本鎖ヒト化抗ヒトTNFαモノクローナル抗体製剤〉				
オゾラリズマブ	ナノゾラ®	強	皮下注	感染症
【抗IL-6受容体抗体】				
トシリズマブ	アクテムラ®	強	静注 皮下注	感染症
サリルマブ	ケブザラ®	強	静注 皮下注	感染症
【CTLA-4製剤】				
アバタセプト	オレンシア®	強	静注 皮下注	感染症

注）〈 〉内は薬の構造を示す。

用が勧められる。副作用には、肝障害のほか、骨髄抑制、間質性肺炎など重篤なものがある。腎機能低下では投与禁忌で、高齢者では慎重に投与する。そのほかのDMARDsの一部は免疫抑制効果をもち、次項に述べる免疫抑制薬にも分類される。

2 抗リウマチ薬（DMARDs）の投与法

関節リウマチでは禁忌がなければ**メトトレキサート（MTX）**が第一選択薬である。高齢者や安全性に問題がある場合は、ほかのDMARDsを選択する。内服のDMARDsを使用しても効果が不十分な場合は、生物学的製剤さらにはJAK阻害薬の使用を考慮する。治療の進めかたは「関節リウマチ診療ガイドライン2020」（日本リウマチ学会）に記載されている治療アルゴリズムが参考にされる。

近年の臨床研究で、関節炎の活動性をできるだけ抑えることで関節破壊の進行が抑えられることが示されている。治療目標を定めて治療を行うことは"Treat to Target（T2T）"という。

DMARDs投与期間中には副作用のモニタリングを欠かさず行い、重篤な副作用発現時には入院加療など速やかに対応する。

4. 免疫抑制薬

全身性エリテマトーデス、皮膚筋炎・多発性筋炎、血管炎症候群、強皮症などでは免疫抑制薬を使用する。免疫抑制薬には様々な作用機序があり（表3-6）、細胞毒性をもつ薬剤が多い。免疫細胞以外にも、細胞回転の速い骨髄、皮膚上皮、口腔粘膜、腸管粘膜、毛包、胎児などは影響を受けやすい。

1 免疫抑制薬の適応

免疫抑制薬は、副腎皮質ステロイド薬治療において、①治療抵抗性がみられるとき、②副作用が問題となるとき、③減量が困難なとき、に併用される。あるいは血管炎症候群、重症ループス腎炎、精神神経ループスでシクロホスファミド水和物の併用、皮膚筋炎の急

表3-6 免疫抑制薬の分類と作用機序

分類	作用機序	薬剤（商品名）
アルキル化薬	DNA複製阻害	シクロホスファミド水和物（エンドキサン®）
プリン代謝拮抗薬	核酸合成阻害	アザチオプリン（イムラン®） ミゾリビン（ブレディニン®） ミコフェノール酸モフェチル（セルセプト®）
葉酸拮抗薬	核酸合成阻害	メトトレキサート（メソトレキセート®、リウマトレックス®）
ピリミジン代謝拮抗薬	核酸合成阻害	レフルノミド（アラバ®）
カルシニューリン阻害薬	T細胞IL-2産生抑制	シクロスポリン（サンディミュン®、ネオーラル®） タクロリムス水和物（プログラフ®）

速進行性間質性肺炎ではカルシニューリン阻害薬の併用が初期から行われる。

2 免疫抑制薬の種類と投与法

▶**シクロホスファミド水和物** 多くの膠原病の難治性病態に有効だが，卵巣機能不全や悪性疾患の増加など重い副作用がある。長期間使用し続ける薬剤ではなく，一定期間投与後は以下に述べるアザチオプリンなどに変更する。投与方法には経口と点滴投与がある。

▶**アザチオプリン** 副作用が比較的軽く，シクロホスファミド水和物治療後の維持療法に用いられることが多い。副作用には肝障害がある。

▶**シクロスポリン，タクロリムス水和物** カルシニューリン阻害薬で，皮膚筋炎，多発性筋炎の間質性肺炎のほか，シクロスポリンはベーチェット病の眼症状，タクロリムス水和物はループス腎炎，関節リウマチなどに使用される。

▶**ミコフェノール酸モフェチル** ループス腎炎に対し適応がある。ただし，妊娠可能な女性では奇形の副作用に注意する。

3 免疫抑制薬の副作用

免疫抑制薬に共通する副作用には，骨髄抑制，感染症，脱毛などがある。免疫抑制状態では，日和見感染症，すなわち健常人では発症しない弱毒菌による感染症に注意する。

5. 分子標的薬：生物学的製剤，JAK阻害薬

関節リウマチそのほか膠原病の炎症にかかわる分子を標的に作成された薬剤は分子標的薬とよばれ，生物学的製剤とJAK阻害薬の2種類がある。

生物学的製剤は，分子生物学的手法を用いて作成されたたんぱく質製剤で，ターゲットとする分子により，TNF（腫瘍壊死因子）阻害薬，抗IL-6（interleukin-6，インターロイキン-6）受容体抗体，CTLA-4（cytotoxic T-lymphocyte antigen 4）製剤がある。

JAK阻害薬は，化学合成された低分子化合物であり，現在5つの製剤がある。

これらは関節リウマチをはじめとした炎症性疾患に用いられ，いずれの薬剤も関節炎に有効で骨破壊進行抑制効果が報告されているが，感染症（特に結核，B型肝炎の再活性化）に注意が必要である。

そのほかの生物学的製剤として，リツキシマブ，ベリムマブ，アニフロルマブなどがある。

1 生物学的製剤

▶**TNF阻害薬** 現在6つの製剤が発売されている（表3-5）。投与法には点滴静脈注射，皮下注射がある。関節リウマチのほか，特殊型ベーチェット病，ぶどう膜炎，強直性脊椎炎，若年性特発性関節炎，乾癬および関節症性乾癬，クローン病，潰瘍性大腸炎などが適応である。

▶ **抗IL-6受容体抗体**　トシリズマブはIL-6の受容体に結合しIL-6の作用を抑える抗体製剤で，日本で開発された。適応となる疾患は関節リウマチのほかに，キャッスルマン（Castleman）病，若年性特発性関節炎，大動脈炎症候群（高安動脈炎），巨細胞性動脈炎である。サリルマブもトシリズマブ同様，関節リウマチに使用される。

▶ **CTLA-4製剤**　アバタセプトは，免疫系を抑制するCTLA-4分子とIgGのFc部分より構成された遺伝子組み換え融合たんぱく質で，T細胞の活性化を抑制する。関節リウマチが適応である。

2　JAK阻害薬

　サイトカインからの刺激をリンパ球内の細胞へ伝達する分子を標的とする薬剤で，5製剤が使用可能である。薬剤により関節リウマチのほかに，潰瘍性大腸炎，関節症性乾癬などに適応がある。

3　そのほかの生物学的製剤

▶ **リツキシマブ**　抗CD20モノクローナル抗体であるリツキシマブは，難治性血管炎症候群，強皮症，ループス腎炎に用いられる。

▶ **ベリムマブ，アニフロルマブ**　ベリムマブは抗BLyS（Bリンパ球刺激因子）抗体，アニフロルマブは抗I型インターフェロン受容体1抗体であり，ともに全身性エリテマトーデスに用いられる。

6. そのほかの薬剤，治療

▶ **血管拡張薬**　血管拡張薬は，レイノー現象や皮膚潰瘍を伴う症例で使用されている。肺動脈性肺高血圧症に対しては，エンドセリン受容体拮抗薬，プロスタグランジン製剤，ホスホジエステラーゼ阻害薬，可溶性グアニル酸シクラーゼ刺激薬などの薬剤が使用される。

▶ **抗血小板療法・抗凝固療法**　ループス腎炎，抗リン脂質抗体症候群，血管炎などでは，補助療法として抗血小板療法，抗凝固療法を併用する。

▶ **ヒドロキシクロロキン硫酸塩**　日本では網膜症の副作用のため長らく使用できなかったが，全身性エリテマトーデスに使用可能となった。投与開始前の眼科でのスクリーニング検査が必須である。

▶ **そのほか**　疾患により，造血幹細胞移植，血漿交換療法，ガンマグロブリン療法が行われる。ニューモシスチス肺炎は重篤な呼吸器感染症であり，強力な免疫抑制療法を行っている期間は，ST合剤による予防投与を行う。

C　外科的治療

▶ **治療対象**　関節リウマチ，変形性関節症，感染性関節炎，副腎皮質ステロイド薬の副作

用で生じる骨頭壊死などが関節の外科的治療の対象となる。関節リウマチでは薬物療法などの保存療法を行っても疼痛が強い場合，持つ・握る・つかむ・歩くなどの基本動作が障害されている場合，関節破壊が高度・進行性の場合，脊椎病変による神経症状を認める場合などが外科的治療の対象となる。

▶ **手術対象**　四肢の関節，脊椎が対象で，術式には人工関節置換術，滑膜切除術，関節固定術などがある。関節以外では大動脈炎症候群（高安動脈炎）で内科的治療に抵抗性の動脈瘤，動脈狭窄や閉塞，弁膜症を合併した際に人工血管置換術などの心臓血管外科的治療が行われる。

▶ **注意点**　手術前後の周術期の管理が必要で，挿管時の頸椎病変の悪化のリスク，免疫抑制による術後感染リスク，骨粗鬆症による骨折リスク，術後の塞栓症のリスクに注意する。外科的治療時の薬物治療については，生物学的製剤は人工関節置換術の術後感染の危険が高く一定期間休薬する。副腎皮質ステロイド薬は手術ストレスに備え一時的に増量する（ステロイドカバー）。メトトレキサートは高用量でなければ継続する。

D リハビリテーション

　関節リウマチや筋炎をはじめとしたリウマチ性疾患は，長期にわたり関節・骨・筋に影響を及ぼす。個々の患者の状態を評価し，患者に合わせたリハビリテーションを行う。

　運動器のリハビリテーションには理学療法と作業療法がある。

▶ **理学療法**　関節の可動域や筋力などを改善する目的で行う。いわゆるリウマチ体操は関節の拘縮や機能低下を防ぐために有効である。

▶ **作業療法**　日常の作業をできるようにすることを目標とした訓練を行う。

▶ **装具・自助具**　関節機能障害が進行した場合は装具や自助具を用いる。

E 社会的支援の活用

　膠原病患者は ADL（activity of daily living，日常生活動作）の低下，通院・治療薬の金銭的負担などのハンディキャップを負っている。次にあげるような制度があり市町村や都道府県の担当窓口へ申し込む。

❶ 高額療養費制度

　医療機関や薬局の窓口で支払う医療費が1か月で上限額を超えた場合，その超えた額を支給する制度である。負担の上限額は患者の収入によって異なる。

❷ 介護保険

　介護が必要な人が適切な介護サービスを受けることができるしくみである。状態に応じて要支援，要介護のいくつかの段階に分けられ，介護施設や自宅で介護サービスを受けることが可能になる。

❸障害年金

病気によって生活や仕事などが制限されるようになった場合に，現役世代の人も含めて受け取ることができる。

❹障害者総合支援法

障害がある人に対して総合的な支援を行う法律で，必要と認められた福祉サービスや福祉用具の給付や支援を受けることができる。

❺身体障害者福祉法

身体障害者が健常者と同等の生活を送るのに必要な援助を受けるために身体障害者手帳を発行する制度である。障害の種類や程度により1級から7級に区分される。

❻難病法

難病法による指定難病の場合，重症度分類に応じて医療費助成の対象となる。

上記のほか，加入している健康保険により付加給付制度，一人親家庭に対する医療福祉費支給制度などがある．

F 日常生活上の注意点

感染症対策，バランスのとれた食事，適度な運動，正確な服薬などが大切である。喫煙は末梢循環不全や呼吸器疾患を悪化させ，関節リウマチ発症と関連し抗リウマチ薬（DMARDs）の効果が不十分になる要因ともなるため，禁煙を強く勧める。アルコールは適度な量であれば，通常は問題ない。

国家試験問題

1 全身性エリテマトーデスでメチルプレドニゾロンによるパルス療法を行う患者への対応で適切なのはどれか。

(94回 AM91)

1. 食事は滅菌食にする。
2. 病室を出るときはマスクの着用を促す。
3. 脱毛の可能性があることを伝える。
4. 日当たりの良い窓際のベッドを準備する。

▶答えは巻末

第1編 膠原病とその診療

第 **4** 章

膠原病と診療

この章では
- 膠原病,膠原病類縁疾患の原因・症状・治療について理解する。

国家試験出題基準掲載疾患

関節リウマチ｜全身性エリテマトーデス｜シェーグレン症候群｜全身性強皮症｜皮膚筋炎｜多発性筋炎｜ベーチェット病

I 関節リウマチ

Digest
関節リウマチ

概要	・関節のこわばりと痛みを主症状とする代表的な膠原病。多くの患者に自己抗体がみられる。 ・男女比は1：5と女性に多く，40歳代をピークに幅広い年齢に発症する。
原因	・発症には遺伝的要因と環境要因の両方が関与すると考えられている。
症状	・関節症状：関節のこわばりと痛み。関節炎が持続すると骨・軟骨の破壊が進み徐々に関節変形をきたす（尺側偏位，スワンネック変形，ボタン穴変形など）。 ・関節外症状：リウマトイド結節，間質性肺炎，血管炎など。関節外症状を合併した関節リウマチは悪性関節リウマチとよばれる。
検査・診断	・血液検査：赤沈亢進，CRP上昇，RF陽性，抗CCP抗体陽性。 ・画像診断：スタインブロッカーのステージ分類で関節破壊の進行度をみる。 ・関節穿刺：炎症部位の関節液は，粘稠度低下，白血球数増加，混濁。 ・診断：関節リウマチ分類基準（アメリカ／ヨーロッパリウマチ学会2010年分類基準）。
主な治療	・基礎療法：疾患活動期は疲労を避け，十分な安静が必要。それでも最低限のリハビリテーション（リウマチ体操など）は必要。 ・薬物療法：抗リウマチ薬，非ステロイド性抗炎症薬，副腎皮質ステロイド薬。 ・外科的治療：滑膜切除術，人工関節置換術，関節固定術など。 ・リハビリテーション：理学療法，作業療法，リウマチ体操など。

1 概要

　関節リウマチ（rheumatoid arthritis：RA）は，**関節のこわばり**と**痛み**を主症状とする代表的な膠原病である。関節症状は，よくなったり悪くなったりを繰り返し，治療を開始しないと関節破壊が進行し，ADL（日常生活動作）が制限される。多くの患者で**RF**（リウマトイド因子），**抗CCP**（環状シトルリン化ペプチド）**抗体**などの自己抗体が陽性となる。また，関節以外にも**間質性肺炎**，**リウマトイド結節**（リウマチ結節），**血管炎**などの関節外病変を伴う。

　膠原病のなかでは最も多く，日本での患者数は70万～80万人と推定されているが，年間の発症数や罹患患者数の情報は十分ではない。男女比は1：3程度と女性に多く，40歳代をピークに幅広い年齢に発症する。

　関節リウマチは，介護保険法で定める**特定疾病**である。ただし，難病法における指定難病には悪性関節リウマチのみが該当し，関節リウマチは該当しない。

2 原因

　発症には遺伝的要因と環境要因の両方が関与する。**遺伝的要因**では，細胞表面上の免疫にかかわる分子であるHLA-DR4のほかにも様々な免疫系の分子の遺伝子多型が関節リウマチと関連する。実際に関節リウマチの患者には膠原病の家族歴があることが多い。一方で**環境要因**として喫煙の関与も報告されている。

3 病態生理

発症早期には，関節のまわりを包む**滑膜の増殖**，免疫細胞の浸潤などの炎症性変化を認める（**滑膜炎**，図4-1）。長期化すると，滑膜から産生されたたんぱく質分解酵素により，骨や軟骨が溶かされ**骨びらん**を形成し，関節の隙間（関節裂隙）が狭くなる。さらに炎症が長期化すると，骨破壊が進行して骨どうしが**癒合**する。

4 分類

成人の関節リウマチのほか，16歳未満に発症した関節炎は**若年性特発性関節炎**（juvenile idiopathic arthritis；JIA）とよばれ，少関節型，多関節型（成人の関節リウマチと同じ），全身型（スチル病）に分類される。

手指の変形が高度で指の支持性が失われたものは，ムチランス型とよばれる。

5 症状

❶関節症状

発症早期には手指のほか全身の関節の痛みを訴える。痛みは午前中に強く，痛む場所は日により移動する。また，手指の握りづらさを自覚し（朝のこわばり），30分以上持続する。手指の症状はMCP（中手指節）関節，PIP（近位指節間）関節，手関節に好発し，通常は左右とも対称性に症状がみられる。

関節炎が持続すると骨・軟骨の破壊が進み，徐々に関節変形をきたす。手指では**尺側偏位**，**スワンネック変形**，**ボタン穴変形**（図2-1参照）など。また，指の伸筋腱が断裂して，小指，薬指などが伸びなくなることがある（伸筋腱断裂）。足趾では**外反母趾**，**鷲爪変形**，**槌趾変形**，**扁平足**などがみられる。膝関節に炎症が起こるとX脚になり，股関節に起こると**中心性亜脱臼**などを起こす。進行例では頸椎の1番と2番の関節（環軸関節）の亜脱臼を生じ，脊髄圧迫による手足のしびれや四肢麻痺の原因となることがある。

❷関節外症状

関節リウマチは，関節以外にも病変を認めることがある。肘伸側にできることの多いリウマトイド結節（リウマチ結節），心膜炎あるいは胸膜炎，間質性肺炎，強膜炎，血管炎による末梢神経障害（左右差のある運動・感覚障害）などがその例で，これらの関節外症状を合併した関節リウマチは**悪性関節リウマチ**とよばれる。

そのほか，悪性リンパ腫，肺がんなどの一部の悪性腫瘍の頻度も一般人口に比べると高いとされている。

6 検査

❶血液検査所見

関節の炎症の指標には赤沈（赤血球沈降速度，ESR），CRP（C反応たんぱく）があり，赤沈

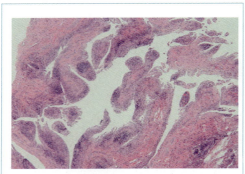
滑膜増殖とリンパ球などの免疫細胞の浸潤を認める。
図4-1 滑膜炎の病理像

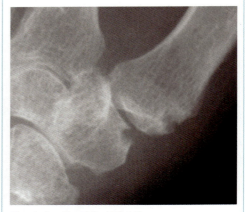
骨の虫食い状の変化を認める。
図4-2 骨びらんのX線写真

亢進，CRP上昇を示す。MMP-3（matrix metalloproteinase-3）は関節破壊の指標となる。自己抗体ではRF（リウマトイド因子），抗CCP抗体があり，抗CCP抗体はRFと比べ，より特異度が高く，偽陽性が少ない（ほかの疾患で陽性となることが少ない）。疾患活動期には白血球数増加，血小板数増加，炎症性貧血，アルブミン低下などを認める。

❷画像診断

早期には関節軟骨の破壊・吸収により関節裂隙が狭くなり，進行すると骨びらん（図4-2），骨破壊を生じ，関節は変形する。さらに進行すると骨が融合し強直する。

❸関節穿刺

炎症が強いと関節腔に関節液が貯留する。関節穿刺により溜まった関節液を除く。これは感染症や結晶誘発関節炎など，ほかの疾患の除外目的，症状改善目的で行う。関節炎のある部位での関節液は，粘稠度が低下し，白血球数増加のため混濁する。

7 診断

手指の関節炎にX線像での骨びらんや自己抗体陽性などの所見があれば診断が容易だが，早期例は判断が難しいこともある。早期からメトトレキサートを開始すべき患者を選別する目的で，2010年にアメリカ／ヨーロッパリウマチ学会により分類基準が発表された。

8 評価

関節炎の評価には，疾患活動性の評価と身体機能の評価がある。

❶疾患活動性の評価

関節炎の活動性は，関節所見，炎症反応，患者および医師による全般評価を総合して評

価する．この項目を一つの数値とした総合的疾患活動性指標*を参考に治療すると，関節破壊の進行を最小限に抑えることができる．関節所見は関節図に記載する．

❷**身体機能の評価**

身体機能の評価には，HAQ-DI（health assessment questionnaire-disability index，健康評価質問票による機能障害指数）などを用いる．

9 治療

❶**治療目標**

早期例での治療目標は，薬物療法により痛みのない状態（**臨床的寛解**）にし，関節破壊を抑え（**構造的寛解**），身体機能を正常に維持する（**機能的寛解**）ことである．罹病期間が長い例，合併症がある例では，できるだけ関節炎の活動性を低く抑え，痛みと関節破壊を最小限に抑えるのが目標となる．治療方法の選択にあたっては医師の判断だけではなく患者の同意も必要である．進行例では**外科的治療**，**リハビリテーション**も重要となる．

❷**治療方法**

（1）基礎療法

関節リウマチの疾患活動期には疲労を避け，十分な安静・栄養をとり，保温も心がける必要がある．一方，疾患活動期でも最低限のリハビリテーションは必要で，関節の拘縮や筋力低下を予防するためにリウマチ体操などの運動療法は必要である．

（2）薬物療法

関節リウマチの主な治療薬として，**抗リウマチ薬**（DMARDs），**非ステロイド性抗炎症薬**（NSAIDs），**副腎皮質ステロイド薬**がある（本編-第3章-Ⅲ「膠原病の治療」参照）．治療の概要は次のようになる．

> ①活動性の関節リウマチと診断した時点から，症状改善と関節破壊の進行を抑える目的でDMARDsを開始する．第1選択薬は**メトトレキサート**である．効果がなければ他剤を追加あるいは併用する．難治例には生物学的製剤の使用を検討する
> ②NSAIDsは関節痛の軽減目的に使用するが，あくまで対症療法である
> ③副腎皮質ステロイド薬は，関節炎の活動性が高い場合に併用される．プレドニゾロン換算で10mg/日以内の少量で半年程度にとどめる．関節の炎症が強い場合は，関節腔内注入や静脈内投与を行うことがある
> ④①〜③の薬物療法を行う際には，治療効果の指標として，前述の**総合的疾患活動性指標**を用いる．また副作用のモニタリングを定期的に行う

（3）外科的治療

十分な薬物療法を行っても改善しない痛み，関節の変形・破壊が高度でADLの障害が強いときには外科的治療を考慮する．具体的には**滑膜切除術**，膝関節と股関節に**人工関節**

---

*総合的疾患活動性指標：指標にはDAS（disease activity score）28-ESR，DAS28-CRP，CDAI（clinical disease activity index），SDAI（simplified disease activity index）などがある．これらは，主要な28関節の腫脹関節数と圧痛関節数，CRPあるいは赤沈，患者および医師による全般評価を数値化したものである．その値により関節炎の活動性（高活動性，中等度活動性，低活動性，寛解）が判定され，値の変化量により改善度が判定される．

置換術，足趾の変形に**足趾関節形成術**，頸椎や手指の安定性を保つために**関節固定術**，手指の伸筋腱断裂に**腱移植術**と**手関節形成術**などが行われる．

(4) リハビリテーション

リハビリテーションは，関節リウマチの治療においては薬物療法，手術療法とならぶ三本柱の一つである．筋力回復や関節可動域の維持を目的とした**理学療法**，日常動作訓練の**作業療法**がある．**リウマチ体操**も関節可動域と筋力維持のために有効である．

(5) そのほか

治療にあたっては次のような配慮が必要である．

①関節リウマチの女性が妊娠を希望する場合は，関節炎の活動性を十分に抑えることを優先する．薬剤のなかには妊娠・授乳に禁忌となるものもあり（メトトレキサートなど），事前の十分な計画が必要である
②関節リウマチ患者の死因には，呼吸器合併症，感染症，心血管疾患，アミロイドーシス，悪性腫瘍，腎不全などがある
③悪性関節リウマチは医療費の助成対象となる

II 全身性エリテマトーデス

Digest

全身性エリテマトーデス

概要	・蝶形紅斑などの皮疹と自己抗体の出現を特徴とした，多臓器の障害を合併する自己免疫性疾患． ・好発年齢：20〜40歳代，若い女性に好発（男女比1：9）．
原因	・遺伝的要因と環境要因の双方が関与．
症状	・全身症状（発熱，倦怠感，易疲労性，体重減少など），皮膚・粘膜症状（蝶形紅斑，円板状紅斑，日光過敏症など），リウマチ症状が主．内臓臓器症状（ループス腎炎など）もしばしば合併する．
検査・診断	・一般検査：赤沈上昇，関節炎などの合併時CRP上昇．血算では，白血球数減少，リンパ球数減少，血小板数減少，溶血性貧血もみられる． ・生化学検査：高ガンマグロブリン血症，低アルブミン血症，肝機能異常，腎機能低下． ・免疫学的検査：抗核抗体はほぼ全例で陽性．抗ds-DNA抗体，抗Sm抗体はSLEに特徴的． ・病理組織学的検査：皮膚生検，腎生検． ・診断基準：SLE分類基準（1997年改訂，アメリカリウマチ学会）．
主な治療	・基礎療法：適度な安静と運動．日光曝露などの増悪因子を避ける． ・薬物療法：関節症状程度であればNSAIDs，臓器障害を合併する場合は副腎皮質ステロイド薬を使用．重症の場合はステロイドパルス療法．重症例では初期から免疫抑制薬を併用する．

1 | 概要

全身性エリテマトーデス（systemic lupus erythematosus；SLE）は蝶形紅斑などの特有な皮疹と自己抗体の出現を特徴とし，多彩な臓器障害を合併する自己免疫性疾患の一つであ

る。日本では6万〜10万人ほどの患者がいる。男女比は1：9と女性が圧倒的に多い。20〜40歳代に発症が多く，若い女性に好発するのが本疾患の特徴である。

指定難病の一つで，重症度に応じて医療費の助成対象となる。

2 原因

本疾患の発症には遺伝的要因と環境要因の双方が関与する。**遺伝的要因**では，たとえば近親者で本疾患の発症頻度が高くなることが知られている。**環境要因**には，日光（紫外線）曝露，妊娠，感染症罹患，薬剤の副作用，ストレスなどがある。

3 病態生理

本疾患は抗核抗体が陽性で，**抗 ds-DNA 抗体**，**抗 Sm**（Smith）**抗体**など SLE に特異的な自己抗体が陽性となる。自己抗体が組織傷害を起こす機序としては，自己抗体が細胞あるいは組織に反応するⅡ型アレルギー（例：自己免疫性溶血性貧血），自己抗体と抗原が結合して組織傷害を起こすⅢ型アレルギー（例：ループス腎炎）がある（図 1-5 参照）。ほかに自己反応性 T 細胞による組織傷害，併存する抗リン脂質抗体による血栓・塞栓形成などもある。

4 症状

全身症状，皮膚・粘膜症状，リウマチ症状のほか，内臓臓器症状も合併する。

❶全身症状

活動期に発熱，全身倦怠感，易疲労性，食欲不振，体重減少がみられる。

❷皮膚・粘膜症状

本疾患には次のような特有の皮疹がある。

- 顔面の蝶形紅斑（図 2-2a 参照）は特有の皮疹である。色調変化のみではなく，浮腫性変化，表皮変化を伴う。紅斑は爪周囲，手掌，足底，耳介部にもみられる
- 円板状紅斑（ディスコイド疹，図 2-2b 参照）は顔面，頭皮，上肢に多い。萎縮性，角化性で瘢痕化の傾向が強い
- 日光過敏症は日光曝露により発赤，腫脹，水疱を生じる
- レイノー現象（図 2-8 参照）もしばしばみられる
- そのほか，凍瘡様皮疹（しもやけ様皮疹），口腔内潰瘍，脱毛などを認める

❸リウマチ症状

しばしば関節の痛みを訴える。通常は軟骨や骨の破壊はきたさないが，軟部組織の傷害により関節リウマチと類似した関節変形をきたすことがある（ジャクー関節症）。筋痛や軽度の CK（クレアチンキナーゼ）上昇をみることもある。

❹内臓臓器症状

ループス腎炎では，たんぱく尿，血尿，膿尿，顆粒円柱・赤血球円柱がみられ，大量のたんぱく尿のためにネフローゼ症候群がみられることもある。腎病理組織学的所見は腎機

能予後の指標，治療の参考となる。びまん性増殖性腎炎では腎機能が低下することが多い。

中枢神経症状は**精神神経ループス**とよばれ，錯乱，認知機能障害などの精神症状と頭痛，痙攣，脳血管病変，髄膜炎などの神経症状がある。

胸膜炎・心膜炎などの漿膜炎を合併し，時に胸痛，胸水貯留，心囊液貯留がみられる。心囊液が大量の場合は心臓の動きを圧迫することがある（心タンポナーデ）。

そのほか，頻度は高くないがループス腸炎（しばしば水腎症，膀胱炎を合併する），肝障害，間質性肺炎，リブマン・サックス心内膜炎なども合併する。

以上のうち，ループス腎炎，精神神経ループスは生命予後が不良である。

5　検査

❶ 一般検査

▶ **血液検査**　活動期には赤沈（赤血球沈降速度，ESR）の亢進がみられるが，CRP（C反応たんぱく）は正常のことが多い。CRPは関節炎，漿膜炎，リンパ節炎，感染症などを合併したときに高値となる。血算では，白血球数減少，リンパ球数減少，血小板数減少，溶血性貧血がみられる。

▶ **血液生化学検査**　高ガンマグロブリン血症がみられることが多く，炎症を反映し低アルブミン血症，そのほか肝機能異常，腎機能低下などがみられる。

▶ **尿検査**　ループス腎炎の尿定性検査ではたんぱく尿や血尿，尿沈渣検査では赤血球，白血球，赤血球円柱，顆粒円柱，脂肪円柱を認めるなど，様々な異常がみられる。

❷ 免疫学的検査

抗核抗体は，ほぼ全例で陽性である。**抗ds-DNA抗体**，**抗Sm抗体**はSLEに特徴的である。溶血性貧血合併例では直接あるいは間接クームス試験が陽性となる。抗リン脂質抗体も半数にみられ，梅毒血清反応の生物学的偽陽性，APTT（activated partial thromboplastin time，活性化部分トロンボプラスチン時間）延長，ループスアンチコアグラント，抗カルジオリピン抗体として測定される。そのほか，活動期には低補体血症（CH50，C3，C4の低下）がみられる。

❸ 病理組織学的検査

無疹部の皮膚生検でも皮下に免疫複合体の沈着が証明される（ループスバンドテスト）。腎炎は50～70％にみられ，その病型により予後や治療方針が異なるため，腎炎を合併した場合は腎生検を行う。

❹ そのほかの検査

胸水，心囊水は滲出液の所見である。精神神経ループスでは自己抗体検査，髄液検査，脳MRI検査，脳CT検査などを行い総合的に判断する。

6　診断

アメリカリウマチ学会の改訂分類基準が診断の参考になる。これらの症状は同時では

なくても，経過を通じて出現すればよい。これらの項目の重みは同等ではないため，最近では分類基準の改訂が進められている。

●全身性エリテマトーデス（SLE）1997年改訂分類基準（アメリカ リウマチ学会）

1. 蝶形紅斑
2. 円板状紅斑
3. 日光過敏症
4. 口腔内潰瘍
5. 関節炎（2つ以上の非びらん性末梢関節炎）
6. 漿膜炎（次のどれか1つ以上）
    a）胸膜炎　　　b）心膜炎
7. 腎障害（次のどれか1つ以上）
    a）1日0.5g以上の持続性たんぱく尿，あるいは3+以上の持続するたんぱく尿
    b）細胞性円柱
8. 神経障害（次のどれか1つ以上）
    a）痙攣　　　b）精神症状
9. 血液異常（次のどれか1つ以上）
    a）網赤血球増加を伴う溶血性貧血　b）白血球数減少（4000/μL以下）
    c）リンパ球数減少（1500/μL以下）　　d）血小板数減少（10万/μL以下）
10. 免疫異常（次のうち1つ以上）
    a）抗ds-DNA抗体価の異常　　　b）抗Sm抗体
    c）抗リン脂質抗体（抗カルジオリピン抗体，ループスアンチコアグラント，梅毒生物学的偽陽性）
11. 抗核抗体陽性

＊判定：連続して，あるいは同時に11項目中4項目以上あれば，SLEと診断してよい。

7　活動性判定

SLEはしばしば寛解と増悪を繰り返す。活動性の指標としては発熱，関節痛，紅斑，口腔内潰瘍や脱毛など，検査では赤沈亢進，低補体血症，抗ds-DNA抗体高値，白血球数減少，低アルブミン血症などがある。

8　治療

❶基礎療法

患者教育では適度な安静と運動を心がけ，日光などの増悪因子を避け，定期的受診と服薬を守るように指導する。妊娠はSLEが非活動性で重篤な臓器障害がなく，副腎皮質ステロイド薬の投与量が少なく，禁忌となる免疫抑制薬の内服がないなどの条件がそろえば可能である。抗リン脂質抗体陽性例では流産，抗SS-A抗体陽性では胎児の先天性心ブロックに注意する。

❷薬物療法

SLEは多彩な臓器症状を呈し，障害される臓器とその程度により治療方法を判断する。
ごく軽い関節症状程度であれば**非ステロイド性抗炎症薬**（NSAIDs）で加療するが，中等度以上の臓器障害を合併する場合は**副腎皮質ステロイド薬**を使用する。その投与量は重症

度による。重症の場合は大量投与である**ステロイドパルス療法**も行う。副腎皮質ステロイド薬で効果不十分，副作用で大量投与ができない場合，また精神神経ループスや重度のループス腎炎などでは，最初から免疫抑制薬（本編 - 表 3-6「免疫抑制薬の分類と作用機序」参照）を併用する。

　副腎皮質ステロイド薬で疾患の活動性が低下したら徐々に減量し，プレドニゾロンは長期投与による臓器障害蓄積があるため，免疫抑制薬，ヒドロキシクロロキン硫酸塩，生物学的製剤（ベリムマブ，アニフロルマブ）などを併用しできるだけ少量（プレドニゾロン 5 mg/日以下）を維持量とする（本編 - 第 3 章 - Ⅲ -B-5「分子標的薬：生物学的製剤，JAK 阻害薬」参照）。

9 経過・予後

　治癒する疾患ではなく，しばしば再発と寛解を繰り返す。かつては腎不全，精神神経ループスなど SLE そのものによる死因が多かったが，近年では透析療法，免疫抑制療法の進歩により，感染症や動脈硬化性病変による心・脳血管障害の死因が増加している。

Ⅲ 抗リン脂質抗体症候群

1 概要

　抗リン脂質抗体は凝固系にかかわるたんぱく質に対する自己抗体で，臨床的には**動静脈血栓・塞栓症，習慣性流産，血小板減少症**と関連する。これらの臨床症状を伴った場合は**抗リン脂質抗体症候群**（anti-phospholipid syndrome；APS）とよぶ。日本では原発性 APS と二次性 APS（本章 - Ⅲ -2「分類」参照）の患者が，それぞれ 5000〜1 万人ほどいると考えられている。

　指定難病の一つで，重症度に応じて医療費の助成対象となる。

2 分類

　ほかの膠原病の合併がない原発性 APS と，全身性エリテマトーデス（SLE）そのほかの膠原病を合併する二次性（続発性）APS に分類される。急速に多臓器に血栓が生じる例は劇症型 APS とよばれ，死亡率が高い予後不良な病態である。

3 病態・症状

▶ **動静脈血栓・塞栓症**　動静脈の血栓・塞栓症があり，実臨床では下腿の深部静脈血栓症に肺塞栓症を合併する例が多い。動脈硬化のリスクのない若年者の脳梗塞の原因として本疾患が最も多い。そのほか，てんかん，片頭痛，舞踏病，意識障害などの神経症状もみられる。皮膚では網状皮斑，血栓性静脈炎，皮膚潰瘍がみられる。

▶ **習慣性流産** 妊娠中期・末期に発症し，胎盤での血栓形成により子宮内胎児死亡に至り流産する。本疾患では流産を繰り返すこと（習慣性流産），不育症が多い。

▶ **血小板減少症** しばしば血小板減少症を認め，特発性血小板減少性紫斑病との鑑別が難しい場合がある。

4 検査・診断

本疾患の診断は検査所見と各臨床所見を総合して行う。また，2006年の国際抗リン脂質抗体会議による分類予備基準がある。

①梅毒感染のスクリーニングの脂質抗原検査であるSTS（serologic test for syphilis）法，いわゆるワッセルマン法による検査では陽性だが，梅毒トレポネーマ由来の抗原を用いたTPHA（treponema pallidum hemagglutination test）法では陰性となる。STS法の反応は梅毒に非特異的であるため生じるもので，梅毒反応の生物学的偽陽性という。

②凝固系検査のPT（prothrombin time，プロトロンビン時間）は正常だが，APTT（活性化部分トロンボプラスチン時間）は延長する。

③抗リン脂質抗体の検査であるループスアンチコアグラント，抗カルジオリピン抗体，抗プロトロンビン抗体（保険適用外検査）が陽性となる。

④動静脈血栓・塞栓症は，画像検査，病理組織学的検査などにより診断する。

5 治療

一般的な血栓症の危険因子（喫煙，高血圧，脂質異常症）の予防と治療を行う。経口避妊薬は血栓傾向を促進するため原則的に使用しない。さらに次のような病態に応じた治療を行う。

①急性期の**血栓・塞栓症**では，血栓溶解療法やヘパリンカルシウムによる抗凝固療法を行う。

②**血栓症再発予防**には，少量アスピリン，ワルファリンカリウム，ヘパリンカルシウム皮下注射を用いる。抗カルジオリピン抗体が高値の場合も血栓症の危険性が高く，予防を行うことがある。

③**習慣性流産の既往のある妊婦**には，流産予防のため少量アスピリン投与のほか，低分子ヘパリン製剤の連日皮下注射が行われる。

④**劇症型APS**の場合は，ヘパリンカルシウムの持続点滴に加え，ステロイドパルス療法，シクロホスファミド水和物投与，血漿交換療法を行う。

⑤**舞踏病**や高度の**血小板減少症**合併時，**SLE**を合併しその活動性が高い場合などは，副腎皮質ステロイド薬，免疫抑制薬による治療を行う。

Ⅳ 血管炎症候群

1 概要

　血管に炎症と破壊をきたす疾患を総称して血管炎症候群とよび，様々な疾患が含まれる。傷害される血管の大きさにより小型血管炎，中型血管炎，大型血管炎に分類される（図4-3）。感染症，悪性腫瘍，ほかの膠原病でも血管炎を合併することがある。指定難病であるものが多く，重症度に応じて医療費の助成対象となる。

2 病態・症状

　疾患の活動期には発熱，全身倦怠感，易疲労感などの全身症状がみられる。病理学的には血管壁に炎症細胞の浸潤のほか，血管構造の破壊を認め，血管の傷害により血流障害，虚血をきたす。いずれの疾患も免疫抑制療法を行うため日和見感染症の発症に注意する。

3 血管炎の各疾患（小型血管炎）

　ここにあげる3疾患は**抗好中球細胞質抗体**（**ANCA**）が高率に陽性となり，ANCA関連血管炎と総称される。ANCAにはミエロペルオキシダーゼ（MPO）に対する**MPO-ANCA**と，ペルオキシダーゼ3（PR3）に対する**PR3-ANCA**があり，この抗体自体が病原性をもつと考えられている。

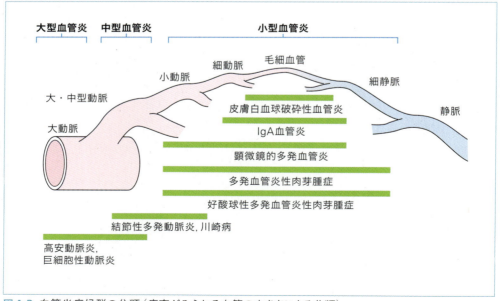

図4-3 血管炎症候群の分類（病変がみられる血管の大きさによる分類）

❶ 顕微鏡的多発血管炎

▶ **概要** 顕微鏡的多発血管炎（microscopic polyangiitis；MPA）は径が1mm以下の小型血管の傷害を主とし，**MPO-ANCA陽性**が特徴である。50～60歳以上の比較的高齢の人に多い傾向で，やや女性に多い。

▶ **病態・症状** 古典的結節性多発動脈炎（従来いわれていた結節性多発動脈炎から小血管の血管炎を除外したもの）より細い血管の傷害で，腎病変，肺病変，末梢神経障害，皮膚症状，筋痛を高率に合併する。

▶ **検査・診断** CRP，赤沈などの炎症反応が高値で，MPO-ANCAが高率に陽性となる。確定診断には病理学的診断が必要で，腎，皮膚，筋，末梢神経などの生検で小型血管炎の病理所見を認める。

▶ **治療** 副腎皮質ステロイド薬の大量療法（ステロイドパルス療法）が基本で，免疫抑制薬であるシクロホスファミド水和物が併用される。難治例ではB細胞上の表面分子CD20に対する抗体（リツキシマブ），補体C5a受容体阻害薬（アバコパン）などが使用される。

❷ 多発血管炎性肉芽腫症（旧名：ウェゲナー［Wegener］肉芽腫症）

▶ **概要** 多発血管炎性肉芽腫症（granulomatosis with polyangiitis；GPA）は上気道と呼吸器系の壊死性肉芽腫と血管炎，壊死性半月体形成性腎炎を特徴とし，**PR3-ANCA**が特徴的な自己抗体である。欧米に比較し日本の患者数は3400人ほど（2022（令和4）年の特定医療費受給者証保持者数）と少なく，性差はなく好発年齢は40～60歳代である。

▶ **病態・症状** 眼，耳，鼻の症状として副鼻腔炎，鼻中隔穿孔，進行例では鼻が変形した鞍鼻（図4-4）などがみられる。肺では空洞を伴う多発結節影が特徴的である。そのほか，腎障害，関節痛，筋肉痛，末梢神経障害，紫斑や潰瘍，消化管出血をしばしばみる。

▶ **検査・診断** 病理学的には壊死性肉芽腫，血管炎が特徴的で，PR3-ANCAのほかMPO-ANCAがしばしば陽性となる。

▶ **治療** 副腎皮質ステロイド薬の大量療法（ステロイドパルス療法）単独では治療効果が不十分である。免疫抑制薬のシクロホスファミド水和物などを併用し，難治例ではリツキシマブも使用する。

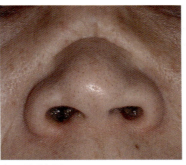

鼻の形が変形している。

図4-4 鞍鼻

❸好酸球性多発血管炎性肉芽腫症

▶ **概要** 好酸球性多発血管炎性肉芽腫症（eosinophilic granulomatosis with polyangiitis；EGPA）は，気管支喘息あるいはアレルギー性鼻炎などの**アレルギー性疾患の合併，末梢血液中の好酸球数増加，血管炎症状**の3つを特徴とする．本症に先行する気管支喘息は難治性のことが多い．日本の患者数は2000人程度と推定されていたが，実際の患者数は推定より多いと思われる（序章表1参照）．40〜70歳に好発し，やや女性に多い．

▶ **病態・症状** 血管炎症状として，左右差のある感覚障害と運動障害が多く，そのほか，紫斑，皮膚潰瘍，消化管病変，心筋障害，好酸球性肺炎も合併する．

▶ **検査・診断** 血液検査で，著しい好酸球数増加のほか白血球数増加，CRPと赤沈の高値，血清IgEの高値がみられる．RF（リウマトイド因子），MPO-ANCAなどの自己抗体がしばしば陽性となる．生検で血管炎の所見のほか，組織への好酸球の浸潤，まれではあるが血管外肉芽腫の所見を認める．

▶ **治療** 副腎皮質ステロイド薬の大量療法（ステロイドパルス療法）に加え，臓器障害を伴った重症例ではシクロホスファミド水和物を併用する．難治性の末梢神経障害にはガンマグロブリンの大量静注療法が行われる．そのほか，抗IL-5受容体抗体（メポリズマブ）も難治例，再発例に使用される．

4 血管炎の各疾患（中型血管炎）

結節性多発動脈炎と川崎病が主な疾患である．川崎病は膠原病には含まれないが，症状は血管炎を特徴としている．

❶結節性多発動脈炎

▶ **概要** 結節性多発動脈炎（polyarteritis nodosa；PAN）は，径が1mmから数ミリの各臓器に分布する中小型動脈の血管炎である．顕微鏡的多発血管炎に比べるとまれで，やや若い層に多く，男女比は3：1でやや男性に多い傾向にある．

▶ **病態・症状** 発熱，体重減少，高血圧などの全身症状に加えて，臓器梗塞（腎梗塞，腸間膜動脈閉塞など），多発性単神経炎，紫斑や潰瘍などの皮膚症状を呈する．

▶ **検査・診断** 病理学的には**フィブリノイド壊死**を伴う血管炎が特徴的である（図1-2「フィブリノイド変性」参照）．CRPと赤沈が高値で，自己抗体は陰性である．血管造影により多発性小動脈瘤や閉塞像を認める．

▶ **治療** 副腎皮質ステロイド薬の大量療法（ステロイドパルス療法）に加え，シクロホスファミド水和物を併用する．

5 血管炎の各疾患（大型血管炎）

大型血管炎には次にあげる2疾患が含まれる．

❶大動脈炎症候群（高安動脈炎）

▶ **概要** 大動脈炎症候群（高安動脈炎）は，大動脈と分枝血管に炎症をきたす大型血管炎の

一つである。アジア系の民族に多く，日本では5000人程度の患者がいて，毎年200人程度が新規に発症している。発症のピークは20歳代で9割は女性である。最初の報告者である金沢医学専門学校（現金沢大学）眼科教授の高安右人（1860-1938）が，眼底に**花冠状血管吻合**という特徴的な血管変化を認めて失明した若い女性を報告したのが始まりで，高安動脈炎とよばれる。発症に遺伝的要因が報告されている。

▶ **病態・症状**　上肢の脈拍が触れづらくなり，**脈なし病**ともよばれる。血圧に左右差がある。胸部から腹部の大動脈，そこから分岐する血管に炎症による**壁肥厚**を認める。しばしば血管の狭窄による**血管雑音**が聞かれる。胸部大動脈の拡張に伴い大動脈弁閉鎖不全，心不全を合併することがある。

▶ **検査・診断**　CRP，赤沈が高値だが自己抗体は陰性である。頸動脈超音波検査，造影CT検査，MRI検査などの画像検査で大型血管の壁肥厚を認める。

▶ **治療**　副腎皮質ステロイド薬の中等量から大量療法（ステロイドパルス療法），抗血小板薬の投与などが行われる。難治例では免疫抑制薬や抗IL-6受容体抗体も併用される。大動脈瘤，大動脈弁閉鎖不全などの血管病変が進行した症例では外科的治療も考慮される。

❷ **巨細胞性動脈炎**（側頭動脈炎）

▶ **概要**　側頭動脈，頸動脈などの血管炎により側頭部の頭痛をきたし，眼動脈に炎症が生じると失明の危険性が高い。大動脈にも病変を認めることがある。50歳以上の高齢者に発症し，男女比は1：2〜3とやや女性に多い。リウマチ性多発筋痛症（本章-XI「リウマチ性多発筋痛症」参照）との合併が多い。欧米に比べて日本ではまれである。

▶ **病態・症状**　発熱，筋痛，倦怠感，体重減少などの全身症状に加えて，頭痛が側頭部にみられ，側頭動脈の硬結，圧痛，怒張などを認める。眼動脈に病変があると視力低下，複視，眼痛などを生じる。

▶ **検査・診断**　CRP，赤沈が高値となる。自己抗体は陰性である。大動脈とその分枝である頸動脈などの大型血管にも病変がみられることがある。診断は血管のMRI検査，超音波検査などの画像診断か，側頭動脈生検での巨細胞性肉芽腫，炎症細胞浸潤，内膜肥厚などの病理所見に基づく。

▶ **治療**　副腎皮質ステロイド薬の大量療法（ステロイドパルス療法），抗血小板薬に加えて，難治例では免疫抑制薬の併用や抗IL-6受容体抗体も用いられる。

V　強皮症

1　概要

　強皮症（systemic sclerosis；SSc）は，コラーゲンの過剰な産生により皮膚や内臓臓器が線維化し"臓器が硬くなる"疾患である。皮膚のほか，食道機能の低下，間質性肺炎など全

身の臓器障害を合併することから**全身性硬化症**（全身性強皮症）ともよぶ。

全身性強皮症は皮膚硬化が全身におよぶ**びまん型強皮症**と肘・膝関節より先の末梢の皮膚硬化にとどまり比較的予後のよい**限局型強皮症**の2型に分けられる。血管内膜肥厚により血流障害をきたし，レイノー現象などの末梢循環不全の症状がみられる。肺高血圧症は予後不良の合併症である。日本では2万人程度の患者がいると推定されており，男女比1：12で，30〜50歳代の女性に多くみられる。

全身性強皮症は指定難病の一つで，重症度に応じて医療費の助成対象となる。

2 原因

全身性強皮症でみられる異常には自己抗体陽性，皮膚の線維化，血管の内膜肥厚とそれによる循環不全がある。原因として，美容形成で用いられるシリコンやパラフィン，抗がん薬，化学物質，妊娠などとの関連，遺伝子異常などが報告されている。

3 病態生理

❶皮膚病変

皮膚の硬化は左右対称に指先から始まり（指硬化症），手背・前腕，びまん型では全身へと広がる。硬化した皮膚はつまみあげることができないか，つまみあげた皮膚が厚くなる。皮膚硬化には浮腫期，硬化期，萎縮期があり，浮腫期には手指がソーセージ様に腫脹する（図4-5a）。進行すると一見皮膚硬化が和らぐこともある。血流障害により，指の先端に小潰瘍や小陥凹性瘢痕（図4-5b）を生じる。

❷内臓臓器病変

間質性肺炎の合併頻度は高く，通常は慢性経過だが進行例では呼吸不全に至る。肺動脈の内膜肥厚による**肺高血圧症**は予後不良である。食道や腸管では逆流性食道炎や腸閉塞を合併することもある。

腎病変には約5％に**強皮症腎**（強皮症腎クリーゼ）がある。皮膚硬化が急速に進行するびまん型，抗RNAポリメラーゼⅢ抗体陽性，副腎皮質ステロイド薬投与などは強皮症腎のリスクである。強皮症腎では腎動脈の内腔が狭窄し，レニン分泌が亢進して悪性高血圧，頭痛，悪心，視力障害を生じ，腎不全に至る。

4 分類

表4-1に強皮症の分類を示す。

全身性強皮症の限局型で，皮下石灰化（calcinosis），レイノー現象（図2-8参照），食道機能異常（esophageal dysfunction），手指硬化（sclerodactylia），毛細血管拡張（telangiectasia）の5つを特徴とするものは**クレスト**（CREST）**症候群**とよばれる。

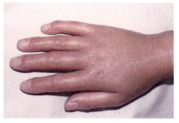

a. 浮腫期の手指（ソーセージ様指）

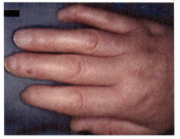

b. 硬化期における手指の小陥凹性瘢痕（第3指），指の短縮（第2指），屈曲拘縮もみられる。

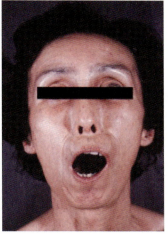

c. 仮面様顔貌

図 4-5 強皮症の皮膚症状

表 4-1 強皮症の分類

I. 全身性強皮症	びまん皮膚硬化型 限局皮膚硬化型
II. 限局性強皮症	モルフェア 線状強皮症
III. 強皮症類似疾患	好酸球性筋膜炎（シャルマン症候群）

5 症状

　皮膚硬化，レイノー現象，手指の潰瘍や痛み，関節痛がみられ，間質性肺炎や肺高血圧症合併例では呼吸困難などの症状を自覚する。食道や下部消化管病変を合併した場合は，飲み込みづらさ，胸焼け，下痢，便秘などがみられる。進行例では皮膚の硬化により手指を十分に伸ばせなくなり，そのほかの関節も皮膚硬化により動きが制限され関節が拘縮する。

　顔面に皮膚硬化が及ぶと，しわが消失して鼻が尖り口唇が薄くなり**仮面様顔貌**となる（図4-5c）。また，舌小帯が硬化により短くなる。皮膚硬化部位に色素沈着や色素脱失をみることがある。血管の内膜肥厚により血管が閉塞すると四肢の壊死に至ることもある。

6 検査

　抗核抗体検査は大部分で陽性，斑紋型，核小体型のパターンをとる。全身性強皮症に特異的な自己抗体には3種類あり，**抗セントロメア抗体**は限局型，**抗 Scl-70 抗体**はびまん型，**抗 RNA ポリメラーゼⅢ抗体**はびまん型で強皮症腎と関係する。

　食道造影検査では，食道の拡張や蠕動低下，小腸・大腸では腸管の拡張像がみられる。

　間質性肺炎は，胸部 X 線像，胸部 CT 像で初期には下肺野の粒状，網状影を呈し，進行すると蜂の巣に似た形の蜂窩肺（蜂巣肺）を呈する。

　肺高血圧症合併例では，超音波検査や心臓カテーテル検査で肺動脈圧の上昇を認める。

7 診断

　皮膚硬化，そのほかの臨床所見，自己抗体検査を総合して診断する。日本の「全身性強皮症診断基準・重症度分類・診療ガイドライン」（日本皮膚科学会，2016），アメリカリウマチ学会の分類基準がある。

8 治療

❶基礎療法

　次のような患者への配慮が必要である。
- 寒冷やストレスは症状を悪化させるため注意する。
- 喫煙は，末梢の血管が収縮するため禁煙とする。
- 家事では冷水を避け温水を使用し，手袋着用などで手指を保護する。
- 皮膚硬化の進行に伴い関節の拘縮をきたすため，リウマチ体操に準じて関節の可動域を保つように心がける。
- 逆流性食道炎がある場合，食直後は横にならないようにする。

❷薬物療法，そのほか

　次のような治療方法がある。
- 手指の腫脹や痛みが強い場合に，少量の副腎皮質ステロイド薬や免疫抑制薬を使用するほか，抗 CD20 抗体であるリツキシマブが皮膚硬化に保険適用である。
- レイノー現象，皮膚潰瘍そのほかの循環障害に対しては，プロスタグランジン製剤，カルシウム拮抗薬，アンジオテンシンⅡ受容体拮抗薬，ホスホジエステラーゼ5阻害薬などの薬剤を使用する。
- 逆流性食道炎では，強力な胃酸分泌抑制作用をもつプロトンポンプ阻害薬を使用する。
- 間質性肺炎の急速進行時には，副腎皮質ステロイド薬やシクロホスファミド水和物が内服または点滴静脈注射で使用される。
- 肺線維化に対する治療としてニンテダニブエタンスルホン酸塩が用いられることもあ

- 肺高血圧症は生命予後不良であり，血管拡張薬による治療を行う（第3章-Ⅲ「膠原病の治療」参照）。
- 間質性肺炎が進行して低酸素血症をきたしたときや肺高血圧症を合併したときは，在宅酸素療法を行う。
- 強皮症腎クリーゼには，降圧薬である ACE（angiotensin-converting enzyme，アンジオテンシン変換酵素）阻害薬を用いる。
- 全身の皮膚硬化が急速に進行する例では幹細胞移植も考慮する。

Ⅵ 皮膚筋炎，多発性筋炎

1 概要

皮膚筋炎（dermatomyositis；DM），多発性筋炎（polymyositis；PM）は四肢近位筋の筋力低下を主症状とする炎症性筋疾患で，皮膚筋炎は特有の皮膚症状を伴う。多くの症例で**筋炎特異的自己抗体**が陽性である。間質性肺炎の合併も多く，一部は急速進行性で予後不良である。悪性腫瘍の合併頻度も高い。

日本には2022（令和4）年現在，2万6000人以上の患者がおり，小児期発症と中年期発症の2峰性の発症ピークをもつ。男女比は1：3と女性に多い。

指定難病の一つで，重症度に応じて医療費の助成対象となる。

2 原因

原因不明だがウイルス感染の関連が以前から報告され，皮膚筋炎では筋細胞にウイルス感染に関するたんぱく質が発現している。薬剤との関連も報告されている。筋炎に特異的な自己抗体が陽性となることが多いが，病気の発症と病態への関与は不明である。

3 病態生理

病理組織学的検査では，筋組織へのリンパ球の浸潤と筋細胞の壊死像を認め（図1-6参照），自己免疫的機序による筋組織の傷害が想定されている。自己抗体には抗 Jo-1 抗体をはじめとするアミノ酸 tRNA 合成酵素（aminoacyl-tRNA synthetase；ARS）に対する抗 ARS 抗体，抗 TIF1-γ 抗体，抗 MDA-5 抗体，抗 Mi-2 抗体，抗 SRP 抗体などがあり，それぞれ特徴的な臨床像がある。間質性肺炎では肺胞壁への細胞浸潤，線維化などの所見を認める。

4 症状

▶ **筋症状**　肩や腰に近い四肢近位筋の筋力低下，筋痛を自覚する。患者は立ち上がり動作，階段昇降，腕を使う作業など日常動作の障害を自覚する。嚥下障害もみられる。なかには，筋症状以外は筋炎に特徴的な症状があるのにもかかわらず，筋症状がほとんどない例があるが，これは無筋症性皮膚筋炎（amyopathic dermatomyositis）とよばれる。

▶ **皮膚症状**　上眼瞼の紫紅色紅斑（ヘリオトロープ疹），肘・膝・指の関節面の落屑を伴う紫紅色紅斑（ゴットロン徴候）は本症に特徴的である（本編 - 図2-3「皮膚筋炎の皮膚症状」参照）。紅斑は頸部から前胸部や，肩から上背部にもみられる。手指には湿疹ないしひび割れもみられる（機械工の手）。

▶ **呼吸器病変**　20〜50％に間質性肺炎を合併し，急性型と慢性型がある。**急性型**は抗MDA-5抗体陽性例で，筋症状が乏しく急速に呼吸不全が進行し短期的な生命予後が不良である。**慢性型**は抗ARS抗体陽性例に多く，徐々に呼吸不全が進行する。

▶ **そのほかの症状**　発熱，関節痛，レイノー現象はしばしばみられ，心筋炎・不整脈などの心病変を示す例もある。悪性腫瘍の合併頻度が高く抗TIF1-γ抗体と関連する。

5 検査

　CK（クレアチンキナーゼ），ALD（アルドラーゼ），LD（乳酸脱水素酵素），AST（アスパラギン酸アミノトランスフェラーゼ）などの筋原性酵素が上昇する。

　自己抗体の測定は，臨床像や予後と関連しており有用である。筋病変の診断と評価は筋MRI検査，筋電図検査，筋生検などによる。筋炎では悪性腫瘍の合併が一般人口と比べ2〜3倍高いため，原病の評価と並行しつつ悪性腫瘍のスクリーニング検査も行う。

6 診断

　診断には筋ジストロフィーなどの先天性神経筋疾患，甲状腺機能亢進症ならびに低下症，アルコールや脂質異常症治療薬による横紋筋融解症などとの鑑別が必要である。筋力の評価は治療経過をみるうえでも重要で，徒手筋力テストにより5段階で評価される。

　1975年のボアン（Bohan, A.）およびピーター（Peter, J.B.）の診断基準，2015（平成27）年の日本の厚生労働省の自己免疫疾患に関する調査研究班の診断基準がある。

7 治療

❶基礎療法
筋炎活動期には十分な安静が必要だが，リハビリテーションは早期から開始する。

❷薬物療法
　副腎皮質ステロイド薬の大量療法（ステロイドパルス療法）が基本で，タクロリムス水和物やメトトレキサートなどの免疫抑制薬の併用も行われる。抗MDA-5抗体陽性で進行性の

肺病変を伴った場合には，強力な免疫抑制療法が必要となり，ステロイドパルス療法のほかにシクロホスファミド水和物，タクロリムス水和物など**多剤免疫抑制療法**を行う。副腎皮質ステロイド薬抵抗性の筋炎にはガンマグロブリンの大量静注療法も行われる。悪性腫瘍を合併する場合は，できる限りその治療を優先する。

8 予後

生存率は，間質性肺炎や悪性腫瘍の合併の有無によって異なる。抗 MDA-5 抗体陽性で急速進行性間質性肺炎合併例，悪性腫瘍合併例などは生命予後不良である。

VII 混合性結合組織病

1 概要

混合性結合組織病（mixed connective tissue disease；MCTD）は，全身性エリテマトーデス（SLE），強皮症，筋炎の症状を一部ずつもち，抗 U1-RNP 抗体が高値陽性の疾患である。経過を追うと強皮症に移行する例が多い。当初は予後良好な疾患と考えられたが，肺高血圧症合併例の予後は不良である。

日本には 1 万人を超える患者がおり，男女比は 1：13〜16 と圧倒的に女性に多く，30〜40 歳代での発症が多い。指定難病の一つで，重症度に応じて医療費の助成対象となる。

2 病態・症状

本疾患は**抗 U1-RNP 抗体陽性**が特徴的だが，原因は不明である。抗 U1-RNP 抗体はレイノー現象，肺高血圧症などと関連する。

レイノー現象，手指腫脹（ソーセージ様指），関節症状が主要な症状で，そのほか **SLE 様症状，強皮症様症状，筋炎様症状**がみられる。

肺高血圧症や間質性肺炎などの合併症は生命予後を左右する。

3 検査・診断

診断は，レイノー現象，手指のソーセージ様腫脹，関節痛などの臨床症状と抗 U1-RNP 抗体陽性に，ほかの膠原病の症状を部分的にもつことが決め手となる。ほかの膠原病に特異的な自己抗体は原則的に陰性である。

肺高血圧症は胸部 X 線検査，心電図検査，心臓超音波検査で定期的に検査し，強く疑われる場合には心臓カテーテル検査により確定する。

厚生労働省による混合性結合組織病の病態解明，早期診断と治療法の確立に関する研究班による診断基準がある。

4 治療

関節痛やレイノー現象などの軽症例は非ステロイド性抗炎症薬（NSAIDs），血管拡張薬で治療する．中等症以上の漿膜炎（SLE様症状），筋炎様症状などは中等度から大量の**副腎皮質ステロイド薬**を用いる．肺高血圧症は重大な合併症の一つで，副腎皮質ステロイド薬，**シクロホスファミド水和物**に加えて肺動脈拡張薬による治療が行われる．

5 予後

間質性肺炎，肺高血圧症などの臓器合併症は生命予後が不良である．

VIII シェーグレン症候群

シェーグレン症候群	
概要	・涙腺，唾液腺など外分泌腺の構造が破壊される疾患． ・中年女性に多い（50歳代にピーク，男女比1：14）．
原因	・不明（ウイルス感染や遺伝的要因の関与が想定されている）．
症状	・腺症状：涙液と唾液分泌量低下による乾燥症状（ドライアイ，口渇感，味覚異常など）を主とする． ・腺外症状：多発関節痛，レイノー現象，リンパ節腫脹，皮疹，間質性腎炎，間質性肺炎，中枢および末梢神経障害など．
検査・診断	・自己抗体検査：抗SS-A抗体，抗SS-B抗体（本症に特異的），抗核抗体などが陽性． ・シルマーテスト：涙液分泌量の減少． ・ローズベンガルテスト，蛍光色素試験：角結膜の傷害． ・診断基準：厚生労働省による診断基準のほか，アメリカ・ヨーロッパ分類基準，アメリカリウマチ学会の診断基準など．
主な治療	・腺症状：対症療法として保湿，口腔内の清潔維持など．唾液分泌促進薬や眼乾燥には点眼薬を使用． ・腺外症状：副腎皮質ステロイド薬，免疫抑制薬を中心とした薬物療法．

1 概要

シェーグレン症候群（Sjögren's syndrome；SjS）は，**涙腺**，**唾液腺**などが破壊される疾患である．**涙液**と**唾液分泌量**の低下による**乾燥症状**を主とし，肺，腎臓，神経などの臓器障害も合併する．日本での患者数は2万人程度から，潜在的な患者も含めると10万人を超えると推定されている．50歳代にピークがあり，男女比1：14と中年女性に多い．

指定難病の一つで，重症度に応じて医療費の助成対象となる．

2 病態・症状

本疾患は SjS 単独の**原発性 SjS** と，ほかの膠原病を合併する**二次性**あるいは**続発性 SjS** に分類される。

病理組織学的検査では唾液腺組織へのリンパ球浸潤と腺構造の破壊を認め，自己抗体が高率に陽性となる。原因は不明である。症状は，外分泌腺の症状（腺症状）と腺以外の症状（腺外症状）に分けられる。

▶**腺症状** 涙液量減少による眼球乾燥のため角膜，結膜に傷ができ，眼にゴロゴロとした異物感を訴える（ドライアイ）。唾液量減少のため口渇感，パンなどの食べづらさ，会話困難，味覚異常などを訴え，診察では口腔内の乾燥，う歯増加，舌乳頭の萎縮がみられる（ドライマウス，図 4-6）。耳下腺や涙腺の腫脹を繰り返すことがある。鼻腔，咽頭，気道，腟などにも乾燥症状が出現する。

▶**腺外症状** 多発関節痛，レイノー現象，リンパ節腫脹，皮疹（環状紅斑，高ガンマグロブリン血症性紫斑病），間質性腎炎，尿細管性アシドーシス，間質性肺炎，中枢および末梢神経障害などがある。また，慢性甲状腺炎，原発性胆汁性胆管炎など，ほかの自己免疫性疾患をしばしば合併する。悪性リンパ腫の合併は一般の約 40 倍の頻度である。

3 検査・診断

診断のために次にあげる検査を行う。

①自己抗体検査では抗 SS-A 抗体，抗 SS-B 抗体，抗核抗体，リウマトイド因子（RF）などが陽性で，抗 SS-B 抗体は本症に特異的である。抗 SS-A 抗体は，まれに胎盤を通過して，胎児の先天性心ブロックを発症させることがあるため，妊娠例では注意する。

②シルマーテストで涙液分泌量が低下し，ローズベンガルテストや蛍光色素試験で角結膜の傷害を認める。

③ガムテストあるいはサクソンテストで唾液分泌量は低下する。

④耳下腺造影で点状陰影像（apple tree appearance）など唾液腺構造の破壊像，唾液腺シンチグラフィーで唾液腺機能低下を観察する。

⑤口唇小唾液腺生検で，導管周囲のリンパ球浸潤と唾液腺構造の破壊が観察できる。

本疾患の鑑別には，糖尿病治療薬，抗うつ薬などの薬物内服歴の聞き取り，IgG4 関連疾患などとの鑑別が必要である。厚生労働省の自己免疫疾患に関する調査研究班の診断基準のほかに，アメリカ・ヨーロッパ分類基準，アメリカ リウマチ学会の診断基準などがある。

4 治療

腺症状だけの場合は，生命予後は良好で対症療法を行うが，臓器障害，悪性リンパ腫合

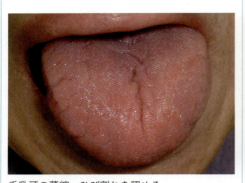

舌乳頭の萎縮，ひび割れを認める。

図4-6 ドライマウス症状の舌

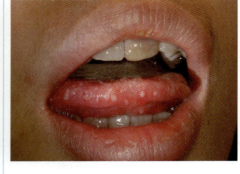

図4-7 再発性アフタ性潰瘍（舌の部分）

併例は，病状に応じた治療が必要である。

▶ **腺症状** 保湿に努め，口腔内の清潔を維持する。眼乾燥症状にはヒアルロン酸を含む，あるいはムチン分泌を促す**点眼薬**を使用し，角結膜の傷を認めるものには防腐剤を含む点眼薬は避ける。涙の排出口である鼻涙管を塞ぐ涙点プラグの挿入も眼乾燥症状に有効である。口腔内乾燥症状には，人工唾液，ムスカリン受容体を刺激する**唾液分泌促進薬**，漢方薬の麦門冬湯などを用いる。唾液腺腫脹に対しては，主に非ステロイド性抗炎症薬（NSAIDs）を用いる。

▶ **腺外症状** 進行性の間質性肺炎，間質性腎炎，中枢および末梢神経症状などの腺外症状に対しては，**副腎皮質ステロイド薬**や**免疫抑制薬**を用いる。悪性リンパ腫では抗がん薬による化学療法を行う。

IX ベーチェット病

1 概要

ベーチェット病は，皮膚と粘膜の症状を主とする原因不明の炎症性疾患である。患者は日本，トルコなどの中東や中国などに多い。**HLA-B51**との関連が知られており，遺伝学的背景がある。日本には2022（令和4）年現在，1万5000人ほどの患者がおり，男女比はほぼ1：1，発症年齢のピークは30歳代である。男性のほうが重症化しやすい傾向がある。

指定難病の一つで，重症度に応じて医療費の助成対象となる。

2　病態・症状

❶主症状

①口腔粘膜のアフタ性潰瘍，②眼症状，③外陰部潰瘍，④皮膚症状の4症状がすべてそろうものは**完全型ベーチェット病**，4症状未満は**不全型ベーチェット病**である。

▶ **口腔内の再発性アフタ性潰瘍**（図4-7）　有痛性で口唇，舌，歯肉，頰粘膜，口蓋などにできる。1週間くらいで自然に消失するが，繰り返す。本疾患では，ほぼ必発である。

▶ **眼症状**　虹彩毛様体炎と脈絡網膜炎（併せて網膜ぶどう膜炎）がある。虹彩毛様体炎では羞明感，前房蓄膿が観察され，続発性緑内障を起こすこともある。脈絡網膜炎では霧視・飛蚊症を示し，視力も低下する。

▶ **外陰部潰瘍**　陰茎，陰囊，大小陰唇に境界明瞭な潰瘍を生じ，痛みが強い。

▶ **皮膚症状**　結節性紅斑，毛囊炎様皮疹，血栓性静脈炎がみられる。皮膚の被刺激性が亢進し，注射部位に膿疱を形成することがある（針反応）。

❷副症状

活動期には膝など大関節の関節炎，発熱がみられる。また一部の患者では，特殊型ベーチェット病として，次のような腸管・血管・神経病変を認める。

▶ **腸管病変**　回盲部に潰瘍を形成し，腹痛，下血，腹部腫瘤がみられる。

▶ **血管病変**　静脈に血栓による閉塞をきたす。動脈病変もみられる。

▶ **神経病変**　脳幹，基底核周辺部，小脳，大脳白質に病変を生じる。

3　検査・診断

活動期には**白血球数増加，C反応性たんぱく（CRP）・赤沈が高値**となる。自己抗体は陰性で，本疾患に特異的な検査はない。針反応は，頻度は低いが特徴的である。最近は皮膚と粘膜病変を主とし，眼病変のない不全型が増加している。

診断には，厚生労働省のベーチェット病に関する調査研究班の診断基準などを参考にする。

4　治療

関節炎，発熱，口内炎などには，好中球機能抑制を目的に**コルヒチン**や**非ステロイド性抗炎症薬（NSAIDs）**を用いる。難治性の口内炎には**アプレミラスト**も用いられる。皮膚・粘膜病変に対しては，副腎皮質ステロイド外用薬などで対症療法を行う。眼症状は眼科的対応が必要で，虹彩毛様体炎には散瞳薬点眼，副腎皮質ステロイド薬点眼，コルヒチン内服，網膜ぶどう膜炎には**副腎皮質ステロイド薬**の局所あるいは全身投与や，再発予防目的にTNF（腫瘍壊死因子）阻害薬やシクロスポリンを投与する。

特殊型ベーチェット病には，中等量から大量の副腎皮質ステロイド薬の投与のほか，免疫抑制薬，腸管病変にはサラゾスルファピリジン，またTNF阻害薬も使用される。

X 成人スチル病

1 概要

　若年性特発性関節炎の全身型はスチル病とよばれ，**多発関節炎**と**スパイク熱**，発熱に一致し出現するサーモンピンク疹（図2-4参照）を特徴とする。なかには関節炎が目立たず高熱が主症状の例もある。成人発症のスチル病を成人スチル病（adult onset Still's disease：AOSD）とよび，不明熱の原因を精査して本疾患と診断される症例も少なくない。日本には5000人ほどの患者がいて，有病率は10万人当たり3.9人である。男女比は1：1.3とやや女性に多く，平均発症年齢は46.5歳，発症のピークは20〜30歳代だが，70歳以上の高齢者にも発症する。原因は不明だが，遺伝的要因やウイルス感染症などの関与が想定されている。

　指定難病の一つで，重症度に応じて医療費の助成対象となる。

2 病態・症状

　発熱，関節炎，咽頭痛は，ほぼ全例にみられ，発熱時に出現する**サーモンピンク疹**は本疾患に特徴的である。そのほかリンパ節腫脹，肝脾腫も多くの症例に認める。

　本例では血液中のIL-1，IL-6，IL-18，TNF-αなど様々なサイトカインが高値となる。血球貪食症候群あるいはマクロファージ活性化症候群，播種性血管内凝固症候群に伴い多臓器不全を呈する重症例も時にみられる。

3 検査・診断

　好中球優位の白血球数増加，CRP（C反応たんぱく）と赤沈の高値，貧血のほか，肝機能障害もしばしばみられる。抗核抗体，リウマトイド因子（RF），抗CCP抗体などの**自己抗体は陰性**である。**血清フェリチン高値**は本症に特徴的で，疾患活動性の指標になる。

　診断においては，山口らの成人スチル病の分類基準（1992年）を参考にする。

4 治療

　軽症例では非ステロイド性抗炎症薬（NSAIDs）が有効なこともあるが，重症例，臓器病変を伴う場合は，ステロイド系抗炎症薬の**プレドニゾロン**を30〜60mg/日投与する。再発，治療抵抗性の例にはメトトレキサート，シクロスポリン，抗IL-6受容体抗体を使用する。血球貪食症候群は3系統の血球減少を呈する重篤な合併症で，ステロイドパルス療法やシクロスポリン，血漿交換などの強力な治療を要する。

XI リウマチ性多発筋痛症

1 概要

　リウマチ性多発筋痛症（polymyalgia rheumatica；PMR）は，通常50歳以上に発症し，四肢近位部の筋痛と運動障害がみられる疾患で，少量の**副腎皮質ステロイド薬**が著効する。巨細胞性動脈炎（側頭動脈炎）を合併することがある。海外では2％程度の人が生涯のうちに罹患すると報告されている。日本での患者数の詳細は不明で，まれな疾患とされたが，実際には比較的診察することの多いリウマチ性疾患の一つである。男女比は1：2と女性に多く，平均発症年齢は65歳ほどである。

2 病態・症状

　関節リウマチは滑膜炎であるのに対して，本疾患は関節周囲にある滑液包や腱鞘に炎症（滑液包炎，腱鞘炎，本編・第2章・Ⅱ-C「滑液包炎・腱鞘炎」参照）が起こる疾患で，肩周辺や腰から大腿部の痛みが比較的急な経過で出現する。

　腕を上げる，しゃがむ，立つなどの動作が困難となり，日常生活動作が障害される。発熱，食欲低下，体重減少，倦怠感などの全身症状やうつ症状もしばしばみられる。

3 検査・診断

　C反応性たんぱく（CRP）と赤沈が高値となる。**自己抗体は陰性**で，筋原性酵素，筋電図検査，筋生検には異常はみられない。超音波検査では，肩や股関節周囲の滑液包炎，腱鞘炎の所見を認める。関節リウマチや筋炎との鑑別が問題となることも多く，本疾患では基本的に手や指の症状は認めないこと，筋に異常を認めないことが鑑別点となる。初期にPMRの診断であっても，後に関節リウマチの診断となることもある。

　診断においては，バード（Bird, H.A.）らの診断基準（1979年），アメリカリウマチ学会／ヨーロッパリウマチ学会による分類基準（2012年）などを参考とする。

4 治療

　プレドニゾロン10〜15mg/日から開始し，症状を観察しながら減量する。少量の副腎皮質ステロイド薬で改善することが多いが，難治例や再燃する例にはメトトレキサートなどの免疫抑制薬を併用することがある。

参考文献
- Yamaguchi M., et al.：Preliminary criteria for classification of adult Still's disease, J. Rheumatol, 19(3)：424-430, 1992.

国家試験問題

1 全身性エリテマトーデス（SLE）で生命予後を悪くするのはどれか。 （101回 AM77）

1. 筋痛
2. 関節炎
3. 蝶形紅斑
4. ループス腎炎
5. Raynaud（レイノー）現象

2 関節リウマチについて正しいのはどれか。 （101回 PM56）

1. 有病率に男女差はない。
2. 介護保険法で定める特定疾病に含まれる。
3. 疾患の活動性は罹病期間が長いほど高い。
4. リウマトイド因子は関節リウマチに特異的である。

3 Behçet（ベーチェット）病に特徴的なのはどれか。 （101回 AM55）

1. 真珠腫
2. 粘液水腫
3. 紫紅色紅斑
4. 外陰部潰瘍

4 関節リウマチで起こる主な炎症はどれか。 （103回 PM34）

1. 滑膜炎
2. 骨髄炎
3. 骨軟骨炎
4. 関節周囲炎

▶答えは巻末

第2編 膠原病患者の看護

第1章

主な症状に対する看護

この章では

- 発熱の状態や原因のアセスメントの仕方，苦痛の緩和，体力維持の支援方法について学ぶ。
- リウマチ性症状に対する看護のポイントを学ぶ。
- 皮膚粘膜症状のある患者の身体的側面・心理的側面を理解する。
- 腎・尿路系障害による症状アセスメントの方法，生活支援の仕方を学ぶ。
- 呼吸器・神経・循環器・消化器に生じる症状を的確にアセスメントし，症状を緩和する方法を学ぶ。

I 発熱

発熱は多くの膠原病にみられる症状である。その機序は，膠原病による全身の血管炎，関節炎，筋炎などの炎症部位から，炎症性サイトカインが視床下部の体温中枢に作用して起こる。発熱の程度は，疾患によって微熱から高熱まで様々である。

看護師は，発熱の状態と原因について明確にアセスメントし，それに伴う苦痛，日常生活や心理的な影響などに対して援助する。

1. 発熱のある患者のアセスメント

1 身体的側面

❶発熱の状態の把握

疾患の特徴がみられるか，発熱の有無・程度，熱型などと，随伴症状の有無と程度を観察し把握する。

- **発熱**：体温を測定し，その程度，推移，熱型，発熱の起こりかたを観察する
- **随伴症状**：発熱に伴う熱感，顔面の紅潮，悪寒・戦慄，喉の渇き。発汗，頭痛，倦怠感，疲労感，関節痛など
- **そのほか**：呼吸数，脈拍数の変化

❷治療に伴う感染症の観察

膠原病の治療としてステロイド療法や免疫抑制療法を行っている場合は，免疫機能の低下による感染症，たとえば上気道感染症，肺炎，尿路感染症，感染性腸炎，真菌感染症，サイトメガロウイルス感染などに罹患しやすいため，感染症による発熱の可能性があるか，どのような感染症が起こっているかを把握する。

具体的には，副腎皮質ステロイド薬（本編-第2章-Ⅲ-A-1「副腎皮質ステロイド薬」参照）や免疫抑制薬（本編-第2章-Ⅲ-A-3「免疫抑制薬」参照）の使用状況によって，口腔や咽頭の違和感，発赤，疼痛，呼吸困難感，咳嗽，痰の有無と性状，膀胱炎症状，排尿の頻度と尿の性状，腹痛，下痢など，上記感染症の症状にかかわるものを観察する。

❸検査データの把握

炎症や感染症の程度を知るために，C反応性たんぱく（CRP）値，白血球数などの検査データを把握する。

2 心理的側面および日常生活への影響

発熱による倦怠感や脱力感など苦痛の有無および程度，食欲や体重減少の有無および程度，水分バランスなどを観察し，発熱による消耗がみられるか，日常生活活動への影響はあるかを把握する。さらに患者の言動や態度，表情などから発熱に対する反応を観察し，

発熱に伴う不安が増強していないかを把握する。

2. 看護の視点

1 看護問題

- 倦怠感や脱力感などの苦痛を感じ，体力が低下したり，感染症の治癒が遷延する
- 日常生活行動に影響が出て不安感が増す

2 看護目標

- 倦怠感や脱力感などの苦痛が緩和され，体力の維持，感染症の治癒が促進できる
- 日常生活行動への影響や不安感が軽減できる

3 看護の実際

❶倦怠感や脱力感などの苦痛が緩和され，体力の維持，感染症の治癒が促進できる

（1）苦痛の緩和

- **悪寒・戦慄**：衣類や掛け物を増やし，電気毛布やホットパックなどによって悪寒の軽減を図る。
- **体熱感，倦怠感など**：悪寒・戦慄の後に高熱が出て，体熱感，発汗，倦怠感，口渇などの症状が出てくるため，患者の状態の変化をよく観察して，保清に努め，掛け物や衣類の調整をし，氷枕を用いて，自覚症状の緩和に努める。
- **疼痛**：発熱による関節痛などの痛みに対しては，安静を保持し，医師の指示のもとに湿布の貼付，鎮痛薬の投与，マッサージを行う。
- **原疾患による発熱**：原疾患の悪化や進行による発熱の場合は，炎症部位からの炎症性サイトカインによるため，原疾患の治療の効果によって発熱も沈静化してくる。患者がそのことを十分に理解し，納得して治療を受けられるようにする。

（2）体力の維持

できるだけ安静にし，栄養価の高い食事を摂取して，十分な水分の補給に努める。十分な食事ができない場合は栄養補助食品の検討を行う。発熱時は消化がよくたんぱく質を多く含むもの，患者本人の好みのもの，口当たりのよいもの，水分を多く含むものなど，食事内容についても考慮し，できるだけエネルギーの補給に努めるように説明する。

（3）感染症の治癒促進

感染症による発熱の場合には，患者が治療内容を理解し，納得して受けられるようにする。

- **上気道感染症，肺炎**：含嗽を頻繁に行い，口腔内や咽頭を清潔に保つ。痰の喀出をよくするために水分摂取や吸入などを行う。
- **尿路感染症**：水分摂取に努めるとともに，陰部を常に清潔に保つ。

- **腸炎**：腸に負担のない食事とし，水分の補給に努める。下痢が持続する場合には肛門部を清潔に保ち，発赤や痛みがある場合には軟膏を用いて不快感を緩和する。

❷日常生活行動への影響や不安感が軽減できる

(1) 日常生活の支援
- **食事**：食事内容に配慮し，消化がよく，水分を多く含むものなど食べやすい食事内容とし，水分補給に努めるように説明する。
- **清潔**：発熱により不感蒸泄が増え，発汗もしているため不快感が増す。皮膚や粘膜を常に清潔に保つようにし，衣類も常に乾燥したものにする。

(2) 不安感の軽減

看護師は，できるだけ患者のそばにいて，治療によって快方に向かうこと，患者とともに回復のためにできることをすることを伝える。また，症状が落ち着いてきたら，悪化要因について振り返り，発熱とのつきあいかた，今後の療養のしかたについても話し合う機会をもつ。

II リウマチ症状

1 関節症状

関節リウマチ，全身性エリテマトーデス（SLE），多発性筋炎など膠原病の多くでは，関節炎，関節痛，関節の変形などの症状がみられる。

▶ **発症機序** 本来，からだの中に異物が入ると，からだを守るために異物を排除する免疫が，関節滑膜を異物と間違えて攻撃してしまう（自己免疫反応）ことで炎症を起こし，関節液が増加することで関節に痛みや腫れが生じる。関節滑膜に炎症を起こしている関節は腫脹し，運動時痛がある。関節炎が強ければ熱感，発赤，安静時痛がみられる。

▶ **種類** 関節炎は全身の関節に多発するもの，単発のもの，左右対称のもの，また肩，肘，膝などの大関節のもの，手指などの小関節中心のものなど，疾患ごとに特徴がみられる。

▶ **影響** 関節炎が長期に及ぶと，滑膜細胞が肥厚・増殖し，軟骨が破壊され，炎症性肉芽組織が形成される。滑膜細胞の肥厚や増殖によって関節靭帯や関節包が弛緩し，関節が固定できなくなる。そのため，亜脱臼や脱臼による変形をきたす。

▶ **関節の変形** 関節リウマチによる関節の変形には，手指の尺側偏位，ボタン穴（ボタンホール）変形，スワンネック変形，Z字型変形，外反母趾，槌趾変形，扁平足などがみられる。全身性エリテマトーデスの場合は，軟骨の破壊を伴わない尺側偏位（ジャクー［Jaccoud］関節症）がみられる。

2 筋症状

膠原病のほとんどの疾患に筋肉痛がみられ，次のような筋力低下もみられる。

▶ **原疾患に伴う筋力低下** 筋力低下は多発性筋炎・皮膚筋炎に起こりやすく，殿部から大腿の筋力低下がみられ，立つ動作，しゃがむ動作，階段の昇降時に困難感を自覚することが多い。肩から上腕，頸部の筋力低下もみられる。これらは徐々に進行する。

▶ **治療に伴う筋力低下** 膠原病では強力な抗炎症性作用と免疫抑制作用のある副腎皮質ステロイド薬の使用が治療の中心となる。高用量から治療を開始することが多く，筋力低下の要因としてステロイドミオパチー（ステロイド筋症）があげられる。また，入院期間も長期になることから活動量低下による筋力低下があげられる。治療により筋力低下をきたしやすいことから，入院時に日常生活動作（ADL）の評価が重要になる。

1. リウマチ症状のある患者のアセスメント

1 身体的側面

❶関節症状の把握

- 関節痛の部位：膝，肘，足，肩などの大関節か，手指などの小関節か
- 関節痛の起こりかた：単発か多発か，対称性か，自発痛か圧痛か，急性か慢性か，一過性か間欠性あるいは周期性か，運動時か安静時か
- 関節の炎症症状：腫脹はあるか，熱感，発赤がみられるか，朝のこわばり感はあるか
- 関節の拘縮・変形の有無：手指の尺側偏位，ボタン穴（ボタンホール）変形，スワンネック変形，Z型変形，外反母趾，槌趾変形，扁平足などがあるか
- 検査データ：炎症反応（CRP）などの推移

❷筋症状の把握

筋症状を把握するために，①筋力低下や筋肉痛の程度，②しゃがむ動作の可否や経過を観察する。また，副腎皮質ステロイド薬を服用中であれば，定期的に上記を観察し，筋力低下がみられた場合，ADLの介助方法を検討する必要がある。

2 心理的側面および日常生活への影響

関節痛や関節の変形，筋力低下はADLに大きな影響を及ぼすため，ADLを行うときの不自由さや，立つ動作，しゃがむ動作，階段の昇降時の困難感などについて把握する。余暇活動や社会活動に影響があるかについても把握する。また，本人はどのように受けとめているか。うまく対処できているかなど，患者の思い，対処のしかたについて情報を得る。

2. 看護の視点

1 看護問題

- リウマチ症状による関節痛や筋肉痛などの苦痛がある
- 関節の変形により関節への負担が増し，筋力の低下が生じる
- 関節の痛み，拘縮，変形，筋力低下によりADLに支障が生じる

2 看護目標

- リウマチ性症状による苦痛を緩和できる
- 関節への負担を軽減し，筋力回復訓練を行える
- アセスメントに基づく介助により，ADLを支障なく行える

3 看護の実際

❶リウマチ性症状による苦痛を緩和できる

- **薬物治療**：苦痛を緩和するためには，まず処方されている鎮痛薬を服用する。
- **安静保持**：疼痛が激しいときには，副木（スプリント）を利用して患部を安静に保つ（図1-1）。関節の保護と保温のためにサポーターなどを利用する。
- **温罨法**：1日数回の温罨法を行う。関節リウマチの朝のこわばりに対しては，温浴が効果的である。
- **痛みの誘因回避**：環境の変化やストレス，睡眠不足や疲労など，痛みの誘因となるような因子を避ける。大気圧の下降などによって，関節内圧が上昇し関節包の伸展により痛みを感じやすくなる。低気圧の接近時には患部の安静，サポーターや温罨法による保温，マッサージなどに努める。また，寒冷刺激を緩和するため室温の調節を行う。過労を避け十分な睡眠や気分転換を図る。
- **周囲の理解**：患者の苦痛について，周囲の者が理解を示すことができるように働きかけることも大切である。

❷関節への負担を軽減し，筋力回復訓練を行える

- **関節の保護**：関節の変形を予防し，負担がかからないように関節を保護する。副木やサポーターを利用して関節を固定する。また局所的に負担がかからないように，小さな関節よりも大きな関節を使うようにする。たとえば，①鞄は下げないで腕にかけるか，肩にかけるようにする，②荷物を持ち上げるときは腕だけで持ち上げず，腰を下げて全身の筋肉を使って持ち上げるなどである。
- **自助具の利用**：自助具を利用して少しの力で動作ができるような工夫をする。また，歩行時は杖などを使って股関節，膝関節，足関節に負担をかけないようにする。
- **関節可動域の拡大**：痛みによって関節を動かさないと拘縮や筋力の低下が起こりやすく

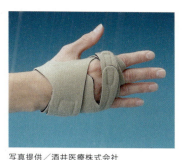
図1-1 副木（スプリント）による患部の固定
写真提供／酒井医療株式会社

図1-2 便座の高さの調整をする補高便座
写真提供／アロン化成株式会社

なるため，関節の保温に努めながら関節を動かし，関節の可動域を広げることが大切である。

- **筋力低下の予防**：自動運動・他動運動を筋力の低下の予防や筋力回復のために行う。炎症による痛みや腫脹があるときは安静に心がけ，炎症が落ち着いているときに運動を取り入れ，筋力低下を予防できるように取り組んでいくことが大切である。

❸**アセスメントに基づく介助により，ADLを支障なく行える**

- **食事**：筋力低下による嚥下障害が起こることもあるため，食事の摂取状態についてよく確認し，必要に応じて食事内容を考える。
- **排泄**：便座の高さにも留意し，立ち座り動作を楽にできるようにする（図1-2）。
- **周囲の支援**：食事動作，排泄動作，清潔動作，整容動作，書字動作，家事動作などへの影響をアセスメントして，自助具を使用し，また患者が周囲の者に介助を依頼できるように支援する。
- **余暇活動や社会活動への支援**：ADLと同様に周囲の支援が必要である。患者は自分ですべてを行おうと無理をし，疲れてしまうことがある。それにより痛みや，ほかの症状が悪化することもあるため，患者に自分のペースを守りつつ，安静と活動のバランスをうまくとりながら日々を過ごすことが大切であることを説明する。
- **環境整備**：常に環境を整え，安全な生活ができるようにする。手すりを設置し，床の素材や履物もすべらないように工夫をする。

III 皮膚粘膜症状

膠原病は多様な皮膚粘膜症状を呈する。紅斑，紫斑，皮膚硬化，レイノー現象（序章-II-1-3「皮膚症状」参照），口腔潰瘍などがみられる。これらは外観の変化を伴うため，心理的にも影響を及ぼしやすい。

- ▶ 紅斑　全身性エリテマトーデスの蝶形紅斑，円板状紅斑，皮膚筋炎の顔面紅斑など．
- ▶ 紫斑　皮下出血で，圧迫しても色は変化しない．血管炎症候群によるものは下肢に多い．全身性エリテマトーデスの患者や，免疫抑制薬（本編-第2章-Ⅲ-A-3「免疫抑制薬」参照）や副腎皮質ステロイド薬（本編-第2章-Ⅲ-A-1「副腎皮質ステロイド薬」参照）を長期間服用している患者に，血小板減少や皮膚血管の脆弱性による紫斑が多発する．
- ▶ 皮膚硬化　全身性強皮症でみられ，皮膚真皮層の膠原線維の増生により生じる．指先から全身の硬化にまで及ぶものもある．皮膚硬化が進行すると関節の動きを妨げ，関節拘縮を生じることもある．
- ▶ レイノー現象　寒冷や心因ストレスによって指先の血管が収縮し，皮膚の色が変化し疼痛，冷感をきたす．全身性強皮症，全身性エリテマトーデスにみられる．血管炎などによる慢性的な循環障害が続くと，皮膚の潰瘍，壊疽を生じる．
- ▶ 口腔潰瘍　全身性エリテマトーデスやベーチェット病で起こる．シェーグレン症候群では，唾液分泌低下により口腔乾燥がみられる．

1. 皮膚粘膜症状のある患者のアセスメント

1　身体的側面

❶皮膚の状態の把握

- 皮膚：全身の皮膚の色，きめ，つや，柔らかさ，冷感，乾燥・湿潤状態
- 毛髪，爪：変化の有無
- 紅斑，紫斑：蝶形紅斑，円板状紅斑，顔面紅斑，紫斑の有無・部位・程度・色素沈着の状態
- 薬物療法：副作用，血小板数との関係

❷粘膜の状態の把握

- 口腔粘膜：潰瘍の有無，潰瘍がある場合には無痛性か有痛性か
- 舌：萎縮の有無
- そのほか：陰部などの観察

2　心理的側面および日常生活への影響

- 機能障害：皮膚や粘膜の変化による機能障害はないか（口腔内の乾燥や潰瘍による疼痛のために，会話や食事が思うようにできないなどの影響をもたらしやすい）．
- 日常生活への影響：皮膚硬化が進行すると関節の動きを妨げ，関節拘縮を生じ，ADLに影響を及ぼすこともあるため，生活への影響の程度を把握する．
- 心理的負担：顔面や全身の皮膚の症状は外観の変化をきたすため，外出や人との接触を避けがちになる．皮膚や粘膜の変化をどのように受けとめているか，心理的な負担感についても，患者の言動，表情から把握する．

2. 看護の視点

1 看護問題

- 紫外線，寒冷刺激による症状悪化，皮膚や粘膜が傷つきやすくなる
- 外観の変化や症状についての心理的苦痛が生じる

2 看護目標

- 紫外線，寒冷刺激を防止でき，皮膚や粘膜のケアが適切にできる
- 外観の変化や症状についての心理的苦痛が緩和できる

3 看護の実際

❶紫外線，寒冷刺激を防止でき，皮膚や粘膜のケアが適切にできる

（1）紫外線の防止

日常生活では紫外線を避けるように説明する。特に全身性エリテマトーデスは，日光への曝露による紫外線が症状を悪化させるため，外出時は注意が必要である。

- できるだけ紫外線が強い時間帯の外出は避ける
- UV（紫外線）カットの日焼け止めクリーム，衣類，日傘，サングラスなどを使用し，肌の露出を少なくして，紫外線から身を守る
- サングラスのレンズは，散瞳を避けるため濃すぎないものを選ぶことが大切である

（2）寒冷刺激の防止

寒冷刺激を避けるよう具体的な方法を患者とともに考える。特に秋から冬，春，梅雨までの気温の低い時期，低気圧が通る時期には，手足の関節を冷やさないようにする。

- 手袋，靴下，サポーターなどで保温する
- 室温に留意し，夏の冷房の効かせすぎに注意する
- 水仕事のときは温水を用い，ゴム手袋の使用を勧める

（3）清潔さの保持と粘膜の保護

皮膚や粘膜は傷つきやすくなっているため，常に清潔さと潤いが保てるようにする。

- 刺激の少ない石けん，柔らかいタオルを用い，強くこすらない
- 皮膚や粘膜をよく観察できるように観察点を説明する
- 処方されている軟膏があれば使用する
- 血管炎などがある場合：血液循環も悪くなり，傷は治癒が遅れ，潰瘍をつくることがあるため，できるだけ傷をつくらないように留意し，傷をつくった場合には早目に医師の診察を受け，早期に治癒するよう努める
- 口腔粘膜や陰部に潰瘍がある場合：刺激をできるだけ少なくする。柔らかい歯ブラシ，スポンジブラシを使用するか含嗽水などで含嗽する。陰部はトイレットペーパーを用いずに，温水洗浄や陰部用の清浄綿を使用する

❷**外観の変化や症状についての心理的苦痛が緩和できる**

　全身性エリテマトーデスや皮膚筋炎の顔面の紅斑や全身性強皮症の仮面様顔貌，皮膚の硬化などは外観の変化をきたすため，患者は苦痛を感じている。また陰部の潰瘍なども人に言いにくいつらさがある。それらが疾患の症状であること，治療によって症状が緩和するものについては，そのことを説明し，安心感が得られるようにする。

IV　腎・尿路系障害

　血液が腎糸球体で濾過されるときに，糸球体基底膜に免疫複合体が沈着して腎・尿路系に炎症を起こす。全身性エリテマトーデスで起きる腎障害としてループス腎炎があげられる。また炎症によって糸球体基底膜が粗くなり，破壊されることがあり，たんぱく尿，血尿，尿沈渣検査での円柱がみられる。

　療養が長期になり，また重症になってくると，糸球体が硬化して腎機能が低下し，透析導入を余儀なくされる。また自己免疫反応による膀胱炎を起こすことがある。

1. 腎・尿路系障害のある患者のアセスメント

1　身体的側面

❶**腎臓の機能の把握**

　腎臓の機能を把握するために，①尿量（500mL以上を保っているか，回数は），尿の性状（尿沈渣検査の結果），②老廃物の排泄状況（血清尿素窒素［BUN］・クレアチニン，尿量，電解質の異常），③腎臓の機能障害の程度（基準値の何％の機能か），④尿毒症症状，⑤血圧異常，などを観察する。

❷**尿路感染症の把握**

　尿路感染症を把握するために，膀胱炎の症状（排尿時痛，頻尿，血尿の有無）を観察する。

2　心理的側面および日常生活への影響

　腎臓の機能を維持する目的で食事療法や活動範囲の制限が指示されるため，それらに対する理解の状況を把握する。透析療法導入が必要になった場合には，必要性の理解の程度，受け入れ状況，コントロール状態を把握する。また透析療法を受けながら，生活に支障は出ていないか，心理的な問題はないか，家族の支援は適切に受けられるか，対処能力はあるか，などについて把握する。

2. 看護の視点

1 看護問題

- 食事や生活・行動の内容により腎臓に負担がかかる
- 感染防御力の低下により尿路感染症を発症しやすい
- 透析療法による心理的負担が生じる

2 看護目標

- 腎臓に負担をかけない生活ができる
- 尿路感染症を予防できる
- 透析療法による心理的負担を軽減できる

3 看護の実際

❶腎臓に負担をかけない生活ができる

　膠原病は免疫複合体が腎臓や尿路系に沈着して炎症を起こしやすい。その徴候がみえたら，腎臓の機能を保護する必要性を説明し，腎臓に負担をかけない生活をするための情報を提供する。腎臓の機能の程度によって，食事と活動の程度が決まる。

（1）食事

　日本腎臓学会[1]によれば，食事は腎機能のステージ（糸球体濾過量，glomerular filtration rate；GFR）によって次のように区分される。

- エネルギー：25〜35kcal/kg 標準体重（BW）/ 日
- 食塩：3〜6g/ 日
- たんぱく質：腎機能ステージ GFR45〜59 で 0.8〜1.0g/kg BW/ 日，GFR44 以下で 0.6〜0.8g/kg BW/ 日
- カリウム：GFR44 以下で 2000mg/ 日，GFR29 以下で 1500mg/ 日

　腎臓の機能障害の程度に応じて慢性腎不全食が適応される。さらに，透析導入となれば，透析時の食事内容となる。食事内容の目的を理解できるように情報を提供し，患者が管理栄養士と相談して食事療法を実行できるようにする。

（2）活動

　日本腎臓学会[2]では，ループス腎炎の生活指導区分を設定している。腎機能の程度と病期（治療時期）によって設定されているが，全身症状を考慮に入れて総合的に判断する。

❷尿路感染症を予防できる

（1）尿路感染症の誘因

　膠原病の患者は感染防御力が低下しやすい。膀胱への免疫複合体沈着による炎症，腎機

能低下による尿量減少，副腎皮質ステロイド薬（本編-第2章-Ⅲ-A-1「副腎皮質ステロイド薬」参照）の副作用による易感染，倦怠感などによる陰部の清潔行動の不足などの要因によって，尿路感染症を起こしやすくなる。

全身性エリテマトーデスによるループス腎炎などでは，たんぱく尿をきたしやすく，尿の量，性状や排泄回数が減少しているか観察を行う。

(2) 対策

常に陰部を清潔に保つ必要性を説明し，必要に応じて介助する。腎臓の機能に応じて，水分制限がなければ，できるだけ多量の水分を摂取して尿量を増やすことで，尿路系の清潔が保てるようにする。

❸ 透析療法による心理的負担を軽減できる

療養が長期になり，重症化によって糸球体が硬化して腎機能が低下し，透析導入を余儀なくされる。透析療法に対する正しい知識を提供し，治療に対する不安を軽減する。

- **療養生活への支援**：食事については管理栄養士の指導を受け，セルフケアができるように援助する。また，シャント管理や腎機能のモニタリングができるように援助する
- **透析療法継続への支援**：透析療法は，週に2～3回，1回あたり4～5時間を要するため，生活パターンの変更が求められる。継続して治療を受け続けると負担感が生じるため，家族の治療への理解と協力が得られるように家族を含めた説明を行い，問題に対処できるように援助する
- **経済的問題への支援**：経済的には公費負担が受けられるため医療ソーシャルワーカー（MSW）と連絡をとり，手続きの支援をする

Ⅴ 呼吸器症状

肺や胸膜，肺血管に炎症が起こることによって呼吸器症状が出現する。特に，間質性肺炎は全身性強皮症，多発性筋炎，皮膚筋炎，関節リウマチでみられる。進行すると息切れを生じ，低酸素血症となる。肺感染症を合併しやすく，それが誘因となって心不全を起こすこともある。全身性エリテマトーデスや関節リウマチでは，胸膜炎による胸水貯留が起こる。肺高血圧症もいくつかの疾患でみられ，長期にわたり徐々に進行し，最終的には心不全を起こす。血管炎や抗リン脂質抗体症候群では，下肢に生じた深部静脈血栓が遊離して肺梗塞を起こすことがあり，突然の胸痛と呼吸困難を訴える。

1. 呼吸器症状のある患者のアセスメント

1 身体的側面

❶呼吸状態の把握

- **呼吸の状態**：呼吸数，呼吸の深さ・型（異常がある場合は低酸素状態になっていないか）
- **検査データ**：動脈血酸素飽和度（Sao_2），動脈血酸素分圧（Pao_2），動脈血二酸化炭素分圧（$PaCo_2$）など血液ガス分析の結果
- **呼吸器感染症**：感染症の予防行動はできているか，感染の徴候の有無（痰の貯留［喀痰の量と性状］，呼吸困難感，胸痛，顔色の変化，チアノーゼ，冷感，胸部 X 線画像の異常所見，発熱，脈拍数上昇，CRP 値の上昇など）
- **胸部 X 線画像**：胸水の貯留の有無，肺炎の徴候など
- **心不全**：症状の有無，日常生活活動の程度，日常生活への支障
- **肺梗塞**：危険性の把握（血栓症による肺梗塞の危険性もあるため，下肢の適度な運動により深部静脈血栓を予防しているか，突然の呼吸困難や胸痛などの肺梗塞の徴候の有無を観察する）

❷症状による疾患の把握

- **乾性咳嗽があるとき**：間質性肺炎の合併が考えられる。関節リウマチや全身性強皮症に合併した間質性肺炎や，その悪化が認められれば肺線維症へ移行する場合がある。
- **胸痛があるとき**：関節リウマチや全身性エリテマトーデスによる胸膜炎で多くみられる。
- **胸水貯留があるとき**：胸膜炎の悪化により多くみられる。
- **肺高血圧症があるとき**：混合性結合組織病*，全身性強皮症で起こることがあるため，息切れの程度を確認し，ADL にどの程度の影響を与えているかアセスメントすることが重要である。肺高血圧症では，心臓から肺に血液を送る肺動脈圧が高くなり，右心機能低下による右心不全の状態になるため注意が必要である。下肢の浮腫，体重増加，尿量低下，食欲不振などの右心不全徴候がないか確認する。

2. 看護の視点

1 看護問題

- 呼吸困難を感じる
- 膠原病治療薬の副作用によって呼吸器感染症を発症しやすくなる
- 日常生活行動により呼吸状態が悪化する

2 看護目標

- 呼吸困難感を緩和できる

---

*混合性結合組織病：全身性エリテマトーデス，強皮症，多発性筋炎／皮膚筋炎でみられる症状が混在している疾患。血液検査で抗 U1-RNP 抗体が高値で陽性となる。特定疾患に指定されている。

- 呼吸器感染症を予防できる
- 日常生活行動による呼吸状態の悪化を予防できる

3 看護の実際

❶呼吸困難感を緩和できる
- 肺炎などを起こしている場合は，去痰薬の吸入，体位変換，水分補給などにより気道の清浄化を図り，適切な酸素の供給を行う。
- 安楽な体位がとれるように努め，呼吸困難感をできるだけ緩和するようにケアする。
- 酸素消費量を少なくするために，呼吸困難の程度に合わせた活動範囲の調整と日常生活の支援を行う。
- 呼吸困難による不安に対しては，できるだけそばに付き添う。

❷呼吸器感染症を予防できる
　膠原病の場合，治療薬（副腎皮質ステロイド薬や免疫抑制薬）の副作用によって呼吸器感染を起こしやすい状況にある。また感染症が増悪しやすく，治癒も遅延する。感染症は病状の悪化要因であり，これを引き金に病状が悪化したり，呼吸不全，心不全などの合併症を起こすと，生命の危機状態にもなりかねない。日頃から呼吸器感染症を予防するために，含嗽や手洗いの励行，人混みに出ないなどの自己管理の重要性を患者・家族に説明しておく。感染の徴候があれば早期に治療を受けるように促す。

❸日常生活行動による呼吸状態の悪化を予防できる
　食事動作，清潔動作，排泄動作などによって呼吸状態が悪化することが予測される場合はその介助を行う。症状が重症化した場合，酸素投与が必要となる可能性がある。必要となった場合は，適切に投与できているか，安静時と体動時の状態を比較して援助する。室温と湿度を適切に調整する。安静臥床によって深部静脈血栓が生じやすくなるため，水分の摂取を促し，弾性ストッキングなどを活用して下肢を圧迫し，屈伸運動を行う。水分制限や塩分制限がある場合，守ることができるよう援助する。

VI 神経症状

▶ **中枢神経障害**　全身性エリテマトーデスでは脳血管炎によって頭痛，精神症状，痙攣が起こることがある。また抗リン脂質抗体症候群の合併によって脳血管障害のリスクが高まることもある。結節性多発動脈炎においても脳血管障害が起こることがあり，頭痛，痙攣発作，運動麻痺などがみられる。副腎皮質ステロイド薬の副作用として精神症状がみられることもある。

▶ **末梢神経障害**　結節性多発動脈炎などの血管炎を伴う疾患に多い。神経を栄養する血管の血管炎により，下肢の知覚低下，知覚異常，運動麻痺が生じやすい。関節リウマチでは，

滑膜炎により末梢神経が圧迫されて手根管症候群が起こる。手根管症候群では手関節の正中神経が圧迫され灼熱感，しびれ感がみられる。

1. 神経症状のある患者のアセスメント

1 身体的側面

❶中枢神経症状

中枢神経系の問題を把握するために，頭痛の有無と程度などを観察する。頭痛を訴えるようであれば，さらに痙攣の有無，前駆症状および持続時間，意識状態，バイタルサイン，呼吸状態，瞳孔の状態，悪心・嘔吐，髄膜刺激症状，運動麻痺の有無（部位，程度，種類）などを観察する。また抑うつ，不安，興奮，幻覚，妄想などの症状を観察し，精神症状の把握をする。これらによる日常生活への支障の程度も把握する。

❷末梢神経症状

四肢の知覚状態を把握するために，しびれ感，知覚低下を観察する。

2 心理的側面および日常生活への影響

中枢神経症状は生命の危機に及ぶことがあり，また人格が変わったかのような精神症状が出ることもある。さらに日常生活にも大きな影響を及ぼしやすい。患者本人のみならず家族の心配や不安は大きなものとなる。また末梢神経症状による不快感や苦痛，日常生活への影響もある。患者や家族の言動・表情から心理状態の把握をする。

2. 看護の視点

1 看護問題

- 頭痛や知覚異常など，神経症状による苦痛が生じる
- 神経障害による急激な病状悪化がある
- ADLへの介助が必要となる
- 患者が呈する精神症状について，患者周囲の人が不安になる

2 看護目標

- 神経症状による苦痛の緩和ができる
- 神経障害による急激な病状悪化の予防や緊急時の対応ができる
- ADLへの介助がなされる
- 患者が呈する精神症状について，患者周囲の人に対する配慮がなされる

3 看護の実際

❶神経症状による苦痛の緩和ができる

　頭痛や知覚異常などによる苦痛に対して，原疾患の治療とともに，症状の緩和ケアを行う。安静にし，血管が怒張（どちょう）するような動作を避ける。鎮痛薬を使用する。知覚異常に対しては，手袋や衣服で刺激を避けるようにする。冷水や温水の利用時は温度調節に留意する。こわばりや冷えによる痛みなのか，急性の炎症による痛みなのかに留意し，温罨法か冷罨（れいあん）法（ぼう）かを判断して援助を行う。

❷神経障害による急激な病状悪化の予防や緊急時の対応ができる

　脳血管障害を発症する危険性もあるため，その予防と観察に努める。発症した場合には，すぐに医療機関を受診するように説明しておく。緊急時には生命維持に対する援助が行われる。痙攣発作時には，気道を確保し，外傷を予防する。急激な病状悪化は患者のみではなく家族も不安になるため十分な配慮が必要である。

❸ADLへの介助がなされる

　苦痛や運動麻痺，知覚異常によってADLに介助が必要な場合には障害の程度に応じて行う。

❹患者が呈する精神症状について，患者周囲の人に対する配慮がなされる

　精神症状はその人らしさに影響を及ぼし，周囲の人に不安をもたらす。病気による症状であることを説明し，落ち着いた態度で接することができるように援助する。また，認知機能や判断能力にも影響するため，安全に療養できるように人的・物的環境を整える。

VII　循環器症状

　心膜炎は全身性エリテマトーデス，関節リウマチ，全身性強皮症でみられ，心囊（しんのう）水貯留をもたらす。心筋炎は全身性強皮症で起こり，心筋の線維化によって刺激伝導系が断線し不整脈が起こる。全身性エリテマトーデスの血管炎や結節性多発動脈炎では，狭心症や心筋梗塞などの冠動脈疾患が起こることがあり，死に至る原因ともなる。特に全身性エリテマトーデスで抗リン脂質抗体症候群を合併している場合は血栓症をきたしやすく，脳血管障害や冠動脈疾患のリスクが高まる。呼吸器障害によって起こる心不全（肺性心）も重要である。

1. 循環器症状のある患者のアセスメント

1 身体的側面

❶心臓の状態の把握
　心膜炎や心囊炎，冠動脈疾患などによる症状や，虚血性心疾患の悪化因子や心不全の徴候を把握するために，脈拍数，心拍数，胸痛（程度・体位や咳嗽による悪化の有無），呼吸困難（安静時，労作時），動悸，発熱，不整脈の有無を観察する。また，心電図・胸部X線検査所見，心胸比（CTR）・血清電解質の値などの異常の有無，推移を観察する。

❷血管炎の状態の把握
　血管炎は全身の血管に起こる可能性があり，疼痛の部位，知覚異常，神経障害のしびれ感などの症状を観察する。脳血管炎の場合は頭痛，精神症状，痙攣などの症状，下肢の場合は知覚低下，知覚異常，運動麻痺などの症状の有無を観察する。また，これらによるADLへの支障の程度を把握する必要がある。

2. 看護の視点

1 看護問題

- 生命の危機感をもたらすような苦痛を感じる
- 循環器病変の急激な発症，病状悪化が生じる
- ADLで心臓への負荷がかかる

2 看護目標

- 生命の危機感を感じさせるような循環器症状の苦痛を緩和できる
- 循環器病変の急激な発症，病状悪化を防ぐことができる
- ADLでの心臓への負荷を軽減できる

3 看護の実際

❶生命の危機感を感じさせるような循環器症状の苦痛を緩和できる
　循環器症状の苦痛は，生命の危機感をもたらすほど強いものである。安静にして酸素消費量を減らし，必要時は酸素吸入療法を行って動脈血酸素飽和度を上げる。安楽な体位（ファーラー位など）をとるよう援助する。生命の危機感に対しては，できるだけそばにいて，タッチングやマッサージなど患者が安心感を得られるようなかかわりをする。患者も家族も不安や恐怖を感じているため，不安の表出を促し，頻繁でていねいな情報提供や温かい雰囲気づくりをする。

❷循環器病変の急激な発症，病状悪化を防ぐことができる

　循環器病変は急激に発症することが多いため，その予防と観察に努める。食事や活動内容を調整し，できるだけ心臓や血管に負担をかけない生活を送れるようにする。発症した場合には，直ちに医療機関を受診することなどを説明しておく。緊急時には生命維持に対する援助が行われる。急激な病状悪化は患者や家族に不安をもたらすため，患者や家族への配慮を十分にする。

❸ADLでの心臓への負荷を軽減できる

　心筋の酸素消費量を増やさないために安静にする必要がある。また，血管炎で生じる疼痛やしびれなどの知覚異常，運動障害などにより，ADLが困難になり介助を必要とする場合もある。患者の循環機能をアセスメントし，障害の程度に応じて介助し，患者のニーズを充足する。心臓への負荷を増やさないために，食事内容，水分摂取，日常の活動などに留意する必要があり，情報を提供し理解を促す。

Ⅷ 消化器症状

　全身性強皮症では，平滑筋の萎縮と線維化による消化管の拡張，蠕動運動低下が起こる。血管炎，全身性エリテマトーデスにおいては，腸管や腸間膜動脈の血管炎による消化管の潰瘍や穿孔，腹膜炎が起こることがある。

1. 消化器症状のある患者のアセスメント

1　身体的側面

　消化器の痛み，食欲不振，通過障害，悪心・嘔吐，もたれ感，腹部膨満感，便秘などの有無，口腔粘膜の状態を観察する。さらには消化管の出血，穿孔，イレウスなどによる急性腹症の可能性もあるため，そのことも意識して消化器症状の把握を行う。急激な腹痛，吐血，下血，バイタルサインの変化はないか観察する。副腎皮質ステロイド薬による消化性潰瘍が起こる恐れもあるため，薬の使用状況などと併せて観察する。

2. 看護の視点

1　看護問題

- 急激に病状が悪化することがある
- 消化管の通過障害や口腔潰瘍により栄養状態が悪化する

2 看護目標

- 急激な病状悪化の予防，緊急時の対応ができる
- 食生活への支援により栄養状態を維持できる

3 看護の実際

❶ 急激な病状悪化の予防，緊急時の対応ができる

急性腹症，消化管出血などを発症する可能性もあるため，その予防と観察に努める。発症した場合には，すぐに医療機関を受診するように説明しておく。緊急時には生命維持のための援助が行われる。苦痛に対して緩和するケアを行う。

急激な病状悪化は患者や家族に不安をもたらすため，患者や家族への配慮を十分にする。

❷ 食生活への支援により栄養状態を維持できる

消化管の通過障害がみられる場合は，嚥下(えんげ)しやすい食物を少量ずつゆっくりと摂取することを勧める。また口腔潰瘍がみられる場合は，疼痛を緩和し，悪化を防ぐために刺激の強い食品，香辛料，固いものの摂取は避ける。食事は消化管の状態に合った食事内容とする。また症状がみられる場合には，消化のよいもの，好みのもの，食べやすいものを摂取し，できるだけ摂取量を増やし，栄養状態を維持できるようにする。

文献

1) 日本腎臓学会編：慢性腎臓病に対する食事療法基準 2014 年版，東京医学社，2014.
2) 日本腎臓学会編：腎疾患患者の生活指導・食事療法に関するガイドライン，日本腎臓学会誌，39（1），1997.

演習課題

1. 膠原病をもつ患者にみられる主な症状を挙げ，それぞれに対する看護のポイントを整理しよう。
2. 発熱の主な原因と症状緩和のためのポイントをまとめよう。
3. リウマチによる関節症状，筋症状のアセスメント，看護について整理しよう。
4. 膠原病による皮膚粘膜症状にはどのようなものがあるのかまとめよう。
5. 腎・尿路系の障害をもつ患者が，腎臓に負担をかけない生活を送るにはどのような点がポイントになるのかまとめよう。
6. 膠原病の各疾患と呼吸器・神経・循環器・消化器に生じる障害との関連性について整理しよう。

第2編 膠原病患者の看護

第2章

主な検査と治療に伴う看護

この章では
- 膠原病が疑われる患者の診察時の看護について理解する。
- 尿・血液検査, 穿刺による検査, 病理学的検査, 画像検査時の看護のポイントを理解する。
- 薬物療法を受ける膠原病患者の看護について理解する。
- 膠原病患者の救急時の対応を理解する。
- 膠原病患者のリハビリテーション時の看護のポイントを理解する。

I 診察時の看護

1. 診断時の看護

　膠原病の疾患は多岐にわたる。また症状も全身，皮膚，関節，臓器（循環器，呼吸器，神経，腎臓，眼，消化器）と多様である。発症のしかたも多様で，発熱や倦怠感から発症する場合には，かぜ症状とみなされて，かぜの治療をして様子をみるといった経過をとることがある。多種多様な膠原病の特徴によって，患者は様々な診療科にかかるため，診断までに時間を要したり，症状に伴う身体的苦痛が持続したりする。

　看護師は，診断がつかないことによる不確実さから，患者が不安などを抱えていることをよく承知したうえでかかわる必要がある。また，看護師は，膠原病の診断がされたことによって患者が病気の特徴を知り，病気と向き合っていくことを受け入れていく過程にかかわっていくことになる。診断名が告げられ，医師からその説明を受けるなかで，患者・家族が病気を踏まえた日常生活や，治療を継続する生活などをイメージでき，受け入れられるかを確認しながら，様々な形で療養に必要となる情報を提供する。患者やそれをサポートする家族に疑問点や不明点があれば，いつでも看護師が対応できることを話し，必要であれば直接医師から説明を受けられるように調整するなど，患者・家族の代弁者的役割を果たすことも必要になる場合がある。

2. 診察時の看護

　膠原病の症状は全身に及ぶため，全身の皮膚や粘膜，臓器が診察の対象となる。看護師は，患者が自分の病状や経過についてうまく説明できるように援助する。関節痛や発熱などで苦痛が強いときは，診察を受けるための体位を安楽に保持できるように介助する。また，患者のプライバシーや羞恥心に配慮し，診察時の露出を少なくし，部屋の室温や掛け物などで環境にも配慮する。

II 主な検査に伴う看護

A 血液・尿検査

　膠原病では，尿検査，血液学的検査，血液生化学検査，炎症反応検査，免疫学的検査などが行われる。これらの検査は，診断，疾患活動性評価および治療薬の副作用のチェックなどの目的で行われる。患者がその経時的な結果，病状の推移について関心がもてるよう

にする。ここでは特に膠原病に特異的な免疫学的検査の指標について説明する。

1. 採血

❶検査前の看護
　患者によっては絆創膏やアルコール綿に対してアレルギー反応や皮膚トラブルを起こしやすい場合もあるため，アレルギーの有無を確認して，適したものを準備する。
　治療や副作用の評価を目的とする場合は，空腹時や内服前など血液採取のタイミングについて医師に確認する。

❷検査時の看護
　関節変形により肘関節の伸展が難しい患者もいるため，患者が安楽な姿勢で検査を受けられるよう配慮する。また，膠原病の影響によって血管に炎症が起き，血管が細くなり，血管壁が弱くなっている患者も多いため，熱傷に注意して温罨法を実施する。
　疾患や薬剤の影響によって皮膚や血管壁が弱っているため，駆血によって皮下出血が起きることがある。患者の状態に合わせて駆血の強さや方法を検討する。

❸検査後の看護
　血管壁が弱くなっている患者，出血傾向のある患者の止血は注意深く実施する。また，皮膚が弱くなっている患者は固定用テープなどを剝がすときに表皮剝離を起こすことがあるため注意して実施する。

2. 採尿

❶検査前の看護
　患者の体調に合わせてトイレまでの移動を介助する。尿の採取方法について説明する。

❷検査時の看護
　関節変形などで，コップを持って尿を取り，検体容器に移すことが難しい患者もいるため，患者の状態に合わせて採取方法を検討する。また，患者へ介助ができる旨を伝える。

❸検査後の看護
　患者が安全に自室へ戻れるように患者の体調に合わせて移動を介助する。

B 穿刺

　胸水，髄液，関節液貯留時に穿刺が行われる。

❶検査前の看護
　検査の目的と方法について説明する。穿刺の部位に応じて，穿刺が安全に実施でき，血液や消毒薬などで衣類が汚染されないよう検査着への更衣を検討する。

❷検査中の看護
　検査中の体位の保持を介助し，安楽に検査が受けられるようにする。また，局所麻酔な

どによるアレルギー反応，穿刺時の疼痛の有無，気分不快などの症状やバイタルサインの変化がないか観察する。

❸ 検査後の看護

穿刺終了後は圧迫止血をして，貯留液漏出や出血を予防し，血圧が低下しショック状態を引き起こすことのないようにする。出血や貯留液漏出の有無，バイタルサインの確認，気分不快などの有無をよく観察する。穿刺部位に応じて周囲の皮膚や臓器への影響の有無などについても観察を行う。検査後，数日は穿刺部からの感染徴候（発赤，熱感，疼痛）がないかを経時的に観察する。

C 病理学的検査

組織片を採取して病理学的組織学的診断を行う。確定診断や病期診断，臓器障害の程度，治療効果確認を目的として行われる。採取する組織は，各疾患において起こる炎症性病変部位となる。腎生検，肝生検，気管支肺生検などが，超音波やCTを用いて行われる。

❶ 検査前の看護

病理学的検査の目的と方法について，また合併症などの検査に伴うリスクについて医師が患者に説明し，同意を得た後に実施される。看護師は患者が目的や方法，リスクについて理解できたかを確認し，疑問や不明な点について再度説明を行う。また，検査前の準備，検査中および検査後の留意点などについてイメージできるように説明する。特に，①検査前6時間は食事を摂らないこと，②検査時は指示された体位を保ち穿刺時には呼吸を止めること（およそ10〜15秒），③穿刺部位には局所麻酔が行われるため穿刺時痛はないこと，④検査後の安静の必要性，⑤食事や排泄の方法，⑥安静解除時間などについて説明する。

❷ 検査中の看護

検査中の体位の保持を介助する。また，局所麻酔などによるアレルギー反応，穿刺時の疼痛の有無，気分不快などの症状やバイタルサインの変化がないか観察する。

❸ 検査後の看護

検査に伴う合併症を早期発見できるように観察を行う。

（1）出血

生検による出血が予測される。臓器内の出血が考えられるため，血圧，脈拍，呼吸，体温の変動，悪心・嘔吐，顔色，気分不快などの訴えに留意する。観察は検査前と検査後は30分ごと，1時間ごとというように，指示に応じて，出血がないことが確認されるまで行う。出血を予防するために穿刺部位を砂嚢で圧迫する。

また腎生検の場合は血尿と穿刺部位の皮下出血，肝生検の場合は穿刺部位の皮下出血，気管支肺生検の場合は血痰と穿刺部位の皮下出血などを観察する。

特に腎生検，肝生検の検査後は，出血を予防するためにベッド上安静となる。翌日，超音波検査によって臓器内出血がないことを確認した後に安静が解除される。安静に伴い，

食事や排泄,清潔行動をベッド上で行うことになるため,必要に応じて介助する。

(2) 疼痛

穿刺部位の疼痛は次第に軽減するが,疼痛が強くなるようであれば知らせてもらう。また,安静による背部痛や腰痛が起こることも考えられる。安静中の背部痛や腰痛に対して,可能な範囲で背部に枕やタオルを当てる,体位を調整するなどの援助が必要になる。

D 画像検査

単純 X 線検査,CT 検査,超音波検査,MRI 検査などが行われる。

❶ 検査前の看護

患者に検査の目的と方法などを説明する。特に,痛みを伴わない検査であることを伝える。ただし,関節痛や変形,発熱,倦怠感など疾患による苦痛がある場合には,検査を受けるときの体位や肢位保持について検査室に相談する。

検査によっては,検査前に食事を摂らない状態で撮影するため,そのことも説明する。

義歯やヘアピン,アクセサリーなどの金属類や柄のある衣服は画像に写ることや,検査機器に影響を与えることがあるため事前に外す,または更衣してもらい検査室へ移動する。

❷ 検査中の看護

安全に実施できるよう患者の状態に応じて移動や体位保持の介助をする。

❸ 検査後の看護

検査や移動による身体への影響がないことを確認する。

III 主な治療・処置に伴う看護

A 薬物療法を受ける患者の看護

1. 副腎皮質ステロイド薬

膠原病の場合,抗炎症作用と免疫抑制作用がある副腎皮質ステロイド薬がよく用いられる。また,炎症の程度によってステロイドパルス療法が行われる。長期にわたって使用する場合もある。副腎皮質ステロイド薬には副作用もあるため,その観察と予防も必要になる(第1編-第3章-III-B-2「副腎皮質ステロイド薬」参照)。

▶ **アセスメントの視点**

- 処方どおりに服用されているか
- 薬物の効果はみられているか
- 副作用（感染症，骨粗鬆症，糖尿病，動脈硬化，消化性潰瘍，高血圧，白内障，緑内障，満月様顔貌，精神症状）の有無
- 副腎皮質ステロイド薬を服用することに対する不安はないか
- 副作用に対する不安はないか

▶ **必要な情報**　アセスメントに必要な情報としては，たとえば次のようなものがある。

- 薬剤量
- 投与方法（回数，時間，1回量，期間，漸減方法）
- 発熱
- CRP（C反応性たんぱく）
- 便の状態
- 血糖
- 尿糖
- 倦怠感などの全身症状の変化
- 関節痛の程度の変化
- 皮膚粘膜症状（紅斑，紫斑，潰瘍，皮膚の柔らかさの変化）
- 内臓の炎症性病変（腎症状，呼吸器症状，循環器症状，神経症状，消化器症状，眼症状など）の変化
- 感染症状
- 血液培養結果
- HbA1c
- 血圧
- X線検査画像
- MRI検査画像
- 精神症状
- 副腎皮質ステロイド薬を服用することへの患者の思い
- これらの症状に対しての患者の思い　など

1　治療前の看護

❶ 副腎皮質ステロイド薬の必要性と副作用の説明

　副腎皮質ステロイド薬を大量に使用する場合や，少量であっても自己管理のもとで使用する場合がある。病状に合わせて薬剤量が決定され，病状を押さえる十分な量を処方された後，徐々に減量する方法（漸減法）がとられる。副腎皮質ステロイド薬は，ある量をある期間服用していると副腎皮質が萎縮してステロイドを産生しなくなる。そこへ服用を突然中止し，さらに身体的ストレスがかかった場合に，副腎皮質はその機能が果たせず，ショック症状を起こすことがある。

　患者はステロイド療法によって，それまでの症状が軽減することで病状が回復したと誤解したり，副作用の重大さなどから医療者に相談することもなく服用量を減らしたり，服用を中止するなど，処方どおりに服用できないこともある。そのため，患者が副腎皮質ステロイド薬の効用や副作用に対する正しい理解ができるように知識を提供し，処方どおりの服用の重要性を認識してもらう。

　副腎皮質ステロイド薬の主な副作用として感染症，骨粗鬆症，糖尿病，動脈硬化，消化性潰瘍，高血圧，白内障，緑内障，満月様顔貌，精神症状などがある。これらの予防・早期発見をするためには，治療前から患者へ予防方法を指導し，習慣化を促す必要がある。また，患者が副作用を知ったうえで内服に対する不安がないかなどを確認し，安心して治

療を開始・継続できるように長期的な支援が必要になる。

2 治療中の看護

前項にある副作用の予防・早期発見のため，患者に自身の体調管理やセルフモニタリングの方法について指導を行う。

❶感染予防行動を促す

▶ **感染予防の日常生活**　副腎皮質ステロイド薬の副作用によって，感染に対する防御力が低下するため，上気道感染症，尿路感染症などの予防に努める。具体的には，食前・食後，内服前の手洗い，含嗽などの口腔ケアと排泄後の手洗いの励行および寒暖に合わせた環境の調整をこまめに行うように説明する。外出はできるだけ人込みを避け，帰宅後の含嗽，手洗いの習慣化を促す。特に乾燥する時期はマスクの着用を勧める。また，からだを常に清潔に保ち，傷をつくらないように留意しなければならない。

▶ **感染徴候の早期発見**　感染症を起こすと膠原病の症状が増悪したり治癒が遅れたりするため，予防と早期発見・早期治療が大切である。感染の徴候を説明し，早期発見・早期治療ができるようにする。

❷転倒予防行動を促す

▶ **ステロイドミオパチー**　副腎皮質ステロイド薬を中等量以上服用している場合には，筋萎縮や筋力低下などがみられるステロイドミオパチーを起こすことがある。ステロイドミオパチーは副腎皮質ステロイド薬の減量によって改善するのが一般的だが，大腿など大きな筋肉の筋力の低下による転倒が起こりやすくなる。

▶ **骨粗鬆症**　副腎皮質ステロイド薬の副作用によって骨粗鬆症が進行する。特に閉経後の女性は年齢的にも骨粗鬆症が進展する。骨粗鬆症の進行を防ぐために，カルシウムを多く含む食品を摂取し，カルシウム補助薬剤を服用する。また，できるだけ歩くようにして骨への刺激のある生活を行う。ただし，転倒によって骨折しやすい状況にあるため，転倒を予防する生活をするように説明する。

▶ **骨折**　副腎皮質ステロイド薬の影響による骨粗鬆症は，長幹骨よりも海綿骨のほうに起こりやすく，特に椎骨に起こりやすい。重いものを持ち上げたり，起床時や座位時に尻もちをつくなど，ちょっとした動作でも圧迫骨折をするため注意が必要である。

▶ **皮下出血**　皮膚や血管壁の脆弱化の影響で，軽い打撲であっても皮下出血を起こしやすいため，打撲に注意し，皮膚の露出をしないようにすることも大切である。

▶ **転倒予防の日常生活**　転倒予防では，たとえば歩行時は，①転ばないように足元をよく見る，②靴は歩きやすい運動靴にする，③必要に応じて杖を使う，④床に物をたくさん置いたり，コード類に引っかからないように整理整頓を心がける，⑤床を滑りにくいものにする，⑥滑りにくい靴下を選択する，⑦屋内での転倒誘因となる危険箇所を認識し注意する，などを勧める。夜間に排泄などで中途覚醒したときに転倒することもあるため，家族にも協力してもらい，ベッド周囲の動線に合わせた環境整備が必要である。

❸ からだのモニタリングの援助

　副腎皮質ステロイド薬の副作用として，消化性潰瘍ができやすくなり，また，血糖のコントロールがしにくくなる。

（1）消化性潰瘍の早期発見

　消化性潰瘍とは，防御因子の低下や酸やペプシンの攻撃因子の増強により胃や十二指腸の粘膜が破損した状態をいう。重篤な合併症としては出血，穿孔，通過障害などがある。副腎皮質ステロイド薬の服用により胃粘膜抵抗性が弱くなり，胃酸分泌が亢進しやすくなるため，処方される胃粘膜保護薬を服用する。

　できるだけゆったりとした気持ちで過ごし，ストレスがかからないようにコントロールすることも大切である。胃に負担をかけない消化のよい食事を心がける。

　胃痛，もたれ感，悪心・嘔吐，排便状態などの消化性潰瘍の症状の発現を早期に発見できるように，観察の視点について患者に説明する。排便時や嘔吐時は，その性状，量，特に便の色は黒くないか，吐物に出血はないかをみる。

（2）血糖値などのセルフモニタリング

▶ **血糖値**　採血の際に自分の血糖値に関心をもち，血糖値の推移をモニタリングするように話す。血糖値が高くなるようであれば，それに見合った食事内容となる。

▶ **エネルギー摂取量**　脂質異常症，動脈硬化，高血圧なども起こりやすいため，処方されたエネルギー摂取量を守るように説明する。脂肪の取り過ぎに留意したバランスのとれた食事内容で，規則正しい食生活を基本とする。

▶ **食欲亢進への対応**　副腎皮質ステロイド薬の副作用によって食欲が亢進することがある。そのようなときに処方されたエネルギー内で食事をすることは，患者にとって苦痛となることもあるため，食欲の状態について知り，つらさを共有し，食品選択などの相談にのったり，管理栄養士と相談ができるようにする。

▶ **血糖コントロール**　血糖コントロールのために内服やインスリン自己注射が必要となるため，血糖値の自己測定やインスリンの自己注射ができるように説明し，練習し行動化を図る。そのほか，コレステロール値，中性脂肪値，血圧などの推移も追う。

❹ 精神面の援助

▶ **様々な精神症状**　副腎皮質ステロイド薬の副作用には精神症状もある。不眠や精神的に不安定になり自分の気持ちや感情をうまくコントロールできなくなる。感情失禁をしたり，興奮したり，抑うつ的になったりしやすい。またコントロールできない自分に対して落ち込み，つらい経験をする。このような症状は副腎皮質ステロイド薬の服用によるものであることを説明し，入眠薬，抗不安薬，抗精神病薬，抗うつ薬などの服用を勧める。不眠については副腎皮質ステロイド薬内服のタイミングの調整により改善することもあるため，医師へ相談する。また患者の思いを傾聴し気持ちに寄り添うことが必要である。

▶ **ボディイメージの変容**　にきび，多毛症，満月様顔貌，皮下出血，肥満などが起こる。これらを医療者は軽い症状と受けとめやすいが，患者本人への影響は大きい。特に若年層

の場合は，ボディイメージの変容に対する不安は大きい。薬剤が減量されていくにしたがって症状も軽減することなど，今後の見通しを話して安心感をもってもらう。

2. 非ステロイド性抗炎症薬

　非ステロイド性抗炎症薬（non-steroidal anti-inflammatory drugs；NSAIDs）は，鎮痛，消炎，解熱作用をもち，リウマチ症状に対する対症療法に用いられることが多い。非ステロイド性抗炎症薬には多くの種類があり，その患者への効果や副作用の程度によって，その患者に最も適した薬剤が決定される。副作用としては，胃粘膜障害，腎機能障害がある（第1編-第3章-Ⅲ-B-1「非ステロイド性抗炎症薬（NSAIDs）」参照）。

▶ **胃粘膜障害**　非ステロイド性抗炎症薬が胃粘膜防衛機構としてのプロスタグランジンの合成を阻害するために起こりやすい。

▶ **腎機能障害**　腎機能が低下しているときには腎血流量がプロスタグランジンに依存した状態になっているため，腎機能が低下した状態，つまり心不全，ネフローゼ，高齢者などでは腎機能障害が起こりやすい。

▶ **アセスメントの視点**

- その薬剤の使用目的は何か
- 薬剤の効果の有無
- ふだんの消化管の状態に問題はないか
- 薬剤を服用したことによる胃粘膜障害の有無
- ふだんの腎機能，心機能，肝機能に問題はないか
- 薬剤による腎機能への影響の有無

▶ **必要な情報**　アセスメントに必要な情報としては，たとえば次のような点に注意する。

- 疼痛の程度と服用効果の有無
- 発赤（ほっせき）
- 尿量の変化
- 浮腫（ふしゅ）の有無
- 腫脹（しゅちょう）の程度と服用効果の有無
- 胃痛
- 胃のもたれ感
- 食欲
- 悪心・嘔吐の有無
- 血清尿素窒素（BUN）
- クレアチニン，ナトリウム，カリウム，クロールなどの血液検査データ　など

1　治療前の看護

　患者・家族に，非ステロイド性抗炎症薬（NSAIDs）を使用する目的と効果，副作用について説明する。服用前に副作用が起こりやすい状態であるか否かについてアセスメントする。非ステロイド性抗炎症薬は胃粘膜障害を起こしやすいため，必ず食後に服用するように説明する。また，胃粘膜保護薬が併せて処方される場合には，その必要性も説明する。

2　治療中の看護

　薬剤の強度，効果の程度，副作用などには個人差があるため，それらを観察するようにする。服用後には胃粘膜症状や尿量の変化の有無などについてアセスメントする。

3. 免疫抑制薬

　膠原病の多くは自己への過剰な免疫応答が原因であるため，治療の一つとして免疫抑制薬による免疫系全体の抑制が行われる。この免疫抑制は，膠原病の原因となっている自己免疫のみならず正常な免疫系も抑制するため，感染症に留意する必要がある。

　免疫抑制薬はその細胞毒性によって免疫細胞を傷害するため，細胞回転（細胞周期）の速い組織，すなわち骨髄，消化管粘膜，毛嚢，皮膚上皮などは障害を受けやすい。それに伴い，骨髄抑制，脱毛，消化器症状などが起こりやすい（第1編-第3章-Ⅲ-B-4「免疫抑制薬」参照）。

　感染症は，弱毒病原体による日和見感染が起こり，真菌（ニューモシスチス・イロベチイ，カンジダ，アスペルギルス）やサイトメガロウイルス，結核菌などによる感染も考えられる。薬剤によっては，膀胱炎（シクロホスファミド水和物），肝障害や間質性肺炎（アザチオプリン，メトトレキサート），腎毒性（シクロスポリン）などを起こしやすいものがある。

▶ **アセスメントの視点**

- 骨髄抑制の有無
- 感染障害の起こりやすい状態か
- 消化管粘膜は正常に保たれているか
- 上気道感染，肺炎の有無
- 尿路感染症を起こしていないか
- 肝機能，腎機能は正常か
- 脱毛の有無
- 皮膚の状態は正常に保たれているか，湿疹はないか

▶ **必要な情報**　アセスメントに必要な情報としては，たとえば次のような点に注意する。

- 白血球数（特に顆粒球数），赤血球数，血小板数
- 口腔粘膜状態
- 悪心・嘔吐
- 下痢
- 脱毛
- 皮膚の状態（湿疹，瘙痒感）
- 発熱
- 咽頭痛
- 咳嗽，痰，呼吸困難感
- 膀胱炎症状（排尿困難感，残尿感，排尿時痛），尿量，尿性状
- 血清尿素窒素（BUN），クレアチニン
- AST，ALT，LDH　など

1　治療前の看護

　患者・家族に，免疫抑制薬を使用する目的と効果，副作用について説明する。副作用については常に観察して，徴候が現れたらすぐに対処することを説明し，過剰な心配をしないように配慮する。骨髄抑制によって貧血や出血傾向も起こりやすいため，行動に留意し，転倒を予防し，打撲などに注意するよう説明する。また，副腎皮質ステロイド薬の使用時と同様に感染予防行動についても説明し，その行動を促す。

　口腔粘膜や腸管粘膜が障害されて，口内炎や腸炎を起こしやすくなるため，口腔内は常に清潔に保ち，消化のよい，刺激の少ない食品を選んで摂取するよう説明する。

2　治療中の看護

先述の「アセスメントの視点」「必要な情報」を参考に副作用症状の有無を観察する。皮膚への影響で湿疹ができ，瘙痒感が強く夜間の睡眠を妨げることがある。皮膚を清潔に保ち，処方される軟膏を塗布する。必要であれば入眠薬などの使用を考える。

骨髄抑制により出血傾向となる場合があるため，採血時や注射時の止血は確実に行う。

4. 生物学的製剤

関節リウマチの薬物治療として，生物学的製剤が選択される場合がある。関節の腫れや疼痛などの症状を抑え，関節破壊の進行を抑え，身体機能を保ち生活の質（QOL）を維持することを目標に用いられる薬剤である。薬剤使用により，苦痛なく，生活の質が維持されているかの把握を行う。

本製剤は免疫機構に影響を及ぼすため，感染防御力が弱まり，感染症に罹りやすくなる。感染症としては，ニューモシスチス肺炎，間質性肺炎，重篤な結核などがある。また薬剤によっては薬剤投与時にアレルギー反応が起こることもある。副作用の観察を行うとともに，感染予防行動に関するアセスメントを行う。

投与方法としては，2か月に1回の点滴静脈注射，週2回の皮下注射などがある。セルフケアができると判断されれば自己注射が可能である。定期的な受診行動，適切な自己注射の実施状況について把握し，セルフケアに向けてのアセスメントを行う。

▶ **アセスメントの視点**

- 関節の疼痛や腫脹，変形はないか
- アレルギー反応はないか
- 呼吸器感染症（肺炎，結核）の徴候はないか
- 皮膚粘膜感染症（真菌感染症，帯状疱疹など）の徴候はないか
- 感染予防行動はとれているか
- 自己注射は正しくできているか
- 日常生活行動は維持されているか
- 治療の受けとめ状況はどうか

▶ **必要な情報**　アセスメントに必要な情報としては，たとえば次のような点に注意する。

- 関節の疼痛・腫脹の有無，程度
- アレルギー反応（発疹，呼吸困難感，血圧低下，消化器症状）
- 呼吸数，咳嗽，痰，呼吸困難感，胸部X線画像
- CRP（C反応性たんぱく）
- 発熱，倦怠感
- 粘膜の状態（眼球，口腔，陰部など）
- 皮膚の状態（発疹，疼痛，水疱）
- 手洗い，含嗽，口腔ケアなどの感染予防行動
- 自己注射時の消毒方法，清潔操作，注射方法，観察などの実施状況
- 治療の受けとめかた・不安
- 日常生活行動への効果，影響

1　治療前の看護

患者・家族に，生物学的製剤を使用する目的と効果，副作用について説明する。副作用については常に観察して，徴候が現れたらすぐに対処することを説明し，過剰な心配をし

ないように配慮する。

　副腎皮質ステロイド薬の使用時と同様に感染予防行動についても説明し，その行動を促す。栄養価の高い食物を摂取し，休息をとり，体力がつけられるようにする。

2 治療中の看護

　生物学的製剤投与時，特に静脈注射の場合，投与時反応として，注射開始から10～30分にアレルギー反応が起こりやすいため観察を行う。

❶自己注射への援助

　患者がセルフケアをできると判断されたら，自己注射ができるように援助する。パンフレットなどを用いて，手技や留意点などを説明する。注射部位は上腕部，腹部，大腿部（だいたい）など，毎回注射部位を変えて注射する。手指関節に腫脹や疼痛，変形などがある場合は注射補助器具などを勧める。

❷病状悪化を防ぐための生活への援助

　次のような点に注意するよう患者・家族に説明する。

- 休息を適切にとり，体力を消耗しない生活を心がける
- 家族や周囲の人々の協力を得ながら，家事や仕事が負担にならないようにする
- 関節に負担をかける動作を避ける
- できるだけストレスをためない環境づくりを心がける
- 治療や病状に対する不安は，そのつど医療者に相談する

B 救急時の対応

1. 治療前の看護

　膠原病の場合に考えられる救急時とは，慢性の経過中に急激な病状の進行によって悪化する場合である。特に様々な内臓の炎症的病変が悪化し，肺血栓塞栓症（そくせんしょう），呼吸不全，ループス腎炎（じんえん）悪化による腎不全，心外膜炎（しんがいまくえん），心筋梗塞（こうそく），心不全，脳梗塞や髄膜炎（ずいまくえん），中枢神経ループスなどが起こることがあり，重篤な場合には生命の危機状態に直面する。

　さらには免疫抑制薬の副作用によるニューモシスチス肺炎，サイトメガロウイルス感染症など重篤な感染症によって生命の危機状態になることがある。まず全身状態を把握し，日常生活への影響や病状の受けとめや不安などをアセスメントする。また，体調のよいときに治療に関する本人の意向を確認し，家族も含めて相談しておくように促す。

▶アセスメントの視点

- 急激に進行した悪化要因は何か
- 呼吸不全状態はどの程度か，人工呼吸器装着の適応があるか
- 心不全の程度はどの程度か

- 腎不全の程度はどの程度か，透析療法の適応があるか
- 重篤な感染症の有無
- 日常生活行動への影響と援助の程度
- 患者や家族の病状悪化に対する受けとめ状況

▶ **必要な情報** アセスメントに必要な情報としては，たとえば次の点に注意する。

- 体温，脈拍数，心拍数，呼吸数，血圧
- 意識状態
- 顔色（チアノーゼ，顔面紅潮）
- 冷汗
- ショック症状
- 動脈血ガス分析（PaO_2, $PaCO_2$, pH, BE, HCO_3^-）
- 呼吸困難感
- 胸部 X 線画像，CTR（心胸郭比）
- クレアチニン，尿中尿素窒素，血清ナトリウム，血清クロール
- 白血球数，赤血球数，血小板数
- CRP（C 反応性たんぱく）
- 病状悪化に対する患者や家族のとらえかた

2. 治療中の看護

看護師として救命に努め，全身状態の安定化を図る。患者の苦痛が緩和され，安心して必要な治療を受け入れられるように支援する。

❶ 生命の維持

病状の進行や重篤な感染症によって生命の危機状態になることがある。全身状態の改善のために集中的な治療と看護が行われる。救命処置がすぐに行えるように救急カートの準備をする。また，次のような病態の理解を確実にし，治療の意味を知り，病態の変化を観察し，適切に処置を行う。

- 心筋機能が著しく低下している場合や，呼吸機能が極度に低下して呼吸不全を起こしている場合には，人工呼吸器を装着することがある
- 腎不全の場合は，血液透析が導入される場合もある
- 現病の進行に対しては，ステロイドパルス療法（序章-Ⅲ-1-1「急性期」参照）が行われる

❷ 患者本人と家族の不安の軽減

病状の急激な変化に直面して，患者や家族は大きな不安にさいなまれる。病状の変化や行われる検査や治療が理解できるように，医師とともにかかわる。

❸ 日常生活の援助

救急時はベッド上安静が必要とされるため，患者が日常生活にかかわるセルフケアができないことが多い。アセスメントを行い，必要な援助を行う。

3. 治療後の看護

救命処置が落ち着いたら，再度患者の全身状態や理解の程度を確認し，必要な情報を提供する。全身状態の急激な悪化によってせん妄状態や鎮静状態となることもあるため，転倒・転落予防やチューブ・ドレーン類の事故抜去を予防するための対策を検討する。
さらに治療経過が進み，生命の危機状態を脱した後は，日常生活に戻れるように支援す

る必要がある。患者の状態をアセスメントし，必要なリハビリテーションなどを行う。

C リハビリテーション時の看護

1. 治療前の看護

　膠原病では，疾患によっては筋肉の炎症，関節の炎症がみられ，それに伴い筋力の低下，関節の拘縮や変形が起こりやすい。また，急激な病状の変化によって疲労感や倦怠感がみられ，安静臥床による体力低下が生じやすい。そこでリハビリテーションが重要となる。運動機能の状態，生活機能の状態，疲労感，生活への支障，リハビリテーションに対する認識などをアセスメントし，継続してリハビリテーションができるようにする。

▶ **アセスメントの視点**

- 運動ができる状態か
- 筋力の低下の有無
- 関節の拘縮，変形の有無
- 嚥下障害の有無
- 倦怠感，疲労感の有無
- 安静の期間はどの程度か
- 日常生活動作（ADL）への支障はどの程度か
- 本人や家族のリハビリテーションに対する認識はどうか

▶ **必要な情報**　アセスメントに必要な情報としては，たとえば次の点に注意する

- 体温，脈拍数，呼吸数，血圧
- 関節の疼痛・腫脹・発赤の有無と程度
- こわばりの有無
- 筋肉痛の有無と程度
- 赤血球数，ヘモグロビン値
- 炎症反応（CRP）
- 副腎皮質ステロイド薬使用状況・安静の期間
- リハビリテーションに対する患者の認識
- ADL の実施状況
- 関節可動域（ROM）　など

2. 治療中の看護

❶ 安静と運動のバランス

　膠原病では炎症が強いときは安静が必要である。発熱時や全身の倦怠感，疼痛，腫脹，発赤があるときは，感染症状の有無について，患者本人がモニタリングできるようにする。からだを動かすことへの不安や早期回復への焦りから適切な運動量を守れない可能性もあるため，患者の思いに寄り添いながら，疲れすぎないような運動を計画し，少しずつ運動量を増やしていくことを説明する。運動をすることが疼痛の緩和につながることを説明し，安静とのバランスがうまくとれるように，話し合いながら進めていく。

❷ 関節拘縮予防，筋力低下予防

　急性期の安静が必要な時期から援助が行われなければならないが，退院後の生活のなかで運動が習慣化するような支援を行う。関節可動域，筋肉の萎縮や筋力の低下状態，日常生活行動の障害の程度をアセスメントして，関節可動域訓練，筋力低下の予防，残存機能

の維持・拡大に向けて機能訓練を行う。

❸ **リハビリテーション時の危険防止**

運動をするときは，転倒，打撲，外傷に注意する。環境を整え，履きやすい靴と動きやすい服装で行うようにする。自分のペースで行い，無理をして病状の悪化誘因にならないように，モニタリングしながら実施するように説明する。

❹ **多職種との連携による日常生活動作の支援**

理学療法，作業療法，言語聴覚療法が実施される。ステロイドパルス療法を行った後は副作用により筋力が低下することがあるため，理学療法士や作業療法士とともに日常生活の動作での安全かつ実施しやすい方法を検討し，効果的な訓練について相談する。また，関節リウマチの場合は，関節の変形予防，関節可動域の拡大，筋力維持に努め，ADLの訓練を行う。言語聴覚療法では，多発性筋炎や皮膚筋炎などによる嚥下障害に対する嚥下訓練が行われる。

看護師は，このように多職種と連携をとりながら，患者に対しては，日常生活動作をできるだけ自分で行うように努力することがリハビリテーションにつながることを話し，訓練内容を日常生活に取り入れ，継続して行えるようにする。また，自助具などを紹介し，できるだけ自立した生活行動がとれるように支援する。

> **演習課題**
>
> 1. 膠原病患者の診察時の看護のポイントを整理しておこう。
> 2. 検査時の看護のポイントを，検査の種類ごとにまとめてみよう。
> 3. 副腎皮質ステロイド薬による治療を受ける患者への説明事項をあげてみよう。
> 4. 免疫抑制薬による治療を受ける患者の観察のポイントを整理してみよう。
> 5. 急激に病状が悪化した膠原病患者について，情報収集すべき項目をあげてみよう。
> 6. 膠原病患者がリハビリテーションを継続して行うためのポイントを整理してみよう。

第2編 膠原病患者の看護

第3章

膠原病をもつ患者の看護

この章では

- 代表的な膠原病について,看護に必要な情報とアセスメントの視点を理解する。
- 代表的な膠原病について,症状による苦痛を緩和するポイントを学ぶ。
- 代表的な膠原病について,病状悪化,予後,日常生活機能障害の進行への不安を軽減させるポイントを学ぶ。
- 代表的な膠原病について,薬剤の適切な使用と副作用のモニタリングのポイントを理解する。

I 関節リウマチ患者の看護

　関節リウマチは，からだを外敵から守る免疫機能の異常により関節に炎症が起こる多発関節炎を主徴とする慢性炎症性疾患である。

▶ **主な症状（関節症状）**　関節の痛み，腫れ，朝のこわばりなどを認め，それら関節症状は左右対称性に複数の関節に起こることが多い。主として指趾関節，手関節，肘関節，股関節，膝関節，環軸関節，頸椎などに現れ，進行すると関節の変形や機能障害をきたし，患者の苦痛は大きい。特に上肢の関節に症状が強い傾向があり，日常生活動作（ADL）にも大きな影響が出る。発症は，女性が男性の4倍ほど多く，30〜50歳代での発症が多い。

▶ **関節外症状**　全身症状として体重減少や，全身倦怠感，発熱などを認める。そのほかに，肘の伸側，後頭部，仙骨部など機械的圧迫を受けやすい部位に皮下結節を認めたり，小動脈を中心に血管炎が生じると皮膚潰瘍などの皮膚症状を生じることもある。血管炎などの関節以外の症状もあり，難治性もしくは重症な病態を伴う悪性リウマチや活動性の高い時期には強膜炎など眼症状を認めることや，肺症状として間質性肺炎や気管支拡張症，胸膜炎，心症状として心外膜炎などを合併することがある。

▶ **治療**　発症早期から，関節リウマチにおける免疫異常を改善する抗リウマチ薬が開始される。現在は抗リウマチ薬の進歩によって寛解（関節の痛みや炎症がない状態にコントロールすること）が可能になった。関節破壊は発症2年以内に急速に進行することがわかっており，早期診断と治療により寛解に導くこと，そして抗リウマチ薬は効果発現に1〜3か月かかるため，副作用に気をつけながら継続することが重要となる。関節の変形・破壊が進行した場合には，人工関節置換術をはじめとした手術治療も行われる。

▶ **悪化要因**　感染，過労，寒冷，妊娠・分娩などが悪化要因になる。また副腎皮質ステロイド薬（本編 - 第2章 - Ⅲ-A-1「副腎皮質ステロイド薬」参照），抗リウマチ薬，免疫抑制薬（本編 - 第2章 - Ⅲ-A-3「免疫抑制薬」参照）の副作用による問題もある。

A アセスメントの視点

　関節症状と関節外症状の状態を把握することで，①どのような機能障害が起こっているのか，②日常生活にどのような影響があるのか，さらに，③心理的・社会的側面の援助につながるアセスメントの基本となる情報が得られる。

1 身体的側面

❶関節症状

　関節症状の有無，苦痛の程度および変形やそれによる機能障害の程度を把握する。

- 炎症のある関節部位：手関節，中手指節関節，近位指節間関節，肘関節，肩関節，膝関節，足関節，頸椎環軸関節など
- 腫脹，発赤，熱感，疼痛の有無と程度，朝のこわばりの有無
- 変形の部位と種類：尺側偏位，スワンネック変形，ボタン穴（ボタンホール）変形，ムチランス変形，Z型変形，外反母趾，槌趾変形など
- 拘縮（肘・膝関節の屈曲拘縮）の有無，筋力低下の有無，生活動作支障の程度

❷関節外症状

（1）全身症状の把握

体温，全身倦怠感や食欲・体重減少の有無，リンパ節腫脹，炎症反応（CRP），赤沈。

（2）呼吸器・循環器・皮膚の状態・眼の状態の把握

- 呼吸機能状態：呼吸数，呼吸の型（リズム）・深さ，息苦しさ，息切れ，咳の有無，胸部X線検査の所見。
- 循環機能状態：心拍数，不整脈の有無，動悸の有無，息苦しさの自覚，心嚢水貯留の有無。
- 皮膚状態：肘頭部・前腕部・後頭部・仙骨部の皮下結節の有無，皮膚潰瘍の有無，指趾壊疽の有無，紫斑の有無。
- 眼の状態：充血や目の痛みの有無。

（3）悪化要因の把握

感染，過労，寒冷，妊娠・分娩など悪化要因の有無を確認する。悪化要因の回避行動の状況を確認する。

（4）薬剤の服用状況と副作用の把握

服薬が処方どおりにできているか，副作用として消化器症状や呼吸器症状，感染徴候などの観察を行う。

2　心理的側面

関節リウマチの症状には疼痛など苦痛が強いものがあるが，その苦痛の程度や疲れやすさなどが他者に理解されないことがある。患者は関節症状などのために日常生活が制限されることも多く，長期にわたって疾患と付き合わねばならないことから生活への不安も大きい。発症から増悪・寛解を繰り返しながら進行性に病状が経過するなかで，将来の病気の進行などに不安をもち，抑うつ状態になりやすい。そこで，発症初期より，患者の病気に対する受けとめかたや不安，抑うつ状態などの精神面について言動や表情などから把握することが重要である。うつ症状として胃腸症状や疼痛などの身体症状を示すこともあるため，それらの症状が疾患によるものか，うつ症状によるものかを判別するために鎮痛薬や胃腸薬の効果も併せて観察する。

3　社会的側面

関節リウマチの関節機能障害・全身症状によって，日常生活行動への介助や，生活のし

かたの変更を要することがある。また行動範囲が狭くなり孤立しやすいため，ADLの範囲，行動制限や生活への支障の程度と必要な介助の範囲と程度，家族の介護力，周囲の人との交流の状況，介護者などの支援体制，社会資源申請状況などを把握する。

B 生じやすい看護上の問題

- 関節の炎症や関節外症状による疼痛や不快感など安楽の障害がある
- 関節の変形や拘縮，関節外症状により日常生活活動が低下する
- 治療継続行動や悪化要因の回避行動が適切にとれないことによる悪化や合併症リスクがある
- ADLの低下，病状悪化，予後への不安がある
- 薬剤を適切に使用できず，副作用が生じる
- 地域との連携がとれず，社会福祉制度を活用できない

C 看護目標と看護の実際

1. 急性期（関節リウマチの活動期）の看護

看護目標
- 関節の炎症や全身症状による苦痛を緩和できる
- 関節の拘縮と変形を予防できる
- 病状悪化，予後，日常生活機能障害の進行への不安を軽減できる

❶関節の炎症や全身症状による苦痛を緩和できる

(1) 関節痛の緩和

　関節リウマチの活動期は滑膜の炎症による関節の腫脹や疼痛が強く，発熱や全身倦怠感などの全身症状を認める。そのため，次のような症状緩和への援助が必要となる。

　関節の腫脹や疼痛の軽減には，適切な安静と関節にかかる負担を軽減するための関節保護，保温に努める。関節痛に対しては，効果的に鎮痛薬を服用できるように支援し，痛みが軽減しているときに活動できるようにする。

　気晴らしやマッサージ，リラクセーションを心がけ，音楽や読書，お茶を楽しむなど，患者の一日が痛みによって縮小されないように，うまく付き合う方法を一緒に考える。

(2) 疼痛誘発因子の回避行動の支援・指導

　ストレスをためないで感情を表出できる環境の調整と，十分な睡眠や休息をとれるようにすることが重要であり，周囲の協力も大切となる。また，痛みは主観的な症状であり，患者本人は痛みを理解されないと感じたり，痛みの苦痛を他者に伝えられずに孤独を感じることがあるかもしれない。そこで，家族など患者をサポートする周囲の者が患者の痛み

を理解し，協力が得られるような橋渡しをすることも必要である。

痛みの有無，強さは日常生活に直接かかわるストレス要因である。痛みの誘発因子を知り，環境を調整し，ストレスの少ない状態で過ごせるように支援・指導する。また，飲酒・喫煙の習慣のある患者には禁酒・禁煙の指導を行い，回避行動を適切にとれない場合には医師に相談する。

❷関節の拘縮と変形を予防できる

関節リウマチの活動期は適切な安静が必要であるが，関節をまったく動かさないと関節の拘縮を引き起こすため，1日最低1回はすべての関節を動かすことが望ましい。しかし，この時期は関節の腫脹と痛みが強く，患者は動かすことに不安を感じるため，リハビリテーションの目標として職場復帰や社会参加をあげ，障害が固定する前から関節可動域訓練，筋力増強訓練，持久力を高める訓練などの必要性を認識してもらう。まずは痛みがないときに無理なく動かせる範囲で関節を動かすことを支援・指導する。

関節リウマチの経過中には，関節の可動域制限や変形などの身体の変容が生じることもある。特に手指をはじめとした関節変形が生じた場合のボディイメージの変化は患者にとって精神的苦痛が大きく，抑うつ，悲観，ストレスなどの心理状態も変化する。それにより社会活動にも影響を与えることもある。患者の身体的変化だけでなく，心理的変化を理解し，患者が自身のボディイメージの変化へ適応できるよう支援することも看護師の重要な役割となる。

❸病状悪化，予後，日常生活機能障害の進行への不安を軽減できる

関節リウマチの患者は，①病状悪化や薬の副作用への不安，②日常生活が自立できなくなるのではないかという将来への不安を抱え，③仕事や家庭，経済的な問題が派生して起こりやすい。特に急性期においては，身体の苦痛も強く，病状悪化や予後に対する不安が大きい。症状コントロールをして苦痛を緩和するとともに，患者がどのようなことに不安を感じているのか思いを表出し，セルフケア能力を高めるよう支援することが大切である。

2. 回復期（急性期からの回復）の看護

看護目標
- 拘縮と変形が予防でき，関節の機能が維持できる
- ADLの自立維持ができる
- 悪化要因の回避行動をとることができる
- 薬剤の適切な使用と副作用のモニタリングができる

❶拘縮と変形が予防でき，関節の機能が維持できる

急性期を脱し回復期に入ってからは，状態に応じて，①症状の軽減，②ADLの維持と改善，③リハビリテーションを行う必要がある。しかし，患者は関節を動かすことに不安を感じていることも多いため，リハビリテーションの目的は無理のない活動をすることで日常生活に戻っていくことであり，マッサージや温熱療法だけでは関節変形やADLの維

Ⅰ 関節リウマチ患者の看護

上肢の運動

〈腕を上げる運動〉

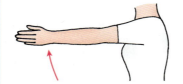

腕を前に伸ばした状態で5〜10秒保持する．この状態から上方・側方への運動も行う．

〈手首の運動〉

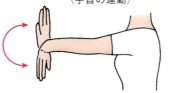

手首を左右同時に起こしたり下げたりした状態で，それぞれ3〜5秒保持する．

〈手指の運動〉

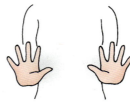

指を大きく開いたり握ったりした状態で，それぞれ3〜5秒保持する．

〈肘の運動〉

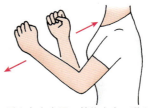

肘を左右交互に前後方向へ動かした状態で，それぞれ5〜10秒保持する．

下肢の運動

〈足首の運動〉

足部を左右同時に起こしたり伸ばしたりした状態で，それぞれ3〜5秒保持する．

〈大腿四頭筋セッティング〉

膝を伸ばした状態で，膝下のタオルを押し5秒保持する．

〈足を上げる運動〉

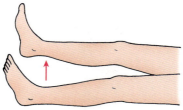

膝を伸ばした状態で，左右交互に挙上しそれぞれ5秒保持する．

〈膝を曲げた位置での屈伸〉

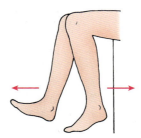

膝を左右交互に前後方向に動かした状態で，それぞれ5秒保持する．

図3-1　リウマチ体操

持・向上はできないことを理解してもらう必要がある。からだや関節に負担のない運動を指導し，継続できるように支援する（図3-1）。

▶**関節変形予防の動作** 関節に負担をかけず保護するような動作を行う。小さな関節ではなく大きな関節を使うようにする。たとえば，①鞄などは腕や肩にかけたりキャリーカートで運ぶ，②茶碗などは，指ではなく手のひらで持つようにする，③腕だけで物を持ち上げず，腰を下げて，からだに近づけて全身の筋肉を使うとよい。

▶**装具療法** 関節変形予防の方法として，装具療法がある。装具は関節保護と除痛，日常生活活動での関節の負担を軽減する目的がある。患者の生活スタイルや要望を確認し，装具の必要性や目的，その効果について説明し理解して装着してもらう必要がある。患者の姿勢は膝関節，股関節，骨盤が屈曲し，腰椎が前彎した姿勢になりやすい。それらを予防するために肥満に注意し，必要な場合は杖を利用して関節への負担を少なくする。

▶**鎮痛薬の効果的な使用** 関節リウマチの患者の多くは関節の炎症による痛みを自覚している。看護師は，患者の痛みを理解し，患者が自ら効果的に鎮痛薬を使用し痛みをコントロールできるような知識と方法を獲得することを支援する。服薬指導など薬剤に関しては薬剤師と連携して患者指導を行っていく。

❷ADLの自立維持ができる

(1) ADL訓練の重要性の認識

基本的生活の諸動作を他者に依存することは，自己観（自己概念）にも影響する。生活の質（QOL）にも関連するため，できるだけ自分で行えるようにする支援が大切である。急性期から回復した早期から，関節の保護や変形の予防，関節可動域の拡大，筋力維持などにおけるリハビリテーションの重要性を認識してもらう。作業療法などで，ADLの訓練を行う。自助具や装具を使い，自分のペースで行えるようにする。

自助具（福祉用具）は，今すぐに必要がなくても，患者や家族にいつでも利用できるものとして知識をもってもらうことが大切である。

▶**食事動作** ふちの立ち上がった皿や柄の太いフォーク・スプーン（図3-2），はしの自助具（図3-3）を使用して，自分で摂取できるようにする。

▶**排泄動作** 便座に座る・立ち上がる動作，衣服の上げ下げ，排泄後の後始末，水洗レバーの使用など，個々の動作に困難を感じることがある。便座の高さの調節，衣服の選択，水洗レバーの工夫，手すりの取り付けを行い，一人で排泄動作が行えるようにする。

▶**更衣，整容，清潔動作** 背中に手が届きにくい，肩や腕が上がらないなど，更衣，整容，清潔動作は困難となりやすい。①洗顔ブラシやボディブラシ，ヘアブラシなどの柄を長くする，②更衣しやすい衣服を選択し，自助具のボタン通し（図3-4）やソックスエイド（図3-5）を使用する，③浴室や洗面所には安定した椅子や，手すりを取り付ける。

▶**起居動作** 和式（畳）から洋式（椅子）にするなど関節に負担がかからない生活様式を提案する。暮らし慣れた自宅で負担なく生活ができるよう，家族と相談しながら，具体的な方法について相談にのる。また，支援制度や地域の支援サービスなどの情報を提供する。

図3-2 食事時の自助具(ふちの立ち上がった皿,柄の太いフォーク,スプーン)

図3-3 自助具のはしの使いかた

図3-4 ボタンをとめるための自助具(ボタン通し)

図3-5 靴下をはくための自助具(ソックスエイド)

❸ **悪化要因の回避行動をとることができる**

　悪化要因には，感染，過労，寒冷，妊娠・分娩などがあることを説明し，それらに留意した日常生活が送れるようにする。また，副腎皮質ステロイド薬（本編-第2章-Ⅲ-A-1「副腎皮質ステロイド薬」参照），抗リウマチ薬，免疫抑制薬（本編-第2章-Ⅲ-A-3「免疫抑制薬」参照）を服用する場合があり，それによる免疫能の低下に伴い感染リスクが高まる。さらに疾患そのものによっても，炎症により体力が低下しやすい。感染リスクが高いこと，感染は疾患が悪化する誘因になることを，患者本人や家族が理解できるように説明する。

　上気道感染を予防するために，手洗い，含嗽，皮膚粘膜の清潔に努めるよう支援する。栄養を十分に摂り，休息を効果的にとって体力が維持できるよう支援する。家事は無理をせず，障害の程度によって介護保険のサービスを利用し適度に安静をとるなど，睡眠や休息を十分にとるように説明する。

　妊娠・分娩時に悪化することがあり，薬剤による授乳や胎児への影響なども考慮に入れなければならないため，家族でよく話し合えるように支援する。病状がコントロールされているときには，薬剤の調整をして妊娠・分娩を計画的に行うこともできる。

❹ **薬剤の適切な使用と副作用のモニタリングができる**

　薬物療法が適切に継続できるように，必要な知識と技術，副作用の観察のしかた，異常時の行動のとりかたについて説明し，生活のなかで自己管理していくための方法について話し合う（本編-第2章-Ⅲ-A「薬物療法を受ける患者の看護」参照）。

3. 寛解期（在宅・地域における療養生活）の看護

　寛解とは，病気による症状や検査異常が改善あるいは消失した状態のことで，症状が安定して落ち着いた状態を意味する。関節リウマチの場合，関節痛や腫脹が改善し症状が落ち着いていても「治癒」と判断されることはなく，症状の再燃・増悪を繰り返すこともある。そのため早期に治療をして「寛解」状態に持ち込み，それを維持していくことが重要となる。

　関節リウマチは，機能障害のため日常生活に不自由があったり，一時的に何らかの支援が必要になる場合もある。そうした障害がなくても，治療にかかる費用負担は大きく，仕事が続けられないことでの経済的な問題を抱える患者もいる。そのような状況を医療者は十分に理解し，患者・家族に対して医療・福祉制度やそれによるサービスなどが利用できるように医療ソーシャルワーカーなどと多職種で支援をしていく必要がある。

　看護目標
- 自分らしく生活できる
- 地域との連携で社会福祉制度を活用できる

❶ **自分らしく生活できる**

　患者が自分らしく生活できるためには援助が必要になる。社会的な役割の遂行はその人の自己観（自己概念）にも大きな影響を及ぼすが，疾患は職業選択にもかかわる。入退院

を繰り返せば休職せざるを得なくなることもあり，それによって職業継続への意思が揺らぐこともある。長期にわたって家族に負担をかけるという思いや，親の面倒をみることもできないという無力感などが，患者本人の心理的な負担にもなる。病気に関する周囲の人々の無理解は，患者の孤立感を強くしやすい。看護師は，家族を含め近親者が疾患について正しい理解ができるようにかかわる。また家族や周囲の人の思いにも耳を傾ける。

医療費の負担や生活費などの経済的な問題も大きい。医療費公費負担の申請をし，医療ソーシャルワーカーと相談するように支援する。医療費・介護費，就学・就労などに生じる負担の軽減のため，次のような様々な支援制度が活用できる。

- 高額療養費制度（序章 - Ⅳ -2-4「高額療養費制度」参照）
- 高額介護合算療養費制度
- 付加給付制度
- 難病医療費助成制度
- 小児慢性特定疾患医療費助成制度
- 重症心身障害者医療費助成制度

このほかにも傷病手当制度や障害年金制度（序章 - Ⅳ -2-2「障害年金」参照），自立支援医療制度などがある。

❷ 地域との連携で社会福祉制度を活用できる

病気や加齢により，日常生活で支援が必要となった場合に利用できる介護保険制度（序章 - Ⅳ -2-5「介護保険制度」参照）や障害者総合支援法による福祉サービス（序章 - Ⅳ -2-3「障害者総合支援法による福祉サービス」参照）がある。

4. 終末期の看護

関節リウマチの患者の死因としては，悪性腫瘍，感染症（特に呼吸器感染症），心血管障害，間質性肺炎が多いとされている。関節リウマチのコントロールとともに感染症予防や間質性肺炎のモニタリングにも留意が必要である。全身症状や臓器機能障害の急激な増悪で治療への反応が乏しい場合は生命に危険が及ぶ場合もある。身体的な苦痛だけでなく，予後に対する不安や焦燥感を覚える患者も多い。苦痛の緩和だけでなく，患者の精神面を把握するとともに理解を示し対応することが求められる。家族も急激な症状の増悪に対し理解が及ばないこともあるため，適切なタイミングで説明ができるように患者・家族との橋渡しをする。さらに最後まで本人らしく生きられるように患者の意思決定を支援していく。

Ⅱ 全身性エリテマトーデス患者の看護

全身性エリテマトーデス（systemic lupus erythematosus：SLE）とは，炎症が全身の様々な臓器に起こる自己免疫疾患である。慢性の経過をたどる炎症性の疾患で，症状は寛解と再燃を繰り返す経過をたどる。全身性エリテマトーデスは若い女性に好発し，男女比は1対9前後とされている。好発年齢は20〜30歳代であり，特に20歳代が全体の40％を占

めている。

▶ **症状** 易疲労感や倦怠感，発熱などの全身症状のほか，顔面紅斑（蝶形紅斑），円板状皮疹，日光過敏症などの皮膚症状や口内炎，関節炎，関節痛，汎血球減少，脱毛など多様な症状を認める。また，腎臓の糸球体に障害をきたすループス腎炎を引き起こしたり，自己免疫が脳神経を攻撃することで痙攣やうつ状態が出現する神経精神症状，心臓や肺の漿膜に炎症を起こし胸膜炎や心膜炎などが出現することがある。重症の場合は透析療法の適応となることもある。

▶ **治療** 治療の基本は，炎症を止める抗炎症薬が主体となる。中でも非ステロイド系抗炎症薬（NSAIDs），副腎皮質ステロイド薬（本編-第2章-Ⅲ-A-1「副腎皮質ステロイド薬」参照），免疫抑制薬（本編-第2章-Ⅲ-A-3「免疫抑制薬」参照）が最も一般的に用いられる。副腎皮質ステロイド薬は様々な副作用があり，その副作用症状にも注意が必要である。

▶ **悪化要因** 過度の日光・寒冷への曝露，妊娠・分娩，過労，感染，外傷，薬物アレルギーなどが悪化要因であり，また治療薬を指示通りに服用しないことにより症状が悪化することもある。患者は発症年齢が若く，社会的問題を抱えていることも多い。そのなかで病気を受容し，日常生活で生じる問題へのセルフマネジメントを身につける必要がある。

A アセスメントの視点

1 身体的側面

全身性エリテマトーデスは，全身性炎症性疾患である。全身の状態，症状や程度，悪化要因，薬剤による問題，日常生活への影響などをアセスメントする。

❶全身症状

全身性エリテマトーデスを発症すると疲れやすさや倦怠感，発熱などの全身症状を認めるため，体温（発熱は微熱のことが多いが，高熱が出ることもある），全身倦怠感，疲労感の有無と程度を観察する。

❷局所症状

顔面紅斑などの特徴的な皮膚症状，日光過敏症，口内炎，関節痛，汎血球減少，腎障害や心臓・肺症状，中枢神経症状など多彩な症状を認める。次のように，それぞれの症状の有無と苦痛の程度を把握する必要がある。

- 皮膚の状態：色，湿潤，発疹の有無
- 関節痛：疼痛の有無と程度
- 尿の状態：尿量，たんぱく尿・血尿・尿円柱などの性状
- 腎臓機能状態：血清尿素窒素（BUN），クレアチニン，ほか
- 呼吸状態：呼吸数，呼吸の型・深さ，息苦しさの有無
- 胸部症状：胸痛の有無，息苦しさの有無，脈拍数，不整脈の有無
- 中枢神経症状：頭痛や痙攣，うつ症状などの精神症状の有無

- **血液学的異常の把握**：赤血球数，白血球数，血小板数
- **免疫学的異常の把握**：抗DNA抗体高値，抗Sm抗体陽性，抗リン脂質抗体陽性，ほか

❸ 悪化要因の有無

　日光・寒冷への曝露，妊娠・分娩，過労，感染，外傷，薬物アレルギーなど悪化要因の有無を観察し，回避行動の状況を把握する。

❹ 薬剤の服用状況と副作用の有無

- 医師の指示どおりに薬剤の服用ができているかを把握する。
- 副作用として消化器症状や感染徴候，精神症状，筋力低下などの観察を行う。

❺ ADLへの支障の影響

- 疾患や薬剤の影響によってADLに影響はないかをアセスメントする。

2　心理的側面

　全身性エリテマトーデスは若い女性に好発する。疾患と長期に付き合っていかなければならず，また疾患が進行して全身の臓器障害で様々な症状に悩まされやすい。職業生活に影響が出たり，妊娠・分娩など将来の人生設計の修正を迫られることがある。また機能障害によって日常生活に影響を及ぼしQOLは低下しやすい。病気に対する受けとめかたや不安，うつ状態などを言動や表情などから把握する。

3　社会的側面

　症状によって，日常生活行動における介助や生活のしかたの変更を余儀なくされることがある。また行動範囲が狭くなり孤立しやすい。日常生活行動の範囲，行動制限の程度，生活への支障の程度と必要な介助の範囲と程度，仕事への影響について検討し，必要な支援が受けられるように社会背景や家族背景などの情報を収集する。同時に，家族の介護力，周囲の人との交流の状況，介護者など支援体制の程度，社会資源申請状況も含めた支援体制の把握を行う。

B　生じやすい看護上の問題

- 全身症状や関節の炎症による苦痛など安楽障害がある
- 呼吸・循環・腎症状など全身の臓器機能障害による日常生活活動が低下する
- 皮膚症状や脱毛，副腎皮質ステロイド薬の影響によるムーンフェイス（満月様顔貌）などのボディイメージの障害が生じる
- 治療継続行動や悪化要因の回避行動が適切にとれないことによる悪化や合併症リスクがある
- 病状悪化，予後，妊娠・分娩，将来への不安が生じる
- 就労など社会的役割遂行ができないことにより自己概念の変化が生じる

C 看護目標と看護の実際

1. 急性期の看護

　急性期は，急激に全身症状や臓器機能障害が出現あるいは増悪した状況であり，ステロイドパルス療法（序章-Ⅲ-1-1「急性期」参照）や免疫抑制薬（本編-第2章-Ⅲ-A-3「免疫抑制薬」参照）の併用療法を行うため入院加療が必要となる場合が多い．適切に治療が進められるように患者を支援し，全身症状や臓器機能障害による苦痛を緩和する援助が重要となる．

> **看護目標**
> - 対症療法により苦痛が緩和され，心身の安静が保てる
> - ADLの支援により活動耐性が維持できる
> - 病状悪化，予後，妊娠・分娩，将来への不安が軽減され，治療についての意思決定ができる

❶ 対症療法により苦痛が緩和され，心身の安静が保てる

　炎症が強く症状として出ているときには，心身の安静が保てるように環境を調整し，痛みや倦怠感，発熱に対する対症療法を行う．治療によって症状が緩和することを話し，患者がその内容を理解して治療が受けられるように説明する．

❷ ADLの支援により活動耐性が維持できる

　消化のよいバランスのとれた食事とし，体力の維持・向上に努めるようにサポートする．腎障害，心臓・肺症状の出現により，著しく活動耐性が低下することがあるため，患者の身体状況を把握し，安全に治療が継続できるようにADLの支援を行う．
　体力の低下や筋力の低下は転倒のリスクが高まるが，患者自身はその変化に気づきにくいことから，そのリスクについて患者が理解できるように支援することが重要である．

❸ 病状悪化，予後，妊娠・分娩，将来への不安が軽減され，治療についての意思決定ができる

　急激な症状の増悪は不安を助長する．また，急性期には血漿交換療法などの治療生活に適応することも必要となる．患者の言動や表情を観察し，病気に対する受けとめかたや不安を把握する．治療によっては妊孕性への影響がある薬剤もあり，妊娠・分娩が疾患の悪化要因ともなることから，不安をもつ患者も多い．患者の不安を把握し，治療について意思決定できるように支援することも重要な役割となる．

2. 回復期（急性期からの回復）の看護

　回復期は，症状の回復とともに日常生活活動を元に戻していくことが必要となる．また，急性期から回復はしたが，身体的変化にショックを受けたり，思い通りに回復していかないことで葛藤を覚える患者も多い．全身性エリテマトーデスでは症状が落ち着いても，ある程度の期間は副腎皮質ステロイド薬の服用を継続する必要がある．副作用も強いことか

ら，症状が改善した後も薬剤を服用し続けることに抵抗を感じる患者も多い。患者が根気よく治療を継続できるセルフマネジメントの支援をすることは看護師の重要な役割といえる。

> **看護目標**
> - リハビリテーションの継続により日常生活活動を回復できる
> - 悪化要因の回避行動をとることができる
> - 薬剤の適切な使用と副作用のモニタリングができる

❶ リハビリテーションの継続により日常生活活動を回復できる

　急性期は活動量の著しい低下やステロイド療法により筋力の低下も著明となる。そこで，日常生活活動を取り戻すために，症状の回復とともに関節を動かし，筋力の維持向上に努める必要性を十分に説明し，合意のもと積極的にリハビリテーションに取り組めるように支援する。リハビリテーションを進めていくにあたり，患者の暮らしや社会的背景を把握して目標を共有する。回復の程度は障害された機能の状態が大きく影響することから，なかなか回復しないことへの不安や葛藤をもっている患者には，根気強く継続していくことの重要性を伝える。退院後もリハビリテーションが継続できるように地域医療との連携を図る。

❷ 悪化要因の回避行動をとることができる

(1) 日光 (紫外線) への曝露を回避する

　紫外線の強い季節のみならず年間をとおして，紫外線対策を行う必要性を説明し，行動化できているか確認する。日焼け止めクリーム，UV (紫外線) カットのサングラスや帽子，日傘，長袖の衣服の使用を勧める。室内でも日光の入り具合を調整するように話す。濃い色のサングラスは瞳孔が散大し紫外線が入りやすくなるため注意する。

(2) 感染予防行動をとる

　疾患そのものによって汎血球減少が起こりやすいことに加え，ステロイドパルス療法を行う場合や，副腎皮質ステロイド薬を少量でも長期にわたり服用する場合には，さらに感染リスクが高まる。そのため，全身の体力が低下しやすく，感染リスクも高いこと，感染は疾患が悪化する誘因になることを患者や家族が理解できるように説明し，手洗い，含嗽，皮膚粘膜の清潔に努めるように支援する。

(3) 過労を避ける

　無理をしないために職場や家族など周囲の理解を得て，周囲のサポートを受けられるよう，本人の調整力に対しても支援する。

(4) 妊娠・分娩にかかわる問題を考える

　妊娠や分娩が契機になって発症・悪化することがある。多くが妊娠・分娩が可能な年代のため，生きかたにも影響を及ぼす。分娩後の悪化で子育てに支障をきたすこともある。そのような悩みに対しても思いを表出できるように配慮する。

(5) 保温，身体の保護に努める

寒冷や外傷に留意し，保温に努め，肌や粘膜を保護するようにする。市販薬などの服用は医師に相談し，アレルギーを起こさないように慎重を期すようにする。

❸ 薬剤の適切な使用と副作用のモニタリングができる

本編 - 第2章 - Ⅲ -A「薬物療法を受ける患者の看護」参照。

3. 寛解期（在宅・地域における療養生活）の看護

看護目標
- 患者や家族のもつ将来への不安が軽減される
- 自分らしく生活ができ，社会的な役割が遂行できる

❶ 患者や家族のもつ将来への不安が軽減される

全身性エリテマトーデス患者は，将来への不安を抱えやすい。寛解後も治療を継続していく必要性があり，再燃を予防するため，また機能障害の残存により，生活様式の変更を余儀なくされることもある。そのような変化のなかで，患者が病気を受けとめ，病気とともに本人らしく生活していけるように援助する。家族も患者をサポートするうえで不安を抱えているため，家族の支援も大切になる。

躁うつ・せん妄・認知障害などの精神症状や痙攣，脳血管障害などの神経症状が起こる場合もある。疾患の特徴についてあらかじめ患者と家族に説明し，そのような症状が起こった場合には緊急入院が必要なことを説明しておく。

❷ 自分らしく生活ができ，社会的な役割が遂行できる

関節リウマチと同様に看護の面からの援助を行う（本章 - Ⅰ -C-3「寛解期の看護」参照）。また，次のような支援制度が活用できる。

- 指定難病の医療費助成制度
- 高額療養費制度
- 傷病手当金制度
- 医療費控除
- 自治体による独自の医療費助成制度
- 難病相談・支援センター

そのほか，全身性エリテマトーデスは障害者総合支援法の対象疾患であり，一定の障害のある場合は，障害者手帳の取得ができなかった患者でも障害福祉サービスを受けられることがある。

4. 終末期の看護

関節リウマチと同様に看護の面からの援助を行う（本章 - Ⅰ -C-4「終末期の看護」参照）。

III ベーチェット病患者の看護

　ベーチェット病は，慢性・再発性の炎症（静脈炎）により全身の臓器が障害される指定難病である。この疾患の特殊病型として，中枢神経に病変が発症したものを神経ベーチェット病とよび，急性型と慢性進行型があり，髄膜炎や片麻痺を発症する場合もあるため注意が必要である。

　①口腔粘膜のアフタ性潰瘍，②外陰部潰瘍，③皮膚症状，④眼症状の4つの症状を主症状とする慢性・再発性の全身性炎症性疾患である。原因は不明であり，現在の病因の仮説として，何らかの遺伝素因（体質）が基盤にあり，そこに病原微生物（細菌やウイルス）の感染が関与して，白血球をはじめとした免疫系の異常活性化が生じ，強い炎症が起こって症状の出現に至るとされている。膠原病と比較すると，血液検査で検出されるような特異的自己抗体もなく，女性に多いという特徴もない。

A アセスメントの視点

　ベーチェット病は，痛みが強く同時にいくつもの症状が現れることが多い。その症状は長い間繰り返し現れて患者を悩ませ，患者のQOLへの影響が大きい。症状やその程度，悪化要因や日常生活への影響などをアセスメントする。

1 身体的側面

❶口腔粘膜アフタ性潰瘍
- 口腔内の疼痛，食事摂取量を把握する
- 口腔内の清潔保持のため，口腔ケア（歯みがき，うがい），歯科治療の程度を把握する

❷外陰部潰瘍
- 男性：陰茎，亀頭部の潰瘍の程度と疼痛
- 女性：大陰唇，小陰唇，腟粘膜の潰瘍の程度と疼痛

❸皮膚症状

　代表的な皮膚症状は痤瘡様皮疹（全身のいたる部位に生じるきびに似た皮疹）であり，皮疹の生じている部位と程度，疼痛の有無を把握する。

❹眼症状

　両眼の病変を発症する場合が多いため，発症の左右差を把握する。そのほか，眼痛・充血・瞳孔不同の有無，視力の程度，視力障害がある場合は転倒・転落リスクについても把握する。

❺神経症状
- 髄膜炎，脳幹脳炎の症状である発熱，頭痛，悪心，意識障害，痙攣を把握する

- 片麻痺，小脳症状，錐体路症状の程度を把握する

❻ **関節炎・血管炎**

全身の関節の疼痛の程度，関節可動域を把握する。

❼ **消化器症状**

消化器症状は腸管潰瘍を発症する場合が多く，排便の有無と排便状況，食事摂取状況や摂取量，消化管出血や腸管穿孔の有無を把握する。

❽ **副睾丸炎**

腫脹の程度を把握し，腫脹による歩行状態の確認をする。

2 心理的側面

ベーチェット病は長い間何度も繰り返し現れるため，患者のQOLを低下させる。患者はそれらの症状と付き合わなければならず，心理的に不安定になりやすい。また，外観の変化が起こりやすく，それによるショックは大きい。外陰部潰瘍や皮膚症状は自己観の動揺につながりやすい。病気の受けとめ方などを観察する必要がある。言動や表情，周囲の人からの情報を参考に，患者の心理状態を把握する。

3 社会的側面

外観の変化や臓器障害により，外出を避け，孤立しやすいため，日常生活への支障も出る。必要な支援が受けられるように，情報収集し支援体制の把握を行う。
- 日常生活行動や行動制限，生活への支障の程度と必要な介助の範囲，仕事への影響
- 家族の介護力，周囲の人との交流状況，支援体制の程度，社会資源申請状況など

B 生じやすい看護上の問題

- 疼痛や不快感による安楽の障害，日常生活活動の低下がある
- 長期にわたる経過により日常生活活動の低下がある
- 病気の進行や将来に対して不安が生じる
- 就労，家事など社会的役割の遂行ができず，外観の変化により自己概念の変化が生じる

C 看護目標と看護の実際

看護目標
- 皮膚・粘膜の自己管理で症状による苦痛を緩和できる
- 病状悪化や予後，将来への不安を軽減できる
- ボディイメージの変容を受容でき，自分らしい生活や社会的役割が果たせる

❶ **皮膚・粘膜の自己管理で症状による苦痛を緩和できる**

　口腔潰瘍は，ほぼすべての患者に現れる症状であり，その悪化を防ぐためにも歯みがきや含嗽などが大切となる。また，歯周病や喫煙は症状を悪化させるため定期的な歯科受診や禁煙が必要である。皮膚を清潔に保ち，小さな傷も感染源になりやすいため野外で活動する際は服装などを工夫して，虫刺されや運動中のけが，日焼けなどから皮膚を守る。食物で避けるものはないが，消化のよいバランスのとれた食事を摂るように勧める。

　治療の内容を患者が理解し，症状緩和のために治療を継続すること，また薬物の副作用のモニタリングができるように観察の仕方を説明する。

❷ **病状悪化や予後，将来への不安を軽減できる**

　皮膚症状や外陰部潰瘍など，ボディイメージの変容に対するショックは大きく，自己観の動揺につながりやすい。看護師は患者の心理を理解し，長期に渡って病気と付き合っていくことを支援する。

　ストレスや疲労・緊張は悪化要因となるため，十分な休息や睡眠をとり，規則正しい生活を送ることを支援する。

❸ **ボディイメージの変容を受容でき，自分らしい生活や社会的役割が果たせる**

　疾患の好発年齢は就労や家事の問題にかかわる年代である。社会的役割遂行が障害されることは，患者の自己観にも大きな影響を及ぼし，心理的負担にもなる。ボディイメージの変容や病気に対する周囲の人々の無理解は，孤立感を強くしやすい。家族を含め，近親者が疾患について正しい理解ができるようキーパーソンを確認してかかわる。また，家族や周囲の人の思いにも耳を傾ける。

IV　全身性強皮症患者の看護

　全身性強皮症はコラーゲン線維の過剰な産生によって皮膚硬化や各臓器の線維化を起こす疾患である。30～50歳代の更年期前後の女性に多い。線維化による症状と血管障害による症状があり，厚くて硬い皮膚と末梢循環障害を特徴とする。顔面に皮膚硬化が現れると仮面様顔貌となる。関節は炎症を起こし拘縮しやすい。消化管平滑筋，肺，心筋にも病変を起こすことがある。血流障害により，手指，足趾の細動脈が発作性に収縮することによって皮膚の色が白色，紫色，赤色へと変化するレイノー現象が起こる。指の先端に小潰瘍や小陥凹性瘢痕がみられる。腎臓では血管内膜の肥厚による腎機能障害がみられ，突発的に重症高血圧や腎不全を起こすことがある。悪化要因としては，寒冷，疲労，緊張，喫煙，感染などがある。

A アセスメントの視点

1　身体的側面

❶線維化による症状

（1）皮膚症状

　皮膚硬化，色素沈着，症状の広がりかた（対称性で手から体幹部へ広がっているか）など疾患特有の症状について把握する。皮膚の柔らかさ，つや，しわ，色の状態を観察する。仮面様顔貌，手指の腫脹（しゅちょう），口周囲放射状のしわ，毛根・汗腺の消失，関節痛，こわばり，関節拘縮（こうしゅく）の有無などを把握する。

（2）消化器症状

　嚥下困難，逆流性食道炎，吸収不良症候群，イレウス，舌小帯（ぜっしょうたい）の短縮などの症状，腹部膨満感（ぼうまん），下痢，便秘，悪心・嘔吐，胃痛，腹痛，つかえ感を把握する。

（3）呼吸器症状

　間質性肺線維症の有無，呼吸状態（呼吸数，呼吸の型・深さ，咳（せき），労作時（ろうさじ）の息苦しさ，動脈血酸素分圧）を確認する。

（4）心臓病変

　心筋の線維化による不整脈の有無，脈拍，血圧の変化を把握する。

❷血管障害による症状

　レイノー現象は，皮膚の色，冷感，チアノーゼ，浮腫（ふしゅ）などから，腎機能は，血圧，尿量，血清尿素窒素，クレアチニンから把握する。

❸悪化要因の有無

　寒冷，疲労，緊張，喫煙，感染など悪化要因の有無と，悪化要因の回避行動の状況を把握する。

❹薬剤の服用状況と副作用の有無

　服薬が処方どおりにできているか，消化器症状や感染症などの副作用がないか観察する。

❺ADLへの影響

　臓器機能障害によるADLへの影響はないか確認する。

2　心理的側面

　皮膚が硬化し，仮面顔貌や口周囲放射状のしわ，レイノー現象などのために，ボディイメージの変容が起こりやすく，自己観の動揺につながりやすい。病気に対する受け止め方などを観察する必要がある。また消化器症状や呼吸器症状は苦痛が大きく不安を抱きやすい。患者の言動や周囲の人からの情報を参考に心理状態を把握する。

3 社会的側面

　ボディイメージの変容や手指や臓器の障害により日常生活への支障も出る。また間質性肺線維症などによって呼吸機能不全状態となり，在宅酸素療法が必要になることもある。必要な支援が受けられるように，次のような点から情報収集し支援体制の把握を行う。

- 日常生活行動の範囲，生活への支障の程度と必要な介助の範囲，仕事への影響
- 家族の介護力，周囲の人との交流，社会的参加の状況，介護者など支援体制の程度，社会資源申請状況など

B 生じやすい看護上の問題

- 皮膚・関節症状，消化器・呼吸器症状などによる疼痛や不快感など安楽の障害がある
- 皮膚・関節症状，臓器機能障害による日常生活活動の低下がある
- 治療継続行動や悪化要因の回避行動が，適切にとれないことによる症状悪化や合併症リスクがある
- 病状悪化，予後，将来への不安がある
- 就労・家事など社会的役割の遂行ができないことやボディイメージの変容により自己概念の変化が生じる

C 看護目標と看護の実際

看護目標
- 皮膚・粘膜が保護され，症状による苦痛を緩和できる
- 病状悪化，予後，将来に対する患者や家族の不安を軽減できる
- 社会的役割を遂行でき，自分らしい生活ができる

❶ 皮膚・粘膜が保護され，症状による苦痛を緩和できる

　皮膚を清潔に保ち，保護のために保湿剤を塗布する。悪化要因である寒冷を避けるために室温を調整し，衣類などで保温に努める。好発年齢は 30〜50 歳代で，特に家事を行う年齢であるため保温に努め，温水を使用するよう促す。末梢循環障害が起こりやすく，小さな傷も潰瘍になりやすいため，手指が傷つかないように注意する。喫煙は悪化要因であるため禁煙とする。

　関節のこわばりや関節痛，関節の拘縮が起こりやすいため，温浴やマッサージと組み合わせて 1 日 1〜2 回関節を動かし，可動域の維持・拡大を図る。消化管は蠕動運動が低下しやすいため，消化がよく栄養価の高いものを摂るようにする。逆流性食道炎を予防するために食後はすぐに横にならないようにして消化管粘膜の保護に努めるように説明する。

　治療は対症療法が主である。治療の内容を理解し，症状緩和のために治療を継続するこ

と，副作用のモニタリングができるように観察のしかたについて説明する。

❷ **病状悪化，予後，将来に対する患者や家族の不安を軽減できる**

ボディイメージの変容に対する支援についてはベーチェット病（など）と同様に行う。

ストレスにうまく対処できるように自己の対処機制（コーピング）を使えるように話し合う。また患者会によるピアサポートを受けられるように紹介をする。

患者は，苦痛の持続，全身の臓器障害による病状悪化に対する不安や社会的役割を果たせないという不安（など）を抱えやすい。また，在宅酸素療法を受ける場合は，それまでとは異なる治療生活に適応していく必要もある。治療によって病状をコントロールして苦痛を緩和するとともに，病気とともに本人らしく生活していけるように援助する。そのためには必要に応じた知識の提供を行い，患者が思いを表出できるようにかかわる。

❸ **ボディイメージの変容を受容でき，自分らしい生活や社会的役割が果たせる**

全身性強皮症は 30〜50 歳代の女性に好発しやすいため，社会的役割の遂行に配慮する。肺線維症が悪化した場合は，在宅酸素療法を受けながら生活をすることになる。必要性を説明し，関連業者との連携，福祉的なサポートなど在宅で酸素療法を受けながら生活していけるように支援する。

そのほかの看護の実際については，本章 - Ⅲ -C- ③「ボディイメージの変容を受容でき，自分らしい生活や社会的役割が果たせる」参照。

Ⅴ 多発性筋炎・皮膚筋炎患者の看護

多発性筋炎，皮膚筋炎は，四肢近位筋の筋力低下を特徴とする炎症性筋疾患である。骨盤，下肢の筋群の筋力低下によって，椅子や便座からの立ち上がり階段昇降で困難感を自覚することが多い。また，頭上の物を取る動作，起き上がり動作，枕から頭を上げる動作が困難であるなど，肩から上腕，頸部の筋群の障害が起こる。咽頭筋群の障害では嚥下困難や発声障害が生じ，日常生活そのものに支障をきたす。特に皮膚筋炎の場合は，皮膚の症状として，上眼瞼の紫紅色の浮腫性紅斑（ヘリオトロープ疹）や，肘，膝，手指の関節背面に対称的に落屑を伴う紅斑（ゴットロン徴候）がみられる。

呼吸器病変を合併しやすく，間質性肺炎や呼吸筋の障害による呼吸不全を起こすことがあり，悪性腫瘍を合併することもある。看護師は，患者が病気を理解し早期に治療を受け，筋萎縮予防・筋力回復促進のためのリハビリテーションに取り組むことができるよう，また，合併症の予防に努めることができるように支援する。

A アセスメントの視点

1 身体的側面

多発性筋炎，皮膚筋炎は，四肢近位筋の筋力低下や特徴的な皮膚症状をもつ。全身の筋群の筋力低下の状況，皮膚症状などを把握し，日常生活への影響をアセスメントする。

❶筋症状

筋萎縮や筋力低下の程度，筋痛や筋の把握痛（筋肉をつかまれると痛い）の有無と程度を次の点から把握する。

- 下肢，上腕，頸部などの筋力の低下を示す症状（立ち上がり動作，階段の昇降動作，起き上がり動作，上肢や頸の持ち上げ動作，嚥下の困難感）の有無と程度
- 血清筋原性酵素（クレアチンキナーゼ［CK］*，アルドラーゼ［ALD］，LDH，AST の値）

❷皮膚症状

皮膚筋炎の場合，上眼瞼の浮腫性紅斑や，肘，膝，手指の関節背面の紅斑の有無と程度を把握する。

❸呼吸器症状

間質性肺炎の徴候を次の点から把握する。

- 呼吸の状態：息苦しさ，咳，痰，呼吸数，呼吸の型・深さ
- 発熱，CRP（C反応性たんぱく）

❹薬剤の服用状況と副作用の有無

服薬が処方どおりにできているか，消化器症状や感染症などを観察する。

❺日常生活動作（ADL）への支障の影響

臓器機能障害によって ADL に影響がないかアセスメントする。

2 心理的側面

筋萎縮，筋力低下は ADL に影響を及ぼし，QOL が低下しやすい。疾患とは長期に付き合わなければならず，疾患の進行や薬剤の副作用により肺炎を起こすことや，悪性腫瘍を合併することがあり，病気の経過や悪化への不安，将来への不安をもちやすい。病気に対する受けとめかたや不安を患者の言動や表情などから把握する。

3 社会的側面

症状によって，日常生活行動への介助や生活のしかたに変更を要することがある。また行動範囲が狭くなり孤立しやすい。日常生活行動の範囲，生活への支障の程度と必要な介

***クレアチンキナーゼ（CK）**：エネルギー代謝にかかわる酵素で，筋肉に多く存在する。筋肉に炎症などの障害があると，血液中の CK 値は高値になる。

助の範囲と程度，仕事への影響について検討し，必要な支援が受けられるように，家族の介護力，周囲の人との交流の状況，介護者など支援体制の程度，社会資源申請状況も含めた支援体制の把握を行う。

B 生じやすい看護上の問題

- 筋萎縮，筋力低下による日常生活活動の低下が生じる
- 筋力低下による転倒，骨折のリスクがある
- 咽頭筋の筋力低下による嚥下障害，誤嚥性肺炎のリスクがある
- 病気の進行や悪性腫瘍を合併するリスクがあり，将来への不安を生じる
- 就労・家事など社会的役割遂行力の低下がある

C 看護目標と看護の実際

看護目標
- 筋萎縮の予防，筋力の回復促進ができる
- 誤嚥および感染症を予防できる
- 病気の進行や悪性腫瘍を合併するリスク，将来への不安を軽減できる
- 社会的役割を遂行でき，自分らしい生活ができる

❶筋萎縮の予防，筋力の回復促進ができる

▶ **リハビリテーションの開始**　炎症が強い時期は安静を保つが，治療によって炎症の活動性が改善され，CKの値が低下すると，できるだけ早期にリハビリテーションが開始される。筋力低下高度例では，良肢位の保持に努める。

▶ **患者への説明**　CKなど血清筋原性酵素の値の推移をみながら専門的視点でリハビリテーションの内容が決められるため，患者が自分で運動量や方法を決定しないように説明しておく。

▶ **介助の視点**　筋力低下によってADLに著しい支障をきたす。体位変換や起居動作，更衣，整容，排泄，食事などについて，援助の必要性をアセスメントして介助する。リハビリテーションを行い，自立性を維持できるように援助する。

❷誤嚥および感染症を予防できる

▶ **誤嚥防止**　咽頭筋群の障害がある場合は，嚥下障害が起こるため誤嚥性肺炎を予防する。口腔内は常に清潔に保ち，肺炎の予防に努める。医師，言語聴覚士によって嚥下状態がアセスメントされ，その機能に応じて嚥下訓練，食事内容，摂取方法について検討される。食事時は嚥下しやすい姿勢を保ち，嚥下しやすいものをゆっくりと摂取するように援助する。

▶ **感染対策**　間質性肺炎などの感染症合併のリスクも高く，たんぱく質分解が亢進しやす

い状況にある。副腎皮質ステロイド薬や免疫抑制薬などの薬物療法によって，さらに感染リスクが高まる。そのため全身の体力低下をきたしやすく，感染リスクが高いこと，感染は疾患が悪化する誘因になることを患者本人や家族が理解できるように説明し，手洗い，含嗽，皮膚粘膜の清潔に努めることができるように支援する。

▶ **栄養管理**　家族と栄養管理チームが患者の栄養管理について話し合い，患者が高エネルギー食，高たんぱく食の食事を摂れるように調整する。また，患者がカルシウム摂取の必要性を理解し摂取できるように促す。

❸ **病気の進行や悪性腫瘍を合併するリスク，将来への不安を軽減できる**

▶ **ショック・不安軽減**　好発年齢は40〜60歳であり，この年代で筋力が低下し，ADLに影響を受けることは大きなショックである。また，病状悪化や悪性腫瘍合併に対する不安や，社会的役割を果たせないという不安を抱えやすい。ストレスにうまく対処できるように，自己の対処機制を使えるように話し合うことも必要である。

▶ **治療への適応**　今までと異なる治療生活に適応していく必要が出てくることもある。対症療法によって症状を緩和するとともに，病気とともに本人らしく生活していけるように援助する。そのためには必要に応じた知識の情報提供を行い，患者が思いを表出できるようにかかわる。

❸ **ボディイメージの変容を受容でき，自分らしい生活や社会的役割が果たせる**

看護の実際は本章-Ⅲ-C-③「ボディイメージの変容を受容でき，自分らしい生活や社会的役割が果たせる」参照。

Ⅵ　シェーグレン症候群患者の看護

シェーグレン症候群は，唾液腺や涙腺などの外分泌腺の炎症により腺房が破壊され，分泌能が低下する疾患である。好発年齢は30〜50歳代で女性に多い。

口や鼻が乾燥し，物が飲み込みにくい。う歯も多発しやすい。耳下腺の腫脹が起こることもある。眼は乾燥して，異物感，発赤，充血，疲れ目などの症状がみられる。関節症状として関節炎による関節痛がみられる。全身的には，疲労感，頭痛，めまい，集中力の低下，気分不安定，うつ症状などがみられる。

貧血，汎血球減少，赤沈亢進，γグロブリンの上昇がみられ，特異的自己抗体として抗SS-A抗体，抗SS-B抗体などの所見がみられる。関節リウマチ，全身性エリテマトーデス，強皮症，混合性結合組織病，多発性筋炎・皮膚筋炎など，ほかの自己免疫疾患を合併することもある。

患者が病気を理解し，眼や口腔の粘膜を保護する生活ができるように支援する。

A アセスメントの視点

1 身体的側面

　シェーグレン症候群は，唾液腺や涙腺などの外分泌腺の炎症により腺房が破壊され，分泌能が低下する。眼や口腔の腺症状，関節症状や全身症状の腺外症状がみられる。症状や程度をアセスメントし，症状による日常生活への影響などをアセスメントする。

❶腺症状

▶ **眼の症状（ドライアイ）**　眼の違和感，充血，かゆみ，光線過敏症の増加などの有無と程度。
▶ **口腔症状（ドライマウス）**　口腔内の乾燥，灼熱感，食物の嚥下困難感，う歯の有無など。

❷腺外症状

　関節炎，レイノー現象（序章-Ⅱ-1-3「皮膚症状」参照），リンパ節腫脹などのほか，環状紅斑，慢性甲状腺炎，間質性肺炎，腎機能障害，肝機能障害などの有無を次の点から把握する。

- 体温，頭痛・全身倦怠感の有無，関節痛の有無
- 皮膚の状態：レイノー現象，環状紅斑の有無
- 尿の状態：尿量，たんぱく尿・血尿・尿円柱などの性状
- 腎機能状態：血清尿素窒素，クレアチニン，ほか
- 呼吸状態：呼吸数，呼吸の型・深さ，息苦しさの有無
- 肝機能の状態：AST，ALT，黄疸ほか
- 血液検査：赤血球数，白血球数，血小板数

❸薬剤の服用状況と副作用の有無

　服薬が処方どおりにできているか，薬剤アレルギーはないか，消化器症状や感染症などの観察を行う（本編-第2章-Ⅲ-A「薬物療法を受ける患者の看護」参照）。

❹日常生活動作（ADL）への影響

　疾患特有の症状によって ADL に影響はないかアセスメントする。

2 心理的側面

　眼や口腔の粘膜の乾燥は不快な症状をもたらす。予後は良好であるが，乾燥症状は改善しないため，その症状と付き合わなければならず，心理的に不安定になりやすい。疾患による全身症状として，気分不安定，集中力低下，うつ傾向などがみられるため，その観察が必要である。さらに腺外症状がある場合には発熱や倦怠感や臓器障害による苦痛を感じ，病状への不安を感じることが多い。患者の言動や表情から患者の心理的状況を把握する。

3 社会的側面

　症状による粘膜の乾燥は不快感をきたし，人工涙液，点眼，人工唾液，水分補給などを

頻繁にケアしなければならない。また話しづらさや飲み込みづらさから，心理的不安定になりやすく，人との交流が少なくなり，行動範囲が狭くなり孤立しやすい。必要な支援が受けられるように支援体制の把握を行う。
- 社会生活への支障の範囲と程度，家族や周囲の人との交流の状況
- 仕事への影響，社会的参加の状況，支援体制の状況

B 生じやすい看護上の問題

- 腺症状による疼痛や不快感など安楽の障害がある
- 治療継続行動や悪化要因の回避行動が適切にとれないことによる症状悪化のリスクがある
- 病状悪化，長期に腺症状と付き合っていくことへの不安が生じる

C 看護目標と看護の実際

看護目標
- 眼・口腔粘膜の保護と苦痛を緩和できる
- 薬剤の適切な服用と副作用のモニタリングができる
- 疾患の理解ができ，セルフケアが不安なく実施できる

❶ 眼・口腔粘膜の保護と苦痛を緩和できる

（1）眼粘膜の保護

眼の乾燥に対しては，人口涙液・点眼薬を使い，潤いと眼の清潔を保つ。直射日光を避け，眼の疲労感をもたらすような長時間の読書やテレビ鑑賞，パソコン使用などは控えるように促す。ドライアイ用の眼鏡（モイスチャーエイドなど）の使用を勧める。

（2）口腔粘膜の保護

口腔内の乾燥に対しては，人口唾液，水分補給などによって緩和する。また，次の点に配慮する。

▶**口腔内の清潔**　唾液分泌低下により乾燥し細菌の繁殖が起こり，カンジダなどの口腔感染症やう歯になりやすい。含嗽を頻繁に行い，歯みがきを適切に行い口腔内の清潔を保つようにする。う歯や歯肉の状態の維持・改善については，歯科で適切なブラッシングの指導を受ける。これらは自己管理で行われるため，その必要性を説明し，口腔内の清潔，苦痛の緩和に努められるように援助する。

▶**食品選択**　食事内容について，水分の多い食品を選択するなど献立を工夫する。具体的には飲み込みやすく口腔内への刺激が少ないものを選び，食べやすい温度にする。う歯予防のためにも，糖分の摂取には注意する。本人や家族の理解を得て，必要に応じ管理栄養士に相談するよう支援する。

❷**薬剤の適切な服用と副作用のモニタリングができる**

患者は薬剤アレルギーになりやすく，服薬時にはアレルギー症状を観察して，症状が出た場合には，すぐに医療機関に行くように説明する。腺外症状への治療はステロイド大量投与を行う場合があるため，副作用の観察をする。

❸**疾患の理解ができ，セルフケアが不安なく実施できる**

予後は良好であるが，眼や口腔の粘膜の乾燥による疼痛や不快な症状と長期にわたり付き合わなければならず，心理的に不安定になりやすい。さらに腺外症状がある場合は発熱や倦怠感，全身の臓器障害による苦痛や病状悪化が生じ，不安を感じることが多い。そのため薬剤の使用や生活の仕方で病状をコントロールして苦痛を緩和でき，病気とともに本人らしく生活していけるように援助する。

(1) 正しい疾患の理解

病気の特徴，治療方法，経過などの知識を提供し，患者や家族が病気について正しい理解ができるようにする。

(2) 病気との向きあいかたについて

ストレスにうまく対処でき，生活を自分なりにエンジョイできるように規則正しい生活をする，過労を避ける，睡眠休息を適切にとる，適度の運動を取り入れ体力の維持や気分転換をするなど，自己の対処機制が使えるように話し合うことも必要である。

(3) 思いの表出と共有

周囲の人も病気について理解し，患者が思いを表出できる環境づくりにかかわる。また患者会などのピアサポートを受けられるように紹介をする。

> **演習課題**
>
> 1. 関節リウマチ患者の急性期・回復期・寛解期などの各経過における，関節拘縮・変形予防のための看護の留意点をあげてみよう。
> 2. 関節リウマチ患者の日常生活行動支援について説明できるようにしよう。
> 3. 全身性エリテマトーデスの悪化要因回避のために，患者に指導すべきことを説明できるようにしよう。
> 4. ベーチェット病患者の皮膚・粘膜の自己管理を支援するポイントについてまとめてみよう。
> 5. 全身性強皮症患者への皮膚・粘膜保護のための指導について説明できるようにしよう。
> 6. 多発性筋炎における看護の目標と症状観察のポイントを整理しておこう。
> 7. シェーグレン症候群患者の腺症状に対する日常生活のしかたについて説明できるようにしよう。

第2編 膠原病患者の看護

第4章

事例による看護過程の展開

この章では
- 事例をもとに膠原病をもつ患者の看護を学ぶ

I 全身性エリテマトーデス患者の看護の事例

事例の概要

1. 患者プロフィール

患者：Bさん，90歳代，男性
病名：全身性エリテマトーデス
既往歴：高血圧
家族構成：妻と娘夫婦，孫と同居。娘夫婦は共働きであり，妻が孫の世話を含めて家事を担っている
内服管理：降圧薬
介護保険：要支援1。デイサービスを週1回利用

2. 入院までの経過

　高血圧の既往があり降圧薬を内服しているが，これまでは健康な生活が送られていた。80歳代後半を過ぎたころから，加齢に伴う認知機能や体力の低下を認めるようになった。

　1年前に近医にて原因不明の発熱，両側胸水貯留，CRP上昇を指摘され，大学病院を紹介受診した。先の状況に加えて，体重減少やPET-CT検査でリンパ節の集積を認めたため，検査入院の方針となった。各種検査を施行したところ，高齢発症全身性エリテマトーデス（SLE）として診断され，副腎皮質ステロイド薬による免疫抑制療法が開始された。経過をみながら，徐々に副腎皮質ステロイド薬を減量したところ，CRPや各種の免疫異常は正常化し，胸水も徐々に改善傾向を認めた。全身状態も改善し，日常生活動作（ADL）は入院前とほぼ同程度まで回復した。退院前に点状紫斑の出現があったが，副腎皮質ステロイド薬の減量は外来で慎重に行う方針となった。療養環境としてデイサービスを週2回に増やし，入浴サービスの利用も調整し，退院となった。

　その後は外来で経過観察をしながら副腎皮質ステロイド薬を減量していたが，数か月後に発熱をきたして体動困難となり救急搬送された。肺炎所見を認め，意識障害もきたしていたため，抗菌薬投与のため緊急入院の方針となった。

3. 入院後

　肺炎に対して抗菌薬投与を行いながら，全身の精査を進めたところ，誤嚥性肺炎に加えて漿膜炎（胸膜炎，腹膜炎）をきたしており，全身性エリテマトーデスの再燃が考えられた。そのためステロイドパルス療法を行った後，症状をみながら慎重に副腎皮質ステロイド薬を漸減した。これまでにも誤嚥性肺炎を繰り返しており，感染コントロールのためにも副腎皮質ステロイド薬は低用量が望ましいと考えられ，B細胞刺激因子阻害薬を併用して原病のコントロールを図る方針となった。

　また，嚥下機能の評価のために嚥下造影（video fluoroscopic examination of swallowing；VF）検査を行ったところ，食道の通過不良があった。液体では少量の摂取でも喉頭侵入や誤嚥を起こす所見であり，器質的な問題もあるため経口摂取だけでは栄養の担保が難しいと判断された。誤嚥性肺炎を繰り返すことは，本人の体力を奪うだけでなく，肺炎がコントロールできなければ，致死的ともなり得る。そのため，このまま食事摂取を続けること自体がリスクとなること，本人の楽しみのための食事は少量継続したうえで，栄養補給経路として胃瘻の造設もできることを説明し，今後の方針についてBさんと家族の意向を確認した。

　Bさんは食事に対する欲求が高く，「食べたり飲んだりすることは続けたい」と話し，胃瘻造設に対して拒否はしないものの，積極的ではなかった。妻は，Bさんの意向に沿うとのことであった。娘は，当初は胃瘻造設に対して消極的であった。これまで家族で色々な食事を楽しんできた思い出や，現在の食事に対する希望から，誤嚥のリスクはあっても胃瘻造設に踏み切ることに抵抗を感じていた。一方で，入院前までと同様の生活は難しいことは理解されており，管理栄養士と面談し，嚥下食の調理方法について指導を受けていた。

　抗菌薬加療のために入院が長期化するなかで，家族はSNSなどで情報を得て胃瘻につい

てのイメージがつき，胃瘻があっても食事は可能で，Bさんにとってメリットが大きいと考えるようになり，胃瘻造設の方針となった。

入院生活は約5か月にわたり，日常生活動作が低下したため，入院中に介護保険の区分変更申請を行い，要支援1から要介護3となった。また，妻が一時期体調をくずしたこともあり，娘は介護のために仕事を辞めて，今後は妻と娘で介護を行うことになり，療養環境を調整した後，退院となった。

B アセスメントと看護のポイント

1. アセスメント

▶ **運動機能**　加齢に加えて，発熱や炎症による消耗から全身の筋力が低下していた。運動機能の低下により歩行には介助が必要な状態であった。血液検査の結果では軽度の貧血を認めており，めまいやふらつくリスクがあった。ベッドからの起き上がりには介助を要しており，ベッド柵につかまって立位をとり，歩容は不安定で，何かにつかまりながら数歩程度しか歩くことができなかった。しかし，認知機能の低下から輸液ラインに配慮することができず，必要時に援助を求めることもできず，単独行動がみられていたため，転倒・転落のリスクが高い状態であった。

▶ **食事摂取**　入院当初は誤嚥性肺炎や腹膜炎を起こしていたため，禁食，輸液管理であった。食事再開後は摂食姿勢を整えて，食べやすいように食器を配置することで，自身で食べることができた。しかし，反復唾液嚥下テスト（repetitive saliva swallowing test：RSST）は3回程度（3回以上が正常），喉頭挙上は0.5〜1横指程度（2横指以上が正常）であり，嚥下機能は低下していた。口腔内に食べ物が残っている状態で，次の食べ物を口に入れようとしたり，時折，むせ込む様子がみられた。特に水分は，むせ込んでしまうことが多く，誤嚥徴候がみられた。毎食ほぼ全量摂取することはできたが，血液検査の結果では低栄養状態を認めており，全身の皮膚は乾燥していた。

▶ **排泄行動**　排泄に関しては尿意や便意はあるが，時折失禁もみられた。本人が失禁した後で伝えることもあったが，失禁に気づかず過ごしていることもあった。加齢により皮膚のバリア機能が低下していることに加えて，低栄養状態であること，排泄物（尿，便，その両方）が皮膚に接触することで，皮膚障害のリスクが高い状態であった。

▶ **清潔行動**　全身性エリテマトーデスに対して免疫抑制薬を使用していることや低栄養状態で抵抗力が低下し，易感染状態にあるが，日常生活動作（ADL）低下により食事前や排泄前後の手指衛生や口腔ケアなど必要な感染予防行動がとれないため，介助が必要であった。全身の消耗により入浴は困難であったため，全身保清も介助が必要であった。更衣の際には袖を通すことはできるが，ボタンをとめることはできなかった。ズボンをはくときに足を上げることはできるが，しっかりと腰を上げることはできなかった。また，高カロリー輸液（total parenteral nutrition：TPN）や抗菌薬投与のために中心静脈カテーテルが挿

入されており，細菌の侵入経路が存在していた。

▶ **認知機能**　入院前は，年齢相応の認知機能であったが，入院による環境の変化や，発熱や全身状態の悪化により，見当識が保たれず混乱する様子がみられた。特に夜間に帰宅欲求が高まり興奮する様子がみられ，疲れて日中に寝てしまうことが多かった。中心静脈カテーテルが挿入されていることを認知できず，引っ張ったり，刺入部の固定を剥がしてしまうこともあった。貧血，電解質異常，心不全，感染症，薬物といった身体的要因（直接因子）に加えて，病室の不慣れな環境やいつも近くにいる家族が不在で，見慣れない医療者の存在があること，難聴による感覚遮断や頻尿，失禁，不眠などの促進要因（誘発因子）が加わり，せん妄状態をきたしていると考えられた。

2. 看護上の問題

- 認知機能の低下から転倒や転落の危険がある
- 嚥下障害がある
- スキントラブルの危険がある
- 入院に伴うせん妄がみられる
- 感染の危険がある

3. 看護目標

- 転倒や転落を起こさずに過ごすことができる
- 誤嚥を起こさず，必要量の食事を摂ることができる
- スキントラブルを起こさない
- 一日の生活リズムを整えることができる
- 感染をきたすことがない

4. 看護の実際

❶ 転倒や転落を起こさずに過ごすことができる

　入院直後は全身の消耗により，ベッド上で寝返りはできるが起き上がる様子はなかったが，ベッドからの転落は防ぐように努めた。理学療法士や作業療法士と協働しながら，患者の疲労度に合わせながらリハビリテーションを進めた。

▶ **転落防止**　全身状態の改善に伴い活動意欲が戻り，排泄前などに一人で起き上がり，ベッドから降りようとする行動がみられるようになった。転落防止のためベッド柵をすべて上げていたが，ベッド柵の間から降りようとしたり，ベッド柵を乗り越えようとする行動があったため，ベッドを壁に寄せて片側からのみ降りられるように環境調整を行った。必要な場合は，ナースコールなどで援助を求めるように繰り返し説明し，目の留まるところに「動くときはナースコールをして下さい」と貼り紙をして忘れないようにするなど工夫をしたが，効果が得られなかった。転倒・転落予防の強化が必要と考え，担当医師を含めて

チームカンファレンスを行い，家族の同意を得て，体動自動通知モニターを設置し，患者が自分一人で動いても速やかに察知できる環境を整えた。

▶ **転倒防止**　歩行は不安定で，何かにつかまりながら数歩程度しか歩くことができなかったため，歩きやすいように歩行器を使用した。理学療法士や作業療法士の介入以外にも，看護師の介助によるトイレや洗面の機会も含めて日常生活のなかから活動時間を増やすことで，徐々に歩行距離が延び，歩容も安定するようになった。しかし，必要時に援助を求めることはできず，自身で起き上がり，ベッドから降りようとする行動は続いたため，退院まで行動をモニタリングしながら転倒・転落防止に努めた。

❷ **誤嚥を起こさず，必要量の食事を摂ることができる**

禁食期間中は，中心静脈カテーテルから高カロリー輸液を投与していた。本人の摂食欲求があり，炎症所見が改善したため，食事を再開することになった。食事内容は，禁食期間中に廃用が進んだこともあり，ゼリー状の食事から始め，嚥下訓練と本人の摂食欲求を満たすことを主目的とした。

▶ **ポジショニング**　言語療法士による直接・間接訓練が追加され，誤嚥予防のために食事摂取時は両下肢を地面につけたポジショニングがとれるよう，端座位または車椅子に座るようにした。水分には，とろみ剤を混ぜてソース状になるようにした。認知機能の低下から，ゆっくり食事を摂るように指導しても，なかなか行動に結びつかずに，一人で食事動作を行うと器に口をつけて啜るように摂取しようとしたり，口腔内に食べ物が残っている状態で次の食べ物を口に入れようとする行動がみられた。特に水分はむせこんでしまうことが多く，コップから直接飲むと必ずむせてしまうため，小さなスプーンを使用した。口に入れる1回量に注意し終始看護師が見守り，口腔内に食べ物が残っていないことを確認してから次の食事を口に入れるように声をかけて援助した。

▶ **嚥下機能評価**　毎食全量摂取できており，もう少し食べたいと希望もあったが，これまで誤嚥を繰り返してきたこともあり，食事の形態を変更する前に嚥下造影を行い評価することになった。嚥下造影の結果では，**口腔期**は咀嚼・食塊形成や咽頭への送り込みが稚拙，**咽頭期**では嚥下反射発起時間の遅延，食道入口部の通過不良があり梨状窩への貯留がみられた。液体ではいずれの形態，体勢でも誤嚥する様子があった。**食道期**では食道内の残留を認めるが，時間が経つにつれて胃内への流出がみられた。以上のことから，経口摂取で全量の栄養を担保することはリスクが高いと判断され，胃瘻造設の方針となった。退院に向けた栄養剤の選択のために栄養サポートチーム（nutrition support team；NST）にコンサルトし，栄養状態改善に向けて介入した。

▶ **胃瘻管理**　胃瘻造設後も，楽しみ程度ではあるが食事を続けることになったため，食事時の見守りは継続した。また，退院に向けて家族に経口で食べられるような調理方法，とろみ付けの方法を管理栄養士から指導した。併せて，看護師が胃瘻管理について，食事の注入方法や観察のポイントを指導した。

❸ スキントラブルを起こさない

▶ **皮膚の脆弱化**　患者は加齢に伴う皮膚のバリア機能の低下や免疫抑制薬の長期間使用による皮膚の脆弱化をきたしていた。これらに加えて入院当初は，発熱や炎症による全身の消耗と禁食による低栄養状態であり，両上肢・両下肢・体幹に及ぶ全身の皮膚の乾燥や落屑を認めていた。そのため，少しの接触でも皮膚は傷つきやすく脆いため外傷となりやすかった。体位変換するときや起き上がり介助をするときは，身体をベッド柵やオーバーテーブルにぶつからないように注意したり，車椅子へ移乗するときは車椅子のフットレストに下肢が当たらないよう，皮膚が傷つかないように注意をして移動介助を行った。皮膚のバリア機能を高めるために全身の皮膚の乾燥予防が必要と考え，1日1回全身に保湿剤を塗布して保湿に努めた。

▶ **殿部の褥瘡**　また，尿意や便意はあるが，時折失禁もみられ，失禁した後に看護師に伝えることもあったが，気づかずに過ごしていることもあった。そのため，長時間排泄物（尿，便，その両方）が皮膚に接触していた。刺激物の皮膚への付着や失禁や失便による湿潤環境と，おむつによる蒸れや体動による摩擦により殿部に褥瘡状態評価ツール「DESIGN-R®」のd1（持続する発赤）を認めていた。殿部の皮膚の清潔を保つため，日中1回と汚染時には陰部洗浄を行い，殿部や発赤部には油膜により排泄物が皮膚に直接付着しないように軟膏を塗布した。全身状態の改善に伴い，臥床時間が減ることで発赤は改善したが，車椅子の乗車時間や端坐位で過ごす時間が増えたため，プッシュアップ動作を定期的に行うよう声をかけたり，看護師が実施を介助した。保湿ケアを励行することで，新たなスキントラブルを認めることはなかった。

❹ 一日の生活リズムを整えることができる

　患者には，入院による環境変化や発熱，全身状態の悪化により，見当識が保たれず混乱する様子がみられた。特に夜間に中途覚醒した際に「車がきてるから家に帰ります」など，帰宅欲求が高まり興奮する様子がみられていた。夜間覚醒を続けた後は，日中に看護師が繰り返し声をかけても傾眠がちになり，昼夜逆転を引き起こしていた。

▶ **日中の覚醒の促し**　サーカディアンリズム（概日リズム）を整えるための支援が必要と考え，日中は脳に刺激を与えて覚醒を促すため，テレビやラジオで本人の好きな番組が視聴できるように援助した。また，ベッド上で臥位や上半身挙上した状態で過ごす環境が日中の傾眠状態を助長すると考え，からだを起こすために車椅子への移乗を介助し，院内のラウンジで過ごす時間を設けるなど，気分転換を図った。さらに病室での生活では刺激が少ないと考え，看護師や医師が多いスタッフステーションで過ごす時間をつくり，看護師や医師と会話をしたり，好きな雑誌や本を読んでもらったり，塗り絵やゲームを行いながら覚醒を促した。

▶ **薬物療法**　夜間の睡眠確保やせん妄状態の改善のために，精神科にコンサルトして，睡眠薬や精神安定薬の薬剤調整を行った。日中の活動を促すことや，薬剤調整により夜間の睡眠時間を確保することで，帰宅欲求や興奮状態が高まることはなくなった。

❺ **感染をきたすことがない**

　全身性エリテマトーデスに対して免疫抑制薬を使用していることや低栄養状態で抵抗力が低下し，易感染状態にあるが，ADL低下により食事前や排泄前後の手指衛生や口腔ケアなど必要な感染予防行動がとれなかった。内服・食事前や排泄後，検査から戻ったときなどの必要なタイミングで，洗面台での手洗いや擦式手指消毒薬の使用ができるように介助した。

▶ **口腔ケア**　1日3回，毎食後は歯ブラシやコップ，ガーグルベースンを準備し，歯みがきの実施を促すと患者自身で行えたため，みがき残しの確認や仕上げの歯みがき介助を行った。部分義歯があり，取り外しは患者自身で行えたため，部分義歯の洗浄を介助した。

▶ **保清**　全身の消耗により入浴は困難であったため，全身保清も介助が必要であった。そのため週2回の全身清拭に加えて手浴・足浴・洗髪を週1回，陰部洗浄は連日行うことで皮膚の観察とともに保清保持に努めた。

▶ **清潔管理**　高カロリー輸液や抗菌薬投与のために中心静脈カテーテルが挿入されていた。フィルムドレッシング材は週2回交換し，カテーテル挿入部位は連日観察して感染徴候の有無を確認した。胃瘻造設後は胃瘻カテーテルの挿入部位と周辺皮膚は週2回洗浄，ガーゼ保護を行って，連日感染徴候の有無を観察した。スタンダードプリコーションの実施や輸液管理においては清潔操作を遵守し，中心静脈カテーテルや胃瘻挿入部位に感染徴候を認めることはなかった。

5. 療養環境調整／退院前指導

▶ **清潔行動支援**　全身性エリテマトーデスの治療として，免疫抑制薬を使用しているために抵抗力が低下し，易感染状態にあること，感染は原病を悪化させる要因になることを，患者や家族が理解できるよう説明し，手洗いや歯みがきを励行し，全身の清潔保持に努めることが重要であることを指導した。また，高齢であることや副腎皮質ステロイド薬の使用により，皮膚が脆弱化しスキンテア（皮膚裂傷）を生じやすいため，保湿・保護が重要であることを説明した。具体的には，①1日1回は口腔内の残渣チェックをする，②全身の皮膚を観察しながら保湿ケアを行う，③失禁後は可能な限り速やかにおむつを交換して，陰部の保清に努めるように説明した。

▶ **転倒予防**　排泄などのタイミングに患者が1人で歩いてしまうことが予測されるが，①歩容は安定してきたものの転倒リスクが高い状態であること，②副腎皮質ステロイド薬を使用しているため転倒による骨折のリスクが高いことを説明した。そのため，日中は活動を促して，筋力低下のためのリハビリテーションを継続すること，夜間は睡眠を確保できるように生活リズムを整えることの重要性も説明した。

　前回の退院時にも同様に転倒リスクについて説明しており，娘が自宅内の階段昇降を介助していた。以前よりも歩容が不安定であることは娘も理解しており，寝室を同部屋として夜間の排泄時にも付き添うことにした。加えて在宅用の見守りセンサーを紹介し，退院

後の様子をみて，導入については介護支援専門員（ケアマネジャー）や訪問看護師と相談することを勧めた。

▶ **胃瘻管理** 瘻孔（ろうこう）周囲の洗浄方法を説明し，瘻孔部からの滲出液（しんしゅつえき）があればガーゼで保護すること，胃瘻カテーテルの管理方法について説明した。次に経腸栄養剤の注入方法について手順を説明し，使用物品の管理方法や，トラブルが起こったときの対処方法についても説明した。手技に関しては，看護師が行うところを見学してもらった後，娘にも実際に行ってもらい，手技を獲得できるように支援した。娘は，ゆっくりではあるが，手順通りに操作を行うことができた。また，B細胞刺激因子阻害薬の投与についても看護師の手技を見学した後，練習用のキットを使用して練習してもらうなど手技の獲得を支援した。娘は以前にインスリン皮下注射の経験があり，ゆっくりと清潔操作を守りながら皮下に投与することができた。

▶ **療養環境調整** 入院前よりデイサービスや入浴サービスを利用していたが，新たな医療処置や介護が必要になったこともあり，退院にあたって訪問看護を導入することにした。健康管理に加えて，胃瘻管理や皮下注射の実施支援，リハビリテーションや療養生活指導などを依頼できるように，特に退院直後2週間は特別訪問看護指示書（頻繁な訪問看護が必要な場合に交付される）により週5日の訪問看護にて主介護者である娘を支え，介護負担が軽減できるように療養環境を調整した。

　退院当日より訪問看護開始。胃瘻からの経腸栄養剤注入手技や胃瘻ケアなどが問題なく実施できていた。また，家族の食事の中から数品をミキサーにかけ，とろみをつけてから皆と一緒に食べるなど，家族での生活を楽しみながら療養することができていた。B細胞刺激因子阻害薬の投与についても，訪問看護師の見守りのみで実施可能であった。ただし，患者は夜間の不眠，中途覚醒（かくせい）が続いており，娘の介護負担軽減を図るため訪問看護師はレスパイトケアを目的としたサービス（ショートステイ）の導入や在宅生活の継続を目的としたサービス（デイサービス，訪問介護）の導入を提案している。訪問リハビリテーションにより転倒予防に向けた運動療法が行われるとともに，手すりや歩行器など福祉用具を使用して介護量の軽減を図っている。自宅で転倒することはあったが，重大な外傷には至らず，リハビリテーションを継続している。デイサービス通所などを利用しながら，家族との生活を続けることができている。

国家試験問題 解答・解説

感染症 第1編／第1章　1　　解答 4

× 1，2：微生物がヒトの体内のいずれかの組織や細胞に定着・増殖した状態を「感染」といい、感染が成立して臨床症状が生じた状態を「発症」という。
× 3：感染の成立は、微生物の感染力がヒトの免疫力を上回った状態のことをいう。

感染症 第1編／第2章　1　　解答 2

咽頭痛は、急性咽頭炎の症状である。

感染症 第1編／第3章　1　　解答 4

HIV感染症はTリンパ球やマクロファージに感染するウイルスで、ウイルスの増殖によりこれらの正常細胞が減少する。正常な人の場合、500〜1000個／μL程度のCD4陽性T細胞（CD4陽性Tリンパ球）を持っているといわれているが、これが200個／μLを下回るとAIDS発症の危険性が高まる。

感染症 第1編／第4章　1　　解答 4

× 1：糸球体腎炎には急性と慢性があり、急性は溶血性連鎖球菌が起因菌となり起こる。伝染性紅斑（りんご病）はヒトパルボウイルスB19によって引き起こされる。
× 2：突発性難聴は原因不明の感音性難聴で、内耳が障害される。中耳炎では伝音性難聴となる。
× 3：メラノーマとは悪性の皮膚がんの一種である。原因は不明だが、紫外線の関与が指摘されている。
○ 4：末梢性顔面神経麻痺の原因の多くは不明で、ベル麻痺とよばれている。水痘－帯状疱疹ウイルスが原因で起こるものをハント症候群という。

感染症 第1編／第4章　2　　解答 4・5

HIVに感染した血液や精液、腟分泌物、母乳が、口腔や尿道、腟、直腸などの粘膜あるいは傷口に接触すると、血液を介して感染する。

× 1，2，3：感染者の吐物や便との接触や、飛沫からは感染しない。ほかにも、汗、涙、唾液、尿との接触では感染しない。
○ 4，5：輸血は血液経由の感染、性行為は粘膜経由の接触感染である。

感染症 第1編／第5章　1　　解答 1

定期接種に含まれるものとしては、結核（BCG）、麻疹・風疹混合ワクチン（MR）、麻疹、風疹、水痘、ロタウイルスがある。任意接種に含まれるものとしては、流行性耳下腺炎、黄熱がある。

アレルギー・免疫 第1編／第1章 ① 解答 4

初回の免疫反応を1次応答，2回目の免疫反応を2次応答とよぶ。2次応答では初回と比べ迅速に反応し，また抗体の産生量も多く，産生される時間も長くなる。ワクチンなどはこれを利用したもので，毒性を排除して抗原性のみを残した抗原を摂取させることで1次応答を起こし，記憶B細胞を保持させることで細菌感染時により迅速にそして強力に免疫反応を起こすことを意図したものである。B細胞は，まずIgMを産生し，しばらくしてクラスチェンジしてIgGを産生する。IgMは1次応答と2次応答で同じような経過をとるが，IgGは2次応答で1次応答と比べ急速に高レベルまで達し，長く維持される。

アレルギー・免疫 第1編／第1章 ② 解答 4

抗原特異的な免疫反応に関連するのは，T細胞とB細胞である。

アレルギー・免疫 第1編／第1章 ③ 解答 4

IgEは組織中の肥満細胞や血液中の好塩基球に結合できる。

アレルギー・免疫 第1編／第2章 ① 解答 3

化学伝達物質の作用には，平滑筋収縮，粘液分泌亢進，血管透過性亢進および白血球遊走（白血球を呼び寄せる）などがある。

アレルギー・免疫 第1編／第2章 ② 解答 4

過敏性肺炎はⅢ型，アトピー性皮膚炎はⅠ型，免疫性血小板減少性紫斑病はⅡ型アレルギーの代表的な疾患である。接触皮膚炎は代表的なⅣ型アレルギー疾患である。

アレルギー・免疫 第1編／第3章 ① 解答 1

Ⅰ型アレルギー反応に関連する検査法には，RAST，ヒスタミン遊離試験，皮膚反応試験には皮内反応，搔皮反応（スクラッチテスト），単刺反応（プリックテスト）がある。血清沈降抗体はⅢ型（過敏性肺炎）の検査法，クームス（Coombs）試験（抗赤血球抗体）はⅡ型アレルギー反応（自己免疫性溶血性貧血）の検査法である。

アレルギー・免疫 第1編／第3章 ② 解答 4

完全に回避することができない，ハチ毒，ダニ，花粉が使用される。回避可能な食物アレルゲンや極微量でも発病する危険性のある真菌による免疫療法は一般に行われない。

アレルギー・免疫 第1編／第4章 ① 解答 1

急性発作時の第一選択の治療は，まずβ_2刺激薬の吸入である。

アレルギー・免疫 第1編／第4章 ② 解答 2

抗IgE抗体製剤（一般名オマリズマブ）」は，重症持続性気管支喘息患者に適応となる。

アレルギー・免疫 第1編／第4章 ③ 解答 1

原因不明の特発性が最も多い。次いで機械性，コリン性，アレルギー性などが原因とされる。

アレルギー・免疫 第1編／第4章 ④ 解答 4

プリックテスト，スクラッチテスト，皮内試験はⅠ型アレルギー疾患に対する検査法である。Ⅳ型アレルギー疾患である接触皮膚炎の診断にはパッチテスト（貼付試験）が有用である。

アレルギー・免疫 第1編／第4章 5　　解答 1

発熱を伴い，皮膚粘膜移行部における重篤な粘膜疹と皮膚の紅斑を呈し，しばしば表皮の壊死性障害を認める疾患である。Ⅳ型アレルギー反応に基づく。3. は薬剤性過敏症症候群にみられる。体表面積の 10％を超える水疱，表皮剥離およびびらんを認める場合，より重症型である中毒性表皮壊死症と診断される。

アレルギー・免疫 第1編／第4章 6　　解答 3

アドレナリンの筋肉内注射を行う。

膠原病 第1編／第1章 1　　解答 3

○1：病理学者ポール・クレンペラー（Paul Klemperer）は，全身の結合組織や血管壁の膠原線維にフィブリノイド変性という炎症性変化がみられる疾患をまとめて膠原病（collagen disease）と報告した。
○2：膠原病では，自己免疫の異常を伴う。
×3：自己抗体が血中の抗原と結合してできる免疫複合体は，臓器に沈着して障害を起こす。ループス腎炎では，腎臓の糸球体に免疫複合体が沈着するため，腎障害を起こす。赤血球に結合するのは自己抗体。
○4：膠原病の治療薬には，NSAIDs（非ステロイド性抗炎症薬），副腎皮質ステロイド，抗リウマチ薬，免疫抑制薬，生物学的製剤などが用いられる。

膠原病 第1編／第2章 1　　解答 1

○1：関節リウマチによる関節炎は，関節のまわりを包む滑膜の増殖により炎症所見（滑膜炎）を伴う。

膠原病 第1編／第2章 2　　解答 4

○4：ベーチェット病では，口腔内に有痛性のアフタ性潰瘍（円形の表面が白い潰瘍）を繰り返し生じ，陰部にも潰瘍が生じ強い痛みを伴う。

膠原病 第1編／第3章 1　　解答 2

ステロイドパルス療法は，副腎皮質ステロイドであるメチルプレドニゾロンを 3 日間点滴静注する治療で強力な作用と速効性をもつ。副腎皮質ステロイドには，感染症の増悪・誘発や糖尿病，副腎不全といった重症副作用から多汗，不眠といった軽症副作用まで様々な副作用をもつので注意が必要である（表 3-4 参照）。

○2：頻度が高く臨床の現場で特に注意が必要な副腎皮質ステロイドの副作用に「免疫抑制による日和見感染症と潜在感染症の再活性化」がある。マスクの着用は，感染予防のため効果的

である。食事には特に制限はないが，過食にならないように配慮する。また，SLEでは紫外線曝露が増悪のきっかけとなるので，日光には注意する。

膠原病 第1編／第4章 1　　解答 4

×1・2・3・5：全身性エリテマトーデス（SLE）は，全身症状（発熱，倦怠感，易疲労性，体重減少など），皮膚・粘膜症状（顔面の蝶形紅斑，円板状紅斑，日光過敏症，レイノー現象など），リウマチ症状を主症状とする疾患である。ただし，これらの症状と生命予後との関連は低い。
○4：SLEでは，しばしばループス腎炎や精神神経ループス，肝障害，間質性肺炎など内臓臓器障害を合併することがある。これらの内臓臓器障害のうち，ループス腎炎，精神神経ループスなどを合併する場合は生命予後が不良である。

膠原病 第1編／第4章 2　　解答 2

×1：男女比は1：5と女性に多い。
○2：関節リウマチは，介護保険法で定める特定疾病である。ただし，難病法における指定難病には悪性関節リウマチのみが該当し，関節リウマチは該当しない。
×3：関節リウマチは，発病から1～2年の疾患活動性が高く，関節の骨破壊が進行する。
×4：リウマトイド因子は関節リウマチ患者では高頻度で高値（陽性）を示すが，関節リウマチ以外の膠原病や他疾患でも高値（陽性）を示すことがあり，関節リウマチに特異的とはいえない。

膠原病 第1編／第4章 3　　解答 4

○4：ベーチェット病には，口腔粘膜のアフタ性潰瘍，眼症状，外陰部潰瘍，皮膚症状の4つの主症状がある。

膠原病 第1編／第4章 4　　解答 1

○1：関節リウマチの発症早期には関節のまわりを包む滑膜の増殖，免疫系細胞の浸潤などの炎症性変化を認める（滑膜炎）。

索引

欧文・数字

ADL訓練…451
A-DROPシステム…75, 76
AIDS…121
AKI…38
ANA…369
ANCA…392
ANCA関連血管炎性中耳炎…360
AOSD…406
APS…390
ARDS…38
ART…123, 182
A型肝炎…144
A型肝炎ウイルス…83
A類疾病…138, 144
B型肝炎…83, 144
B型肝炎ウイルス…83
B細胞…32, 202, 207, 339, 340
B類疾病…138, 144
CAP…75
CD4陽性T細胞…340
CD4陽性Tリンパ球…53
CD8陽性T細胞…340
COVID-19…4, 54, 74, 128, 137
CRP…163, 368
CTLA-4製剤…377
CT検査…54
C型肝炎ウイルス…84
C反応性たんぱく…163, 368
DIHS…255, 256, 305
DIP関節…348
DM…399
DMARDs…371, 374, 385
DOTS…78, 178
D型肝炎ウイルス…84
EAEC…79
EHEC…79, 80
EIEC…79
ELISA…163
EPEC…79
ESR…368
ETEC…79
E型肝炎ウイルス…84
FN…102

FUO…36
GVHD…103
HAQ-DI…385
HAV…83
HBV…83
HCAP…75, 76
HCV…84
HDV…84
HEV…84
HIV…87, 121
HIV-RNA…54
HIV感染症…121, 181, 188
HLA…340, 341
HSV-1…91
HSV-2…91
HUS…79
ICF…328
IFN-γ…208
Ig…32
IgA…32
IgA血管炎…352
IgD…32
IgE…32, 210
IgE依存性反応…257
IgE抗体産生抑制薬…232
IgG…32
IgM…32
IGRA…78, 177
IL-1…346
IL-2…208
IL-4…208
IL-5…208
IL-6…346
IL-17…208
IRIS…182
JAK阻害薬…374, 377
JIA…383
MCP関節…348, 383
MCTD…401
MDRP…131
MERS…128
MERSコロナウイルス…128
MHC…208, 341
MPA…393
MPO-ANCA…392
MRI検査…55
MRSA…130, 174
NHCAP…75, 76
NK細胞…203, 206, 207

NSAIDs…242, 371, 385, 389
NSAIDs過敏喘息…242, 298
OMAAV…360
pack-years…48
PAF…210
PAN…394
PCP…124
PCR法…123
PET-CT検査…55
PIP関節…348, 383
PK-PD理論…56
PM…399
PMR…407
PR3-ANCA…392
qSOFA…38, 49, 106
RAST…226
RF…368, 382
ROS…50
SARS…5, 128
SCIT…283
SJS…254, 256, 304
SLIT…283
SOFA…38, 106
SSc…395
STD…48, 87
STI…87
STR…123
ST合剤…64, 120
TEN…255, 256, 304
Th1細胞…208
Th2サイトカイン阻害薬…232
Th2細胞…208
Th17細胞…208
TNF-α…346
TNF阻害薬…377
TORCH症候群…29
Treg細胞…207
T細胞…32, 202, 207, 340
VRE…131
VZV…110
water bug…131
WB法…53, 123
X脚…383
Z字型変形…348, 365, 412
5-FC…67

和文

あ

悪性関節リウマチ…383
アザチオプリン…377
アスピリン喘息…242, 298
アスペルギルス症…119, 125
アゾール系…65
亜脱臼…349
アトピー…210
アトピー型気管支喘息…225, 237
アトピー性皮膚炎…247, 288
アトピー素因…237, 288
アナフィラキシー…214, 258, 259, 270, 299
アニサキスアレルギー…303
アニサキス症…118
アニフロルマブ…378
アフタ性潰瘍…354
アミノグリコシド系…61
アメーバ性肝膿瘍…82
アルサス型…218
アレルギー…202
アレルギー性気管支肺アスペルギルス症…119
アレルギー性接触皮膚炎…253
アレルギー性鼻炎…242, 291
アレルギー性薬疹…254
アレルギー反応…194, 210
アレルギーマーチ…223
アレルゲン…194, 202, 210, 229, 292
アレルゲン免疫療法…247, 283
暗黒期…28

い

イエローゾーン…298
移行期支援…199
意識障害…40, 157
移植片対宿主病…103
異所性感染…30
イソニアジド…65
依存的傾向…158
I型アレルギー…214, 291
I型アレルギー反応…257
1型壊死性筋膜炎…94
1次結核症…78
1次止血…38

遺伝子組み換えサブユニットワクチン…143
遺伝子多型…342
遺伝的要因…342
医療・介護関連肺炎…75
飲酒…48
インターフェロン…342
インターフェロンγ遊離試験…78, 177, 368
インターロイキン…342
インターロイキン-1…346
インターロイキン-2…208
咽頭結膜熱…97
咽頭溶連菌検査…51
院内感染…129
院内肺炎…75
陰部潰瘍…89
インフルエンザ…5, 73
インフルエンザ検査…51
インフルエンザワクチン…143

う

ウイルス…24
ウイルス性肝炎…83
ウイルス性結膜炎…97
ウイルス性髄膜炎…100
ウインドウ期…123
ウインドウ・ピリオド…123
ウェゲナー肉芽腫症…357, 393
ウェステルマン肺吸虫症…113
ウエルシュ菌…79
運動障害…358

え

エイズ…5, 53, 121, 181, 188
栄養型…24
エオタキシン…208
液性免疫…32, 203, 208, 341, 344
液性免疫障害…102
エキノキャンディン系…67
エキノコッカス症…115
エクリプス期…28
壊死性筋膜炎…43, 44, 94
壊死性半月体形成性糸球体腎炎…355
壊疽…353
エタンブトール…65
エボラ出血熱…128
遠位指節間関節…348, 364

嚥下障害…359
炎症性サイトカイン…346
円板状紅斑…351, 387
エンピリック治療…55
エンベロープ…25

お

黄熱…144
黄熱ワクチン…142
黄色ブドウ球菌…79, 80, 130
大型血管炎…392
オーシスト…117
オートクレーブ…117
オーバーラップ症候群…346
悪寒戦慄…36
オキサゾリジノン系…63
悪心・嘔吐…40, 152, 268
オスラー結節…85

か

外因性感染…28
外陰部潰瘍…405, 460
海外渡航歴…49
介護保険…331, 379
咳嗽…155
回虫症…111
外反母趾…383, 412
潰瘍性病変…359
化学伝達物質…209, 214
化学療法…166
核酸増幅検査…53
核酸同定検査法…163
喀痰検査…165
獲得免疫…23, 32, 202, 340
かぜ症候群…72
画像検査…370, 433
カタル期…109
滑液包炎…349
顎口虫症…117
学校保健安全法…138
学校保健安全法施行規則…138
滑膜炎…347
滑膜切除術…385
カテーテル関連血流感染症…85, 102, 126
ガドリニウム造影剤…279
過粘稠度症候群…353
化膿性関節炎…44
化膿性脊椎炎…44

かぶれ…253
花粉症…243, 291
花粉-食物アレルギー症候群…303
芽胞…24
仮面様顔貌…397, 462
寡黙…158
顆粒球…206
カルバペネム系…58
眼窩隔膜前蜂窩織炎…98
感覚遮断…8
眼窩蜂窩織炎…95, 98
眼窩蜂巣炎…98
眼感染症…95
眼症状…273
肝機能異常…359
肝吸虫症…113
環境因子…211
環境要因…342
桿菌…23, 50
眼脂…96, 273
環軸椎亜脱臼…358
カンジダ症…118, 127
間質性肺炎…356, 382, 396
環状紅斑…351
乾性咳嗽…155, 356, 421
がん性胸膜炎…77
関節炎…347, 364
関節外症状…355, 383, 446
関節可動域…365, 414
関節固定術…386
関節腫脹…37, 364
関節症状…347, 413, 446
関節図…385
関節痛…347, 364
関節リウマチ…319, 336, 348, 357, 382, 446
完全型ベーチェット病…405
感染症法…136
感染性アレルゲン…211
感染性角膜炎…97
感染性眼内炎…98
感染性結膜炎…96
感染性心内膜炎…43, 85
感染性髄膜炎…99
感染性大動脈瘤…85
感染性腸炎…42
感染予防…435
乾燥症状…359, 402
乾燥性角結膜炎…359

肝胆道系感染症…81
肝病変…359
眼痛…460
眼粘膜反応試験…228, 229
肝膿瘍…81
眼病変…359
カンピロバクター…79, 80
寒冷刺激…417
寒冷蕁麻疹…288

き
記憶B細胞…203
記憶T細胞…203
機械性蕁麻疹…288
気管支拡張薬…232, 296
気管支喘息…236, 294, 308
寄生虫…26, 111
季節性アレルギー…223
季節性アレルギー性鼻炎…243
季節性インフルエンザ…144
喫煙…48, 308, 382
気道病変…357
揮発性有機化合物…223
逆流性食道炎…359
球菌…23, 50
急性HIV感染症…122
急性咽頭炎…41, 72
急性ウイルス性肝炎…175
急性灰白髄炎…144
急性感染…22
急性喉頭蓋炎…41, 74
急性呼吸窮迫症候群…38
急性腎盂腎炎…42
急性腎障害…38
急性胆管炎…82
急性胆嚢炎…83
急性腹症…427
急性副鼻腔炎…72
吸着…27
吸入性アレルゲン…211, 295
吸入副腎皮質ステロイド薬…231, 240
吸入誘発試験…228, 278
狂犬病…108, 144
狭心症…424
胸水貯留…77, 356, 421
蟯虫症…112
胸痛…42, 421
強皮症…336, 348, 355, 357, 395

強皮症腎…356, 396
強皮症腎クリーゼ…356, 396
強膜炎…359
胸膜炎…77, 357
巨細胞性動脈炎…395
キラーT細胞…203, 207
近位指節間関節…348, 383
菌血症…36, 38, 106
菌交代現象…30
筋力回復訓練…414

く
空気感染…28
クームス試験…216, 369, 388
クォンティフェロンTBゴールド…53
クラミジア感染症…92
クラミジア結膜炎…96
グラム陰性菌…24
グラム染色…24, 50
グラム陽性菌…24
グリーンゾーン…298
グリコペプチド系…60
クリプトコッカス症…120
クリプトコッカス髄膜炎…127
クリプトコッカス脳髄膜炎…120
クリプトスポリジウム症…117
クレスト症候群…396
クロイツフェルト・ヤコブ病…105
訓練療法…232

け
経験的治療…55
蛍光抗体法…163
憩室炎…81
形質細胞…340
経胎盤感染…29
系統的レビュー…50
稽留熱…148
痙攣性疼痛…269
外科的治療…55, 378
下痢…89
下血…359
血液検査…166, 430
血液生化学検査…367
血液培養…51
結核…53, 144, 177
結核性胸膜炎…77
結核性髄膜炎…100
血管炎…382

血管炎症候群…349, 392
血管拡張薬…378
血管病変…358
結合組織…336
血算検査…367
血小板活性化因子…210
結節性紅斑…352
結節性多発動脈炎…336, 394
血栓…359
血栓性静脈炎…95, 405
ケミカルメディエーター…209, 214
ケミカルメディエーター遊離抑制薬
　…246
ケモカイン…208, 342
下痢…79, 152, 268
腱移植術…386
検疫法…138
原核生物…23
減感作療法…229, 230, 247, 283
限局型強皮症…396
腱鞘炎…349
顕性感染…22
原虫…26
原虫・寄生虫検査…52
原発性SjS…403
顕微鏡的多発血管炎…393

こ

抗CCP抗体…368, 382
抗ds-DNA抗体…387, 388
抗HIV治療ガイドライン…182
抗IL-6受容体抗体…377
抗RNAポリメラーゼⅢ抗体…398
抗Sm抗体…387, 388
高圧蒸気滅菌…117
抗アレルギー薬…232, 251
肛囲検査法…115
抗インフルエンザウイルス薬…67
抗ウイルス薬…67
抗Scl-70抗体…398
好塩基球…206, 210
高額介護合算療養費制度…454
抗核抗体…369
高額療養費制度…331, 379, 454, 459
高活性抗レトロウイルス療法…123
後期潜伏性梅毒…90
抗凝固療法…378
抗菌薬適正使用支援チーム…156

口腔アレルギー症候群…257
口腔潰瘍…416, 427
口腔粘膜アフタ性潰瘍…460
攻撃的傾向…158
抗血小板療法…378
抗原…202, 340
抗原抗体反応…340
抗原受容体…208
膠原線維…336
抗原特異的IgE…214
抗原特異的IgE抗体…226
膠原病…318, 336
膠原病類縁疾患…337, 338
抗好中球細胞質抗体…369, 392
抗細胞質抗体…369
虹彩毛様体炎…405
交差抗原性…303
交差反応性…303
好酸球…206
好酸球性多発血管炎性肉芽腫症…
　357, 394
拘縮…347
抗受容体型アレルギー…217
抗真菌薬…65
硬性下痢…89
抗セントロメア抗体…398
梗塞…353
酵素結合免疫吸着測定法…163
抗体…203, 210, 340
高体温…36
抗体検査…52
好中球…31, 203, 206
好中球遊走因子…218
後天性免疫不全症候群…53, 121
後天梅毒…89
光毒性接触皮膚炎…253
紅斑…252, 351, 416
抗ヒスタミン薬…232, 246, 304
抗微生物薬…55
項部硬直…157
後部ぶどう膜炎…360
抗ヘルペスウイルス薬…67
酵母様真菌…25
絞扼性神経障害…358
抗リウマチ薬…371, 374, 385
抗リン脂質抗体症候群…357, 390, 424
抗レトロウイルス療法…123, 182
誤嚥…467

コーピング…465
V型アレルギー…217
小型血管炎…392
呼吸器系感染症…72
呼吸器症状…266, 420
呼吸器病変…356
呼吸困難…266
国際生活機能分類…328
黒死病…4
国内旅行歴…49
心病変…358
心嚢水貯留…358
個室管理…8, 158
骨髄抑制…101
骨折…435
骨粗鬆症…346, 435
骨痛…350
ゴットロン徴候…351, 400, 465
骨盤内炎症性疾患…88, 92
古典的膠原病…336, 337
コプリック斑…109
コリスチン…60
コリン性蕁麻疹…252
コレラ…132
混合性結合組織病…353, 357, 401, 421
コントローラー…237
根本的療法…230

さ

サーベイランス…129
サーモンピンク疹…346, 351, 406
再帰感染…110
細菌性角膜炎…97
細菌性肝膿瘍…82
細菌性胸膜炎…77
細菌性結膜炎…96
細菌性髄膜炎…99
再興感染症…127
在宅酸素療法…465
サイトカイン…208, 340
サイトカインストーム…38
サイトメガロウイルス感染症…357
サイトメガロウイルス網膜炎…127
再発性アフタ性潰瘍…405
細胞傷害型…216
細胞傷害性T細胞…33, 203, 207, 340, 344

細胞性免疫…33, 203, 208, 341, 344
細胞性免疫型…219
細胞性免疫障害…102
細胞融解型…216
ざ瘡様皮疹…460
サル痘…129
サルマラリア…116
サルモネラ菌…79, 80
Ⅲ型アレルギー…218, 344, 387
産道感染…29

し

ジアルジア症…117
シェーグレン症候群…402, 468
ジェーンウェイ病変…85
紫外線…387, 417
ジカウイルス感染症…129
自家造血幹細胞移植…103
ジカ熱…133
シクロスポリン…377
シクロホスファミド水和物…377
刺激性接触皮膚炎…253
止血機構…38
紫紅色紅斑…400
自己抗体…342, 344, 369
自己反応性リンパ球…342
自己免疫異常…337, 371
自己免疫寛容…342
自己免疫性肝炎…359
自己免疫性血小板減少症…353
自己免疫性疾患…319, 337, 338
四肢痛…350
糸状菌…25
自助具…379, 414, 451
シスト…116
自然免疫…23, 31, 202
市中肺炎…75
シックコンタクト…48
シックハウス症候群…223
失明…360
指定難病…319, 330, 459
紫斑…352, 416
耳鼻咽喉病変…360
しびれ…358
ジフテリア…144
しぶり腹…116, 152
社会的支援…379
ジャクー関節症…348, 387, 412

尺側偏位…348, 365, 383, 412
弱毒化…141
若年性特発性関節炎…383, 406
シャルコーの3徴…82
充血…460
住血吸虫症…113
重症急性呼吸器症候群…5, 128
重症心身障害者医療費助成制度…454
重症熱性血小板減少症候群…5
手関節…364, 383
手関節形成術…386
手根管症候群…358, 423
手術部位感染症…102
樹状細胞…203, 206, 207
腫脹…269
出芽…28
出血性ショック…154
術後眼内炎…98
受動免疫…203
主要組織適合抗原…208, 341
循環器病変…358
障害者総合支援法…380
障害年金…330, 380, 454
小潰瘍…462
消化管出血…427
消化管病変…359
消化器症状…268, 426
小陥凹性瘢痕…396, 462
上強膜炎…359
小児慢性特定疾患医療費助成制度…454
傷病手当金制度…459
静脈炎…359
静脈血栓症…95
初感染…78
初期硬結…89
除去試験…228, 229
食細胞…31
食中毒…79, 152, 178
食品衛生法…140
食物アレルギー…223, 257, 302
食物アレルゲン…211, 302
食物依存型運動誘発アナフィラキシー…257, 303
食物経口負荷試験…228, 229
食物除去試験…278
ショック…154, 299
ショック状態…271

自立支援医療制度…454
腎アミロイドーシス…356
腎盂腎炎…87
侵害受容体性疼痛…347
新型インフルエンザ…128
新型インフルエンザ等対策特別措置法…136
新型コロナウイルス感染症…4, 54, 67, 74, 128, 137, 143, 144
真菌…25
真菌感染症…118, 357
真菌抗原検査…52
心筋梗塞…358, 424
真菌性角膜炎…98
真菌性髄膜炎…100
神経症状…422
神経調節性失神…269
神経病変…357
人工関節置換術…385
新興感染症…127
深在性カンジダ症…119
深在性真菌症…118
侵襲性肺アスペルギルス症…119
侵襲性肺球菌感染症…126
滲出性胸水…77
迅速抗原検査…51
身体障害者福祉法…380
侵入…27
腎・尿路系障害…418
心不全…420, 424
深部皮膚真菌症…118
心膜炎…424
蕁麻疹…251, 286
心理療法…232

す

垂直感染…28
水痘…110, 141, 144
水痘・帯状疱疹ウイルス…110
水痘・帯状疱疹ウイルス性角膜炎…97
水痘ワクチン…142
水平感染…28
髄膜炎…40, 99, 460
髄膜炎菌…99, 144
スキンケア…249
スキンテスト…226
スクラッチテスト…227, 277
頭重感…42, 289

スタンダードプリコーション…152, 168
スチル病…383
スティーヴンス-ジョンソン症候群…254, 256, 304
ステロイドカバー…373
ステロイド筋症…413
ステロイドパルス療法…324, 350, 373, 390
ステロイドミオパチー…413, 435
ステロイド離脱症候群…373
ステロイド療法…282, 353
ストレプトマイシン…65
スパイク熱…346, 406
スペクトラム…55
スワンネック変形…348, 365, 383, 412

せ

性感染症…87
性器ヘルペス…91
制御性T細胞…207
成人スチル病…346, 406
成人用沈降ジフテリアトキソイド…144
生着…103
生物学的製剤…377, 439
赤色皮膚描記症…252
赤沈…163
赤痢アメーバ症…116
セクシャルアクティビティ…48
癤…93
舌下免疫療法…230, 283
赤血球沈降速度…163, 368
接触感染…28
接触蕁麻疹…254
接触性アレルゲン…211
接触皮膚炎症候群…253
セットポイント…36
セフェム系…58
セルフコントロール…268
セルフモニタリング…436
セロハンテープ法…115
腺外症状…355, 469
尖圭コンジローマ…91
線形動物…111
潜在性感染症…373
潜在性結核感染症…78
穿刺…431

穿刺検査…370
腺症状…469
全身症状…346
全身性エリテマトーデス…318, 323, 336, 351, 386, 454
全身性強皮症…396, 421, 462
全身性硬化症…396
全身性接触皮膚炎…253
喘息管理ゾーン・システム…298
喘息発作…238, 266
センタースコア…72
蟯虫…26
先天梅毒…89
潜伏感染…22
前部ぶどう膜炎…360
線溶…38

そ

総IgE値…225
爪囲紅斑…355
造影剤…279
走化性…208
早期先天梅毒…91
早期潜伏性梅毒…90
造血幹細胞移植…103, 180
総合的疾患活動性指標…385
掻破反応…227, 277
即時型アレルギー…216
即時型食物アレルギー…302
足趾関節形成術…386
即時相…216
側頭動脈炎…395
続発性SjS…403
ソックスエイド…451

た

ターニケットテスト…133
第2世代抗ヒスタミン薬…246
体温調整中枢…346
対光反射…157
第3期梅毒…90
対症救急薬…237
帯状疱疹後神経痛…111
体性痛…42
大動脈炎症候群…394
大動脈弁閉鎖不全…358
高安動脈炎…394
タクロリムス水和物…251, 377
多剤耐性緑膿菌…131

多剤免疫抑制療法…401
脱臼…348
脱殻…27
多糖体-たんぱく質結合型ワクチン…143
ダニ…230, 294
多発関節炎…406
多発血管炎性肉芽腫症…357, 393
多発結節影…357
多発性筋炎…344, 349, 399, 465
多発性単神経炎…358
ダプトマイシン…60
多弁…158
単細胞生物…23
単純X線検査…54
単純性肺アスペルギローマ…119
単純ヘルペスウイルス性角膜炎…97
丹毒…43, 44, 94
単刺反応…227, 277

ち

チアノーゼ…266
チール・ネルゼン染色…53
遅延型アレルギー…219, 279
遅発アレルギー反応…216
遅発相…216
遅発性感染…22
チャーグ・ストラウス症候群…357
中型血管炎…392
中耳炎…360
中手指節関節…348, 364, 383
中心性亜脱臼…383
虫垂炎…80
中枢神経障害…422
中枢神経病変…357
中東呼吸器症候群…128
中毒性表皮壊死症…254, 256, 304
腸炎ビブリオ菌…80
超音波検査…54
腸管凝集付着性大腸菌…79
腸管出血性大腸菌…79
腸管出血性大腸菌感染症…79
腸管侵入性大腸菌…79
腸管病原性大腸菌…79
長期管理薬…237
蝶形紅斑…351, 387
腸チフス…148, 151

貼付試験…228, 254, 277
直接感染…28
直接服薬確認療法…178
治療薬物モニタリング…167

つ

通性嫌気性菌…23
通年性アレルギー…223
通年性アレルギー性鼻炎…243
痛風結節…354
ツベルクリン型…219
ツベルクリン反応…220
槌趾変形…348, 383, 412

て

低栄養…346
ディ・エスカレーション…56
低カリウム血症…356
定期接種…144
抵抗力…202
ディスコイド疹…351, 387
適応免疫…32
テトラサイクリン系…62
デフィニティブ治療…55
点眼誘発試験…278
デング熱…133
転倒予防…435
天然痘…4

と

瞳孔不同…157, 460
同種造血幹細胞移植…103
痘瘡…144
凍瘡様皮疹…351
疼痛…42, 269
動物接触歴…49
トキソイドワクチン…143
トキソプラズマ症…49
トキソプラズマ脳症…124, 127
特異的療法…230
独語…158
毒素原性大腸菌…79
毒素性ショック症候群…24, 151
特定疾患医療費…319
塗抹検査…50, 53, 163
ドライアイ…359, 403, 469
ドライマウス…403, 469
鳥インフルエンザAウイルス…128
トレランス…342

トロンボキサン…210
トロンボキサンA_2合成酵素阻害薬…232
トロンボキサンA_2受容体拮抗薬…232
貪食細胞…203, 206, 340

な

内因性感染…28, 30
内科的治療…55
内耳炎…360
内臓痛…42
内臓病変…346, 355
ナチュラルキラー細胞…203, 206
生ワクチン…141
難聴…360
難病医療費助成制度…454
難病の患者に対する医療に関する法律…330
難病法…380

に

II型アレルギー…216, 344, 387
二形性真菌…25
2型壊死性筋膜炎…94
2次止血…38
二次性SjS…403
日本住血吸虫症…113
日本脳炎…144
ニューモシスチス・イロベチイ…120
ニューモシスチス肺炎…120, 124, 126, 357
尿検査…164, 430
尿細管アシドーシス…356
尿中肺炎球菌抗原検査…51
尿定性・沈渣検査…366
尿道炎…87
尿毒症…355
尿路感染症…86, 418
任意接種…144

ね

熱帯熱マラリア…132
ネフローゼ症候群…355

の

脳炎…100
脳幹脳炎…460
膿胸…77

嚢子…116
脳出血…358
膿性鼻汁…42
能動免疫…203
脳膿瘍…101
ノロウイルス…5, 79, 80

は

肺炎…42, 75, 172
肺炎球菌感染症…144
肺炎随伴性胸水…77
媒介感染…28
肺吸虫症…113
肺クリプトコッカス症…120
肺結核…78
敗血症…36, 38, 106
敗血症性ショック…106, 154
肺血栓塞栓症…357
肺高血圧症…357, 396, 421
肺性心…424
バイタルサイン…266
梅毒トレポネーマ…89
肺胞出血…357
培養検査…51, 53, 163
ハウスダスト…223, 294
白色皮膚描記症…252
はしか…109
播種性MAC感染症…124
播種性クリプトコッカス症…120
播種性血管内凝固…38
破傷風…144
破傷風トキソイド…144
パスツレラ感染…108
パスツレラ症…49
ハチ毒…194, 260
ハチ毒アレルギー…301
パッチテスト…228, 254, 277
ハッチンソンの3徴候…91
発熱…36, 148, 346, 410
発熱性好中球減少症…102
ばら疹…151
バリア破綻…102
バルトネラ感染…109
晩期先天梅毒…91
晩期梅毒…90
バンコマイシン…60
バンコマイシン耐性腸球菌…131
ハンセン病…5
反跳痛…81

ひ

非IgE依存性反応…257
ピアサポート…465
ピークフロー測定…268
ピークフロー値…268, 295, 297
ピークフローメーター…295
皮下結節…354
皮下出血…435
皮下真菌症…118
皮下免疫療法…283
光アレルギー性接触皮膚炎…253
光接触皮膚炎…253
非感染性髄膜炎…99
非季節性アレルギー…223
非結核性抗酸菌…124
皮疹…39
ヒスタミン…210, 215
ヒスタミンH_1受容体拮抗薬…232
ヒスタミン遊離試験…226
非ステロイド性抗炎症薬…242, 371, 385, 389, 437
ヒト・動物咬傷…108
ヒト白血球抗原…341
ヒトパピローマウイルス感染症…144
ヒト免疫不全ウイルス…87
ヒドロキシクロロキン硫酸塩…378
皮内テスト…277
皮内反応…277
鼻粘膜誘発試験…228, 278
皮膚潰瘍…353
ヒブ感染症…144
皮膚筋炎…336, 349, 351, 355, 399, 465
皮膚硬化…354, 416
皮膚症状…272
皮膚・粘膜症状…346
飛沫感染…28
びまん型強皮症…396
肥満細胞…206, 210
百日咳…144
病原微生物…22
表在性カンジダ症…119
表在性血栓性静脈炎…95
表在性真菌症…118
標準予防策…168
標的治療…55
病理学的検査…432

病理組織学的検査…370
日和見感染…30
日和見感染症…122, 346, 357, 373
ピラジナミド…65
びらん…269
非淋菌性尿道炎…87
ビルハルツ住血吸虫症…114

ふ

ファーマコキネティクス…56
ファーマコダイナミクス…56
不安…270
フィッツ・ヒュー・カーティス症候群…92
フィブリノイド変性…336
風疹…110, 141, 142, 144
プール熱…97
付加給付制度…454
不活化ワクチン…142
副腎皮質ステロイド薬…231, 371, 385, 389, 433
複製…27
副鼻腔炎…42, 360
不顕性感染…22
ブシャール結節…348
不整脈…358, 424
不全型ベーチェット病…405
物理性蕁麻疹…252
ぶどう膜炎…360
不明熱…36
プリオン病…105
プリックテスト…227, 277
フルオロキノロン系…63
フルシトシン…67
ブルンベルグ徴候…81
プロスタグランジン…210, 215, 347
プロスタグランジンE_2…346
分子生物学的検査…52
分子標的薬…374
糞線虫症…112

へ

βラクタム系…58
ベーチェット病…354, 404, 460
ペスト…4
ペニシリン系…58
ヘノッホ・シェーンライン紫斑病…352

ヘバーデン結節…348
蛇咬傷…109
ヘリオトロープ疹…351, 400, 465
ベリムマブ…378
ヘルパーT細胞…33, 203, 207, 208, 219, 340
変形性関節症…348
便検査…163
偏性嫌気性菌…23
偏性好気性菌…23
扁桃腺炎…72
扁平足…383, 412

ほ

蜂窩肺…398
蜂窩織炎…43, 44, 94, 125
膀胱炎…86
放出…28
蜂巣炎…43, 44, 94
蜂巣肺…398
包虫症…115
保菌者…22
母子感染…28
保湿性外用薬…251
ホスホマイシン…61
補体…32, 216, 218, 344, 369
ボタン穴変形…348, 365, 383, 412
発疹…150
発疹期…109
発赤…269
母乳感染…29
ポリエンマクロライド系…67
ポリオ…144
ポリペプチド系…60
ホルムアルデヒド…223

ま

マーフィー徴候…83
マイコプラズマ検査…51
マクロファージ…31, 203, 206, 207
マクロライド系…61
麻疹…109, 141, 142, 144
マスト細胞…206
マックバーニー点…81
末梢血塗抹ギムザ染色標本…132
末梢神経障害…422
末梢神経病変…357, 358
マラリア…116, 132
慢性感染…22

慢性進行性肺アスペルギルス症… 119

み
ミコフェノール酸モフェチル… 377
みずぼうそう… 110
三日熱マラリア… 116, 132
3日はしか… 110
脈絡網膜炎… 405
宮崎肺吸虫症… 113

む
無鉤条虫症… 115
ムコール症… 120
無症候期… 122
無症状病原体保有者… 22
無性生殖… 27
ムチランス型… 383

め
メチシリン耐性黄色ブドウ球菌… 130
メッセンジャーRNAワクチン… 143
メトトレキサート… 374, 385
メトロニダゾール… 64
免疫… 202
免疫学的記憶… 203
免疫学的特異性… 203
免疫寛容… 342
免疫記憶… 339
免疫グロブリン… 32, 210, 339, 368
免疫再構築症候群… 182
免疫反応… 202
免疫複合体… 218, 344
免疫複合体型… 218
免疫抑制薬… 371, 376, 390, 438
免疫抑制療法… 281
免疫療法… 229, 230

も
モイスチャーエイド… 470
網状皮斑… 352
網内系防御機構… 33
毛包炎… 94
網膜ぶどう膜炎… 405
モノバクタム系… 59

や
薬剤感受性… 55
薬剤感受性検査… 163
薬剤性過敏症症候群… 255, 256, 305
薬剤耐性菌感染症… 130
薬剤耐性対策アクションプラン… 156
薬疹… 254, 304
薬物アレルギー… 254, 304
薬物アレルゲン… 211
薬物療法… 231, 371

ゆ
有鉤条虫症… 114
有鉤嚢虫症… 114
有性生殖… 27
誘発試験… 228, 278
輸入感染症… 132

よ
癰… 93
溶血性尿毒素症症候群… 79
幼虫移行症… 117
ヨード造影剤… 279
四日熱マラリア… 116, 132
予防接種… 140
予防接種法… 138, 144
IV型アレルギー… 219

ら
ラジオアレルゴソルベントテスト… 226
ラテックスアレルギー… 47, 224, 260, 301
ラテックス・フルーツ症候群… 224, 258, 260, 303
ラムゼイ・ハント症候群… 111
卵形マラリア… 116, 132
ランブル鞭毛虫… 117
ランブル鞭毛虫症… 117

り
リウマチ結節… 354, 357, 382
リウマチ症状… 337, 347, 412
リウマチ性疾患… 337, 338
リウマチ性多発筋痛症… 349, 362, 407
リウマチ体操… 386, 450
リウマチ熱… 336
リウマトイド因子… 368, 384
リウマトイド結節… 354, 357, 382
リツキシマブ… 378
リハビリテーション… 379, 385, 442, 449, 458, 467
リファンピシン… 65
リブマン・サックス心内膜炎… 358
リベドー… 352
リポペプチド系… 60
流行性角結膜炎… 97
流行性耳下腺炎… 142
流涙… 273
緑膿菌感染症… 125
旅行者下痢症… 117
旅行歴… 49
リリーバー… 237
淋菌性尿道炎… 87
リンコマイシン系… 62
リンパ管炎… 95
リンパ系細胞… 206
淋病… 92

る
ループス腎炎… 355, 387, 418
ループス腸炎… 359

れ
レイノー現象… 353
裂頭条虫症… 115
レッドゾーン… 298
レッドパーソン症候群… 60
レッドマン症候群… 60
レプトスピラ症… 49
レフラー症候群… 112

ろ
ロイコトリエン… 210, 215
ロイコトリエン受容体拮抗薬… 232
漏出性胸水… 77
ロタウイルス… 144

わ
ワクチン… 140
鷲爪変形… 348, 383

電子付録　情報関連図

　本書膠原病第2編第3章掲載疾患のうち，代表的な関節リウマチを取り上げ，情報関連図を作成しました．下記QRコードを読み込んでいただくと，ご覧いただけます．

情報関連図
それぞれの疾患における看護の流れとともに，看護師の思考過程を相関図で表しました．臨床の看護師が，患者の情報から必要な看護をどのように導くか，「見える化」しています．

▶ 関節リウマチ

掲載イメージ

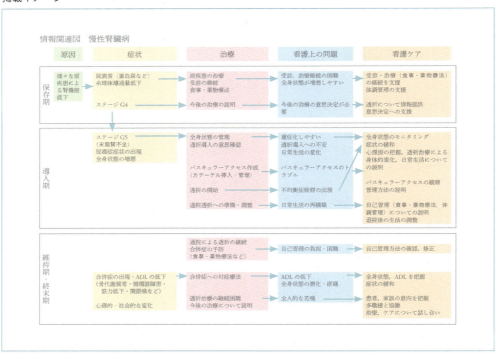

新体系看護学全書

成人看護学 ❾
感染症／アレルギー・免疫／膠原病

2007年12月10日	第1版第1刷発行	定価（本体3,900円＋税）
2010年11月30日	第2版第1刷発行	
2014年12月15日	第3版第1刷発行	
2018年12月10日	第4版第1刷発行	
2023年11月30日	第5版第1刷発行	
2025年 1 月31日	第5版第2刷発行	

編　集	代表　岡崎　仁昭 ⓒ	〈検印省略〉
発行者	亀井　淳	
発行所	株式会社メヂカルフレンド社	

https://www.medical-friend.jp
〒102-0073　東京都千代田区九段北3丁目2番4号　麹町郵便局私書箱48号
電話　（03）3264-6611　振替　00100-0-114708
Printed in Japan　落丁・乱丁本はお取り替えいたします
ブックデザイン｜松田行正（株式会社マツダオフィス）
印刷・製本｜日本ハイコム（株）
ISBN 978-4-8392-3408-9　C3347　　　　　　　　　　　　　　000622-023

- ●本書に掲載する著作物の著作権の一切〔複製権・上映権・翻訳権・譲渡権・公衆送信権（送信可能化権を含む）など〕は，すべて株式会社メヂカルフレンド社に帰属します。
- ●本書および掲載する著作物の一部あるいは全部を無断で転載したり，インターネットなどへ掲載したりすることは，株式会社メヂカルフレンド社の上記著作権を侵害することになりますので，行わないようお願いいたします。
- ●また，本書を無断で複製する行為（コピー，スキャン，デジタルデータ化など）および公衆送信する行為（ホームページの掲載やSNSへの投稿など）も，著作権を侵害する行為となります。
- ●学校教育上においても，著作権者である弊社の許可なく著作権法第35条（学校その他の教育機関における複製等）で必要と認められる範囲を超えた複製や公衆送信は，著作権法に違反することになりますので，行わないようお願いいたします。
- ●複写される場合はそのつど事前に弊社（編集部直通TEL03-3264-6615）の許諾を得てください。

新体系看護学全書

専門基礎分野

人体の構造と機能❶ 解剖生理学
人体の構造と機能❷ 栄養生化学
人体の構造と機能❸ 形態機能学
疾病の成り立ちと回復の促進❶ 病理学
疾病の成り立ちと回復の促進❷ 感染制御学・微生物学
疾病の成り立ちと回復の促進❸ 薬理学
疾病の成り立ちと回復の促進❹ 疾病と治療1 呼吸器
疾病の成り立ちと回復の促進❺ 疾病と治療2 循環器
疾病の成り立ちと回復の促進❻ 疾病と治療3 消化器
疾病の成り立ちと回復の促進❼ 疾病と治療4 脳・神経
疾病の成り立ちと回復の促進❽ 疾病と治療5 血液・造血器
疾病の成り立ちと回復の促進❾ 疾病と治療6
内分泌／栄養・代謝
疾病の成り立ちと回復の促進❿ 疾病と治療7
感染症／アレルギー・免疫／膠原病
疾病の成り立ちと回復の促進⓫ 疾病と治療8 運動器
疾病の成り立ちと回復の促進⓬ 疾病と治療9
腎・泌尿器／女性生殖器
疾病の成り立ちと回復の促進⓭ 疾病と治療10
皮膚／眼／耳鼻咽喉／歯・口腔
健康支援と社会保障制度❶ 医療学総論
健康支援と社会保障制度❷ 公衆衛生学
健康支援と社会保障制度❸ 社会福祉
健康支援と社会保障制度❹ 関係法規

専門分野

基礎看護学❶ 看護学概論
基礎看護学❷ 基礎看護技術Ⅰ
基礎看護学❸ 基礎看護技術Ⅱ
基礎看護学❹ 臨床看護総論
地域・在宅看護論 地域・在宅看護論
成人看護学❶ 成人看護学概論／成人保健
成人看護学❷ 呼吸器
成人看護学❸ 循環器
成人看護学❹ 血液・造血器
成人看護学❺ 消化器
成人看護学❻ 脳・神経
成人看護学❼ 腎・泌尿器
成人看護学❽ 内分泌／栄養・代謝
成人看護学❾ 感染症／アレルギー・免疫／膠原病
成人看護学❿ 女性生殖器
成人看護学⓫ 運動器
成人看護学⓬ 皮膚／眼
成人看護学⓭ 耳鼻咽喉／歯・口腔

経過別成人看護学❶ 急性期看護:クリティカルケア
経過別成人看護学❷ 周術期看護
経過別成人看護学❸ 慢性期看護
経過別成人看護学❹ 終末期看護:エンド・オブ・ライフ・ケア
老年看護学❶ 老年看護学概論／老年保健
老年看護学❷ 健康障害をもつ高齢者の看護
小児看護学❶ 小児看護学概論／小児保健
小児看護学❷ 健康障害をもつ小児の看護
母性看護学❶
母性看護学概論／ウィメンズヘルスと看護
母性看護学❷
マタニティサイクルにおける母子の健康と看護
精神看護学❶ 精神看護学概論／精神保健
精神看護学❷ 精神障害をもつ人の看護
看護の統合と実践❶ 看護実践マネジメント／医療安全
看護の統合と実践❷ 災害看護学
看護の統合と実践❸ 国際看護学

別巻

臨床外科看護学Ⅰ
臨床外科看護学Ⅱ
放射線診療と看護
臨床検査
生と死の看護論
リハビリテーション看護
病態と診療の基礎
治療法概説
看護管理／看護研究／看護制度
看護技術の患者への適用
ヘルスプロモーション
現代医療論
機能障害からみた成人看護学❶
呼吸機能障害／循環機能障害
機能障害からみた成人看護学❷
消化・吸収機能障害／栄養代謝機能障害
機能障害からみた成人看護学❸
内部環境調節機能障害／身体防御機能障害
機能障害からみた成人看護学❹
脳・神経機能障害／感覚機能障害
機能障害からみた成人看護学❺
運動機能障害／性・生殖機能障害

基礎分野

基礎科目 物理学
基礎科目 生物学
基礎科目 社会学
基礎科目 心理学
基礎科目 教育学